国家出版基金项目
NATIONAL PUBLICATION FOUNDATION

李达全集

汪信砚 主编

第十二卷

人民出版社

国家社会科学基金重大招标项目
"李达全集整理与研究"（批准号：10ZD&062）最终成果

国家出版基金项目
"《李达全集》（1—20 卷）的整理、编纂与出版"最终成果

目　　录

社会学大纲（**1937.5**）

第五篇　社会的意识形态

社会学大纲*

（1937.5）

---

* 本卷收入笔耕堂书店 1937 年 5 月出版的《社会学大纲》第一版，并将作者所写的"四版序"及新华书店编辑部所写的"翻印者的话"依次附录于后。——编者注

献给英勇的抗日战士

序

本书是前著《现代社会学》绝版以后的新著,内容完全不同了。本书的原稿,是在最近三四年以内逐渐写成的。全书分为六篇,已经写成的,只有前五篇,并且第五篇分量较少,稍欠充实。第六篇未曾着手,而我的研究工作重心,已移到经济学货币学方面,因而预定的第六篇,最近实无暇编写,我无时不在惦记着。

全书虽说尚未完成,而积存的原稿,已达四十余万字。如果把它照旧搁置箱箧中,听凭老鼠们啃了去,不免对自己也欠忠实。所以我考虑的结果,决心把它付印了。

关于第六篇中国社会的研究大纲及材料等项,都已有了准备,只是无暇整理。但研究所得的结论,也不妨在这里略提几句。本书前五篇,是研讨世界社会的一般及特殊发展法则的。至于中国社会,却自有其特殊的形相和固有的特征,绝不是一般原理之单纯的例证。我认为中国社会,不是资本主义社会,也不是封建社会,而是帝国主义殖民地化过程中的社会。现阶段的中国人,必先认清自己的历史使命,就是要使中国从这种过程中解放出来。为要完成这种使命,必须实现民主的统一,发展国民经济,改良农工生活。全国人民,要一致团结起来,集中一切力量,准备民族奋斗,以求得中国之自由平等。这必须是现代全中国人的第一目的。

关于本书编纂经过,及所用参考书名称,留待跋文中叙述。本书内容,虽没有新的创见,但基于数年的研究,自信还有一些新的收获。至于不充分及欠妥当之处,留待他日补充修改。

李达 一九三七年四月一日

第 一 篇

唯物辩证法

第一章　当作人类认识史的综合看的唯物辩证法

第一节　唯物辩证法的前史

一、原始时代的人类的认识

（一）本书的根本论纲之提起

社会学的唯一的科学的方法,是唯物辩证法。这个科学的方法,是把社会当作不断地发展着的、生动的有机体解释的。这种有机体的研究,要求对于构成特定社会的生产诸关系,作客观的分析,并探它的作用及其发展,即由一种有机体进到别种高级有机体的特殊运动法则。这是意识作用对于历史过程的必然的前提条件。然而单只暴露了上述的法则,还不充分,必要的事情,是基于被暴露了的法则,指示实践的方法,以促成由一种社会有机体进到别种高级社会有机体的变革。

以上是本书首先提起的根本论纲,也就是本书的全部的骨干。

关于这一论纲的说明,应当分为下列五大篇:第一,说明唯物辩证法的一般的基本特征,描画出科学的现代世界观的一般轮廓;第二,说明唯物辩证法在社会——历史领域中的应用和扩张,指示出科学的社会学是科学的现代世界观的一个分支;第三,说明社会之经济的构成,指出特定社会有机体的特殊发展法则及其由一种有机体进到别种高级有机体特殊转变法则;第四,说明在社会的经济构造上面建立的社会之政治的构造,说明国家的发展过程及其对于下层基础的关系;第五,说明社会的意识形态及其对经济构造的正确关系,在论理上再造出现实的各种社会的具体的轮廓。

基于上面的说明,本书应先研究社会学的科学的方法即唯物辩证法。

关于唯物辩证法的研究,本书拟分下列四章内容来说明:第一,当作人类认识史的综合看的唯物辩证法;第二,当作哲学的科学看的唯物辩证法;第三,说明唯物辩证法的各种法则;第四,说明认识过程的辩证法。

这里先说明当作人类认识史的综合看的唯物辩证法。

唯物辩证法,是唯一的科学的世界观。这个世界观,是摄取了人类认识的全部历史的成果而积极地创造出来的东西。所以我们在研究唯物辩证法的一般原理之时,必须站在历史主义的立场,说明唯物辩证法的孕育、诞生及其发展的过程,指出这个哲学实是人类认识史的总计、总和与结论。

(二)原始的思维

人类认识的历史,包括着从原始时代起至现在为止的人类对于客观世界的认识的过程,所以当我们追溯唯物辩证法的历史准备时,不能不追溯到原始时代的人类的认识。

从动物状态进化而来的原始人类,在其对于自然的长期奋斗过程(即劳动过程)中,一面变革自然,同时变革了自己的生理器官和本性。由于劳动时呼喊的努力,就反应于呼吸器官与发声器官,促进喉腔的发展,就逐渐能够发出有一定音声的言语。言语是人类劳动行为的结果,又是人类互相交通的手段,同时又是人类开始认识自然的前提。

人类在其劳动过程中,神经系统变得复杂,头脑也非常增大,同时在经济生活与心理生活中的人类间的相互作用也发达起来了。由于言语的出现,人类就能够用言语来形容关于外界事物的表象,替动作和事物加上名称,因而造出言语的概念。人类有了言语的概念,就能够开始思维的活动了。

原始的思维,有两个特征。第一是原始人把自然物或自然现象,看作和他们自己一样生动的存在(例如说石从山上走下,树木受打击也知痛痒等)。第二是关于一对象转变为他对象的表象及动物本性传达于人类的表象(例如澳洲土人称木板为神秘的有生命力之容器,入于女人之腹就怀孕;波奈岛土人禁小儿食小鸟,说是吃了就胆小)。原始人的这种思维,虽说是非常幼稚可笑,但他们把自然看作活动的、互相转变的世界,这可以说是动的世界观的萌芽,也可以称为"原始的辩证法"。原始的思维体系之万物有灵论(Animism),可说是基于上述的特征而形成的。

万物有灵论是原始人认为万物皆有灵魂,因而把万物看作灵魂活动的结果的一种见解。万物有灵论是原始的思维的较高发展阶段。从前原始人不能分别自然与自己,现在却能够把自己从自然界区别出来了。这完全是人类对于自然斗争的结果。

万物有灵论把世界分为肉体与灵魂(即物质与精神),是人类企图认识外界自然的最初的尝试,是人类有自觉地对自然斗争的端绪。人类在生产的过程中,不断地认识自然的新方面,改变他对自然斗争的方法,同时又改变自己的生活方法,逐渐地由漂泊生活而进到定居生活。于是剩余生产物出现,而技术也不断地改良,人类对于自然的支配因而增大了。所以万物有灵论虽然假定万物皆有灵魂,而这种假定,正是为了要说明自然现象的因果性才确立的。在这种处所,就表示着原始的思维的进步性。

(三)原始的宗教的世界观

原始的思维体系之万物有灵论,往后更演变为原始的宗教的世界观。原始的宗教的世界观,其来源可以分为三个方面。第一个来源,是原始人受自然所左右的事实。"人类在技术上、经济上,发达的程度愈低,他们就愈易于强烈地为自然所左右。因此用宗教空想的眼光来观察自然界一切现象的倾向,也就愈加明显。"第二个来源,是原始人受社会关系所左右的事实。原始时代的社会关系,"是表示社会中各个人都依赖于全体,而全体对个人是成为较高权力显现出来的"。原始时代的氏族关系、血统关系,是生产关系的侧面。氏族团体是原始时代的各个人所依赖的全体,氏族的一切规律和习惯,对于各个人有着强制命令的作用,而各个人对于那些习惯和规律的意义,却是不能理解的。"由社会关系的这种性质出发,那成为它的基础而加以承认的宗教观念,就自然发生了。"例如南洋各地的所谓"答布"(Taboo),原是血族团体禁止在某种时期猎取某种动植物的意思,原含有生产统制的作用。但这种规定,往后却变为宗教观念的来源,而以为某种动植物就是精灵恶魔,或是自己的祖先,因而实行宗教的祈祷了。第三个来源,是以前存在的万物有灵论。这是宗教的意识形态上的来源。原始人因为受自然力及社会力所支配,自然地要根据万物有灵论的见解去说明,因而形成了原始的宗教的世界观。

宗教的信仰之最初形态,是祖先的灵魂的崇拜。崇拜祖先的宗教,与血族制度的生产关系,有着密切关系。崇拜的对象,是氏族神、种族神等等。第二种形态,是自然物的崇拜,即是拜物教。拜物教与自然现象的理解的缺乏,有着密切的关系。崇拜的对象,是水、火、风、雷,太阳及动植物等等。

如上所述,宗教的本质,是超自然力的崇拜,是根据于所谓超自然力支配着个人、社会及世界全体的信仰而发生的东西。而宗教观念之发生,托始于原始时代。这完全是由于不理解自然力及社会力的事实而发生的。随着物质的生产的发达,人类对于自然现象的认识,逐渐进步,因而宗教发生的第一个根株——受自然力所左右的事实——就逐渐失其存在,而宗教的观念也开始动摇了。但在另一方面,由于生产力的发达,剩余产物的出现,私有财产的形成,奴隶制度的确立等等,而社会力的不可理解的事实,仍然是残存着;同时,原始时代的万物有灵论的信仰,也仍然深入人心,支配着一部分人的精神。所以随着原始社会到奴隶制社会的转变,原始的宗教的世界观就沿着另一方面而发展,变为与社会的各个发展阶段相适应的各种宗教(如古代奴隶制社会的宗教、中世封建社会的宗教及现代资本主义社会的宗教,说明见第五篇)了。在另一方面,基于科学的认识而形成的哲学的世界观开始出现了(不过,观念论的世界观之中,仍横亘着万物有灵论及宗教的世界观的基础)。

二、古代自然哲学中的辩证法

(一)古代哲学发生的历史根据

历史上代替原始社会而起的发展阶段,是古代奴隶制社会。奴隶制社会比较原始社会,是高级的进步的社会。由于物质生产力的发达、主人与奴隶的阶级的分裂,而精神劳动与肉体劳动的分工就转变为两者的对立了。从事于精神劳动的人们,免除了物质的生产的劳动,仰赖于肉体劳动所生产的生活资料以为生,因此他们就有所谓"必要的闲暇"去做抽象的思索,而考察宇宙如何发生、如何构成的问题了。哲学的世界观,就是在这种前提之下形成的。

最古的哲学,是古代希腊的自然哲学。这是反对原始的宗教观念而起的新世界观。这种新世界观的出现,除了精神劳动与肉体劳动的对立的前提以外,还有其社会的历史的根据。

第一,希腊从公元前 10 世纪以来,已由氏族社会进到奴隶制社会。奴隶制在其存在的初期,能促进生产力的发达,奴隶所有者在生产上的努力,是改进生产技术,提高奴隶劳动的生产性,因而手工业与农业就有了长足的进步。由于生产技术的进步,人们已能逐渐窥知自然现象的法则,而开始用一种与宗教不同的眼光去说明世界了。

第二,手工业与农业发达的结果,商业也跟着发达起来。古希腊自然哲学家,大都居住于小亚细亚沿岸商业发达的都市。住在这种地方的商人们,蓄积了多额的财产,有求得知识所必要的自由时间、必要的手段和动机。

第三,住在小亚细亚沿岸的商人们,常常回航于地中海及黑海各地,从事于许多种类不同的商品的交换。他们对于商品的注意,不是商品的自然性质,而是买价与卖价的差额。他们习惯于把各种分量不同的商品换算为货币,而比较其数量的多少。因此,他们自然地养成了抽象的能力。如赫拉克里图所说:"万物与火相交换、火与万物相交换,这种事实,正和一切货物与金子相交换、金子与货物相交换的事实相同。"这便是表示初期自然哲学家抽象的思维能力的养成之物质的根源。

随着商业的发达,商人们活动的范围愈趋扩大,他们的精神的眼界也愈趋扩大。他们接触了许多异种民族,得到了关于各种不同的生产技术和初步科学(如数学、几何学、天文学、地理学等)的知识,以及关于各种不同的宗教、道德、风俗和习惯等的知识。因此,他们在这许多特殊的经验和知识之中,能够找寻一种普遍的必然的因素,而抽象化的思维能力就更加增进了。

以上是古代自然哲学产生的历史根据。由于技术、手工业、商业、航海业的发达,地理的、精神的眼界的扩大,人们反对过去氏族社会的遗物的宗教的曲解而依据自然的事实说明世界的思想,就成立起来了。所以古代自然哲学是在上述历史根据之上萌芽出来,并出现为反宗教的新世界观。

(二)塔列斯与赫拉克里图的自然哲学中的辩证法

现在我们就古代自然哲学家之中,叙述几个代表人物及其学说,简要地指出他们所发见的辩证法胚种。

古代自然哲学的创始者,是"伊奥尼亚"哲学家塔列斯(Thales,前 624 — 前 548 年)。塔列斯被称为"哲学之父"。他的著作,并没有遗传于后世,而他的学说只是由后来的历史家和哲学家(主要是亚里士多德)所传播的。

塔列斯的学说的特征,就是对于宇宙如何发生的问题,作了自然的解释。他反对原始的宗教观念,想从单一的物质的始元出发,去建立科学的世界观。他说,"宇宙是由水发生的";又说,"水是万物的发端,是真正的本体"。其他一切元素(当时的元素分为水、火、气、土四种),他以为都是由水发生的。甚至于生命,也以为是由水发生的。这种见解的根柢,就是认为一切物质都是单一的东西,一切物质都可以互相转变。所以塔列斯的哲学见解,实是最初的唯物的世界观,同时也包含了辩证法的胚种。

其次,我们说到另一主要的自然哲学家赫拉克里图(Herakleitos,前540—前480年)。赫拉克里图的哲学最伟大的意义,是发见后来所谓辩证法的大纲并加以解释。他也和从前的自然哲学家一样,主张宇宙万物是由水火气土四种元素构成的。他主张这四种元素互相转变。他说,"火由土灭而生,气由火灭而生,水由气灭而生,土由水灭而生"。他又称宇宙为永久的火。这是一个比喻,说火是不断的变化过程之比喻的表现。他由宇宙之物质的构成的见解,到达于"万物普遍的交化"的主张。他用"万物变动不居"这个适当命题,来表示他的动的宇宙观。他又用"人不能再步入同一河流"这个比喻,说明自然界及人事界的一切变化。这种万物不断变化的思想,是辩证法的根本思想。依据他的见解,全体的宇宙,在时间上是无限的、永远的,在空间上是无限的、无穷的。这个宇宙,不断地交化着,绝不是同一的东西。

至于宇宙万物为什么"变动不居",换句话说,宇宙万物变化的原因,究竟是什么?关于这个问题,他的说明是很正确的。他主张一切的变化都是在矛盾中进行的。他说:"斗争是万物之父,万物之王。斗争使某种东西变为神,使他种东西变为人,使某种人物变为奴隶,使他种人物变为自由民。"又说:"斗争随处都有,真理是不和,必然地通过斗争而发生,这是必须知道的事情。"依据这种见解,万物都由于内在的对立物的斗争而由一种形态而转变到另一种形态。对立物的斗争,是引起一切变化、一切发展的动因,这也是辩证法的根本思想。总之,他是用一般的方法表示这种思想的。他又把这种思想应用到有和无的关系。他说有和无的两极端的对立,综合于生成的概念之中。这便是说,一切事物的过程和本质,是在于两极端的对立的综合。希腊哲学家中"伟大而又光荣的赫拉克里图",实是"辩证法之父"。

（三）德莫克里特的唯物论

其次，我们说到古代唯物论者的最高峰德莫克里特（Demokritos，约前460—前350年）。德莫克里特的唯物论，是古代希腊原子论的唯物论的最优秀的代表。德莫克里特的时代，观念论的世界观已经出现了。德莫克里特，热烈地反对观念论的哲学，提倡了自己的哲学的根本的完全的唯物论的原理。他说："物质是永远的"，"任何东西不能从无发生"。依据这种唯物论的见地，物质的发生，完全不需要任何神秘的、神灵的创造的活动，因为物质是永远存在的，物质的运动是出于自己的特质。物质的这种特质，德莫克里特把它称为物质的不可分的微粒子、原子的结合、分离及种种的结合。

当时的自然科学，还在很幼稚的状态，所以德莫克里特的世界观，还是原始的素朴的东西。他对于物质世界的构成，作了如下的观察。宇宙间的一切存在物——火与水、地与天、物质与人类，植物或人的灵魂，都是本质相同而形态互异的诸原子的种种结合。水的原子，具有一种形态；土的原子又具有别种形态；扩而充之，人类及其思想，也都是由原子的结合发生的，也各具有特殊的形态。这样，德莫克里特把宇宙万物，都一一给以相当的特殊的形态。

依据德莫克里特的主张，原子结合的种种形态，虽是各不相同，而一切原子，都具有物质的、不可分的、不可入的共通性。一切原子既然都有不可入性，因而原子结合所产生的物体（如水、火、气、土）也有不可入性。于是就发生了这样的疑问，即不可入的物体怎样能够运动呢？关于这一问题，他就假定空虚的空间来解决它。他以为一切存在物，都是由极微小的不可入的物质微粒子构成的东西，这些微粒子，运动于空虚的空间之中，互相结合，互相组合，构成物质世界的一切多样性。所以他说："现实之中，原子和空虚的空间以外的任何东西都不存在。"

德莫克里特，把原子与空虚看作物质世界的根本原理，而原子与空虚的原理，表现着有与非有的统一的理解。他主张原子的种种结合，产出种种的物质，而空虚是物质运动的条件。他认定运动是与物质不能分离的东西。但他所说的物质的运动，是机械的、力学的运动，而这种机械的力学的运动，又是物质变化的法则，是世界的因果的必然性。在这种处所，他已企图着在物质世界本身中去探求其自己运动的原因了。

德莫克里特,虽然把物质做了机械的解释,但在他把宇宙万物及其运动归着于原子的种种结合及其转变与冲突的见解,却已到达于物质的抽象的概念了。我们可以说,德莫克里特的哲学,是机械唯物论的世界观。这样的世界观,虽是很原始的东西,但它对于后来的原子论学说的发展,给了重大的影响。在这种处所,我们看到哲学指导科学发展的倾向。

三、古代观念论哲学中的辩证法

(一)苏格拉底与柏拉图的哲学中的论理学

历史上代替古代唯物论哲学而起的东西,是古代观念论的哲学。古代观念论的发生和发展,自有其历史的根据。

第一,希腊奴隶制经济的发展,进到公元前 5 世纪,已经达到了它的顶点而呈现下降的倾向了。在这种过程中,自由民之中的阶级对立日趋发展,而商工业者阶级对于旧日土地贵族的斗争也趋于尖锐化。于是自由民各阶层的注意,就集中于政治权利的争夺,因而引起所谓民主主义与贵族主义的斗争。

第二,由于奴隶制度阻塞了技术的进步,奴隶所有者阶级不去致力于与技术改良有关的自然现象的研究,而集中其注意于社会现象的研究了。于是何谓善,何谓恶,人们应如何生存,国家应如何组织,政权应如何分配等问题,就变成他们急待解决的问题了。

第三,自由民都是参加于政权的公民,而公民必须是不从事肉体劳动的人们,所以自由市民轻蔑肉体劳动的观念非常普遍。这种轻视下贱劳动的观念,在古代确实地支配着一切有自由思想的人们。

第四,在意识形态的领域中,从前那些研究自然现象、研究卑劣的物质的哲学,在自视为高贵的精神的贵族们看来,是损伤他们的自尊心的、非常厌恶的东西。因此,贵族们及其从仆的思索的对象,就从地上的物质世界而移到天上的精神世界了。并且,从前的唯物论哲学,因为受了当时幼稚的科学的知识的限制,其内容不免自相矛盾,这在贵族派学者看来,是一种枯燥无味的东西。此外,从前的自然哲学,只是直观的说起客观现实的辩证法,而对于主观的辩证法即思维的辩证法却不曾提起,这一点也是古代唯物论让位于古代观念论的原因。

基于上述的历史根据,那种代表反动贵族的意识形态的古代观念论,就出现于哲学史的舞台而与从前的唯物论相斗争了。

古代观念论最初的代表人物,是苏格拉底(Sokrates,前469—前399年)。苏格拉底的学说的中心问题,是提倡知德合一,把求知当作达到道德的手段。在他看来,恶是无知的产物,善是有益的东西。为要知道善为什么是有益的东西,必须知道它的最好的来源。这个来源,就是祖先的风俗习惯。因此,他排斥新兴的民主主义而拥护传统的贵族主义。

苏格拉底在认识论上,在一般哲学问题的解释上,是观念论者。他把到达于思维而在思维中存在的普遍,作为个别的感性现象的基础。他主张认识的目的,就是探求这个普遍。因此,苏格拉底在观念论的认识论上,提起了普遍与个别的辩证法的问题,虽然他不曾解决了这个问题。

继苏格拉底而起的哲学家,是客观观念论者柏拉图(Plato,前427—前347年)。柏拉图是反对唯物论最激烈的人,他曾经主张烧毁德莫克里特的原子论的著作。他主张世界事物的本质,不能在卑污的物质中去探求,而应当在理念中去探求。依据他的意见,我们在感觉上知觉的世界,不是真实的存在,只是永远存在的理念世界、概念世界的投影。他对于这点,曾经用下述的比喻来说明。他说,假定我坐在用壁围着的一个空洞之中。空洞的四方都围着,只有上方开着。在这个时候,空洞的上方,有人们行走,有星辰运行。于是这些人们和星辰的影子,就落在对方的壁上。和这种影子一样,感性的世界,也是真实存在的理念的投影。依照柏拉图的思想说来,理念和概念,是在世界以前、在世界之上存在的东西,而世界和我们的思维,都是这理念的产物。所以,柏拉图是客观观念论者。

柏拉图认定理念是存在的创造者,是最高的唯一的真实的实在的世界,所以主张认识的对象就是这种理念。我们要认识理念,必须依据概念中的思维才能做到。因此,他造出了理念的论理学。但柏拉图的概念,是不包含物质内容的概念,因而是死的不动的概念,因而依据于死的、不动的、无内容的概念中的认识,也只是死的、不动的、无内容的神秘论。我们在这里不愿研究他的神秘论,只简单说起他的一点有积极意义的思想——他的理念的论理学。他的理念的论理学,表示了概念对于思维的作用。

（二）亚里士多德的论理学

现在,我们说到古代最大的哲学家亚里士多德(Aristotle,前384—前322年)。亚里士多德哲学中的积极的成果,是论理学。亚里士多德的论理学,"到处提起了辩证法的问题","研究了辩证法的思维的一切最重要的形式",所以被称为"古代世界的黑格尔"。

亚里士多德统一物质与精神,把精神看作是存在于物质之中并支配物质推动物质的东西。他把所说的精神,叫作形式(Form)。他主张物质和形式,是构成世界及存在的多样性的两个原理。他主张物质和形式,对于物的形成,都是必要的,两者具有不可分离的关系,没有物质就没有形式,没有形式就没有物质。可是他又主张形式是世界及其事物的生成的第一原理,对于物质占居优越地位。在他说来,物质和形式,都不被创造的永久的东西。但物质是未完成的东西,是受动的东西,是能动性;形式是完成了的东西,是能动的东西,是现实性。形式和物质的统一,是在发展(运动)之中显现的。照这样,他把发展(运动)还原于物质的形成的过程的可能状态到现实状态,即可能性到现实性的转变。因而实现为某种形式的物质,即是现实的发展过程。所以他主张世界即是形式之阶层的体系。最高的形式,在地上是包含于物质之中的理性,在宇宙是神,即是无物质的形式,是成为世界的第一原因、第一动力的绝对的形式。于是亚里士多德对于世界的形成过程,对于世界的运动,贯串着目的论的见解,即是把发展解释为目的追求。他认为个别事物和世界全体本身中,都有目的的追求,即都有追求完成与善的冲动(他的伦理学的特性,是从这种见地产生的)。

亚里士多德,是许多新的学问如动物学、植物学、物理学、心理学、历史学、伦理学、政治学的创始者,他有当时的最大的百科辞典的头脑,对于其他科学的发达也给了很大的影响。他的不朽的功绩,是思维的形式与过程的研究、其分类与发生学。我们在这里所注意的东西,是他的论理学。

亚里士多德是论理学一般,特别是三段论法的创始者。概念的研究,是他的论理学的基础。他注重于演绎与定义,注重于从普遍抽出特殊与个别。他又是首先定出范畴的分类表的人。他列举了下列十个范畴:实体、量、质、关系、时间、空间、场所、状态、能动、被动。在他看来,认识过程,是一般的概念之发现,即是由普遍到特殊到个别的过程。因而定义是与最高的一般的命题或原理相结合着。他还创造了同一律与排中律,作为一切认识的根本原理。

以上所述,都是他的论理学的原则。在他的论理学之中,到处都提起了辩证法的问题,研究了辩证法的思维的诸形式。虽然他的哲学是观念论的,他的论理学是形而上学的,但他对于意识的辩证法的构成,对于论理学的锻炼,却留下了许多不朽的功绩。

四、中世纪哲学中积极的成分

(一)中世纪阿拉伯哲学中的唯物论

自从野蛮的日尔曼人征服了古代世界,而历史的车轮由奴隶制社会进到封建社会以后,古代世界所发展起来的哲学与科学就横被摧残了。所以封建的中世纪(6—14世纪)被称为长期的黑暗时代。这个时代的欧洲诸国的支配的意识形态,是基督教的神学。在神学的支配之下,科学和哲学大受压迫,许多文化的价值都被破坏了。哲学变成了神学的奴仆了。可是在欧洲诸国受了压迫的古代世界的科学和哲学,却流传于回教(伊斯兰教)徒的阿拉伯诸国而被保存着,这不能不说是黑暗的中世纪的一角的一点光芒。

到了8世纪之时,各种封建势力之野蛮的侵略、征服及移民等,已经告了一个段落,各地的商工业渐渐有了起色,人们对于哲学与科学的研究的兴趣,渐渐地复活起来。这是在阿拉伯诸国开始的。阿拉伯诸国,在8世纪至11世纪之间,是经济上、文化上最进步的国家。阿拉伯的学者们,在数学、天文学、物理学、化学、医学等科学的方面,都有过许多重要的发现。至于阿拉伯人的哲学,首先是希腊哲学的注解,主要的是亚里士多德哲学的注解。阿拉伯人对于哲学的研究,到了11、12世纪,最为隆盛,当时最著名的哲学家,要推亚倍铿纳(Avicenna,980—1037年)和亚勃洛斯(Averroes,1126—1198年)。

亚倍铿纳,是阿拉伯哲学家中的巨擘。他特别注意研究亚里士多德的论理学。他主张亚里士多德的论理学,是治哲学的工具。他做了科学的分类。这个分类,在中世纪时代,是古典的东西。他把人类的一切知识,分为两大类:第一是理论哲学,属于这一类的东西,是物理学、数学、地质学;第二是实践哲学,属于这一类的东西,是论理学、经济学、政治学。他又注解了亚里士多德的因果性、实体及普遍性的学说。他的研究,在西欧的经院哲学家之间,是有权威的东西。

亚勃洛斯也是亚里士多德的注释者。在他的时代,封建的教会组织,受了生产力发达的影响,已经开始崩溃,教会国家也开始瓦解。所以他的哲学学说,反映了当时社会经济的情形,表现了唯物论的倾向。依据他的主张,天国是由几个领域构成的,各领域中各具有其特殊的灵魂。当第一原因把最初的领域引入于运动时,就传达于其他一切的天体领域(至月球为止)。至于物质,在他说来,是把一切形式当作萌芽包含着的普遍的可能力。这物质的可能力的放射,就创造出多种不同的物质世界。在这种见地上,他是主张物质的永久性的。此外,他又否定个人的灵魂的不灭,而采取人类种属不灭的见解。在宗教论方面,他反对可兰经的原则。他开始区别信仰的世界与知识的世界,可说是后来的二重真理论的先驱。

亚勃洛斯去世以后,不久回教(伊斯兰教)诸国也没落下去,而宗教的反动派,妨碍了阿拉伯的科学与哲学的发达,可是阿拉伯人发展的科学与哲学却流入于西欧,而由西欧学者去研究了。

(二)唯名论与二重真理论的积极的意义

当阿拉伯人盛行着亚里士多德的哲学的研究时,西欧方面的精神文化,还受着经院哲学的支配。经院哲学,对于上帝的信仰建立哲学的基础,证明上帝的存在并由此以解释天地创造的问题。经院哲学从亚里士多德学说中的观念论的要素出发,而与神学打成一片。经院哲学的方法是三段论法,这就是演绎的推论,即从普遍到个别,从概念到对象的推论。其研究的范围是基督教的宗教思想,其研究的根据是书籍,此外对于任何自然现象的研究、对于经验与观察,都是深闭固拒的。所以经院哲学的工作,就只是编造三段论法的"牵强附会的秘术",因而是烦琐的、无益的、荒唐无稽的东西。

随着封建制度的瓦解,经院哲学也开始崩溃,而分化为唯名论与唯实论两个倾向了。唯实论主张一般的表象和概念,是实在地存在着,并不是现实性的模写。唯实论追随于柏拉图的见解,主张普遍的概念,是离开感性的事物而独立的维持其存在并且在事实以前即已存在的东西。唯实论把概念作为思维的出发点,其次分析概念,依据主观的见解从一定的概念中抽出一切的规定和属性,再从外部给以物理的存在、实在性。

　　至于唯名论,却主张普遍不属于事物的本身,它离开意识就不能存在。在唯名论说来,普遍仅是意识的活动、抽象的产物,是个别的对象的总体的名称。换句话说,唯名论主张个别是客观的实在,而普遍却是主观的产物,是个别事物的总体在意识中的映像,因而是先有个别而后有普遍。唯名论基于这种见解,与中世纪的独断论相斗争,同时又代表着当时进步的现象,对于当时无视个体、限制个体活动的社会有机体,提出了个性的抗议。唯名论要求回顾具体的现实性,反对了以概念的游戏为能事的从来的经院哲学,反对了依据形式的三段论法所得的虚构的真理,这不能不说是进步的见解。

　　固然,在概念论的方面,唯名论与唯实论都犯了不同的错误。唯实论主张概念一般的是实在的。唯名论却主张对象的属性(及质)是单独的互相分离的,而概念是对象的属性的统一,它是主观的。实际上,(在唯物辩证法看来)个别的东西和一般的东西,都是客观的实在,离开个别的东西就没有一般的东西,离开一般的东西就没有个别的东西。至于概念,只是反映事物之客观的统一的东西,因而它是具体的普遍(关于这点,后章有详细的研究)。

　　唯名论与唯实论斗争的中心问题,是总体与个体孰先孰后,孰客孰主的问题。唯实论主张总体先于个体,而总体是实在的;唯名论主张个体先于总体,个体是实在的。这种论争,在唯实论与唯名论的解释上,又变为概念与现实事物,即精神与物质孰先孰后的问题。唯实论主张概念先于现实事物而存在,即精神先于物质而存在,因而是观念论的;反之,唯名论主张现实事物先于概念而存在,而概念是客观事物的模写,因而是唯物论的。所以,在中世纪的哲学中,"唯名论是第一次的唯物论的表现"。

　　唯名论与唯实论的斗争,反映了封建制度崩溃期中新旧势力的矛盾(即新兴的商业者阶级与封建领主之间的矛盾)。到了13、14世纪,这个矛盾更加扩大起来,就表现为意识形态领域中的科学与宗教的矛盾。为调和这种矛盾,就产出二重真理论的哲学倾向。二重真理论,主张划分知识与信仰的领域,建立了如下的命题:由神学(宗教)的见地看来是真理,由哲学的见地看来是虚伪;反之,由哲学的见地看来是真理,由神学的见地看来是虚伪。这种二重真理论,在当时是积极的进步的东西。关于二重真理论问题的斗争,对于哲学本身的发展,也大有积极的意义。因为以这个问题为中心而实行的论争,提出了新的问题和新的解决方法,促进了哲学的发展。所以二重真理论,虽然为宗教和科学谋妥协,但社会的发展,暴露了宗教的虚伪,证明了科学的真理,而真理就不是二重的了。随着社会的生产实践的发达,经院哲学的命运告终,代之而起的是近代初期的唯物论。

五、近代初期的唯物论

(一)近代初期唯物论的历史根据

历史的车轮进到16—17世纪,从前一千年间支配着欧洲的封建的社会秩序,开始让位于资本主义的新社会秩序了。这个过程,在12—13世纪之时已经开始,到了16世纪,欧洲各国的都市,都逐渐显著地发达起来,国际贸易已具有决定的意义,手工业的行会组织已开始崩溃,最初的工场手工业已经出现了。在这种过程中抬头起来的商工阶级的绅士阀,由于经济势力的增大,逐渐得到政治的权力了。在农村方面,封建的关系也开始崩溃,封建阶级中,也有转变为绅士阀、选择新的社会生活形态而开始批判封建制度的人们。

社会生活的一切领域中这种大变动,必然要反映于意识形态的领域中。在封建的秩序之下,一切精神生活都受教会所支配,宗教的意识形态统制着一切人类的精神。凡属建筑术、绘画、雕刻、文学、科学的诸要素以及哲学,都带有宗教的性质。当时一切的意识形态,除了很少的例外的部分,都充满了宗教的内容。当时的人们,如果稍微触犯公认的宗教或反抗教会,就立即遭受极惨酷的刑罚。到了封建制度开始崩溃而各种异端出现、俗世的文艺与科学思想踏出最初的一步之时,教会为了压抑新生的意识形态的萌芽,就组织了特别的宗教裁判作为镇压的工具。但是随着新的经济关系的发展,绅士阀的势力逐渐成长,而新的意识形态的潮流,终于冲破宗教裁判的警戒线,逐渐得到当时社会的承认了。各种科学,特别是数学与力学开始发达。数学和力学,对于当时产业的主要部门如采矿、航海、建筑及造兵器等,是必要的基本知识。哥白尼的太阳中心说,虽横受教会的压迫,却逐渐被人们认为是真理了。医学上,随着哈勃的血液循环的发见,也得到新的发达的基础。不过,在大体上说来,这时的科学,还在"搜集的科学"的阶段。

由于地理上的大发见与科学的进步,人们的精神的与地理的眼界逐渐扩大,对于中世纪传来的有权威的学说,就表示怀疑而进一步去实行批判了。在哲学的领域中,修正宗教的意识形态的最初的尝试也开始了。不过,这种尝试,还受了宗教的强烈的影响,而带有宗教的性质。16—17 世纪的时期中,新的思想家,开始站在反教会的立场,把新的社会关系与科学及技术的成果普遍化起来,建立了崭新的哲学体系。但这些哲学的体系,因为多少还带点宗教的色彩,并且受了当时的搜集的自然科学的限制,不能彻底地树立科学的世界观。所以这时期的进步的哲学,都带有二重的性质,在其对宗教的斗争上,往往杂有宗教的偏见。固然也有些大胆的思想家,造出唯物论的体系,公然主张无神论,但别的思想家却把自己的理论采取种种泛神论的形式。这时候哲学上的斗争,是唯物论与观念论的斗争。唯物论代表绅士阀的意识形态,观念论代表封建阶级的意识形态。唯物论的见解,以新的社会关系的研究与科学的成果为基础,观念论的见解,主张调和教会的信仰与科学的知识。

我们的研究,是要表明这时期中的哲学上的积极的成果,所以这里特就几个特出的大哲学家的哲学思想中,指出其唯物论的见解与辩证法的契机。

(二)16—17 世纪英国的唯物论

近代初期唯物论的创始者,是培根(Bacon,Francis,1561—1626 年)。培根是新时代的哲学家,特别是经验论的唯物论流派的创始者,是所谓归纳论理学的创始者。他对于从来的经院哲学,作了全面的批判,正当地指示了当时科学发达的途径,其方法是由个别逐渐归纳到一般的方法。他的学说中积极的成果,可以归着于下面一段话:"培根是英国唯物论和一般经验科学的创始者。自然科学,在他的头脑中,是真正的科学。基于外的感觉的证明的物理学,是自然科学的主要部分。亚纳查哥拉斯的 Homoiomera(不可分的、无限小的、不变的、属性不同的物质分子)和德莫克里特的原子,是他所常常引用的典据。依据他的学说,感觉是不犯错误的,是一切知识的源泉。科学是经验的学问,它在于应用合理的方法于感性的事物。归纳、分析、比较、观察、实验,是合理方法的主要条件。物质所固有的东西中最重要的属性,是运动——不仅是力学的及数学的运动,并且是当作冲动看的、当作有生命的精神看的、当作紧张看的运动,象雅各卜波麦所说当作物质的烦恼看的运动。物质的第一次形态是生动的、个体化的、造出它本身所固有的特殊差别的本有力。又,当作素朴形态上的唯物论的最初创造者看的培根的学说,潜藏着全面的发展的萌芽。物质用有诗意的光辉向着一切人类发笑。但用格言的形式述说了的培根的学说,还充满了理论的不彻底的地方。"

霍布思(Hobbes,Thomas,1588—1679年),把培根所述的思想,建立了一个系统,把"知识及理念由感性世界发生"的他的根本原理,做了更详细的研究。霍布思是培根学说的组织者,发展了培根的机械论的倾向,把培根所解释的物质,还原于几何学的诸形态的合计。他主张物质只是延长,而运动是空间的位置的变化,并与物质相分离。所以霍布思的唯物论是机械论的几何学的唯物论。"霍布思的感性,失掉鲜明的色彩,变成了几何学者的抽象的感性。物理学的运动,供作力学的或数学的运动的牺牲,而几何学被推崇为主要科学了。"

霍布思以后,英国哲学上比较有积极意义的东西,是托兰(Toland,John,1670—1722年)的唯物论。托兰的唯物论,反对几何学的物质观,主张空间、时间和运动,都是物质本身所固有的属性。他主张空间中位置的变动,只是物质的运动形态的一种,并且思维也是运动形态的一种。在这一点,他的关于物质及其运动的概念,包含了辩证法的契机。不过,托兰仍不能把物质当作历史过程,因而他的唯物论,仍是机械的唯物论。

(三)17世纪大陆各国的哲学

其次,我们说到17世纪大陆各国的哲学,先说法国的哲学。

17世纪法国最大的哲学家,要推笛卡儿(Descartes,Rene,1596—1650年)。当时的法国,比较英国落后,布尔乔亚的势力还不能与贵族抗衡,因而与贵族相妥协。这种妥协性,反映在笛卡儿的思想中,就成为他的哲学的二重性。笛卡儿哲学的二重性,表现为观念论的认识论与唯物论的物理学、神的观念与物质世界的观念的混合物。他在物理学的领域中是唯物论者,在认识论的领域中是观念论者。他的根本主张,是凭借观念论的哲学筑成它自己的唯物论的物理学的基础。

笛卡儿的哲学的见解,是从理性出发的。他提出了"我思故我在"的名言,主张思维是唯一确实的东西。从这里出发,到达于神是确实的实体的结论。再由神的存在这种见解出发,又到达于外的世界也同样存在的结论。因此,他把世界分为两个原则不同的、互无关系的、完全独立的领域:一是实体即思维,一是与物质同样的延长。在物质即延长的世界中,由它自身的法则、力学的过程、旋涡状运动所支配,因而科学必须从这种旋涡状运动出发去说明一切现象。为要说明一切现象,就必须从单纯的显明的真理开始,然后依据综合的方法以发见比较复杂的自然法则。但所谓单纯显明的真理,究竟怎样得来的呢? 依据笛卡儿的意见,这不是从经验得来的,而是从理性得来的。换句话说,在他说来,知识的出发点,不是经验而是理性。这是他的观念论的认识方法,所以他的哲学是唯理论的。

但是,"在物理学上,笛卡儿把独立的创造力还属于物质,把力学的运动当作物质的生命的表现去考察的。在他的物理学的界限中,物质是唯一的实体,是存在和认识的唯一基础"。所以他的物理学却是唯物论的。

笛卡儿的哲学虽有上述二重性,他的唯物论的见解虽然是机械论的,但在他对于自然现象的研究上,却有一些积极的贡献。例如他确立了运动不灭的法则,关于围绕中心点的物质旋涡状运动形成宇宙的天体生成的学说,以及所谓生物不由上帝创造而由物种产生的见解,在当时可说是很进步的思想。尤其是笛卡儿把可变量引入于解析几何学,使数学踏入辩证法领域,是他在科学上的不可磨灭的功绩。

其次,17 世纪荷兰的最大的哲学家,是斯比诺莎(Spinoza, Benedictus, 1820—1903 年)。当时的荷兰,是资本主义工场手工业时代最进步的国家,所以反映当时社会状况的斯比诺莎的哲学,也是比较进步的。

斯比诺莎的哲学,从笛卡儿哲学的唯物论的要素,特别是从培根和霍布思的唯物论哲学出发,用物心统一的唯物论的学说,克服了观念的二元论。依据斯比诺莎的学说,只有一个实体是存在的。他用从前的旧术语把这个实体叫作神。但他所说的神,不是宗教上的神,而是自然。这个实体中,内在着延长和思维的本质的属性。因此,思维那东西,已经不是独立的精神实体的属性,而变为物质实体的属性了。这明明是一元论的唯物论的见解。

但斯比诺莎,并不是辩证唯物论者,他的哲学中不存有发展的思想。他对于存在与思维的关系的问题的解决,仍是形而上学的,因为他主张实体的根本属性(思维与延长)是永久不变的东西。他的哲学中比较有积极意义的东西,第一是关于自然现象中的一般的相互作用的思想(虽然他不曾正确地解决了这问题,他只是借以说明世界之机械的构成及机械的因果性);第二是关于物质的自己原因的见解(运动的原因存在于物质本身中,但自己运动的源泉是什么,他并不曾有所说明);第三是关于自由与必然的关系的问题的见解(他主张认识必然可到达于自由,这是正确的,但他所主张的自由,是个人的自由即情欲克服上的自由,因而带有消极的、思辨的性质)。

再次,17世纪德国的大哲学家,是莱卜尼兹(Leibniz, Gottfried Wilhelm, 1646—1716年)。当时的德国,比较是最落后的,封建制度的基础,比较巩固,布尔乔亚的势力异常薄弱,还受着贵族阶级的卵翼。所以在这种历史根据之上产出的莱卜尼兹的哲学,属于唯理论的观念论的流派。但莱卜尼兹的哲学,与自然科学的发达,有密切的联系,所以他的哲学虽然是与从来的经院哲学有关的观念论,而其中却含有不少的辩证法的成分。例如他首创无限小的数学、微积分学,对于数学的辩证法的展开上,确有很大的贡献。此外,他通过神学,到达了物质与运动的不可分的(普遍的、绝对的)关联的原理,也是值得注意的。

(四)18世纪法国唯物论

现在我们说到18世纪法国唯物论。18世纪的法国,布尔乔亚的经济势力已经增大,对于束缚资本主义生产力的封建制度,开始做猛烈的斗争。布尔乔亚的斗争的精神武器,是反宗教、反有神论的唯物论、无神论。

18世纪法国唯物论者们——代表的人物是狄德洛(Diderot, Danis),拉梅特里(La Mettrie, Julien de),爱尔勃休斯(Helvétius, Clande Adrien),杜尔巴克(D'Holbach Paul)等人——在与宗教相斗争时,是以当时科学的成果做根据的。科学在18世纪之时,有了显著的进步。力学已经很发达了。数学方面,在当时开拓了解析几何学、微积分学等的新领域,供给了研究空间的物体运动的工具。物理学方面,也有很大的成绩,数学和力学变成了研究气体和液体的主要工具。医学上也有进步,医者们反对过去医学的迷信,努力用力学和数学说明人体的一切过程了。此外,由于望远镜与显微镜的应用,人们所能直接观察的自然现象的领域也扩大了。力学的方面,有最大的成就,物体落下的法则、天体运动的法则以及引力的一般法则,都是很显著的东西。

科学领域中的一切发见,要求方法的统一,要求反宗教世界观的世界观的统一。这是 18 世纪法国唯物论世界观产生的历史根据。

法国唯物论者的一般根本原理,就是主张自然是物质的,是永久存在的,没有不运动的物质,没有无物质的运动;自然受着严格的因果法则所支配,一种现象必然的从别种现象继续发生;因此在自然的说明上,绝没有神灵存在的余地。

法国唯物论者虽然知道物质是运动的,却还不能到达于物质由内的矛盾而发展的思想,他们把自然看作无数的物质要素的总体,认定一切新事物都从这些要素的结合而发生。他们不知道新事物是从旧事物的矛盾产生的。他们确信力学是唯一的精密科学,从力学的见解去观察自然全体。但力学虽研究物体的运动,却不能解说物体的转变及其发展。所以法国唯物论者虽然知道物质与运动之必然的关联,却不能说明运动自身的本质。他们把物质的一切运动形态都还原于力学的、机械的运动形态。

法国唯物论者,把存在与思维的关系的问题,做了唯物论的解决,即主张永远存在的自然、物质是根本的东西,精神即思维是从物质产生的。但是人的意识、思维,怎样从永远存在的物质发生? 法国唯物论者,对于这个问题,不能给以科学的解释。因为当时的自然科学、特别是生物学知识的幼稚,使得他们不能正确地解决这个问题——思维从物质发生的问题。但是如拉梅特里与狄德洛,对于这个问题,也曾做过比较深刻的研究。拉梅特里把人类比拟为最复杂最精密的机械,而思维即是这机械的机能。狄德洛也有相同的见解。他把人类当作"禀受感性和记忆的器具",用鸡卵被孵化为小鸡而由无感性的物质块演化为有感性的生物的过程,作为一个比喻,借以说明意识由物质产生的过程。这些见解虽然幼稚,但从物质的运动导出感觉,不把感觉还原于物质的运动,而把感觉认为运动的物质的性质之一,确是唯物论的见解(虽然不是辩证法的)。

法国唯物论者虽然承认自然给予于我们感觉上的作用是认识的源泉,却又主张人是带着白纸一般的意识生下来的,即是说在自然作用于我们之前,我们的意识像是一张白纸。他们承认感觉是最单纯的意识要素,由感觉的结合而生表象,由表象的组合而生概念。因此,他们对于意识的发生发展过程,也贯串了机械论。

法国唯物论者,不能理解认识的历史性,把认识作为非活动的、受动的东西。他们把人类解释为受动的感性的本体,因而不能到达于"人是能动的、在社会的实践的历史过程中发展其意识"的思想。

从上述的说明看来,法国唯物论是形而上学的、机械论的、受动的唯物论。这种唯物论,在其本身中,不能免除矛盾。这种矛盾性,在其社会观之中明了地暴露着。依据法国唯物论者的意见,人类行为的本质,是求快乐,避苦痛,所谓幸福就存在于长久保持的快乐之中。各人都是利己主义者,而社会就是许多利己主义者的集合。但在社会之中,一人的利己主义,受其他人们的利己主义所限制,因而人们不单求自己的幸福,并要求他人的幸福。为要达成共同的幸福,必须有良好的社会制度。照这样,人要求得幸福,必须用好制度代替坏制度。所以法国唯物论者的社会观,是从道德论发展起来,因而是观念论的。这种观念论的社会观,与其唯物论的自然观是自相矛盾的。

六、德国古典哲学中的辩证法

(一)德国古典哲学的历史根据

德国古典哲学是 18 世纪末到 19 世纪初的哲学,即是康德(Kant,Immanuel,1724—1804 年)和黑格尔(Hegel,Georg Wilhelm Friedrich,1770—1831 年)所代表的观念论的哲学。这个哲学的"发生及其支配的时代,'是布尔乔亚上升的时代,一般的是布尔乔亚民主运动、民族运动的时代,是封建的专制制度急速破碎的时代'。这种哲学思潮,第一是属于上述时代的初期,第二是反映这时代的德国资本主义的特殊发达条件"。

这个时代的德国的经济政治状况,比较英、法两国落后。法国急进的布尔乔亚,已经自觉到自己的经济势力,而向封建制度及封建的意识形态挑战,创造了无神论的唯物论。但德国的布尔乔亚,在经济上微弱无力,在政治上也萎缩不振,不能不和封建贵族相妥协。他们虽然憧憬着法国革命,而他们的革命精神,离开了物质的前提和现实的斗争,只能在观念论的领域中去发挥。这样的矛盾,首先在康德的哲学中明白地表现着。所以说,德国古典观念论,"是法国革命的德国的理论"。"由康德到黑格尔的哲学中,德国布尔乔亚的俗物,或者积极地或者消极地露出头角"。积极的——辩证法;消极的——观念论。古典哲学中观念论与辩证法,幻想的哲学与本质上革命的方法两相结合的事实,反映了布尔乔亚中胆小的实际家与伟大的幻想、微弱的实践与勇敢的理想的结合。

德国古典哲学,在当时是比较进步的哲学。"因为各时代的哲学,以一定思想上的材料为前提。这材料由先驱者所给予,成为各时代哲学的出发点。于是发生其次的现象——经济落后的国家,在哲学上能尽指导的作用。18 世纪法国对于英国是这样(法人以英国哲学为基础)。其次,德国对于前二者也是这样。"经济落后的德国,在 19 世纪前半,是哲学领域中的指导国。德国先进知识分子,因德国经济的落后性与政治的无力,不能不把进步的努力的一部分,移到哲学上去。这是德国哲学所以进步的原因。

德国哲学一方面反映了封建制度崩溃的倾向,反映了法国革命斗争的经验,一方面又综合了当时自然诸科学的知识。例如说明天体的历史的发展的天文学说,说明地球的历史发展的地质学说,说明物理的化学的诸现象的电气学说、热力学、化学等学说,说明有机机体的变化的学说,等等,在当时已经有了较高的成就。这一切研究的成果,都在古典哲学的神秘的观念论的形态上,歪曲地被反映了,被普遍化了。这也是古典观念论哲学的进步性的根源。

(二)康德哲学中的辩证法

现在我们叙述康德哲学的内容。康德是德国古典哲学的创始者,又是所谓"批判哲学"的创始者。他的哲学的活动的第一期(18 世纪五六十年代),主要的是研究自然哲学,说明发展的思想,其著作《一般自然史及天体论》(1755 年),使他变成了进化论的先驱者的第一人。在其第二期即所谓批判期,他创造了先验的观念论哲学体系,企图调和唯物论与观念论、经验论与唯理论、知识与信仰。

康德首先承认客观的物质世界的存在,主张一切的认识,应当从外部世界给予于感官的作用开始,即是从感觉开始。这种根本前提,大体上可说是唯物论的。但在说明认识过程时,却又否定客观的物质世界的存在,而回到观念论的立场了。他认定感觉没有普遍的性质,不反映一切事物的内的必然性和联系,所以单靠感觉不能得到确实的知识。但他并不停顿于这种怀疑论的结论,仍努力探求认识的普遍联系、内的必然性的源泉。这个源泉,在他说来,是存在于理智的能力之中。他固然承认"物本体"的世界之存在,而这个"物本体"在一定方法上作用于意识。但他又主张这个"物本体"的世界是不能认识的。我们所能认识的东西,只是现象,即给予于我们感官的经验。我们的认识形式,不依存于经验,反之,经验依存于认识形式。我们的认识形式,在经验以前已经存在,这就是所谓先验的认识形式。我们的知识,是依存于认识形式的活动及作用的。时间和空间,是一切感性知觉的这种先验的形式。因为在他说来,时间和空间不依存于经验,而是一切感性知觉的必要条件。论理学的范畴、质、量、关系、必然性等等,在他说来,都是成为科学的必要条件的论理的认识之先验的形式。他据他的见解,这些先验的认识形式,是把秩序和联系引入于科学之中的东西。

康德哲学的折衷主义、二元论的性质,就存在于这种地方。"康德哲学的根本特征,是唯物论与观念论的调和,是两者的妥协,是异质的、对立的哲学诸流派在一个体系中的结合。在主张经验感觉为我们知识的唯一源泉之时,康德把自己的哲学引到感觉论的方向,在某种条件下通过感觉论而到达于唯物论的方面。在主张空间、时间、因果性等等的先天性之时,康德把自己的哲学引到观念论的方面。"

康德哲学中比较有积极的意义的东西,除了先批判时代的自然哲学的研究,能够说明无机自然界的历史过程以外,要算是他的先验论理学。康德的先验论理学,提出了许多接近于辩证法的问题,刺激了观念辩证法的发展,暴露了形式论理学的缺陷,提倡了不舍弃认识内容的论理学。在这一点,表现了他的先验论理学的积极性,这是值得注意的。不过,康德自己并不曾解决上述的诸问题,他的先验论理学,和他的先验观念论一样,同是形而上学的。

(三)黑格尔哲学中的辩证法

黑格尔的观念辩证法,是从来观念论的思维所能到达的哲学思想的最高峰。黑格尔哲学,是18、19两世纪交替的时代中布尔乔亚革命环境的产物,又是19世纪初年德国的阶级关系的产物。黑格尔哲学的矛盾——反动的方面与进步的方面之矛盾,方法与体系的矛盾,都可由上述事实去说明。

在法国革命的时代,德国的社会还很落后,所以黑格尔在其《历史哲学》中,称赞法国布尔乔亚的宪法是正义观的实现,并认为是"理性支配世界"。但这种理性的王国,离德国的现实还远,当时的黑格尔,只确信这种理性的王国是必然的王国,在德国必当实现。所以黑格尔的哲学是从理性出发的。

黑格尔主张存在与思维的同一性,主张两者统一于所谓"世界理性"之中,因而在观念论的立场上,解决了哲学上的这个根本问题。

在黑格尔说来,与世界最初的第一次的本体相当的东西,是客观上存在的精神,世界理性,绝对精神,宇宙的思维等。而所谓世界理性,绝对精神等东西,却是出处不明,时代不明,而在世界存在以前即已存在的东西。他把客观世界,宇宙——人类及其意识只是它的一部分——转化为世界理性的化身。世界理性,在其发展过程中,先变形为自然,最后它通过人类世界,在哲学上——他的哲学上——回复自己的原形。即是说,自然、社会与意识,都是世界理性的构成分,都是精神的化身,因而自然、社会与意识,都是精神的创造物。所以黑格尔主张世界理性是客观的,而主现的精神即"我",是从世界理性产生的。在这种处所,黑格尔哲学是客观观念论。

世界理性变形为自然及社会以后的阶段,就是自然与社会到精神的再转变,即世界理性再转变为主观的精神,回到自己的原形。基于这种见地,所谓科学的认识,即是精神的活动,是精神的显现。认识是客体,无论自然或社会,都是精神的现身。所以他说:"科学即是在当作精神看的发展上认识自己的精神","是在观念上被把握的绝对精神之认识"。但科学的认识,是一个论理的过程,并且认识客体——宇宙的历史,现实性——也同是论理的过程,所以他主张"知识是自己以自己为对象,自己把握自己的概念"。因为认识客体与认识主体都是精神,所以正确的认识,是精神客观的认识自己,认识自己本身的发展法则。认识自然与社会的历史及其发展的原动力,即是认识其根底中所存在的世界理性的自己发展之论理的过程,因而论理学是科学的科学。世界的历史,是世界论理学,是世界理性的种种发展阶段。而世界理性的发展是"自己发展",这自己发展的源泉,是内在的矛盾与对立的斗争。即世界理性是依据对立的统一及斗争这种论理的法则而发展的。

黑格尔哲学,可说是世界理性发展的哲学。但所谓世界理性,却是排除了物质的、精制的、理想化的神,因而这种哲学是装作科学的神学。世界理性的神,与宗教上的神是直接相通的。所以黑格尔认为宗教是精神的最高发展阶段,而理性只是把宗教净化,使宗教登到哲学的宝座。

在辩证唯物论看来,黑格尔哲学颠倒了存在与意识的真实关系。黑格尔所说的世界理性,实际上只是与哲学家的他自身的理性是一致的东西,黑格尔哲学,即是说明精神先于物质而存在,精神产生物质的哲学。他用精神的外套包住物质世界,而通过神秘的烟幕去认识它。

然而黑格尔哲学的历史的意义是很伟大的。直到黑格尔时代为止,"从人类开始思维以来,还不曾有过像黑格尔的体系那样包括的哲学体系。论理学,形而上学,自然哲学,精神哲学,宗教,历史——这一切都被收集于一个体系,这一切都被归结于一个基础的原理"(恩格斯)。这个原理,正是黑格尔当作世界理性思维了的,当作对立的斗争理解了的发展。换句话说,黑格尔哲学,在观念论的体系中,包摄了从来的人类史及思想史的成果即辩证法。

黑格尔的观念论的辩证法,是唯物论的辩证法之直接的先导。

第二节　唯物辩证法的生成及发展

一、唯物辩证法的历史根据

(一)19 世纪前半期资本主义经济上的矛盾

辩证唯物论,是在普罗列达里亚登上世界史的舞台而资本主义生产方法的矛盾明白暴露的时代,才发生形成的。

资本主义生产方法的矛盾,首先在 19 世纪前半期各先进资本主义国家(特别是英国)暴露出来。第一个矛盾,是工钱劳动与资本的对立。这个对立的发展,表现为普罗列达里亚对布尔乔亚的斗争。当时的劳动群众,因为不堪资本主义的剥削,不能不团结起来去反抗资本主义。例如:1816 年,英国劳动群众,演出了破坏机器的大暴动,1819 年,曼彻斯特劳动者在要求选举权的名义下举行了一次大示威运动;1831 — 1834 年,法国里昂劳动者举行了两次大叛乱;1837 — 1840 年,英国宪章派的劳动者举行了最初的国民的劳动运动;1844 年,普鲁士西列吉亚纺织工人开始了第一次的叛乱。这些劳动者的运动,都以劳动问题为中心,他们的要求虽注重于经济方面,还不曾涉及资本主义制度本身,而对于资本主义的剥削的反抗,却已明白地开始了。从这时以后,普罗列达里亚已开始从"自在"的阶级转变为"自为"的阶级了。

资本主义生产方法的第二个矛盾,是各个企业的有计划的组织与全社会生产的无政府状态之间的矛盾。这个矛盾的表现,便是经济恐慌。例如:1815年的经济恐慌是在英国发生的;1825年的经济恐慌是在英国和大陆发生的,经过了六年之久;1836年的经济恐慌是在资本主义各国发生的,也经过了六年之久;1847年的经济恐慌是带有世界性的,经过了四年之久。这些周而复始的经济恐慌,很明白地暴露了:资本家全体的生产的无秩序,搅乱各种产业部门间的均衡,引起了商品的供给超过需要。这些经济恐慌表现出财富和生产手段集中于这一极,而穷乏和困苦集中于另一极。这就是说,经济恐慌表明了资本主义的生产力与生产关系的冲突,同时又表明了普罗列达里亚与布尔乔亚的冲突。

上述两种矛盾,都是资本主义社会的根本矛盾——社会的生产与资本家的占有——的表现形态。

(二)19世纪前半期资本主义社会的政治上的矛盾

基于上述资本主义的主要矛盾,19世纪前半期的资本主义社会,又分出了政治上的两种矛盾。

其一,是"市民社会"与民主国家之间的矛盾。这个矛盾,就是资本主义社会的经济本质及其在政治上显现的形态之间的矛盾。这种矛盾,在伴着许多政治改革的当时的法国,常常显露出来(在英国也有这样的情形)。就法国大革命的经过来说,当资产阶级实行革命以前,那些革命的先驱者即18世纪法国哲学家们,曾经宣传理性是万事的唯一裁判者。凡是与所谓永久理性相矛盾的一切社会制度与国家制度,都应当废弃,代之而起的,是"合理的社会"与"合理的国家"之建设。这"合理的社会"与"合理的国家"是约定了依据自由与平等的原则去建立的,所以当时勤劳大众和布尔乔亚结成革命的联合战线,推倒共同的敌人即封建制度,以期实现自由平等的要求。但在革命胜利以后,布尔乔亚便爬上了支配阶级的地位,使政治的上层建筑适合于他们经济的要求,制定了种种适合于自己阶级利益的法律,把形式上的自由和平等当作

"民主主义"宣布了。结果,所谓自由,在布尔乔亚方面,是对于劳苦大众的剥削与压迫的自由,在劳苦大众方面,是"离开财产的自由",是贡献剩余劳动或挨饿的自由。所谓平等,也只是形式上的平等,而实际上却是经济的不平等。于是从来布尔乔亚及其代办者(和启蒙学者)所梦想的理性的王国实现了。个人的支配欲和剥削欲,变成了布尔乔亚全体的原则和理论,变成了布尔乔亚国家的法律和制度。革命的观念,兴奋了一般大众的精神;现实的货币,充满了布尔乔亚的腰袋。"总而言之,从'理性的胜利'产出的社会上及政治上的诸制度,与启蒙学者们灿烂的期待和预约比较起来,实是痛苦的失望的漫画。"(恩格斯)

"市民社会"与民主国家之间的矛盾,在19世纪前半期,完全地暴露了。当时的普罗列达里亚在客观上早已意识到所谓市民社会与民主国家都是布尔乔亚的,所以他们都团结起来,向着布尔乔亚的民主国家,举行争取真正的自由与平等的斗争。如法国勤劳大众的政治运动,如英国工人争取选举权的运动,都是他们理解了这种矛盾的事实上的表现。这类事实,证明了只有普罗列达里亚才是真正的民主主义的代表。

其次,是因当时各国资本主义发展的水准不同而生的矛盾,在19世纪前半期,产业革命在英国已经完成,在法国正在完成的过程中。至于德国,产业革命刚刚开始,封建制还占居支配的地位。俄国更是落后,还停顿在农奴制与绝对主义的阶段。在国际关系上,资本主义经济与封建主义经济,以德国为境界线而斗争;同时,绝对主义政治与民主主义政治,也以德国为界线而争霸。德国在当时,是两种经济体系与政治体系的交叉点。再就当时各国内部的政治情形说,英、法的资产阶级的政权已经树立,封建的残余次第肃清,同时登上政治斗争舞台的角色,是普罗列达里亚与布尔乔亚。德国因为当时国内外情势的汇合,普罗列达里亚革命的空气,在布尔乔亚反封建斗争的情势中膨胀起来了。

（三）19世纪前半期意识形态上的矛盾

上述经济上与政治上的矛盾,在意识形态上反映出来,表现为理论与实践的矛盾。当在布尔乔亚利用科学知识,进行产业革命,促进商品生产的发展之时,是采用机械唯物论的精神武器,并联络自然科学,去攻击封建阶级的神学、宗教与观念论的。在这种时期,唯物论与科学的联盟,表示着是代表全体人民的利害的。但到布尔乔亚得到胜利以后,布尔乔亚的意识形态,开始暴露了理论与实践的分离。布尔乔亚从直接的生产游离出来,把剥削剩余劳动的任务委托于科学,使科学与劳动分离了。科学就由征服自然与增进全体社会幸福的目的,而转向于榨取剩余劳动的目的了。同时机械唯物论也被布尔乔亚所抛弃而仍由神学与观念论所代替了。

英国古典经济学,是在反对封建的生产方法而拥护资本主义的生产方法的过程中产生的。古典经济学的任务,在于提倡自由主义与个人主义,把资本主义看作空前绝后的、极良好、极合理的社会制度。虽然古典经济学,也有过"劳动价值说"的极伟大的发见,但也只是一个端绪,终于被形而上学的观念论的方法所封锁,不能说明价值的实体。这种古典经济学,到了资本主义开始"自己批判"时,财富与贫困的对立,暴露了它的本来的面目。于是从亚丹斯密,经由马尔萨斯到达于李嘉图,古典经济学就发达到了最高的顶点,由资本主义的讴歌而转变为资本主义的强辩了。资本主义早已不是合理的社会制度,反而是它的正反对。到了 19 世纪中叶,古典经济学走上俗流化的倾向,完全变为布尔乔亚的御用经济学了。

至于批判资本主义而暴露资本主义罪恶的学说,是 19 世纪初期英、法的空想的社会主义。空想的社会主义,虽然意识了现代社会阶级的对立,却不能认识这个对立的本质,也不能看出解决这个矛盾的主动力,不能认识普罗列达里亚的历史的使命,而只是凭空创造新社会组织的理论,并与社会的实践绝缘。这是从实践分离理论的实证。

古典经济学与空想的社会主义,都是反历史主义的,都是形而上学的观念论的社会观。

为当时布尔乔亚形而上学的理论打开一条出路的,是德国古典哲学。德国古典哲学,感受了法国革命的影响,它本身是 18 世纪末与 19 世纪初的德国半封建社会的产物。这个古典哲学,即是辩证法的观念论。辩证法的观念论,"到了黑格尔,就达到了顶点,自然界、历史界、精神界的全部,在这个黑格尔的哲学上——这是他的大功劳——才开始当作一个过程,即当作不断的运动、变化、变形、发展的过程去考察,因而要论证这种运动及发展的内在关联的企图也发生了"。但黑格尔并没有解决他自己所提出的问题,因为他是观念论者,并且受了他自身及其时代的知识所限制。

黑格尔哲学中之革命的成分与保守的成分,往后使得黑格尔学徒分为左右两派。左派的著名人物,是费尔巴哈、马克思与恩格斯。

费尔巴哈重新把唯物论捧上王座,却连黑格尔的辩证法也都抛弃,只到达于自然科学的唯物论,并且是形而上学的唯物论。只有马克思和恩格斯,才能继承过去一切哲学及科学的成果,综合哲学的唯物论与辩证法,建立了科学的哲学即辩证唯物论。

辩证唯物论,是在上述的历史根据上诞生的。以下再说明它究竟是怎样形成的。

二、费尔巴哈唯物论与黑格尔辩证法之批判的摄取

(一)黑格尔学派的崩溃与费尔巴哈唯物论的出现

唯物辩证法之哲学的直接的先导,是黑格尔的观念辩证法与费尔巴哈的唯物论。唯物辩证法的创始者马克思与恩格斯,最初原是黑格尔的门生,往后又是受了费尔巴哈的影响而由观念论转到唯物论方向的人,所以当叙述唯物辩证法的生成过程时,先要略述黑格尔学派的解体与费尔巴哈唯物论出现的过程。

如前节所述,黑格尔哲学主张绝对精神是因其内的矛盾而发展的,这绝对精神发展的各阶段,是从其先行的历史发生,而包摄从前的全部历史。所以黑格尔认定理性的发展即是现实的发展。因此他设立了这样一个命题:"一切现实的东西,都是合理的;一切合理的东西都是现实的。"这个命题,表示了观念论与辩证法的矛盾,暴露了这个哲学本身的进步性与保守性的矛盾。而这个矛盾,又表现了当时布尔乔亚意识形态的二重性(即进步的方面与保守的方面)。当时德国布尔乔亚一面企图要用新的社会制度去代替旧社会制度,一面又害怕勤劳大众的革命而不愿变更现实。布尔乔亚的这种二重性,在黑格尔上述命题中融合了。绝对精神,在国民的历史中,在宗教、艺术与哲学中,在社会制度中,表现出来,最后在国家方面实现其最高目的。绝对精神,到达于自己发展的最高阶段,就停止了。这最高发展阶段,在黑格尔的理想中,

即是那个时代的普鲁士立宪君主国——与精神所到达的绝对永久真理相一致的绝对永久的国家制度。因此,黑格尔的哲学,能够成为普鲁士王国公认的哲学。

黑格尔去世之后,即1931年以后,革命的波涛,席卷全欧,德国布尔乔亚的政治斗争,在黑格尔的哲学中反映了出来。即急进派采取黑格尔哲学的革命的方面,保守派采取其保守的方面作为自己的理论的武器。所以黑格尔以后的哲学的发展,采取了两个方面。其一是主张"回到康德"、"再由康德到黑格尔"的观念论的支流;其二是复活唯物论,更进到辩证唯物论的道路。前者是黑格尔右派,后者是黑格尔左派。左派的领导者是费尔巴哈,马克思和恩格斯在当时也属于这派。

费尔巴哈的唯物论的指导原理是:"意识由存在而生,存在不由意识而生。"费尔巴哈站在这样唯物论的立场对于观念论与宗教实行不断的斗争。依据费尔巴哈的意见,观念论和宗教,是唯物论的两个不同的敌人。观念论哲学是宗教最后的隐藏所,是在论理学上表现了的神学,所以要推翻宗教,必须打破观念论。观念论从物质分离思维,把自立的客观的存在归属于思维。因此把人类的属性的思维,作为离人类独立而存在的东西。这就是观念论的秘密。至于宗教上的神,在他看来,只是人类的力和理性之神秘化的观念。神是人类的镜子,是人类的投影。所以宗教的本质即是人类的本质。人依照自己的形态去造神。人因为受自然所限制所左右,所以设想一种克服自然力的东西去祈祷。所以,神只是人性被提到最高度的空想上的存在。而对于这种神的崇拜,即是宗教。

费尔巴哈对于观念论与宗教的心理的根源,虽然阐明了出来,而对于这两者的社会的阶级的根源却是不曾理解。

费尔巴哈哲学的中心概念,是人类。在他说来,人类是感觉的自然的存在。在他说来,客观与主观形成为统一,并不是两个分离独立的本体。主观必然的同是客观。没有客观,就没有主观。费尔巴哈复活唯物论去克服观念论与宗教,是具有伟大的历史的意义的。当黑格尔的观念论哲学风靡全欧、而宗教(特别是基督教)隐藏于观念论体系中之时,费尔巴哈独能首先复活唯物论去攻击观念论与宗教,这确实具有积极的历史的价值。

但是费尔巴哈的唯物论却有三个根本的缺陷。首先,他的唯物论是反历史主义的。他因为反对黑格尔的观念论,便连黑格尔的辩证法也简单地放弃了。他不能在唯物论的基础上去改造观念辩证法。因此,他对于自然与社会的发展辩证法,不能理解。

其次,费尔巴哈的唯物论,是形而上学的,带有抽象的性质。他所认为哲学的中心概念的人类,只是生物学上的人类,是抽象的、超越时间与空间的人类,并不是社会学上的人类,不是具体的、特定发展阶段上的社会中的人类,不是特定社会中属于特定阶级的人类。因此,他所主张的实践,只当作人与自然的斗争去解释,不当作社会的斗争去解释;只当作意识中的活动性去解释,不当作社会的生产去解释。因此,他的认识论的基础,是直观的唯物论所解释的感觉或经验。所谓主观与客观的统一,是在直观的、受动的感性之上实现的,而不是在社会的实践的活动上实现的。即是说,费尔巴哈的认识论,只停顿于形而上学的领域,没有进到唯物辩证法的领域。

最后,费尔巴哈的哲学,只是自然科学的唯物论。即是说,费尔巴哈在自然的领域是唯物论者,而在社会=历史的领域是观念论者。他不能理解社会发展的物质的原动力。他在人与人之间,只看到道德的关系、友爱的关系,不曾看到生产的关系。他排除宗教,却用道德代替宗教,把道德看作真的宗教。所以他的社会观是观念论的。

费尔巴哈哲学上这些缺陷,早被辩证唯物论的创始者所暴露了。辩证唯物论是克服了费尔巴哈唯物论以后而新造的现代唯物论,并不是费尔巴哈唯物论的原形。

(二)创始者们思想的演进与社会的实践

马克思和恩格斯,原是黑格尔的门生,他们最初的哲学思想,是观念辩证法的思想。在社会的实践方面,他们是当时德国布尔乔亚的急进派的代表。截至1841年,他们政治的立场是民主主义者,哲学的立场是黑格尔左派(马克思在1841年所著的学位论文还是观念论的见解)。

1842年,马克思充任《莱因新闻》的记者,开始了急进的民主主义政论家的活动。但他在大学所专攻的学科,是哲学和历史,附带研究了法律学,所以他做《莱因新闻》记者时,为了"参加于关于所谓物质的利益的论争"时,很感到知识的缺乏,才开始研究经济问题;同时又因为感到"法国社会主义"认识的不充分,所以他退出《莱因新闻》,开始研究这一方面的东西。

当时德国对于基督教的斗争,逐渐展开,反宗教斗争的结果,必然转到唯物论的方向。1841 年出现的费尔巴哈的《基督教的本质》一书,早已宣言了唯物论、无神论。1843 年,费尔巴哈又发表了《哲学改革的暂定论纲》及《将来哲学的根本问题》,表明了严正的唯物论的立场。同时,马克思在费尔巴哈的影响之下,也逐渐由观念论转向于唯物论,到了 1843 年发表《黑格尔法律哲学批判》时,他已经决定完全变为唯物论者了。在这个时候,他研究了德、英、法、美等国的历史,研究了政治问题,特别是法国革命问题,研究了卢梭、孟德斯鸠及马凯维利的著作。他又考察当时里昂的工人暴动、英国工人的宪章运动等,认定这类普罗列达里亚运动,是理解近代社会的秘密的关键。阐明了这种见解的著作,是 1844 年在《德法年鉴》上发表的《犹太人问题》与《黑格尔法律哲学批判·序论》。这两种著作,表示着他已由急进的民主主义者转变为普罗列达里亚思想家了。在《犹太人问题》中,指出了"人类的解放"不是布尔乔亚的民主主义的实现所能成就的;并且又指出了"政治的国家"之"自然的基础"是市民社会,说起了社会的经济基础及其上层建筑的关系。如《经济学批判》序文中所说,他在《德法年鉴》时代研究的结果,早已到达了下述的结论,即法律及国家的现实基础是市民社会即社会的经济构造,而"市民社会的解剖的研究应求之于经济学"。在《黑格尔法律哲学批判·序论》中,指出了普罗列达里亚是实现人类解放的主体,并力说理论与实践的统一。他说:"哲学没有普罗列达里亚的扬弃,不能实现;普罗列达里亚,没有哲学的实现,不能扬弃自己"。又说:"正如哲学在普罗列达里亚之中看出物质的武器一样,普罗列达里亚在哲学之中看出精神的武器"。在这种著作中,已经充分明确地表现了当作实践的唯物论看的唯物辩证法及哲学的党派性了。

其次,恩格斯也循着同样的路径,到达于唯物辩证法的思想。恩格斯也属于黑格尔左派。1842 年,他在费尔巴哈的影响之下,用假名发表了《谢林与启示》的著作,又在《德法年鉴》上发表了《经济学批判大纲》和《英吉利状态》。他从 1842 年起,住在英国,观察了当时英国的劳动运动和英国的社会,早已指出了经济的契机是现代社会的决定的历史的动力,是现在阶级矛盾发生的基础(他是在 1844 年才和马克思订交的)。他研究了当时的经济问题和劳动问题的结果,除了上述论文之外,完全用历史唯物论的见解写成的著作,是 1845 年所写的《英国劳动阶级状态》。照这样,恩格斯也是和马克思由相同的路径而到达于唯物辩证法的(但恩格斯自己却很谦逊地说明唯物辩证法与历史唯物论创造的大功绩,属于马克思,他自己只有一小部分)。

从上面所说的看来,马克思和恩格斯,在 1844—1845 年,已经创立了唯物辩证法。这是可以从《经济学的——哲学的草稿》(1844 年)、《神圣家族》(1845 年)、《费尔巴哈论纲》(1845 年)以及《德意志意识形态》(1845—1846 年)诸书去理解的。

(三)费尔巴哈唯物论的克服

基于前面的说明,我们必须注意的事情,就是:唯物辩证法,并不是费尔巴哈唯物论与黑格尔辩证法之机械的综合。辩证法的唯物论,是克服了从来一切形而上学的唯物论,特别是费尔巴哈唯物论的缺陷,并由自然领域扩张于历史领域的唯物论;唯物论的辩证法,是批判地摄取了从来一切哲学中的辩证法,特别是黑格尔辩证法的成果,并综合了现代社会科学与自然科学的诸结论的辩证法。所以费尔巴哈唯物论与黑格尔辩证法虽是唯物辩证法之哲学的直接的先导,而唯物辩证法却并不是两者之机械的综合。为要说明这一层理由,我们不能不进而说明唯物辩证法克服费尔巴哈唯物论与黑格尔辩证法的过程。

创始者们之由观念论倾向转到唯物论倾向,无疑是受了费尔巴哈的影响。恩格斯自己也说,"感激是一般的:我们一时都是费尔巴哈主义者"。但是,创始者们之受费尔巴哈所影响,只是暂时的,大约在 1842—1844 年之间,到了 1845 年《费尔巴哈论纲》写成时,他们已超越费尔巴哈而迈进,而费尔巴哈就终止于 1843 年所达到的境界而停步不前了。

但是创始者们之超越费尔巴哈而前进的那种成就,是在 1842—1844 年之间演进的。换句话说,创始者们之克服费尔巴哈的唯物论的工作,是在他们受着费尔巴哈的影响的时期进行的。我们在上面已经说过,费尔巴哈唯物论有三个基本的缺陷,即是机械论的性质、形而上学的性质及历史观领域中的观念论的性质。所谓费尔巴哈唯物论之克服,主要的就在于填补上述三个基本的缺陷。而创始者们之填补上述三个根本缺陷的工作,在他们的 1842—1844 年间的著作中,已经表现了出来,往后 1845 年《费尔巴哈论纲》中才作出有系统的批判。

马克思最初接受费尔巴哈的影响,大体上是费尔巴哈的唯物论的认识论及反宗教的无神论,但他对于费尔巴哈的著作,却做着批判的研究。例如他在 1842 年 3 月 20 日写给鲁克的信札中,这样说着:"在这篇论文《宗教的艺术》中,我必然要论及宗教的本质。在这里,我多少要与费尔巴哈起冲突,可是这种冲突,不是关于原理,而是关于这原理的理解。"他又在 1843 年 3 月 13 日写给鲁克的信札中,这样写着:"费尔巴哈的箴言,有一点我认为不正确,即他关于自然说得太多,而关于政治却说得太少。但这是今日的哲学所以成为真理的唯一线索。"在这种处所,马克思已经指出费尔巴哈对于宗教的理解缺乏了社会的——历史的根据。

马克思和当时隐居于德国农村的费尔巴哈不同,他是当时德国的政治的分派的领导者。他在接受了费尔巴哈的影响,决定地成为唯物论者以后,其注意的中心问题,是政治的问题,是政治的批判。所以他首先把费尔巴哈所理解的、只是自然主义的抽象的人类的本质,当作社会的历史的范畴去把捉。他在 1844 年的《黑格尔法律哲学批判·序论》中,这样说着:"人类就是人的世界,是国家,是社会。这国家、这社会,是一个倒错的世界,所以产出倒错的世界意识的宗教。"又说:"天国的批判转化为地上的批判;宗教的批判转化为法的批判;神学的批判转化为政治的批判。"在这种处所,他已经表明政治的批判要与普罗列达里亚相结合,而站在社会主义的立场,使唯物论改变为实践的唯物论了。

恩格斯在 1844 年(与马克思开始通信的那一年)以前,也独立地由社会问题的研究到达于经济的契机之决定的作用的理解,即是历史唯物论的理解,这是前面已经提起了的。

创始者们不但暴露了费尔巴哈的缺陷(如《费尔巴哈论纲》中所展开的),研究了费尔巴哈所不能理解的问题,同时他们又在唯物论的基础上改造了黑格尔的辩证法。费尔巴哈用唯物论否定黑格尔的观念论,同时抛弃了黑格尔的辩证法。而创始者们在这一方面却自始没有附和于费尔巴哈,早就剥去了黑格尔辩证法之神秘的外被,把它引入唯物论之中,补充了费尔巴哈唯物论的缺陷。这样的理论工作,现在可以在《黑格尔法律哲学批判》及《经济学的——哲学的草稿》诸著作中看出来。他们批判地摄取了黑格尔哲学中有价值的辩证法,加以改造,来充实唯物论的内容,因而建立了辩证法的唯物论。

(四)黑格尔辩证法之批判的摄取

现在再说到创始者们批判地摄取黑格尔的辩证法并在唯物论基础上实行改造的过程。

我们已经知道,黑格尔的庞大的哲学体系,是以丰富的哲学史的知识做背景,并企图把当时自然科学与社会科学的成果概括于其中的伟大的观念论的辩证法。但是黑格尔的辩证法为什么是观念论的? 为什么不能转变为唯物辩证法? 这种问题的说明,是理解关于黑格尔辩证法的扬弃的前提。

黑格尔的哲学所以是观念辩证法的主要理由,第一是与当时德国社会状况相关联。如前段中所述,黑格尔时代的德国的资本主义,比较落后,德国布尔乔亚的势力比较薄弱。当时英、法诸国所已实现的布尔乔亚的秩序,在德国布尔乔亚心目中,还是将来应当实现的理想。所以哲学家黑格尔不能不在观念的世界中,思辩地追想先进的布尔乔亚的历史。这种事实,对于黑格尔观念辩证法的生成,给了决定的影响,所以他把历史看作客观的精神的表现,因而他的辩证法变成精神的发展的理论。

第二,黑格尔的时代社会科学的知识还不发达,特别是关于近代社会的解剖的研究,异常缺乏。在这个时候,近代社会还没有开始它的自我批判。黑格尔把布尔乔亚社会看作人类史上最成熟、最高级的阶段,并不曾展望布尔乔亚社会的前途。这种社会的根源,是黑格尔观念论的基础。所以他的绝对的观念论,站在精神发展的完结的立场、认识的辩证法的停滞的立场。

第三,黑格尔时代的自然科学的发展水准,还供给着观念辩证法的地盘。当时自然科学的特征,就是不曾把发展的观念综合为自然的一般原理。当时的天文学、地质学、胎生学、动植物的生理学及有机化学虽已形成,进化论的天才的预见虽已出现,但因为他把发展作为精神的原理,所以还不能正确地在哲学上概括自然科学的诸成果,而只是透过观念论的外被去窥视自然世界的客观辩证法。实际上,当时的自然科学,还没有完全驱逐形而上学的神学的学说。这一点就替黑格尔哲学留下了"自然在时间上没有发展"的那种思想的余地。

基于上述的理由,黑格尔就在头脑中构想着当时科学所没有阐明的世界之现实的关联,把由理念所导出的思辨的公式嵌入于现实世界,把现实世界弄成神秘的东西。因此他把他的体系,独断为理念的实现、为绝对真理的总体,演出体系与方法的矛盾。

黑格尔的体系与方法的矛盾之科学的解决,就是打破那非科学的体系,救出那有积极意义的方法。这种工作,是马克思和恩格斯所完成的。

黑格尔辩证法之唯物论的改造工作,大概可以分为下述三项:第一,黑格尔哲学把存在与思维视为同一,因此抛弃存在而只把思维夸张为绝对者。现在,这个哲学所颠倒了的存在与思维的关系,是必须使它再颠倒过来,即是要把存在看作本源,把思维看作存在的映像。第二,这个哲学,正因为是观念论的,所以在精神界去探求万物发展的辩证法的根源,这是用头向下倒立的。现在,要把它顺倒过来,使它用脚向下竖立,要在物质过程中去探求万物发展的辩证法的根源。第三,观念论体系因绝对真理之发展而终结世界的发展,这完全是与辩证法相矛盾的。世界之辩证法的发展,突破了黑格尔的绝对真理,证明了黑格尔体系的终结。所以辩证唯物论的创始者们,从黑格尔哲学继承了辩证法,依据上述的原理把它改造为唯物辩证法。

创始者们对于黑格尔辩证法之唯物论的改造,表现于1842—1845年的诸著作之中。关于黑格尔辩证法的批判之展开,首先是1843年的《黑格尔法律哲学批判》,其次是1844年的《黑格尔法律哲学批判序论》和《经济学的——哲学的草稿》,以及1845年的《神圣家族》。如亚多拉次基所说,马克思在《经济学的——哲学的草稿》中,已经出现为"完全的辩证法的唯物论者"了。至于1845—1846年发表的创始者们合著的《德意志意识形态》,已经完全地展开了唯物辩证法。

唯物辩证法的生成,不仅是费尔巴哈唯物论与黑格尔辩证法之批判的摄取,还概括了新的丰富的内容。关于这点,下段再作详细的说明。

三、唯物辩证法的生成

(一)唯物辩证法的历史观

辩证法的唯物论是费尔巴哈唯物论的克服,并不是费尔巴哈唯物论的原形;同样,唯物论的辩证法是黑格尔辩证法的改造,并不是黑格尔的辩证法的原形。崭新的科学的哲学——唯物辩证法,具有其新的质、新的生命、新的内容和新的历史使命。唯物辩证法,是科学的历史观与科学的自然的统一,而两者统一的基础,是社会的——生产的实践。我们在前段的说明中,可以看出创始者们之哲学的实践的活动,首先是从社会的——历史的领域,即政治的——实践的领域中开始的。我们可以说,创始者们首先阐明了历史领域中的辩证法,其次由历史的辩证法进到自然辩证法,而在社会的实践上统一两者以创出科学的世界观的唯物辩证法。在这种处所,我们可以理解新哲学的新生命、新内容和新的历史使命。以下我们就创始者们初期的哲学的著作,来说明唯物辩证法的生成过程。

马克思从《莱因新闻》时代决定的成为唯物论者以后,就在唯物论的基础上应用辩证的方法研究政治问题、经济问题及各种历史事实,特别是关于当时法国的劳动者运动与英国劳动者的宪章运动。这些研究的结果,归着于下述的结论:"法律关系与国家形态",以社会的经济构造为基础。这是科学的历史观——历史唯物论的重要思想。这个重要思想之更深刻、更具体的开展,便是经济学的研究。

经济学的研究,大约是1843年11月间开始的。这种研究的成果,是1844年的《经济学的——哲学的草稿》。这部草稿中,阐明了劳动者与资本家、地主的阶级关系,提起了货币、资本、工资、地租等的分析的经济问题,并且批判了黑格尔的辩证法。其中最根本的契机,是黑格尔辩证法中实践的概念之批判的展开。黑格尔辩证法最伟大的特色,是人类的劳动、活动、实践的意义的重视。但黑格尔是观念论者,只把劳动当作抽象的精神的劳动去理解。马克思把黑格尔辩证法中这个生动的实践的概念,拿来放在唯物论的基础上展开出来,引入于唯物论之中,给唯物论以新的内容、新的性质。他从人类与自然的关系去说明劳动,这与从来的唯物论和观念论关于劳动的理解,是完全不同的。观念论把人类从自然分离出来,使人类转化为自我意识;旧唯物论把自然从人类分离出来,使人类转化为生物学的范畴。因此,这样的劳动、实践的概念,变为抽象的东西,不能正确地说明人类的社会。在马克思看来,劳动是人类与自然的结合。在劳动过程中,人类与自然相结合,自然对于人类发生具体的联系。因而劳动是当作社会的人类看的人类的本质。只有社会的人类的这种劳动——实践能够指导自然的认识,才是认识的基础。

马克思基于劳动——实践的意义之正确理解,所以超出旧唯物论的界限,建立了实践的唯物论。正因为劳动是人与自然相结合的媒介,所以由于劳动的概念之唯物论的把捉,就能够理解人类社会所依以树立的物质的基础,理解基础与上层建筑的关系,因而建立历史观之唯物论的根据。基于这种理解,唯物论就从自然的领域扩张于历史的领域,从下方完成到上方,建立彻底的唯物论、统一的世界观。

马克思的彻底的哲学唯物论,在《经济学的——哲学的草稿》中,已经完成了它的基础。在这部草稿之中,我们可以看出下列三大特征。

第一个特征,是历史,特别是法国革命史的研究。由于这种研究,阐明了社会的基础与上层建筑、"市民的社会"与"政治的国家"的关系,指出了阶级拮抗的作用与普罗列达里亚的历史使命。并且,《经济学的——哲学的草稿》的著者已由急进的民主主义者变为社会主义者了。

第二个特征是经济学的研究。由于这种研究,准备了《资本论》的雏形,同时给予了把历史唯物论当作哲学唯物论的一构成部分确立的可能性。而历史唯物论的基础,是由劳动的概念所成就的。这劳动的概念,不是精神的劳动、自我意识的抽象的行为,而是物质的生产的劳动,是当作经济学的范畴看的劳动。

第三个特征,是法国劳动运动与法国社会主义的研究。这种研究的结果,在《经济学的——哲学的草稿》以后所写的《神圣家族》中,表现了积极的意义。

所以马克思的哲学的唯物论之形成,与历史学、经济学、社会主义等的研究,有不可分离的关系。由于这类的研究,暴露了历史的发展法则,预见了布尔乔亚社会的发生发展及消灭的倾向,指示了否定这种社会的主体是普罗列达里亚。换句话说,历史唯物论——科学的历史观之树立,是唯物辩证法这种哲学的一个最重要的契机。

(二)唯物辩证法的自然观

如上面所述,唯物辩证法生成的社会的基础,是布尔乔亚社会的自我批判的开始与普罗列达里亚的生长,而其意德沃罗基的条件是先行的哲学与社会科学。但唯物辩证法,除了唯物辩证的历史观以外,还有一个方面,这就是唯物辩证法的自然观。所以唯物辩证法的生成,与当时的自然科学的水准有深刻的关系,这是不容忽视的。

自然是辩证法的证明。自然是社会的前提。自然在认识论上,是意识、思维的本源,是辩证法之唯物论的探究的基础。所以自然领域中的唯物辩证法的理解,是唯物辩证法的基础。唯物辩证法,必须从历史——社会的领域贯彻于历史——社会的基础之自然领域,它才成为统一的世界观,成为一般的方法论。所以唯物辩证法必须是唯物辩证法的历史观与自然观的综合。

前面已经说过,在黑格尔的时代,自然科学上的发展的观点,随处都是暴露着。黑格尔对于辩证法的研究,不但从历史科学的领域,并从自然科学的领域,采取了很多的材料。他常常从观念论的外被窥视了自然世界的客观的辩证法。但因为当时自然科学的知识还不充分,而他的哲学又是观念论的,所以他只能在头脑中构想那为当时自然科学所不曾阐明的世界之现实的关联,因而演出他的体系与方法的矛盾。但到了创始者们的时代,自然科学就发展到比较高级的水准了。先就天文学的领域来说,康德在 1775 年发表了《天体的一般史与一般理论》,建立了太阳系由星云状态演进的假说,指出了宇宙的发展是物质变动的过程。其次,地质学证明了地球中互相继起而层叠的地层的存在,并且在这类地层中发见了原始动植物的遗物。这些动植物的遗物的研究,变为古生物学的端绪。于是科学逐渐接近于关于生物界发展之历史的观点。于是生物学、生理学、胎生学等科学都发展起来了。

自然科学上许多伟大的发见,或在唯物辩证法的创立以前出现,或者同时出现。第一个发见,是细胞——动植物从它发展起来的生动有机体最简单的构成部分——的发见。第二个发见,是能力转换的法则的发见。这个发见,说明了力学的力、热、光、辐射热、电气、磁气、化学的能力等等,并不是各自孤立、互相分离而存在的东西,而是单一的普遍运动的种种形式,是互相推移转变的运动形式。这个法则的发见,表示了自然界的一切运动都由一种运动形态转变为他种运动形态。第三个重要的发见,是达尔文的理论。这个理论,证明了地上存在的有机体是从少数最简单有机体的长期发展过程的结果。

以上那些发现以及 19 世纪中叶以来的自然科学的发展,使人们能够到达于自然世界之唯物辩证法的理解。所以马克思与恩格斯,能够把自然科学的诸成果普遍化,建立唯物辩证法的自然观,扬弃了自然科学的思辨的概括之自然哲学,克服了机械唯物论的自然观。因而为唯物辩证法造出由历史贯彻于自然的可能性。

（三）当作实践的唯物论看的唯物辩证法

唯物辩证法是唯物辩证法的历史观与自然观的统一,两者统一的基础是社会的实践。如上面所见,辩证法的唯物论,以劳动的概念为媒介,由自然认识的领域扩张于历史认识的领域,使唯物论发生了本质的变化,变成了实践的唯物论。当作劳动、物质的生产和社会斗争看的实践,规定着表象、概念等等之精神的生产。在这种见解之下,实践不单是社会科学的范畴,并且是哲学的认识论的范畴。要懂得实践优于理论的见解,就必须理解实践是认识的出发点和源泉,是认识的真理性的规准。所以实践的唯物论,由于把实践的契机导入于唯物论,使从来的哲学的内容起了本质的变革。

从来形而上学唯物论的认识论,只知道认识是客观实在在我们头脑中的反映,却不能理解认识的发生发展过程中的实践的契机。因此,这种旧唯物论,不知道实践是认识的发展的原动力,所以不能说明认识的发展、认识的相对性与绝对的客观的真理的关系,即不能理解认识发展的辩证法。至于实践的唯物论,把实践作为认识的发展的杠杆,解释为历史上发展的物质的生产及社会斗争,并主张实践是认识的源泉、认识发展的契机和真理性的规准,阐明了认识过程的辩证法,因而克服了旧唯物论的缺陷。所以实践唯物论的认识论,实是辩证唯物论的认识论。

其次,实践唯物论,由于在唯物论的基础上展开了实践的契机,又克服了观念论的弱点。观念论展开了旧唯物论所忽视的实践的契机,很注重实践的概念。但观念论把实践解释为抽象的精神的东西,不知道实践原是社会的——历史的范畴。例如康德,虽提倡"实践理性的优位",却分离"实践理性"与"理论理性",不承认实践是认识的源泉和真理性的规准。黑格尔虽然主张实践是认识过程的契机和推动力,但他把实践解释为意识的劳动或活动,这纯粹是观念论的。至于实践唯物论,把实践当作历史的——社会的范畴,解

释为感性的现实的人类的活动,并把它作为认识论的契机,所以能够在其与社
会生活的关联上去理解人类认识的全部发展史,因而克服观念论哲学的抽象
性与思辨性,而到达于唯物辩证法。

唯物辩证法,当作哲学的科学看,原是认识论,它的更进的具体化,是唯物
辩证法的历史观与自然观。反起来说,当作认识论看的唯物辩证法的内容,又
是唯物辩证法的历史现与自然观之普遍化的概括。所以唯物辩证法是关于发
展的最深刻的学说。

四、唯物辩证法的发展

(一)理论斗争中哲学的锻炼

在前段的说明中,我们可以看出,唯物辩证法,是在哲学斗争的过程中锻
炼起来的。哲学斗争是政治斗争的反映,这个命题,是我们理解唯物辩证法的
发生和发展的关键。当创始者们最初站在急进的民主主义的立场时,在哲学
的领域加入了黑格尔的左派,以哲学的斗争来反映政治的斗争。自从他们接
受费尔巴哈的影响,决定的成为唯物论者,并批判地摄取黑格尔辩证的方法以
研究现实的社会诸问题以后,他们就更进一步地使用新创的唯物辩证法的精
神武器,去从事于哲学上的两个战线——代表布尔乔亚和小布尔乔亚意识形
态的观念论与旧唯物论——的斗争。这样的斗争反映着他们所代表的普罗列
达里亚与布尔乔亚的实际斗争。

创始者们合著的《德意志观念形态》,展开了唯物辩证法的大纲,同时又
表示着这个新哲学在哲学斗争中锻炼而成的经过。《德意志观念形态》中的
诸论文,主要的是对于费尔巴哈、鲍尔、反斯梯奈等的哲学的斗争,即是对于形
而上学唯物论与观念论的斗争。

对于观念论一般及观念辩证法的斗争,在《犹太人问题》、《经济学的——
哲学的草稿》、《神圣家族》诸著作中,已经全面地展开着,至于《德意志意识形
态》中的诸论文,就是这种斗争的继续和更进一步的展开。其次,对于旧唯物
论的斗争,在上述诸著作中也不断地展开着,特别是《费尔巴哈论纲》,有系统
地批判地克服了包括费尔巴哈的一切机械论者的唯物论。至于《德意志观念
形态》中的诸论文,已经通过对费尔巴哈的批判而全面地克服旧唯物论的一

切缺陷了。

大体上,我们可以说,截至 1845—1846 年《德意志观念形态》这部著作写成之时,是唯物辩证法确立的时期。而唯物辩证法的确立,是在反映政治斗争的哲学上两个战线上的斗争中锻炼出来的。同时,我们必须知道,创始者们的哲学斗争,是与经济学及社会问题的具体研究相结合而隶属于政治斗争的。从这个时期以后,是唯物辩证法发展的时期。而唯物辩证法以后的发展,仍与继起的各阶段上反映新政治斗争的哲学斗争——两个战线上的斗争——相联系。例如 1847 年马克思对于蒲鲁东的观念辩证法的斗争,即《哲学的贫困》对于《贫困的哲学》的斗争,即科学的社会主义对于无政府主义的斗争;19 世纪 60 年代创始者们对于福阿克特、莫里器特等俗流唯物论的斗争;1877 年恩格斯对于杜林的机械论的斗争;19 世纪 60 年代以来创始者对于拉萨尔的观念辩证法的斗争;1886—1988 年恩格斯对于新康德主义、新休莫主义的斗争等等,都是唯物辩证法与观念论及俗流唯物论的哲学斗争。这一类哲学的斗争,反映着普罗列达里亚与大小布尔乔亚的实际斗争,同时促进了唯物辩证法的发展。在这一类哲学斗争中,创始者们在其一切的著作中,展开了社会的辩证法与自然的辩证法。展开社会辩证法的代表著作是《资本论》。《资本论》暴露了布尔乔亚社会的发生发展及其没落的法则,阐明了人类社会之辩证法的发展。在哲学的观点上说来,《资本论》是"资本的论理学",是唯物辩证法在社会领域中的扩张的范本。《自然辩证法》这部著作,网罗了当时自然科学一切积极的成果,廓清了自然科学中一切形而上学的残滓,指出了自然领域中的辩证法的发展,构成了唯物辩证法的自然观,并给自然诸科学以方法的指导。创始者们采取社会科学和自然科学的积极的成果即社会辩证法与自然辩证法,实行普遍化的最高级的综合,使唯物辩证法的内容愈趋于丰富,而提高到高级的阶段。

(二)伊里奇的阶段

创始者逝世以后,近代社会已经进到帝国主义的时代。在这个时代中发展了唯物辩证法的人仍是伊里奇。这个时代,是布尔乔亚解放斗争已经成熟而趋于尖锐化的时代。在其意识形态上,是科学的社会主义占居支配地位的时代。布尔乔亚应战的策略,除了布置正面的阵地实行正面的冲突以外,就是派遣别动队伍偷入对方的阵营,另谋策动,并设法笼络对方的落后分子,分化对方的阵营。这样的实际的斗争,不能不反映于理论斗争、哲学斗争的领域。在理论斗争、哲学斗争的领域中,布尔乔亚除了直接地、正面地攻击科学的社会主义以外,就是冒充科学的社会主义的修正主义、机会主义、社会改良主义以及其他一切引号里面的"社会主义"。而这些主义的哲学观点,是观念论的许多变种,即所谓主观主义、新康德主义、马哈主义以及对于唯物辩证法的种种曲解。伊里奇从1894年以来,从事于普罗列达里亚的解放运动,严格地站在科学的社会主义的立场,与修正主义、机会主义、社会改良主义作无假借的斗争,并用唯物辩证法的武器去攻击这些主义的哲学观点(即观念论的许多变种与关于唯物辩证法的种种曲解)。

伊里奇的哲学的活动,开始于对米哈罗夫斯基的主观主义社会学与离开社会的实践的客观主义的斗争。从这个时期以后,他的哲学斗争,主要的是集中于对新康德主义特别是马哈主义的斗争。在这些斗争中,他展开了唯物辩证法的新内容,留下了很多的功绩。他在对各种观念论的倾向实行斗争时,同时力说对形而上学唯物论斗争的必要。在辩证唯物论的阵营中,他还批判了蒲列哈诺夫的哲学,指出了蒲列哈诺夫的优点和缺点,纠正了亚克瑟洛特等的机械论的谬误倾向。他认定唯物辩证法是战胜布尔乔亚的思想及世界观的唯一的精神的武器,所以不能不坚决地拥护唯物辩证法。他主张要达到上述的目的,必须从唯物论的见地,批判地研究黑格尔辩证法。他的这种研究,详见于他所写的《哲学笔记》之中。他的有系统地展开唯物辩证法的大著作,是《唯物论与经验批判论》。

伊里奇的哲学的斗争,反映了他从19世纪末年参加于普罗列达里亚解放斗争并领导这个斗争的数十年的历史事实。他的哲学斗争与他的政治斗争联系着,他之促进唯物辩证法的发展,与他对于帝国主义时代的辩证法的研钻(《帝国主义论》)、与苏俄的社会革命理论的指导相联系,并且他还摄取了他的时代的自然科学的新成果,充实了唯物辩证法,使唯物辩证法发展到新的更高级的阶段。这就是哲学上的伊里奇的阶段。

(三)伊里奇的唯物辩证法

伊里奇发展唯物辩证法的新成果,展开于他的大著《唯物论与经验批判论》之中。在这部著作中,他对于哲学上的根本问题,作了最后的解决。在认识论一方面,他力说唯物论的反映论,论述了当作反映论的论理学看的唯物辩证法。他究明了认识论领域中的辩证法,解决了世界认识论的可能性的问题、相对真理与绝对真理的关系的问题、真理的实践的标准的问题、认识的党派性的问题,阐明了物质、运动、空间、时间、因果性的范畴,打破了物理学上的危机,扫除了自然科学上形而上学的谬论。因此把唯物辩证法推进到新的阶段。

他的哲学上最伟大的功绩,是他所发挥的"当作认识论看的辩证法"。在《哲学笔记》及其他各种著作中,他阐明了认识的辩证法,指示了对立物统一的法则是辩证法的核心并展开了辩证法的诸契机。他展开了唯物辩证法的规定,揭举了下述 16 个契机。

1. 观察的客观性(不是实例,不是枝叶的问题,而是物本体);

2. 这物对于他物的多种关系的总体;

3. 这物(因而现象)的发展,其固有的运动,其固有的生命;

4. 这物之中的内的矛盾的诸倾向(及诸侧面);

5. 当作对立物的总和及统一看的物(现象等);

6. 这些对立物的斗争、展开、诸动向的矛盾性等;

7. 分析与综合的结合——各个部分的吟味与这些部分的总和、概括;

8. 各个事物(现象等)的关系,不仅是多样的,并且是一般的、普遍的。各个事物(现象、过程等),与各个事物相关联;

9. 不仅是对立物的统一,并且是各个规定、质、特征、侧面、性质到各个别的东西"自己的反对物"的转变;

10. 新的侧面、关系的发见之无限的过程;

11. 人类关于事物、现象、过程等的认识,是由现象到本质,由比较不深刻的本质到比较深刻的本质去的深化的无限的过程;

12. 由并立的存在到因果性,由联系与互相依存的一种形态到他种比较深化的、一般的形态;

13. 下级阶段的一定的特征、性质等在上级阶段上的反复;

14. 外观上的旧事物的复归;

15. 内容对形式的斗争及形式对内容的斗争、形式的放弃、内容的改变;

16. 由量到质的转变及由质到量的转变。

以上 16 项,是伊里奇所说的辩证法的诸契机。在这里,他阐明了当作论理学及认识论看的唯物辩证法的一般概念。

(四)哲学的现阶段

伊里奇逝世以后,唯物辩证法更进一步的发展,只有向着伊里奇所已进行的方向继续迈进,才能有所成就,这是很明白的事情。伊里奇的"哲学的遗言①",就指示了这个倾向。这个"遗言"的要点是:第一,辩证唯物论者们,要联合其他一切彻底的唯物论者,对一切哲学的反动、观念论的世界观作无假借的斗争;第二,要联合布尔乔亚中一切进步的分子,对宗教及有神论做无假借的斗争;第三,要联合倾向于唯物论的现代自然科学的代表者们,对布尔乔亚观念论的世界观作无假借的斗争;第四,从唯物论的见地,有组织地研究黑格尔的辩证法。

伊里奇的"哲学的遗言",概括地说来,就是:辩证唯物论者们联络布尔乔亚的智识分子之进步的部分,共同对哲学的观念论与宗教作有系统的批判,继承马克思、恩格斯的遗产,批判地研究黑格尔的辩证法,适用于自然科学的现代问题与新时代的社会生活问题,使社会推进到高级的新阶段,使唯物辩证法发展到高级的新阶段——这是唯物辩证法的现代的课题。

伊里奇的"哲学的遗言",在苏俄的方面,自从理解哲学上伊里奇的阶段、理解伊里奇主义的本质,并从这种见地阐明自然科学的现代问题而决定的打击观念论与宗教以后,已经开始实行了。从大体上说来,这是在 20 世纪 30 年代才严格地实行的。随着苏俄之进入社会主义阶段,由实行上述的"遗言"更使唯物辩证法发展到现在的阶段。哲学上这种发展过程,反映了 1925——1930 年之间的苏俄社会发展的过程。在这个过程中,苏俄的社会斗争,出现了新的姿态,普罗列达里亚的支配已趋于巩固和发展,因之左右翼的小布尔乔亚的反动也非常活跃。小布尔乔亚反动的理论是左右翼的机会主义,而其哲学的观点是现代机械唯物论与少数派色彩的观念论。所以哲学上的两个战线的斗

---

① 伊里奇的"哲学的遗言"是指列宁于 1922 年 3 月 12 日写的《论战斗唯物主义的意义》一文阐述的基本思想。——编者注

争,反映了阶级上的两个战线的斗争。随着小布尔乔亚的被清算,而哲学上的小布尔乔亚的倾向也被暴露并被克服了。于是,辩证唯物论者们由于严格的实行伊里奇的"遗言",使唯物辩证法发展到现阶段了。

现在,两个战线上的斗争,仍是推进唯物辩证法的必要条件(虽然机械论者与少数派观念论者已实行"自我批判")。在哲学上的这样的方向转换上,在基于伊里奇的哲学的正确理解而来的哲学活动的再建上,伊里奇主义的战士斯大林直接间接所演的指导作用,是极其重要的。一般地说来,斯大林所展开的唯物辩证法的法则、范畴及其在社会的新发展的认识上的具体的应用的范例,都是推动唯物辩证法前进的契机。所以唯物辩证法的现阶段,与他的名字联系着。

现阶段的唯物辩证法,隶属于现阶段的政治问题,它摄取现阶段的自然科学与社会科学的成果,充实它的内容;另一方面,它被适用于新社会及世界其他一切文化落后的社会的识认的领域,指导进步阶级的生活与斗争,暴露社会辩证法的新侧面,并指导自然的领域的新认识,暴露自然辩证法的新侧面,使与政治经济相联系,于是,由于认识与实践的统一,更促进唯物辩证法的发展。

(五)人类知识史的综合

唯物辩证法的历史准备及其发生发展的过程,我们已经在前面做了一个大概的考察。基于前面的说明,我们可以作如下的概括。

唯物辩证法是普罗列达里亚的哲学,这个哲学的发生,构成为普罗列达里亚的成长的一环,而其发展是通过这阶级的社会的——历史的实践而成就的。同时,唯物辩证法,当作理论看,它是一切先行的学说、思想及知识之辩证法的综合。唯物辩证法,一面与历史上发展而来的自然科学及社会科学联系着,同时又与一切先行的哲学,特别是德国古典哲学及旧唯物论有一定的继承的关系。创始者们从古典哲学继承了的主要的东西是辩证法。他们揭去古典哲学中的辩证法之神秘的观念的外被,在唯物论的基础上加以改造,创造了唯物辩证法,因而克服了从来一切旧唯物论的偏狭性。但辩证唯物论之克服旧唯物论,当然以存在规定意识这个根本命题为前提。所以,当作唯物论看,辩证唯物论,在这个哲学上的根本命题上,是与一切形态的唯物论相一致的。所以,唯物辩证法,在唯物论的这个根本命题上,摄取了数千年来人类知识史的一切积极的成果即辩证法。所以,唯物辩证法克服了从来的含有辩证法契机的观念论与形而上学的唯物论,同时又批判地摄取了这两个对立的哲学中的积极的成果。当作哲学看,唯物辩证法,与一切先行的哲学有很深的关系,因而一切先行哲学的历史,都是唯物辩证法的前史。

但是,由从来的哲学遗留下来的东西,简括地说来,即是论理学与辩证法。所以我们在前面的考察中,特别注重于先行哲学中的认识论的、论理学的、辩证法的侧面。这种侧面,实际上原是一切先行哲学的本质的内容、基本的部分。所以,唯物辩证法是把人类的知识史——特别是哲学史——中的一切积极的成果,当作遗产继承下来并使其发展的东西。所以唯物辩证法,是人类全部知识的历史的总计、总和与结论。

第二章　当作哲学的科学看的唯物辩证法

第一节　辩证唯物论的一般特征

一、哲学的根本问题之解决

（一）哲学上根本问题

前章我们考察了唯物辩证法的前史及其发生发展的历史过程,从本章起我们开始说明唯物辩证法的内容。当说明唯物辩证法的内容时,我们必须提起哲学上的根本问题。因为哲学上的根本问题之解决,是唯物辩证法的出发点。

一切哲学上的根本问题,是我们的意识与环境的关系如何的问题。这个问题,用别种术语来说,就是所谓延长与思维、自然与认识、客观与主体、物与我、外物与内心、物质世界与观念世界、存在与意识、存在与思维等的关系如何的问题。再用平易的术语来说,即是物质与精神的关系如何的问题。

随着对于这个根本问题的解答不同,一切流派的哲学,都被分裂为两大派别、两大方向——唯物论与观念论。

所以物质与精神的关系如何这个根本问题之解决,是规定各种哲学学说的本质的唯一标准,是划分一切哲学为两大派别的唯一标准。但现代的观念论的哲学家,为了粉饰自己的观念论,而中伤唯物论,故意回避这个根本问题的解答,主张这个问题,在哲学史上早已解决,不能成为划分哲学的派别的标准。还有一种折衷主义的哲学家,为了粉饰其二元论的立场,也故意回避这根本问题,另外提出别的标准来代替它。例如机械论者,主张用因果性的原理来鉴别哲学上的唯物论与观念论;即是说唯物论是主张因果论的,观念论是主张目的论的。这个标准也是不正确的。因果论与目的论的区别,是由上述那个根本问题的解答的不同而来的。并且观念论哲学,也主张所谓观念论的因果论。所以,因果性的问题,不但不能成为划分唯物论与观念论的标准,反而涂抹了两者的真实的界线。

现代唯物论哲学家,为要划分唯物论与观念论的界限,排斥一切妥协折衷的主张,为了表明自己的立场而与观念论相斗争,首先要提出哲学上的根本问题来说明,严正地分别自己和敌人的营垒。

(二)唯物论的根本论纲

唯物论与观念论究竟怎样解答上述根本问题呢? 先就唯物论方面说。

唯物论主张世界先有物质,后有精神;物质是本源,精神从物质产生。

世界是物质的关联的统一体的发展过程,有精神有意识的人类只是整个物质世界的一小部分,并且物质世界,在有精神的人类出现以前,早已存在。在人类社会的历史中,也是先营物质生活而后营精神生活。

人类的精神,是物质世界的一极小部分,它附丽于人类的肉体,它是人体中最高物质的脑神经系统的作用和机能。所以物质生产精神,精神因物质而存在,而物质之存在却与精神无关。即是说,物质是客观的实在,是离开精神而独立存在的。

依据日常的经验,我们知道物质世界是存在于我们意识之外的。譬如山川草木虫鱼鸟兽等东西,离开我们和我们意识而独立存在,当它们和我们的感觉相接触时,我们就觉知它们的存在。这是各人每日看见过的无数次经验的事实。又如工人用机器和原料工作,农人用农具耕种土地,他们绝不怀疑那些机器、原料、农具和土地等是离开自己独立的客体。又如自然科学家,当研究各种物质的物体而探求其因果关系及法则时,虽然使用自己的感觉和思维,却绝不怀疑物质的物体是离开自己意识而独立的,也绝不怀疑自己所发见的各种自然法则只是各种物质的物体本身所固有的东西,并不是自己凭空想创造而移入于客体中的东西。即是说,他们明白承认物质界及其固有的发展法则,都是客观的东西,而科学的认识(意识),只是这种客观的物质的映像。

精神、意识,是客观的物质世界之映像。映像(意识)依存于被映像的东西(物质),而被映像的东西不依存映像,这是很明白简易的事实。所以精神依存于物质,而物质不依存于精神。

这种原理,在社会现象的方面也是适合的。社会生活,也分为物质生活与精神生活两部分。精神生活是物质生活的反映。物质生活是本源,是基础,精神生活是从物质生活产生的,精神文明以物质文明为基础。物质文明发达了,然后精神文明才随着发达起来,并不是精神文明先发达了,然后物质文明才随着发达的。

所以唯物论的根本论纲,简括起来,就是:存在规定意识,意识不规定存在。这个根本论纲,在社会——历史的领域中应用起来,就是:社会的存在规定社会意识,社会意识不规定社会的存在。

全部唯物论哲学,都是说明这个根本论纲的。

(三)观念论的根本论纲

然则观念论对于上述哲学上的根本问题究竟怎样解答呢?

观念论的解答,与唯物论完全相反。

观念论主张世界先有精神,后有物质;精神是本源,物质从精神产生。

依据观念论的主张说来,世界是精神的总体。在世界存在以前,早有造物主存在,例如大观念论哲学家黑格尔所说的"绝对理性"、"绝对精神"存在。在人类社会的历史中,也是先有各个人的意识的结合,然后才能营物质的生活。

依据观念论的主张,物质世界原不存在,存在的只有意识,即物质存在于精神之中。譬如山川草木虫鱼鸟兽等东西,并不是当作物体反映于我们头脑之中,而是当作表象进到我们的头脑之中,它们只是许多表象的组合。即是说,我们所感觉到的东西,是存在于我们的意识中,于我们的思维中。在我们的意识中思维中存在的一切东西,便是世界。又如工人在用机器和原料工作,农人在用农具耕种土地以前,他们必先研究那些机械、原料、农具和土地,然后实行工作,实行耕种。科学家所研究的物质的物体,只是科学家头脑中的一些表象,因而所发见自然现象的法则,也只是存在于那些表象之中,即是意识的产物(例如说原子只是思维的构成,动物界的发展,受目的论的原则所决定)。并且科学家认识自然现象时,必须有天才的头脑和思维能力,然后才能成就科学的发明。科学是变造物质的发动力。所以人们的认识不能超出意识的界限,而必须研究意识的界限与本性。所谓客观世界,原是假相,所谓客观世界的发展过程及法则,只是哲学家的绝对精神在假相方面的表现。即是说,精神先变化了,发展了,世界才随着变化和发展。

观念论的这种理论,不但浸透于自然科学的领域,并且还浸透于社会科学的领域。例如黑格尔把人类的全部历史,看作绝对精神发展的表现。观念论者主张人类的历史也和一切自然物一样,都是意识的产物。社会是心理关系的总体。社会之所以发生变化,是由于意识的变化而来;社会之所以发展,是由于道德的完成而起。所以人类的精神是社会发展的原动力。

概括起来,观念论的根本论纲是:意识规定存在,存在不规定意识。这个根本论纲在社会——历史领域中的应用,就是:社会意识规定社会的存在,社会的存在不规定社会意识。

任何观念论哲学,都是说明这个根本论纲的。

(四)折衷论或二元论

关于哲学的根本问题的解答,只有唯物论与观念论两种。在这两种解答以外,还有在表面上好像是属于第三者的解答,这就是所谓折衷论或二元论。折衷论或二元论的哲学,主张调和唯物论与观念论,想要建立不偏不党的,公平无私的新哲学。这种哲学流派,宣称物质和精神同是本源,或主张在认识的特定领域,物质或精神之一方占居重要地位。这种结合唯物论与观念论的哲学学说中,结局不是唯物论的原理占优势,就是观念论的原理占优势。即是说,这种折衷论或二元论的哲学,不属于唯物论,便属于观念论,不能成为一贯的哲学。

所以一切哲学的潮流或学说,因对于哲学的根本问题的解答不同,就分裂为唯物论与观念论两大阵营。全部哲学的历史,是唯物论与观念论的斗争和发展的历史。

(五)哲学的阶级性

哲学的历史,是人类社会的历史的一部分;哲学上唯物论与观念论的论战,是历史的集团斗争的反映。哲学的学说,是在具体的人类社会之中发生并发展的;创造哲学学说的人们,属于特定社会的集团;他们的学说,受当时的社会环境所左右,并反而影响于当时的社会环境。任何哲学学说,都反映所属的时代的经济生活状况,反映当时自然科学知识的程度,并表现特定社会集团的利益和希望。所以唯物论与观念论的论战的历史,即是敌对社会中社会集团斗争史的反映。

在哲学的历史上,观念论常代表保守阶级的意识形态。保守阶级常利用观念论作为镇压进步阶级的精神的武器。反之,唯物论常是代表进步阶级的意识形态。进步阶级总是利用唯物论作为对抗保守阶级的精神的武器。不过,就社会的历史看来,人类的精神的遗产,也和物质的遗产一样,总是掌握在保守阶级的手中,支配着当时社会的人心,一般后起的进步的生产的阶级,最初在知识的灌输上,不能不受保守阶级的意识形态所熏陶,有了先入为主的观念。所以这种进步阶级一旦觉察自身的地位和利益,敏锐地认识世界的新方面而建立自己的新哲学学说时,往往不能完全脱去观念论的影响。这可以说是未成熟阶级的未成熟的哲学学说。当作例外看,进步阶级也有用观念论表现自己进步的要求的(例如19世纪初期的德国观念论,自然法学说等);保守阶级,也有用唯物论表现自己的希望的(例如17世纪的贵族的唯物论)。此外,同一的进步阶级,也有在反抗保守阶级时采取唯物论,而在其本身取得势力以后,就转变为保守阶级,同时放弃唯物论而采取观念论。这样的阶级,就是近代的布尔乔亚。只有现代的新的进步阶级,始终不渝地拥护唯物论并与观念论作不断的斗争。这样的阶级,是普罗列达里亚。

前面所述唯物论与观念论对于物质与精神的关系之说明,究竟哪一方面是正确的? 真理在唯物论一方面,这是不待言的。人类实践的历史与科学的历史,都证明唯物论的正确,并暴露观念论的谬误。社会的生产越是发达,科学的进步越是暴露自然的秘密,唯物论的基础就越发巩固。

二、观念论的克服与辩证唯物论

(一)观念论之社会的根源

观念论的见解之与宗教相通而与科学相反,这是无容怀疑的事情。但是观念论在现代科学昌明的时代,却还能支配一部分人的头脑,这固然是由于它代表特殊阶级的意识形态,但除此以外,也还有其特殊的根源——即社会的根源与认识论的根源。所以唯物论为要有效地克服观念论,必须进一步暴露观念论的根源。

观念论成立之社会的历史的根据,在于精神劳动与肉体劳动之分离,在于社会之阶级的分化。

在原始社会时代,物质的生产力非常幼稚,精神劳动与肉体劳动不能分离。往后生产力稍见发达,物质的生活资料稍有剩余,社会中就发生了一种分工。这种分工,发展起来,就出现为精神劳动与肉体劳动的分工。大部分人从事于生产的劳动,小部分人从生产劳动解放出来,而专做精神劳动了。精神劳动与肉体劳动的对立,虽然日趋深化,但在生产力贫弱的时期中,两者还不至完全分离。

到了私有财产出现,社会被分裂为阶级以后,精神劳动就变为支配阶级的特权,而肉体劳动就专由被支配阶级负担了。由于社会的利害与个人的集团利害的矛盾,客观世界,就被精神劳动者改变为歪曲的幻想的形态了。这类的精神劳动者,大概是僧侣、卜筮者一流人。他们不事生产劳动,仰赖肉体劳动者所生产的生活资料以为生。因此,他们离开了生产活动,不与现实的世界相接触。他们的意识,与当时实践者的意识不同,已不能正确地反映现实世界。从这个时候起,他们的意识,虽不与现实世界相接触,却要说明现实世界,表现现实世界。从此,他们的意识,就局限于想象的领域,而在思维上去构成所谓观念论的世界观了。

在这种社会的基础上发生了的世界观,由于一切精神活动被支配阶级所掌握的事实,更趋于发展而加强其力量。这种精神劳动者觉到自己是特殊的人物,是知识的代表,把思维看作最高的绝对的东西。所以观念论可说是寄食的支配阶级的生活方法的产物。正因为这种寄食的支配阶级独占着一切精神的食物,当然不会忘记自己阶级的利益,而使哲学与自己的利益相一致,使哲学成为精神的支配的工具。古代奴隶所有者阶级的哲学,中世纪农奴所有者阶级的哲学,以及现代特殊阶级的哲学,都是一脉相传的观念论。

观念论之社会的根源,是社会之敌对的组织,是社会力对于人类的支配。观念论在原则上是支配阶级的世界观。观念论的生殖力,观念论对于一切文化的侵蚀力,都可以从这个根源来说明。

(二)观念论之认识论的根源

观念论虽是反科学的离开现实世界的世界观,而现今许多有科学的素养的学者们,却受观念论所影响,从心坎里相信观念论是真理。这是什么原因呢? 固然,观念论的流传太久,传播太广,所以人们不觉潜移默化,不能脱去观念论的束缚。但这还不是根本原因。观念论所以抓住人心的根源,是在人类的意识中,在人类的认识中。观念论的这种认识论的根源,正是它所以采取虚伪科学的假相而侵蚀人心的根本原因。

第一,观念论绝对地夸张意识的能动作用,并否定意识的受动作用。

人类的意识,具有能动作用与受动作用两个成分。人类在其实践上,受环境所左右,这是受动的来源;同时,人类又要改造环境,这是能动作用的来源。在意识是客观环境的映像这一点说来,这属于意识的受动作用,在意识是实践的产物这一点说来,这属于意识的能动作用。意识的能动作用与受动作用,不可分离地结合着。人类的意识,一面反映环境,一面又改造旧环境,创出新环境。在这种处所,意识的能动作用,对于受动作用,占居优位。但是观念论者,完全否定意识的受动作用,只夸张意识的能动作用,并把它提高到绝对的地位,因此主张意识不受环境所影响,而环境倒反存在于意识之中,成为思维的产物。所以观念论者主张意识是完全自由的,思维是最高无上的,整个的世界只是天才哲学家的头脑的产物。因此,观念论者把意识的这一方面(即能动作用)夸张到绝对地位,并利用它作为说明一切现象的空想的工具了。

第二,观念论分离概念与现实的关系。我们认识客观世界,就在于发见客观世界的发展法则。我们在认识的活动上,把客观世界给予我们的表象结合起来,实行论理的加工和再建,借以表现客观世界的发展法则,并在社会的实践上加以检察。所以人类的认识,是客观世界的法则的反映过程。并且这种反映是不断地随着客观世界的发展而发展,绝不是固定的东西。我们的思维形式(概念),是人类数千年来实践的发展的总和。

我们在进行认识世界之时,不能不使用概念,否则我们便不能思维。但是概念的构成,是就外部世界所得的感觉和经验实行论理的加工的结果,是感觉和经验的普遍化的结果。概念的本身,即是现实的客观世界的反映,是客观与主观的统一。如果在使用概念去进行思维之时而蔑视概念与现实的正确关系,那就会曲解现实,掩蔽真理。因为概念只能反映现实的某一特征,某一方面,绝不能完全把捉现实的全部丰富的内容。只有随着实践的发达,概念才能比较近似地比较正确地反映现实。观念论者把反映现实的某一特征某一方面的概念，化为完全的一般的原理，使概念从现实完全分离出来，变为纯粹主观的东西。观念论者拘泥于主观的概念的领域，结合概念与概念，造出新的概念，创造主观的真理。他们所创造的概念或真理，是否和现实的对象相一致，那是全不过问的。因此，与现实相隔离的观念论者，否定认识是客观世界的反映，反而主张客观世界只是他们的绝对精神的向外表现。他们主张，这种精神包含一切的真理，只有研究这种精神的哲学，才是正确的哲学。

所以观念论哲学，把精神看作本源，看作世界的创造者，宇宙的神。观念论所崇奉的这种绝对精神，与宗教上所主张的上帝，是恰相一致的。因此，我们更进而说明观念论与宗教的关系。

（三）观念论与宗教的关系

观念论所说的绝对精神、绝对自我与纯粹理性之类的东西，简直是完全和宗教所说的精神与上帝相同。实际上，观念与宗教是一个来源。这个来源，是原始人类的蒙昧无知的观念——万物有灵论。万物有灵论，主张万物都有灵魂，主张灵魂不灭。这种灵魂不灭的信仰，后来又与卜筮等魔术结合起来，发展为图腾主义，出现为崇拜祖先的宗教，往后又演变为崇拜自然、崇拜种族神的宗教，最后又演变为一神教。所谓回教（伊斯兰教）、基督教、佛教等宗教，都是这种一神教，都是从万物有灵论脱胎而来的。

观念论与宗教，是直接相通的。观念论只是被陶熔了的、被蒸馏了的、被精制了的宗教。观念论所主张的先物质世界而存在的精神、为万物所从出的本源的精神，只是用科学的假面具罩住了的宗教上的神或上帝。观念论与宗教在表面上不相同的地方是：宗教的世界观是独断的，是迷信的，譬如所谓上帝在六日之中创造天地万物的神话，即是一例；观念论的世界观，却采取科学的假相，不便直接宣传"创世纪"的无稽之谈，而只是宣传离开物质、创造物质的精神，并在人类的意识中与认识中去建立它的地盘，我们可以说，观念论是从宗教的观念发展而来的，它造出理论的躯壳，通过认识的一个方面到达于宗教的结论。所以观念论由宗教的发展所准备，它一经发生之后，更促进宗教的发展。宗教为观念论准备精神的地盘，观念论为宗教设置理论的基础，观念论与宗教深相结合，造出了神学。

宗教之社会的根源,与观念论相同。两者的本质一致,在社会上所起的作用也相同。两者同是历史上特定社会的支配阶级所利用的镇压下层阶级的精神武器。支配阶级之利用宗教,正与利用观念论相同。因为无论在什么时代,直接生产者的大众开始想到穷困的根源时,支配阶级总认为是不妥的事情。支配阶级为使这般大众离开地上的物质生活的注意,不能不利用观念论;为使他们把现世的愤懑移转于来世,不能不利用宗教。因此,观念论与宗教的结合,由于社会的必要,在表面上常常采取不同的姿态。有时观念论直接表现为宗教,只成为替宗教树立合理的基础的一个方法(例如在中世纪黑暗时代);有时观念论假装科学的形态,对宗教表示冷淡(例如科学的发展促进资本主义繁荣的时期);现在,观念论又大声求救于宗教,要求回复到中世纪时代,再充神学的奴仆。所以现在观念论已是赤裸裸地和宗教缔结同盟了。

(四)观念论之扬弃与现代唯物论

在科学极其幼稚的时代,人们当然不能把反映在感觉上的客观世界,作科学的分析和综合;去发见世界的发展法则,以建立科学的世界观。因此,观念论的哲学家,为了建设一个世界观,不能不凭自己的空想,替复杂错综的客观世界设定一定的秩序。当他们一旦离开客观的物质世界而仅凭思维去建设空想的世界的秩序时,就把思维夸张到绝对的地位,而主张思维,理性是物质世界的本源了。所以观念论虽然在历史上代表着特殊阶级的意识形态,但在科学还未发达的低级的阶段上,却也自有其存在的根据。

但是到了现代,科学已经非常发达,人们已能用科学的方法认识物质世界而树立科学的世界观了,无论在自然现象的领域,或社会现象的领域,早已没有离开物质的精神存在的余地,没有超自然力的神或上帝存在的余地。科学早已证明:我们的认识的源泉是外部客观的物质世界,而不是思维或意识;我们要认识外部世界,只有在社会的实践上能动地反映外部世界,把所得的表象加以分析和综合,在思维上再造出外部世界,才能得到正确的认识,才能促进认识的发展。观念论的原理,在科学之前是完全崩溃了。代之而起的,是现代唯物论,即辩证唯物论。

辩证唯物论是人类知识的历史的总计、总和与结论。辩证唯物论当着与观念论斗争之时,要求把观念论作批判的克服,绝不简单地干脆地把观念论一切理论的内容当作字纸篓里的知识去抛弃。所谓批判的克服,就是暴露观念论之社会的基础及其认识论的根源,揭穿观念论体系之内在的论理,摘发观念论对于哲学问题的解决之偏狭性与主观性。

观念论固然是错误的,但它在人类认识过程中具有其根源。观念论固然是宗教的偏见,但它是经由人类认识的一个方面而到达于宗教的道路。人类对于世界的认识,是无限地循着螺旋状的曲线运动的历史的发展过程,而观念论却把这曲线的任意的断片转变为独立的完全的直线(即是把认识的许多方面的一方面夸张为绝对的东西,把意识看作是离开物质而存在的东西)。人类的认识,是生动的、发展的、结实的、客观的树木,而观念论却是这株认识树上开出来的一朵虚花。

所以辩证唯物论,并不是形而上地否定一切从来的哲学历史,并不是单纯地、粗笨地否认一切观念论的存在,而只是在辩证法的意义上去扬弃一切观念论。观念论的哲学,在现在科学非常发达的时代,确是阻碍人类知识的发达的东西,但在从前的全盛时代,也曾以神秘的姿态促进了知识的发展。所以辩证唯物论,要在观念论的神秘的外套中,寻找合理的、贵重的东西,把它继承下来,并在唯物论的基础上改造它。即是说,辩证唯物论要保存那株生动的发展着的人类认识树,切去在它上面所开的虚花和所起的赘瘤;要粉碎一切观念论的哲学体系,却不斩断这株认识树,反而促进它的健全的发展。

(五)辩证唯物论与旧唯物论的差异

辩证法的唯物论,对于哲学上的根本问题即物质与精神的关系的问题,是主张物质是本源的。在这一点,辩证法的唯物论,当作唯物论看,与从来一切形态的唯物论相一致。但辩证法的唯物论是辩证法的,在这一点就克服了从来一切形态的唯物论。

辩证唯物论,是把离意识独立存在的、在时间空间中无始无终的物质世界,作为自己的体系的出发点的。

在辩证唯物论看来,世界的存在的根本形态是运动。物质世界,是物质的运动的多样的具体形态的统一。运动不仅是同一物的单纯的位置变化,而是发展、变化、由低级形态到高级形态的推移。发展的根源,不在外的原因之中,而在发展着的世界的自我运动之中。这自我运动的源泉,是矛盾,是一切现象中内在的互相结合互相排斥的诸对立物的斗争。一种事物到它自己的对立物的转变,由于飞跃、由于量的蓄积所引起的质的变化、由于连续的中断、由于特定的关联的断绝而显现。旧事物到新事物的转变,常以某种方法,表明旧事物的否定,同时表明旧事物在比较高级的形态上的改造。

世界是物质的诸形态的转化的过程。物质世界,在其由低向高的发展上,构成了把当作思维的存在者看的人类包含在内的有机物质。思维也是运动形态,是物质世界的特殊的性质,是这个世界的发展在社会的人类头脑中的反映。世界的发展的辩证法,把世界在思维上的反映过程,也当作自己的特殊运动形态包含着。

辩证唯物论,不但适用于自然的领域,并且适用于社会——历史的领域。例如研究资本主义时,不但把资本主义当作客观存在的社会制度去考察,并且把资本主义看作发生发展及其必然没落的过程,指出资本主义之历史的起源,及其由内在的阶级矛盾而发展,而必然地由其掘墓人所推翻,必然地由新的社会制度所代替。

辩证唯物论,是唯一的科学的世界观。它反映现代社会中一切矛盾的社会生活的真相,反映现代的一切科学上的进步,反映进步的社会阶级的要求,综合人类知识的全历史。

三、物质的概念

(一)物质

辩证唯物论,继承哲学上的唯物论的方向,首先解决关于物质与意识的关系的哲学上的根本问题,主张世界先有物质,后有意识,物质是本源,意识从物质产生。所以物质规定意识这个论纲,是辩证唯物论的基础。

然则物质究竟是什么? 这是一个先决问题。

人们在其社会的实践的过程中,每日无数亿次接触于自然界的千差万别的物质的物体。这些物质的物体,在其质的构造上各具有其特殊性。但在这些千差万别的物质的物体中,我们可以发见一个极普遍的规定:即它们都是离开我们的意识而独立存在的,同时它们又都是我们感觉的源泉。我们从一切物质的物体中,单把这一方面的"属性"抽象出来,把其他一切质与量的区别抽象出去,由此就可以到达于关于这一切物质的物体的最单纯最一般的规定。这最一般的规定,就是:物体的总体,客观现实性全体,都离开我们的意识而独立存在,同时又是我们感觉的源泉。辩证唯物论把这种属性,叫作物质。若用一个定义来说:

"物质是表明离开我们感觉独立存在,并在感觉上给予于我们而为感觉所摄取所反映的客观实在性的哲学的范畴。"

更明了地说来,物质是哲学的概念,表明物质是客观的实在,即是在意识以外,并离意识独立存在而为意识所反映的东西。

辩证唯物论照上述那样去规定物质时,明白地指示了哲学上的物质概念与自然科学上的物质概念,是显然有别的。如果忽视了这两者的区别,就会陷入于观念论的深渊。

哲学上的物质概念与自然科学上的物质概念,不是两个互相矛盾的概念,而是物质现实性两个不同的关系的规定。哲学上的物质概念,在客观与主观的关系上规定物质,说明"物质是作用于感官而引起感觉的东西,是在感觉上给予于我们的客观实在性"。自然科学上的物质概念,依据物理学的知识所到达的水准观察客观世界的构成,规定物质构造的特征。

哲学上的物质概念,是物质之最一般的规定。在这个物质概念中,包括了最高组织的物质的属性即意识。即是说,意识也是物质的,有意识的人类本身也是物质的一种显现。所谓意识与物质的对立,是有条件的,即只是在认识论上提起这问题时,才有意义。换句话说,意识被统一于物质之中,我们在认识论上把意识和物质对立,就是把认识的物质与被认识的物质对立。如果超过认识论的范围,而由自然科学的见地去分离精神与物质并使两者互相对立,就会陷入于二元论的立场。

哲学上的物质概念,是绝对真理。反之,自然科学上的物质概念,却常只是相对真理。因为自然科学上的物质概念,随着物理化学的进步而不断进步,而愈趋于正确。例如在 18 世纪时代,物理学把物质的构造规定为它的分子的构造。因而分子在当时是物质的可分性的最后的界限。往后,人们知道分子是由原子组成的。于是从来关于物质的分子构造的物理学说,虽是客观的真理,却只有相对的意义了。现在,物理学更显著地深入自然的深处,发见了物质之电子的构造,知道原子又能分解为电子了。电子说的出现,当然并不是意味着自然的认识就停顿不前。因为物质本身是无限的,同样电子也是无限的。所以物理学在其种种发展阶段上,关于物质的规定,只是相对的规定;而这种相对的规定,常是与物质构造的各种性质相结合,常是注重物质的可分性的界限。

至于哲学上对于物质的规定,却是不同,它只是"在认识论上说明离人类感觉独立存在而为感觉所反映的客观实在性"。关于物质的这种规定,是决不能变动的。

哲学上的物质概念与自然科学上的物质概念,是决不许混同的。现在有许多物理学家,不知道这两种概念的区别,每逢科学上有新的大发见发生之时,动辄要陷入于神秘主义与观念论的泥沼。譬如电子的发见,只是证明从来人们所确定的"物质是原子的总和"这个规定的相对性,但物理学者们却非常狼狈,宣称物理学的危机到来了。他们的论文和演说,都高呼"物质消灭了!""物质变为非物质了!""物质被科学清算了!"于是物理学者们在其理论的思维上,踏入了观念论的领域。同时,一切观念论哲学家,就抓住这个机会,大声嚷叫:物质消灭了,因而唯物论哲学也要消灭了,从此世界只留下精神了! 这种叫嚣是无意义的。物质消灭了,精神能够独立存在么?! 姑无论物质被分解为电子,而电子仍是离人类意识独立而为意识所反映的客观的实在。因而唯物论哲学对于物质的规定,仍不能有丝毫动摇。那些理论的物理学家,不能理解电子的发现只是说明从来关于物质可分性的相对界限的消灭,却误以为是物质的消灭,因而否定物质。这完全是因为他们不知道辩证法才演出错误。所以自然科学如不接受辩证法的指导,就容易迷入于观念论。

现代机械唯物论者的主要错误,就是因为不知道哲学上的物质概念与自然科学上的物质概念的区别,并把两者视为同一,用后者代替前者,因而主张用自然科学代替哲学。至于少数派观念论者,虽然重视这两者的区别,却不把辩证唯物论所规定的物质,看作是存在于现实性自身之中的东西,而把物质看作纯粹思维的范畴,是纯粹思想的产物。哲学上这两个偏向,都是由于不理解物质的一般规定(哲学的规定)与特殊的规定(自然科学的规定)之差别及其统一而起的。

哲学上的物质概念,与辩证唯物论有固结不解的关系;自然科学上的物质概念,在物质构造的具体知识的发展过程中是不断变化的。随着生产力的发展与科学及技术的发展,人们关于物质构造的理解就日益进步。因而唯物论就不断地吸取自然科学的成果,改变其形态,丰富其内容,使物质观更趋于深化和完成,更接近于物质之全面的认识。但是辩证唯物论关于物质的规定,关于客观实在性的存在之承认,无论自然科学对于物质构造的理解如何进步,它仍是不变的。

(二)运动

在讨论物质的概念时,要更进一步地讨论物质的存在形式的问题。即考察运动、时间与空间的问题。先说运动。

物质的存在形式,首先是运动。运动是物质存在的根本形式。物质与运动,是不可分离地结合着。"无运动的物质,和无物质的运动一样,同是不能想象的。"这个命题,指示了世界的客观实在性的运动,是运动的物质或物质的运动。这个命题,表明了:绝对不运动的物质或绝对静止的物质,都是没有的,离开了物质,就不能说起运动;并且物质的运动,是非常复杂的。

"物质是运动的物质。没有运动就没有物质,没有物质就没有运动。但物质的运动,是物质的自动。物质自动的源泉,是物质的内的矛盾、对立物的斗争。这种见解,排除了物质运动由于外力的作用,由于超自然力(或神力)的作用的一切谬见。"

从来形而上学的,观念论的见解,认定自然界是永在绝对静止的状态,一般是没有什么发展的。但辩证唯物论却不承认绝对的静止。辩证唯物论承认静止是运动的一个要因,一个特殊的形态。物体的静止只是相对的静止,相对的均衡,而物质的运动却是绝对的。所以辩证唯物论承认:"物体的相对静止的可能性、暂时的均衡状态的可能性,是物质以迄于生命的分化之根本条件。"

观念论哲学中,也有采取运动的见解的哲学(例如黑格尔的哲学)。但这种观念论,从物质分离运动,把运动转化为精神或神灵。这种离开物质去考察运动的见解,正是观念论与神秘主义的根本的本质。此外还有一批物理学的观念论者,如皮尔逊、马哈、亚勃纳留士之类,只说起运动,考察运动,至于这种运动究竟是什么东西的运动,他们是不过问的。这种离开物质去考察的运动,当然是无物质的精神或神灵的运动了。

还有,在唯物论的阵营中,除辩证唯物论以外,形而上学的或机械的唯物论,也承认物质的运动。但机械唯物论所主张物质的运动,只是一种性质的力学的运动,即只是承认机械的运动。机械唯物论,把宇宙一切运动都还原于力学的运动。这是运动的单纯化、机械化的主张。辩证唯物论认定物质的运动形态,是异常复杂的。"物质的运动,不能单只还原于机械的运动,单纯的移动;物质的运动,同样是热与光,电气及电磁气的张力,化学的化合及分解,生命,最后是意识。"(恩格斯《自然辩证法》)物质在其运动上,展开种种性质,呈现复杂的形态。又如社会,也是物质的运动形态的一种,在其运动上也展开其固有的本质,呈现其不同的形态。所以哲学上说及物质的运动时,必考虑物质及运动的各种具体形态,考虑物质及运动的一般形态与特殊形态的正确关系。

(三)时间与空间

但是物质的运动,离开时间和空间,不能显现。时间和空间,与运动一样,同是物质的根本的存在形式。离开时间和空间,不能有物质,也不能有物质的运动。"世界除运动的物质以外,没有别的东西。而运动的物质,在时间和空间以外,不能运动。"

人们通常把空间想作贮满物质的空虚的箱子,而物体是在这空虚的箱子中运动的;同样,又把时间想作空虚的长度,可以用钟表的分秒来测量,因而在思维上把物体放在这空虚的长度中,说物体是在时间上变化的。关于时间和空间的这种错误的表象,也是过去唯物论哲学所支持的。但辩证唯物论却说明这种从外部把物体装进去的绝对空虚的时间和空间,是绝对没有的。时间和空间是物质存在的形式。物质的运动是时间,物质的延长是空间。如没有物质,不能说起运动;同样,如没有物质,也不能说起时间和空间。

时间和空间,和物质一样,是离开人类意识独立而为意识所反映的客观的实在。时间和空间的表象,是客观的实在的时间和空间在人类意识上的反映。客观的实在的时间和空间,是不断地发展着,变化着,因而反映于人类意识上的时间和空间的表象,也是相对的,发展的。这些相对的表象的日趋发展,就日益接近于客观的绝对的真理。正如关于物质构造的学说的可变性不否定物质之客观的实在性一样,关于时间和空间的表象,也不否定两者之客观的实在性。

观念论者,否定时间和空间的客观性,主张时间和空间只是主观的概念。例如:康德派把时间和空间看作主观的形式;黑格尔派把发展着的时间和空间看作是接近于时间和空间的绝对理性的东西;马哈主义者把时间和空间看作是"感觉的系列"或纯论理的概念。这种主张,与否认物质的客观性的主张是一致的。

我们体会了辩证唯物论关于时间和空间的解释,就可进而解决下面的问题,即物质在时间和空间上是有限或无限,或有始或无始的问题。从来的宗教或观念论,主张世界是由上帝或绝对精神创造出来的。在这一点,显然地承认时间和空间是有始的,有限的。但宗教和观念论所说的上帝或绝对精神那东西的存在,却又是无始的,无限的。在这一点,又把时间和空间的无始和无限,寄托于虚构的上帝或绝对精神之上了。这种虚构是很无聊的东西。辩证唯物论,认定物质在时间和空间是无始的,时间和空间,无始也无终。这些都是自然科学所能证明的。

若把物质、运动、时间和空间这四个范畴连缀起来,加以说明时,我们可以说:物质是在时间和空间的形态上运动并离开我们意识独立存在而又为意识所反映的客观的实在。

第二节　唯物辩证法的对象

一、当作世界观与方法的统一看的唯物辩证法

(一)当作世界观看的唯物辩证法

唯物辩证法,首先是世界观,是研究整个世界的发展的一般法则的科学。哲学上所处理的原理、范畴及法则,不单适合于特殊现象的领域,并且适合于一切现象的领域,具有极普遍的性质。但这些一般法则,必须经过思维的媒介,才能在科学上、论理上去理解它们。

客观的世界,最初反映在我们的直接的直观上,出现为混沌流动的总画面。为要认识这个总画面内部各部分的各种相互联系及各种发展法则,而把

它们统一为一般发展法则时,首先要认识构成这个总画面的各个部分,然后对于这个总画面才能有明了的观念。换句话说,我们先要认识这总画面的各部分的特殊发展法则,然后才能在论理上把它们综合为一般的发展法则。

世界分为自然与社会两部分,研究这两部分的特殊发展法则的科学,是各种自然科学与社会科学。各种自然科学与社会科学,各把特殊的自然现象或社会现象作为研究对象,而发见各种特殊发展法则。所以哲学为要认识最初在直观上给予着的世界总画面,而发见全体世界的一般发展法则,就必须利用个别的科学的结论,把那些特殊法则,拿来比较对照,舍弃那些法则的特殊性,把它们概括起来,才得到适合于一切特殊领域的一般法则。于是世界各部分现象之一般的联系及发展的法则,就从直接的直观转变为由思维所媒介的综合,即是在思维上再现出全体世界的形相,形成为统一的世界观。因而哲学上所处理的一般的原理、范畴及法则,是各种个别科学所处理的特殊的原理、概念及法则的普遍化;而各种特殊的原理、概念及法则,是一般的原理、范畴及法则在各个特殊领域中所采取的特殊姿态(即个别化或具体化)。

概括个别科学的结论而形成的世界观,必然是理论与实践的统一。因为自然科学所发见的自然法则与社会科学所发见的社会法则,都是社会的实践的结果。所以在个别科学的研究上,认识只有实践地直接作用于客体,才能取得认识的材料,发见客体的法则;并且认识的真理性,也只有实践地直接作用于客体,才能证明。所以实践在个别科学的研究上,是认识的出发点,又是认识的终结点。因为科学的认识与人类的实践是统一的。至于哲学,是概括个别科学的结果,而在思维上再现出外部世界的全体形相的。在这种意义上,实践通过个别科学而间接地成为哲学的基础。哲学的真理性,也必须通过个别科学而由实践所证明。所以说,哲学不只是解释世界,而是变革世界。这样的哲学,是理论与实践统一的哲学。

其次,概括个别科学的结果而形成的世界观,必然是唯物辩证法的世界观。第一,这种世界观首先是唯物论的。因而个别科学的认识是客观的实在之反映,其认识的真理性已为实践所证明。所以哲学所概括的个别科学的范畴及法则,原是个别科学关于外部世界的长期的探求及考察的结果,原是过去人类由无数次的实践所证明的认识。哲学通过个别科学,与客观世界相联系,因而哲学上所处理的一般的范畴及法则,原是客观的世界之映像。即是说,哲学把在直观上给予着的世界的总画面,通过个别科学的认识,把这总画面转化为思维上构成的世界观。所以这种世界观,必然是唯物论的。即是说,这种世界观承认存在是本源,思维是存在的映像。至于观念论的哲学,却不知道个别科学的认识原是发展着的客观世界的映像,不知道个别科学反映客观世界的认识原是哲学上概括个别科学的前提;因此颠倒存在与思维的真实关系,并使认识从客观分离,使概念从对象分离,而片面地把思维夸张为绝对者;因此把范畴与范畴、法则与法则的组合,看作是客观世界。正因为这样,所以观念论把精神看作本源、把客观世界看作是精神的外化。这样的世界观,实是无世界的世界观。

第二,唯物论的世界观,必然是辩证法的。现代自然科学与社会科学,暴露了自然与社会的发展都是辩证法的发展。自然的辩证法与社会的辩证法,是客观的辩证法;客观的辩证法在思维上的反映,是主观的辩证法。唯物论的世界观,把现代的个别科学所反映的客观世界各部分的特殊的辩证法,综合起来、概括起来,形成全体世界的发展的一般辩证法。所以唯物论的世界观本身,即是唯物论的辩证法。

唯物辩证法,是总括的理论,它已站在最高的阶段,通过个别科学,分析地研究世界的各部分,再综合为一个全体。在社会实践的发展上,个别科学不断地反映世界的新方面,对于辩证法供给更丰富的材料,因而概括个别科学的成果的唯物辩证法的哲学,也更趋于丰富和发展。所以唯物辩证法,是一般与特殊、直观与思维、理论与实践、经验科学与理论科学之辩证法的综合。同时,这种哲学本身,也是辩证法的;它是一个流动的发展的世界观。

（二）当作方法看的唯物辩证法

如上所述,世界观是个别科学的诸结果的概括,它与个别科学的发展水准有极密切的关系。在个别科学还没有发展到高级水准之时,科学的世界观是不能成立的,例如18世纪机械的唯物论所以不能成为科学的世界观,是因当时的个别科学还在搜集材料的阶段,自然科学对于辩证法的证明,还不能供给充分的材料。在18世纪以前,自然科学诸部门中比较进步的东西,是力学和数学,机械唯物论主要地是依据力学的知识去说明世界的,所以这种世界观必然是机械论的。

但个别科学纵令发展到了高级的阶段,若在观念论的基础上概括个别科学的成果,也不能成为科学的世界观。例如黑格尔的哲学,虽然概括了当时已经发展的个别科学的结果,但他的哲学是观念辩证法。他认定客观世界是精神的产物,客观辩证法是主观辩证法的产物。这个哲学,虽然依据辩证的方法说明了自然界、历史界及精神界发展的过程,但对于世界的现实表象,却充满了观念论的内容。在其辩证法的方面,世界是当作不断地变化、运动、发展的过程去考察的,而在其观念论的体系上,世界的变化、运动及发展,却因黑格尔的绝对真理之发见而终结。并且黑格尔的体系,因为颠倒了事物的真实关系,所以在其世界观的构成上,"含有许多的补缀、文饰和虚构,即发生了谬误。黑格尔的体系,当作体系看,是大大的流产——并且是同种类的最后的流产"。

从来一切形而上学的观念论的哲学,无论是自然哲学、历史哲学或一般哲学,都是与现实相隔离的哲学,所以在其自然观、历史观或一般世界观的构成上,都用思辨的、幻想的、一般范畴和一般法则,代替实在的、现实的一般范畴和一般法则。虽然这些哲学,也有过不少天才的发见和预见,但对于客观世界之歪曲的反映,仍然充满了这样哲学体系的内容。同时,社会的实践之发展与现实的认识之发展,却日益暴露这类哲学的"补缀和虚构"。所以当着人类的认识一旦与现实世界相接触之时,当着发展着的个别科学表明自己所研究的客体(世界的各部分)在全体世界中所处的地位、表明对于全体世界的认识的关系之时,于是从来一切"补缀和虚构"的世界观,一切俗称为"科学的科学"的独立哲学,便失其存在的根据。于是唯物辩证法的新哲学,就代替从前的哲学而起;而从前的哲学就被唯物辩证法这种哲学所扬弃了。所谓扬弃,即是"被克服并被保存"。"由它的形式说,是被克服;由它的真实内容说,是被保存着。"

所以由从来的哲学遗留下来的东西,就是"从人类的历史的发展之考察抽象出来的最一般的诸结论的概括",即是历史的诸科学的结论的概括,即是唯物论的辩证法。这个辩证法,是"关于发展的科学,是关于自然、社会与思维的运动及发展的一般法则"的科学。

唯物辩证法把存在规定思维、把反映存在的思维依从于与存在相同的同一法则而发展并与存在相一致的事实，作为思维的前提。因而认识所依以发展的思维法则，即是自然与社会的发展之正确的反映。主观辩证法即是客观辩证法的映像，是客观世界的发展在意识上的映像。在这里，唯物辩证法是世界观。但这个世界观之论理的构成，既是个别科学的结论的概括，它必然能够成为个别科学的方法。即是说，唯物辩证法是世界观，同时又是方法论。因为唯物辩证法，在其起源上，在其内容上，都是客观世界的一般映像，所以它能指导研究各个具体对象的方法，使我们能够容易地正确把握在感觉上给予着的对象之客观的真理。

在分析与综合的关系上说来，个别科学是相对的分析的科学，哲学是相对的综合的科学。分析是受综合所指导的，因而个别科学是受哲学所指导的。即是说，哲学必须是贯串于个别科学的一般的方法论。因为哲学上所处理的一般的原理、范畴与法则，是概括个别科学的结论而来的，所以能够适合于特殊现象的领域。在这种意义上，唯物辩证法可说是个别科学的代数。个别科学，必须适用辩证法的思维法则，才能正确地把握对象。

从来的个别科学，在其理论的思维上，往往感受形而上学的影响，而成为观念论产生的地盘。所以个别科学为要正确地把握对象的真理，必须接受辩证法的思维法则的指导，才能成就。辩证法原是论理学，个别科学没有论理学的指导，一步也不能前进。在这种意义上，辩证法是人类认识自然、社会及思维的一般方法论。

辩证法不单是认识的方法论，同时又是实践的方法论。认识由实践而生，为实践所证明，而又指导实践。所以辩证法不单是思维的方法，认识的方法，同时又是实践的方法，改造世界的方法。在理论与实践的统一上说来，唯物辩证法是以实践为基础的认识的方法论。

根据前面的研究，我们知道：当作世界观与方法的统一看的唯物辩证法的对象，是整个世界的一般的发展法则，即是自然、社会及人类思维一般发展法则。关于唯物辩证法的对象的这个规定，揭破了一切观念论诸流派关于哲学对象的神秘见解，纠正了机械唯物论关于哲学对象的错误解释。因为，第一，唯物辩证法认定他自身也和别的科学一样，有他自己的研究对象；并且这个对象,是物质的现实的世界(包括自然、社会与人类思维),并不是空想的神秘的王国。第二,唯物辩证法的对象是整个的现实的世界,与研究现实世界的特殊部分的个别科学的对象不相混同;前者研究整个世界的一般发展法则,后者研究一部分的世界的特殊发展法则。第三,唯物辩证法是"从人类的历史的发展之考察抽象出来的最一般的诸结论之概括",是从世界认识的历史得来的总结论。

一切观念论的诸流派,都主张思维规定存在,因而否定物质的现实世界,另在头脑中创设空想的世界作为哲学的对象。例如,马哈主义,把感觉作为"世界要素",把感觉所由发生的现实世界作为超经验的东西,因而主张把从感觉而生的经验世界作为哲学的对象。康德主义把超经验的世界解释为论理的东西,想依靠思维的反省去理解其内容。黑格尔主义,把现实世界以前的所谓"世界精神"作为哲学的对象,而只是思辨地去理解他。总之,这一切观念论的流派,都是在物质世界以外,虚构空想世界作为哲学的对象,使哲学化为神秘的东西。

至于唯物辩证法的阵营中,也有所谓机械论与形式论的两个流派,都曲解了唯物辩证法的对象。机械论者主张用自然科学代替哲学,说唯物辩证法应解消于科学之中,不能有其独立的研究对象。形式论者使哲学与具体的个别科学相分离,因而主张把一些从具体科学分离出来的概念作为科学哲学的对象,说哲学只是研究概念的科学。前者把自然科学的一般结论的总计作为世界观;后者把概念的总和看成与客观世界相一致的东西,并把唯物辩证法归着于方法论。前者干脆地否认哲学,后者接受黑格尔主义,事实上等于放弃唯物辩证法。这两派的错误,都是由于不理解上面所说唯物辩证法的对象的规定。

二、辩证法、认识论与论理学的同一性

(一)三者的同一性问题之提起

以物质世界的一般发展法则为对象的唯物辩证法,是认识论,同时又是论理学。因此,在这里,特别提出辩证法、认识论、论理学的同一性的问题来说明。

从来僭称为"科学的科学"的独立哲学,其处理的对象甚为复杂,因而哲学被分裂为许多互不联络的部门,如认识论、本体论、论理学、数理哲学、自然哲学、历史哲学、社会哲学、宗教哲学、美学、伦理学之类。但到现代,各种自然科学与社会科学日益发达,除了认识论、本体论、论理学等哲学的部门以外,其他都在各种经验的科学之中解消了。

二元论哲学家康德,首先企图把哲学划分为互不联络的认识论、论理学及本体论的几个部门。在认识论的部门中,研究人类认识的界限及能力,研究认识的源泉及形式。在论理学的部门中,研究人类思维的发展法则,研究概念、判断及推理等的思维形式。在本体论的部门中,研究客观世界的本性。

康德哲学中,把认识论、论理学与本体论作为互相对立的东西,而其主要的企图是在建立认识论的基础。可是康德认识论是形而上学的。他想建立在认识本身以前、在认识过程以外另有其根据的认识论,即超历史的从人类社会的历史分离了的认识论。他认为物本体是不能认识的,如果超出认识的界限,就要舍弃认识过程。他不考察认识的发生和发展,分离认识内容与认识形式,而专只研究完全孤立的、无内容的、纯粹论理的形式。所以康德体系的二元论,即形式与内容、"物本体"与"我们之物"、本质与现象的二元论,是从这种处所发生的。

黑格尔批判康德的错误,首先在观念论的形态上,理解了认识论与论理学的同一性。他主张认识论与论理学,在历史上在实践上都是一致的。黑格尔主张认识论的基础,是认识的历史、认识的实践。他对于康德建立认识论问题的方法,认为是错误的。他认为要规定认识的能力,必先研究认识在实践上的作用,研究认识的历史。同样,论理学的基础,也是认识的历史。我们要研究认识的形式、概念判断及推理等形式,就必须研究这些形式在认识的历史上是怎样被适用的,研究这些形式怎样地随着认识的发展而发展。所以黑格尔的哲学,由历史主义所贯串着。他所理解的认识论、论理学即辩证法的同一性,其原因就在历史主义的基础中。

黑格尔所主张的辩证法、认识论、论理学的同一性,固然要根据认识的历史去研究,但三者并不单纯地归着于认识的历史。"认识的历史,在论理学

（即辩证法）及认识论方面，都是当作全体、当作普遍化的东西，从认识的结果及总计的见地去采取的。在这种场合，历史的东西，是从论理的见地即从一般的结果的见地去采取的。这样得来的论理的东西，虽是同一的历史、同一的过程，但并不因为细目而使事情趋于复杂，而是在一般的过程上给予着，一切没有意义的偶然的偏差都被排除了。"（米丁）

黑格尔关于辩证法、认识论、论理学的同一性的见解，比较康德的见解确是显著的进步。但黑格尔的哲学是观念论的，因而他所主张的三者的同一性，带有观念论的性质。因为他主张历史从属于绝对精神之论理的发展，而历史的现实的运动，是论理的运动的产物。

（二）创始者们对于这问题的解决

创始者们关于辩证法、认识论、论理学的同一性的见解，无疑地是黑格尔的见解之唯物论的改造。在黑格尔方面，三者的同一性，根据于存在与思维的同一性，当作观念论的同一性处理的。反之，在马恩两氏方面，三者的同一性，以哲学的唯物论为前提，三者都是认识的历史的结果。在黑格尔方面，认识的历史，成为绝对精神的自己发展的过程，与物质世界发展的历史、社会的实践的历史相分离。反之，在唯物论方面，认识的历史，是人类在其物质的实践上认识的客观世界发展史在人类头脑中的历史的反映。

马氏本人，留下了《资本论》的论理学。他在《资本论》之中，把资本主义作一般的理论的分析，同时又把资本主义生产关系发展的历史作普遍化的概括。他说："当作布尔乔亚的财富的要素形态看的商品，是我们的出发点，是资本发生的前提。在另一方面，商品如今又当作资本的生产物出现。我们的叙述的这种循环，同样也与资本之历史的发展相一致。"恩氏也要约资本论的方法论，力说资本论中历史的东西与论理的东西之统一。在这种处所，表示着辩证法、认识论与论理学的同一性。所以，伊里奇的《哲学笔记》中，这样写着："在《资本论》之中，论理学、辩证法及唯物论的认识论（三个名称是不必要的，三者都是同一的东西），都在一个科学上适用着。唯物论的认识论，把黑格尔的贵重的东西，都摄取出来，并使这些贵重的东西发展了。"

其次，恩氏对于辩证法、认识论、论理学的同一性，有比较详细的说明。他说："只有论理的方法，是唯一的适当的东西。但这实在也是同一历史的方法,不过只是排除了历史的形态与扰乱的偶然性。"又说:"现实性的叙述开始时,独立的哲学存在的理由就消失。能够代替他的东西,至多只是从人类之历史的发展的考察抽象出来的最一般的诸结论之概括。""于是由从来的哲学遗留下来的东西,是关于思维法则的学问——论理学与辩证法。"

在恩氏说来,我们只有一个哲学,即是辩证法。这辩证法,同时是论理学,又是认识论。

(三)伊里奇对于这一问题的展开

辩证法、认识论与论理学的同一性,是由于它们都是认识历史的结果——这个根据,已由唯物辩证法的创始者们所指明了。但是把这个问题详明地展开出来的人,要推伊里奇。

伊里奇所处的时代,是帝国主义时代,是 Klassenkampf① 尖锐化的时代。这个时代,在哲学论战的阵营中,呈现混乱的趋势,在布尔乔亚哲学方面,观念论的反动占得胜利。许多变种的观念论,如马哈主义与新康德主义,都深入劳动运动的领域中,几有压倒唯物辩证法的势力。马哈主义,在德国与奥国的社会民主党之中,得到了许多的信徒,往后在俄国也成为最有力的潮流。新康德主义,对于修正主义,给予了很大的理论的影响,1897 年公然出现的柏伦斯泰因的修正主义,是以新康德主义做理论的根据的。马哈主义的哲学,是经验批判论,复活巴克列的主观观念论来攻击唯物辩证法。新康德主义,从右方来批判康德的二元论,使康德哲学变为纯粹的观念论,用以攻击唯物辩证法,还创造了所谓"伦理的社会主义","康德派社会主义",欺骗劳苦群众。新康德派为要把观念论扩张到"上方",不能不在"下方"就认识论领域来与唯物论挑战。所以康德主义的复活,首先是把哲学局限于布尔乔亚认识论的领域。简单点说,在这个反动时代,辩证唯物论,被一切变种的观念论当作俗流唯物论来攻击,而其所采用的有力的武器,就是所谓物理学的观念论或观念论的物理学。至于辩证唯物论的领域中,当时的硕果,当然要推普列哈诺夫。但普列哈诺夫,分离了理论与实践,不能在具体的研究上应用辩证唯物论,也不能把辩证法应用于认识论。如伊里奇所批判,普列哈诺夫虽然写过约有一

---

① 即"阶级斗争"。——编者注

千页的哲学(辩证法)的著作,而"对于当作哲学的科学看的本来的辩证法,一句也不曾说起!!"此外,还有波格达诺夫,虽曾采用辩证法的一小部分,用以说明知识的相对性,但他的哲学(如"经验一元论"),还是马哈主义的支流。

总之,在伊里奇的时代,一切反动的哲学,根本上不承认辩证唯物论是哲学。新康德派说起哲学时,大都以修正了的(从"右方"批判了的)康德的认识论为问题。最奇怪的就是在辩证唯物论的阵营中,也有人主张辩证法不是认识论。例如德波林在1923年之时,还主张辩证法是与认识论相对立的(在他所写的《马克思与黑格尔》一论文中,曾说过"当作与认识论相对立的方法论看的辩证法……"一句话),其他是不必再提了。

伊里奇熟知当时哲学论战的阵势,为应付一切观念论的攻击,拥护战斗的唯物论,展开辩证唯物论的认识论,给予了认识的历史之辩证法的说明,因而击破了敌对的观念论的阵线,解释了当时物理学上的危机,使唯物辩证法发展到哲学上的新阶段。

哲学上的伊里奇的阶段的主要特征,就是展开了辩证唯物论的认识论,展开了"当作认识论看的辩证法"的思想,阐明了辩证法、认识论、论理学的同一性,指明了对立统一法则是辩证法的核心,分析了辩证法的诸要素。这一切思想,都贯串于他的大著《唯物论与经验批判论》和《哲学笔记》之中。

伊里奇首先指明了,哲学上的根本问题即思维与存在的关系的问题,就是"从古以来的认识论的问题",是"认识论上的根本问题"。这哲学上的根本问题之唯物论的解决,就成为唯物论的认识论。而认识是存在到思维上的反映,我们头脑中的概念,即是"现实事物的反映"。这种唯物论的反映论,即是唯物论的认识论。但是唯物论的认识论必然是辩证法的。形而上学的唯物论,"不能把辩证法应用于反映论,于认识的过程及其发展"。所以伊里奇特别指出认识论必须是辩证法。他说:"和其他一切科学领域一样,在认识论上,也要作辩证法的考察。即是说,不要把我们的认识当作完成的不变的东西,而是探求怎样从不知产出知识,并使不完全不正确的知识变为较完全较正确的知识。"又说,"依据马克思和黑格尔的见解,辩证法把现今所称为认识论的东西包括于自身之中。认识论也同样在历史上考察自己的对象,必须研究认识的发生与发展、由无知识到知识的推移,并且概括它"。在认识的历史的概括这一点说来,辩证法和认识论是同一的,所以他说辩证法正是认识论,并且展开了当作认识论看的辩证法的思想。

当作认识论看的辩证法,是把认识的历史,当作普遍化的东西,从认识的结果及总计的结果见地去采取的,即是说,历史的东西是从论理的见地去采取的(见前)。这样得来的论理的东西,是"排除了历史的形态与扰乱的偶然性"的同一的历史的过程。所以伊里奇说:"论理学的范畴,是'外的存在与无数个别性'的简约";又说:"范畴是分离的诸阶段,即世界认识的诸阶段,是资助认识并把握网的网的结孔。""人类实践的活动,无数亿次在论理学的定式上引致人类的意识。这样一来,这些定式,就得到公理的意义。"这就是说,论理的东西,也同样是认识的历史的普遍化。因而当作认识论看的辩证法,即是论理学。所以说,"论理学不是关于思维之外的形式的学问,而是关于'一切物质的、自然的及精神的事物'之发展法则的学问,即是关于世界一切具体的内容及其认识的发展法则的学问。换句话说,论理学是世界认识的历史的总计、总和与结论"。

总括伊里奇的见解,辩证法、认识论、论理学的同一性,是"建立在哲学的唯物论的前提之上的。这个同一性,在唯物论的基础上给予着。只有从存在与思维的问题之唯物论的解决出发,立脚于反映论之上,才能彻底地解决辩证法、论理学及认识论的问题"(米丁)。三者都是"世界认识的历史的总计、总和与结论"。

(四)这一问题的概括

关于辩证法、论理学、认识论的同一性问题,在上面大致已经述说过了。现在,为使初学者容易了解起见,不避重复地再就这个问题作一个简括的说明。前节说过,唯物辩证法的对象,是整个世界(自然、社会与思维)发展的一般法则,即是外界(自然与社会)与思维的发展的一般法则。思维的发展的一般法则,是外界发展的一般法则的反映,两者在其内容上、本质上都是同一的。两者不同的地方,就是,外界发展的法则,由无数偶然性和盲目的作用错综着,而思维的发展法则,却随着认识的发展,排除了前者的偶然性及其盲目的作用。所以两者在表现形式上是不同的。辩证法是从认识的历史的见地考察外界发展法则及为其反映的思维发展法则之同一内容与相互关联。

其次,认识论的对象,是认识的发展过程及认识的发展法则。依据唯物辩证法的反映论,认识是外界在人类思维上的反映,因而认识的发展法则,即是外界发展法则的反映,即是思维发展法则。所以认识论也包括着外界发展法则的研究,也同样地从认识的历史的见地,研究外界与思维的发展法则之同一内容及其相互关联。所以辩证法和认识论的对象是同一的。

这样说来,辩证法与认识论,同是以当作外界发展法则之思维的反映看的思维发展法则为对象的。而以思维发展的一般法则为对象的科学,又是论理学。所以就对象相同这一点说,辩证法、认识论与论理学是同一的科学。

然则外界及思维的发展的一般法则是怎样构成的呢? 如前段所述,这是从个别科学的成果的概括抽象出来的。人类在其数千年、数万年的社会的实践的过程中,不断地认识各种自然现象及社会现象的法则,应用于社会的实践之上,更由社会的实践所订正,所发展。在认识与实践的辩证法的发展过程中,人类造成了许多个别的科学,形成了认识的历史。至于哲学,就是从社会的实践及知识的水准,把一切个别科学的历史即认识的历史,作普遍化的概括,抽象出外界及思维的发展的一般法则,并发见其内部的关联。所以哲学家要把认识的历史作普遍化的概括,必须研究一切个别科学的历史。"哲学的历史、知识全体的历史、知识的领域、各个科学的历史、婴儿之智的发达史、动物发达史、言语加心理学加感官加生理学——这一切是认识论与辩证法所由构成的知识的领域。"

所谓认识的历史之普遍化的概括,就是从论理的见地去采取历史的东西。这样得来的论理的东西之展开,与其所反映的现实的历史,大略一致。论理的东西与历史的东西相并行。当作世界认识史的概括看的论理的东西之总体,同时是当作世界发展史的略图看的一般发展法则之映象。因而阐明论理的东西之相互关联的辩证法,就是认识历史的内的关联之阐明。所以辩证法与论理学是一致的。

所以辩证法、认识论与论理学是完全一致的,三者同是"从人类的历史发展之考察抽象出来的最一般的诸结论之概括"。

第三节　世界的发展与世界认识史的概念

一、世界的统一及其发展

（一）物质的构造的领域之研究

前节我们已经说明了唯物辩证法的对象,知道唯物辩证法是研究世界发展的一般法则的科学;而世界发展的一般法则之构成,是概括自然诸科学及社会诸科学的诸结论的结果。但世界的发展是历史的过程,随着人类对于世界即对于自然与社会的认识,也是历史的过程,因而唯物辩证法这个哲学的科学,是人类关于自然与社会的认识史的总计、总和与结论。唯物辩证法一面综合世界的认识史,形成统一的世界观,同时又指导自然科学与社会科学更深刻更正确地暴露世界的新的方面、新的辩证法,证实唯物辩证法的正确,充实它的内容,使它不断地发展为更高级的统一的世界观。

现在我们再依据前面的原则,具体地说明唯物辩证法这个统一的世界观的形成过程。

所谓统一的世界观,即是物质世界的统一的发展观。我们在本章第一节之中,已经说明唯物辩证法的物质的概念,主张物质是在时间与空间的形态上运动,并离开我们意识独立存在而又为意识所反映的客观的实在。这个概念,是哲学上最高的概念,它是和自然科学上的物质的概念不同的东西。哲学上的物质的概念虽只规定物质之客观的实在的性质,而对于物质的构造的领域的研究,却是看得非常重要的。因为这个领域的研究,是哲学上的统一的世界观形成的基础。

唯物辩证法主张世界是物质的统一体,意识只是物质世界的一小部分（是物质发展过程中的产物,是高等物质的属性）。在物质世界中,一切的东西都是运动着、发展着,同时又都是联系着。物质的一切种类及形态,只有在其联系的运动上,才能认识。这种运动形态的认识,即是物质的认识。所以唯物辩证法,是物质世界的统一的发展观。

唯物辩证法关于世界之物质的统一与运动的考察,与机械论或形式论的考察不同。机械论把物质的统一还原于物质的一部分的属性或一个方面,把具体的复杂的运动形态还原于单一的或机械的运动形态。于是,在机械论的考察中,物质的复杂性完全消失,而运动也变为循环的运动了。其次,形式论又用运动这概念的"自己运动"的学说,去代替具体的运动形态之研究。于是,在形式论一方面,物质解消于观念之中,而运动只成为观念的运动了。但在唯物辩证法一方面,关于世界之物质的统一及运动,是在其内的复杂性上去考察的。世界之物质的统一是具体的复杂性之统一。

(二)物质世界的统一

世界是物质的统一体。物质是永久存在的。物质是永久的东西,它虽能变更其形态与色香,也能由固体转化为液体或气体,但它的本身仍然存在。物质不能由无而生,也不能转化为无。这是物质的永远性或不灭性。物质又具有能力。物质的能力,是物质的性质,是物质本身起作用的能力。物质不灭,能力不灭。所以无机自然界中作用着的能力,即机械力及其补充物的所谓潜能力、热、辐射(光线以至放射热)、电气、磁力、化学的能力等,即是宇宙的运动的各种现象形态。至于生命,也是物质,意识也和能力相似,只是物质的一种性质。归结起来,宇宙万物,都是由物质构成的。

物质是从非常小的并且行着种种色色的运动的无数个别的微片成立起来的。这种微片,叫作分子。构成同一物质的一切分子,在形态上,在重量上,以及在构造上,都是同一的。在这种基本形态上的物质(分子),它的直径,在一英寸的一万万分之一以下。这些分子,在固体物之中,好像紧密地结合着,没有互相运动的余地,但实则各个分子各自行着震动的运动。在液体里面,分子和分子的结合虽然更为紧密,却还能够互相前后地震动,所以在液体之中,各分子不仅有震动的运动,并且还可以自由移转,不固定在一定地方。在气体里面,分子运动的范围更大,各分子间的间隔更大。在普通温度和气压之下的空气,它的分子运动的速度,平均每一小时约为一千英里。分子的运动,是向一切方向进行的。这些分子不断地互相冲突的结果,常变更它运动的方向。分子已是很小的东西了,但它又是由几个更小的微粒构成的。这更小的微粒,叫作原子。分子中的原子虽互相保持若干的距离,但这些原子之间,却有很强的牵引力,使它们相互间不能超过这距离。氩、钠、水银等的分子,只是由一个原子组成的,在这种情形,分子和原子是同一的。氧、氢、氮等的分子是由两个原子成立的。大概无机物的特征，是由具有少数原子的分子成立的；有机物的分子，是由更多的原子成立的。种种物质间分子的差异，不仅由于构成那分子的原子之量的差异，并且是因为原子的质的差异。原子的种类，全部共有92种。这些原子的差异，主要的虽是重量上的差异，但化学的性质也大不相同。一切形态的物质，无论是固体液体或气体，依据目前的自然科学的研究，一切都是由92种类的原子成立的。物质的差异，由于构成各物质的分子的差异；分子的差异，又由于分子中所含有的原子的种类和数的差异，又由于这些原子在分子内部所占的位置的差异。

原子已是最小的东西了，但依电子说，它还是一种空虚的空间球，球中有几个粒子，这些粒子是笔墨所不能形容的小东西的概念，就叫作电子。电子的直径，被认为和氢原子的约1/65000相当。电子在原子之中是结合在一块儿的。因此可以推定，原子之中，有带阳电的中心核，所带阳电的分量，和电子所有阴电的总量相当。而这中心核的直径，比较电子的直径，当然更小，可以把它看作是单单几何学上的点。电子大概是绕着中心核的周围，在一个圆形轨道上回绕着。这样，原子就好像是一个小小的太阳系，各电子绕着中心核的运动，就好像各行星绕着中心引力的运行了。若照这样，无限小的东西，和无限大的东西，都好像是完全在同一设计之下造成了。

总括由以上所述而得的物质的概念，我们可以知道，物质这东西，分析到最后，结果只是由电子和中心核而成的小小太阳系构成的了。92种原子，是由电子之数量的增加所引起的质的差异产出的。这些原子，依种种的结合，便产出种种的分子；再由这些分子，造出一切的物质。总之，依据现代科学的水准，存在物最后的而且不能变化的单位（但将来还是能够变化的），是电子。电子为种种色色的结合，因其结合的方法不同，产出了质不相同的种种原子。这些原子又结合起来，产生分子。这分子中的某种分子，有包含非常多的原子的东西。这些复杂的分子，又实行复结合，产出更为复杂精巧的物质，如称为蛋白质的物质。这些蛋白质又结合而成为体系。这些蛋白质的体系一集合起来，又形成一种新物质，即原形质。一旦形成为原形质，化学的构造，就更加极其复杂精巧，和普通在实验室所见的单纯反应完全不同。于是这些反应的总和，就是被称为生命的东西。更进一层，原形质的分子，更实行复杂精巧的结合,而发生一种和它不同的新的种类的反应,就是被称为意识的东西。

物质世界的统一,上面已经说明了。但这个统一,并不是单纯的、机械的统一。物质的存在形态是运动,而运动的形态是极其复杂的。所以我们对于世界之物质的统一及运动,必须在其复杂性上去考察。因而世界之物质的统一,是物质的具体的复杂性的统一。

（三）太阳系生成的原理

科学不但证明物质的永远性,且说明了宇宙万物所以能从物质构成的过程。依据科学的研究,我们知道,宇宙是包括恒河沙数的星体的无限空间和无限时间的总称。其间形状如云而发光的星云,为数在十万以上。星云的初形,好像是极稀薄的气体,焕散如火雾,其中质点互相吸引,所以凝缩固结,发出光热。这凝缩的气质,渐渐开始旋转,股流分歧,各复自结为中心核。全体的构造成为一个漩涡状,中心质最密,股流中各有若干凝缩质的结核。这是漩涡状星云的大致的性质。太阳系就是从这样的旋涡状的星云进化而来的。这星云因引力或周围以太压迫的关系,各分子都向内凝缩,于是初时的不规则形渐渐变为圆形,依着中心轴加速地旋转,而成为平圆轮形。像这样旋转迅速,其外缘所伸出之股,因而掷出。这些被掷出的大小无数的部分,因互相碰撞并合,到最后形成为行星及卫星等团聚于太阳周围之太阳系（行星及卫星可假定由同理而成）。凝集之时,因各分子愈互相逼近,冲撞愈烈,所以热度大增。星云块中最小的最易凝缩,卫星、小游星、陨星等最先凝缩。如同地球的卫星月球,早已死灭,即其实例。行星凝缩较缓,太阳更缓。所以由太阳分出的几个星云块,在它自身也分出卫星以后,就凝缩为球形。但这时还是白炽气体,其面上的热度,约有摄氏表一万度。这样,环绕太阳回转的行星或地球,又复各自有其卫星或月球。其中月球很小,凝缩最快,最先经过各种时期,即起初由星云气体凝为固体而发光,后来渐渐衰老而至于死灭。其余的星体,依着体积的大小,也会经过同样的过程。太阳系的生成,大概是这样。它是一个过程,它发生、它发展、它死亡,将来或许互相碰撞而复返于星云状态。因为由星球化为星云,由星云化为星球,这是宇宙中常有的事［据郭尔（Gorl）的计算,这样的事实,平均每年有两次可以窥见］。

(四)地球生成的原理

在太阳系生成的过程中,力学的物理学的运动,显现在前面。像上述那样生成了的各种星体之上,最初支配着的东西,是我们所称为热烈的物质的运动形态。所谓元原素的化学的化合那样事情,在今日太阳那样高热的温度之中还不能有。因为据近代天文学所说,当星云凝缩时的某期热度最高,足使原子分解为电子。但在那样高热的温度中,热之转化为电气或磁气的事情,是可以依据对于太阳的观测而被证明的。所以太阳上发生着的力学的运动,专由热与重力的抵触而起,这在今日已成为确定的事实。随着星体的冷却和收缩,互相转化而成的物理学的运动形态的交互作用就显现出来。经过此时期以后,便开始进到化学的作用的领域。地球进化的经过,就遵循着这样的历程。地球自从中央星云块分出之后,一时还是白炽体质,因为受了周围以太的压迫,不得不渐渐凝聚,但它的组织既不匀整,有的地方比别的地方浓厚,这浓厚的地方就成为中心点,周围的地方都向它凝聚,因而渐渐变成了球形。这球形自己旋转,一面又绕着它的母体旋转。随着凝缩的进行,内部分子的震动很快,并且因为凝缩作用,各分子互相接近,冲撞愈烈,热度大见增加。这时候,仍然处于力学的物理学的运动的范围,原子自然分解为电子。过了这时期以后,热度逐渐减退,于是电子复行凝聚,变成了种种化学的原质。种种化学原质构成以后,较重的金属向中心沉下,轻的气体浮于上层,而较重的气体就介居两者之间。这时的地球,恰与今日的太阳仿佛相像。所以地球进化史的第一期,是化学原质构成的时期。

地球进化史的第二期,是月球产生的时期。月球之从地球产生,与地球之从太阳产生相似。其不同之点,即前者是由于所谓潮汐作用。今日的月球对于地球的洋面能够发生影响,可知当时离地球9200万里的太阳,对于尚在火热液体状态的地球,也能发生相似的影响。因为当时地球依中心轴而自转的速度,比现在要快五六倍,并且又因太阳的吸引力关系,向着太阳的一面,常有隆起的大浪。在旋转极速之时,这隆起的大浪的离心力太大,向心力不能把它牵往,就一时把它掷出了。这被掷出的大浪,最初离地球尚近,一面自己旋转,一面向地球旋转。它的体积较小,凝缩最快,不久即成为固体,旋转的速度也渐减,同时又渐渐与地球远隔起来(现距地球24万里),这就是月球。

从此以后的地球进化史,只是一段冷凝史。它由白炽而黄而红,终至热度减少到 500 度以下,不能放光。随着凝冷的进行,凝成的化学原质,轻的东西变为蒸气,浮游于空间,变为空气;重的东西,凝为液体,沉淀于中心(这时的地球,恍如为火炙溶液的热水洋所覆盖)。液体渐凝渐厚,变为岩浆;久之渐厚渐坚,变为岩石,就构为地壳,从此渐渐进于地质学的时期。外壳凝固以后,于是逐渐收缩,因内部的热的膨胀力更大,地壳外部发生凹凸状态。于是由内热发散出来的蒸气,被冷却而成冰;汇聚于地壳凹部的水,成为江湖海洋。那凸出的部分,就成为丘陵山岳。在有限的面积内,海常变为陆地,陆地也常变为海。于是地球便由气水陆三者而构成我们所住着的地球。

地球未来的命运怎样,现在无从悬揣,但据科学家的推测,说地球有三种可以引起灭亡的原因,第一是自发的地震与火山爆裂;第二是地球与其他星球相撞;第三是太阳的消灭。这三个原因是否确实,现在也不必去追求,我们只知道在无限的天空中,有无量数的世界,有的正在发生,有的正在成长,有的已经衰老、快要死亡,种种色色,不一而足。可知地球也有死亡的一日。

(五)生命生成的原理

地球上的生命是怎样发生的? 是在什么时候发生的呢? 依据科学的研究,动植物的生命的组织,是由一种叫作原形质的东西构成的。这种原形质的形成,即是生命的起源。原形质是一切化合物中最复杂的化合物,它不是单一的固定的化合物,而是一些构造稍微不同的物质的集合。组成这种集合物的元素,主要的是碳、氧、氢、氮、硫、磷、钠、钾、氯、钙、镁、铁等等。原形质的成分中,最主要的是蛋白质,而蛋白质的分子,非常复杂,是由几百到几千的原子构成的(现在还不能决定它的分子式)。我们要推知生命的起源,就必须推知组成原形质的那些元素被形成的时候。依科学的研究,地球上的原子共有 92 种(现在已发见 87 种),这原子世界,也是受着自然淘汰的,当着各星体的热度和太阳一样的时候,生命这东西是不存在的。原子的世界因受着自然淘汰,在与它不适合的环境之下,不会形成。依据分光器的分析,在进化初期的星体上面,只有单纯的轻的元素,如原生氢、原生铁等等,而且比地球上最单纯的元素氢还要单纯。进化往前进行,星体渐渐变冷,原子的种类和数目,才随着增加起来。到了星体变成和地球的温度相同时,才会有和我们所知道的极相类似的种种物质,很丰富地表现出来。所以我们要追溯原形质形成的起源,即是追溯生命的起源,只有在这个时候。

原形质的形成,必须具备三个条件:第一,空中的空气,对外能障蔽日光强烈的辐射,对内能障蔽地底热力不平衡的辐射;第二,地球冷却时,有些原质凝结成液体;第三,碳、氧、氢三种元素已经和别种重滞并妨碍生命的元素分离,而浮游于空气中。具备了这三个条件,于是在包涵大地的海洋底里,或是海洋的沿岸,就能由无机物中半流质的化合物,经过发酵作用而变成蛋白质,由蛋白质而构成原形质。生命的萌芽,就是这种原形质的原始的微点。

生命的萌芽发生之后,不知经过若干年月,蛋白质就在一定的可能的条件之下,由于核及细胞皮的形成就发生了最初的细胞。但因为这细胞的发生,全体有机的细胞,就得到它的形态构成的基础。于是没有细胞的或由细胞而成的原生生物的无数种类就发生出来了。这类原生生物之中,渐渐分化,先变为最初的植物,次变为最初的动物。这里撇开植物不说,单就动物的历史说,在经过了地质学的许多时代之间,动物是由无脊椎动物而进到脊椎动物;再在脊椎动物之中,又由水栖动物而为水陆两栖动物,而陆栖动物,由爬虫类分化而为哺乳类,又由哺乳类分化而为类人猿,最后再进化到人类。

从生命的演进的程序说,我们若假定地球的年龄为十万万年,爬虫类时代就应该定为从约二万万年以前开始,共继续了一万万年以上。假定哺乳类的时代是从五千万年以前开始,那么,由猿猴到人类的进化只是极近代的事,大约在五十万年以前。总起来说:生命是一个对于原形质的若干性质的名称。原形质是和其他较单纯的物质一样,受着进化的作用的。原形质种种变幻不可思议的形态,只是它内部的很奇妙的分子所具的复杂性质向外表现。

动物出现于地球以后,就有附随于动物生命的反射运动。这反射运动是构成所谓精神作用的东西。随着动物的神经组织由最低级进到最高级,其精神作用也由最低级进到最高级。由于最高级的人类这种生命的出现,就出现了人类的意识。人类的神经系统及其意识,是数千百年的社会生活的产物(详述于第四章)。

由于人类的出现,世界就出现了物质的最高级的、新的存在形态即人类社会。

依据上面的说明，我们已能明了世界实是物质的统一体的发展过程。

二、世界认识史的概观

(一)世界认识的发展

基于前段的说明，我们可以知道，全体的世界，形成为无数物体的总关联的一个体系。这无数的物体，是从天体到电子、到以太的微分子的一切物质的存在物。这无数物体，在交互的关联中，行着一定的交互作用。这交互作用，即是运动。"最普遍的意义上的运动，即当作物质的存在形式、当作物质的内在属性(性质)理解的运动，包括着宇宙中所发生的一切变化与过程，即从单纯的场所变更到思维为止的一切变化与过程"。

大体上物质世界发展的顺序，是从最低级最单纯的运动形态进到比较高级比较复杂的运动形态去的过程。人类对于世界的认识，从科学发达的历史考察起来，也是由最低级最单纯的运动形态的研究进到比较高级比较复杂的运动形态的研究去的过程。在这一点上看来，物质从低级形态到高级形态的前进运动过程，决定着与它相适应的科学的认识之前进的发展过程。

依照运动形态发展的顺序，把科学分类排列起来，可用下表来表明。

运动形态的种类	科学的种类
机械的运动形态 ……………………………………	力学
分子的运动形态 ……………………………………	物理学
原子的运动形态 ……………………………………	化学
生命的过程 ……………………………………	生物学
社会的过程 ……………………………………	社会科学
思维的过程 ……………………………………	哲学

上面那个分类，主要根据恩格斯在《自然辩证法》上的说明，只不过大体上表示运动形态的顺序与关于运动性质的研究的顺序(当然这个分类，只是相对的。在科学的研究的专门化的今日，上表中每一运动形态的研究，都分化为许多科目，分别地研究某一运动形态中各项目)。

大体上说来,科学的从属关系,不但反映实在的运动形态的从属关系,并且反映科学本身的历史发展过程。最复杂的运动形态(例如社会现象),在自然科学没有发达到一定水准以前,不能作科学的研究。并且,一般的形成为科学发达的原动力的东西,是实践,是人类之实践的物质的要求(这在最初是直接的)。所以,如恩格斯所说明,关于运动的形态及性质的研究,必须从最低级最单纯的运动形态出发,然后才能理解较高级较复杂的运动形态。科学发达的历史,表示出这种过程。科学发生的次序,最初是力学,其次是物理学,再次是化学,再次是生物学,最后是社会科学。

物质世界的运动形态,顺次由低级进到高级,由单纯进到复杂。各种运动形态之间,又互相推移,互相联系。并且低级的单纯的运动形态,都顺次被统摄于高级的复杂的运动形态之中。所以低级的单纯的运动形态的科学,是研究较高级较复杂的运动形态的科学的先导;同时后者的发达,又能促进前者的进步,两者互有区别,却又互相联系。例如19世纪以来,化学的运动、光、电、磁等的研究之发达以后,天体运动的研究又依据上述诸研究而成就长足的进步。同时,社会现象之科学的说明——历史唯物论——发生以后,自然科学才能开始理解其发展的真正原动力以及思维本身的辩证法。

科学的认识日趋发展,各个知识部门就愈趋于专门化。所以科学的高度的发展,使世界认识愈趋于深化,愈益渗入事物的深处;同时又发生了结合各种个别科学以建立更深刻的互相联系的必要。

(二)世界认识史之直观的阶段

现在我们更进而说明世界认识史的阶段,以说明科学的世界观的发展过程。在人类认识的历史的发展过程中,认识的初期阶段,是直观的阶段。

当我们考察一般自然,人类历史及我们自身的智的活动时,我们就首先看到一幅画面,在这画面中,任何事物都不保持同一形状,不停止同一处所,不保存同一性质,常是运动着,变化着,消灭着,而各种相互关系和相互作用,都是无限地错综着。所以,我们最初地看到这个总画面,那些个别的部分,多少还残留于后方。我们在看到那运动,推移及关联的事物本身以前,多是先看到那种运动,推移及关联。这种原始的、素朴的,并且实在正确的世界观,就是古希腊哲学的世界观,这是赫拉克里图首先明白论述了的东西。他说:"万物存在

又不存在,因为万物流动,常在生灭之中。"(恩格斯)

"但是,这种世界观虽能正确指示现象的总画面的全体性,却不能充分说明构成那总画面的细目。在不能说明这细目以前,我们对于那总画面仍不能有明了的观念。"因为赫拉克里图的时代,自然科学与历史科学还很幼稚,还不能从自然或历史的关系分离出各个事物,而"个别地去考察其性质及其原因结果等等即不能理解构成总画面的细目",所以赫拉克里图等的唯物的世界观,也只能大概地在直观形态上去认识现实世界之辩证法的发展。这种世界观,可说是直接的直观的结果。然而这已是唯物论的辩证法萌芽。

自然科学与历史科学,"在古代希腊,首先是搜集关于那种研究的资料",其地位"是很低的"。严格地说来,"确实的自然研究的端绪",还是"由亚历山大时代的希腊人所展开的",所以在"说明构成那总画面的细目"的知识的科学还在搜集材料的阶段上,要建立科学的统一的世界观,当然是一件不可能的事情。

(三)世界认识史之形而上学的阶段

于是,人类的认识,由直接的直观的领域进到形而上学的思维的领域,而原始的素朴的不充分的世界观,就让位于观念论的世界观。这观念论的世界观,是由苏格拉底、柏拉图、亚利士多德等人建立起来的;其历史的背景,是希腊的奴隶制度已濒于没落的境地,因社会的不安所引起的诸问题,已成为当时特殊阶级学者们所关心的东西。因此,认识的领域由地下(自然认识)而上升到天上。苏格拉底首先在人类思维领域中,探求普遍概念,作为思维的准则。他把普遍概念作为个别的感性现象的基础,而以探求这普遍概念为认识的目的。这是形式论理学的始点。往后,柏拉图在认识领域中,排斥感性的直观,把思维作为认识的第一源泉。于是思维从现实游离出来而转变为空想了。亚里士多德,综合了从前的知识的历史,建立了形而上学的哲学体系,其方法论就是形式论理学。他建立了同一律,矛盾律和三段论法,在观念论的表皮中,包含了从前唯物辩证法的要素。不过,亚里士多德的这种包含了辩证法要素的形式论理学,往后失掉了使其合理的发展的社会条件,经过中世纪的长期黑暗时代,被许多神学的哲学家所支解,其中所包含的辩证法要素湮灭无存,造成了名副其实的"形式的"论理学了。

历史的车轮进到近代,思维又由天上降到地下,与自然的认识相结托,而亚里士多德的形式论理学在近代的形式上展开了。近代形式论理学展开的根源,存在于工场手工业时代的社会条件及科学的发展的状态之中。由于工场手工业的发展,工商阶级势力的长成,以及自然科学的发达,筑成了近代形式论理学的基础。

由于资本主义的生产方法所支配着的工场手工业之发展以及世界商品市场的扩大,引起了一系列的自然科学的知识的长足进步。例如力学、数学、天文学、物理学、化学、生物学、生理学、医药学等等,都以不断的速力向前进步。这些自然诸科学的知识,对于近代形式论理学,提供了非常丰富的意德沃罗基的材料。不过,上述自然诸科学,在工场手工业时代比较完成了的东西,只有力学和数学,至于其他自然诸科学还是在大工业发达以后才被完成的。所以其他自然诸科学,在工场手工业时代,还是在"搜集科学"的阶段。

工场手工业时代的科学形态,是形式论理学展开的意德沃罗基的条件。当时自然科学中最能影响于哲学的东西,是数学和力学。数学的方法被移入于哲学中,就促进了形式论理学的生长。力学的方法被移入于哲学中,就构成了机械论的世界观。而机械论的方法论是形式论理学的。所以力学的方法之移入于哲学,就成为形式论理学构成的条件。

形式论理学的展开的最重要的根源,一般的是因为科学还在搜集材料的阶段。在这个阶段中,"人类关于自然的知识之最大的根本条件,就是把自然分解为各个的部分,把种种的自然过程和自然物分类为明确的种别,把生物体内部的种种形态作解剖的研究。但这种研究方法传给我们的遗产,就是使我们习惯于把自然物及自然过程从全部的总关联分离出来,而实行个别的观察。即是说,不在其运动上观察自然,而在其静止上观察它;不把它当作根本变化的东西观察,而把它当作固定不变的东西观察,不观察于其生,而观察于其死。这种见解(正是抽象的同一性的见解),经培根和洛克从自然科学移入于哲学时,就产生了18世纪特有的偏狭思想,即形而上学的思维方法。"(恩格斯)

培根在形式论理学的展开上,曾经开辟了新的途径。他是经验论的唯物论的流派的鼻祖,是归纳法的论理学的创始者。"然据他的学说,感觉是没有错误的东西,是一切知识的源泉。科学的经验科学,它对于感性的映像,适用合理的方法。归纳、分析、比较和实验,是合理方法的主要条件。"他提倡归纳法的论理学,反对从来演绎法的论理学,使思维与自然研究相结合;主张从客观世界探求客观法则,反对从来由先验的思维法则去观察客观世界。但培根的学说只是格言的形式,并不曾贯彻他的理论。他所主张的由分析各个事物而归纳出真理的方法,比较演绎法虽是进了一步,但他并不曾理解客观世界全体内部的关联及其发展法则。所以他仍然拘泥于事物的形式,支持抽象的同一性的法则。

洛克的经验论哲学的基础,也是分析的方法。如黑格尔所说:"认识最初是分析的。它所处理的对象,是在孤立的形态上被表现出来;而分析的认识的活动,越向于把所认识的个别的东西还原于一般的东西。在这种处所,思维只是意指着抽象,或形式的同一性之肯定,这是洛克及其他经验论者的见地。"

概括起来,在科学的"搜集的阶段上,当研究各个事物时,从具体的全体的诸侧面中,抽象其一部分,舍象其他部分,于是就这一部分加以分析,引出抽象的法则和概念。所以搜集的科学的立场,是分析的方法。而分析是借助于抽象而实行的。在这个范围内,因分析而得到的规定,仍然是抽象的。为要使具体的全体在思维的媒介上成为生动的东西,就必须把所分析的一部分和他部分结合起来、总括起来,并建立秩序,才能成为科学的知识。但这样的知识,在搜集科学的阶段上是不可能的。由于这样的理由,在搜集的科学阶段上有其根源的形式论理学,是抽象的思维的论理学。"

基于上面的考察,我们可以知道,形式论理学这种形而上学的思维体系,是工场手工业时代的社会经济状况的产物,是个别的、分散的、固定不变的考察事物的一般习惯的产物,是认识历史上的一定阶段上的产物。

"这种思维方法,在我们看来,非常明白。这就是所谓健全的常识。这种健全的常识,在其有限的家事的领域中,虽是一个极可尊敬的伴侣,而一旦走进学问研究的大海,就冒犯可惊的危险。所以形而上学的思维方法,依其研究题目的性质,在相当范围以内,是可以承认的,也是必要的,不过早晚到达于那个界限而超出那界限以外时,就立时变成偏见,变成浅见,变成抽象,并陷于不可解决的矛盾。"(恩格斯)

(四)世界认识史之辩证法的阶段

当思维一旦脱离形而上学阶段进到辩证法阶段,而探求客观世界的内在关联及发展法则时,形而上学的思维体系的形式论理学,就被唯物论的辩证法所扬弃了。正如直观阶段的认识被形而上学阶段的认识所否定一样,形式论理学现在更被这种辩证法所否定了。

前面说过,形而上学的思维体系之形式论理学,是搜集的科学阶段的产物;同样,科学的思维体系之辩证法,是建立了秩序的科学阶段的产物。"自然是辩证法的证明"。19 世纪以来,数学、力学、物理学、化学、生物学等各部门的自然科学,都建立了一定体系,准备了辩证法之意德沃罗基的材料。这些科学,对于辩证法,"供给极丰富的,日见增加的材料,因此证明了自然界结局不是形而上学的,而是辩证法地作用着。即自然并不老是演着同一的循环运动,而是创造现实的历史"。"辩证法是把事物及其思维的模写(即概念),在两者的关联、连锁、运动、生成及消灭上,作本质上的理解的,所以前述自然界的诸过程,都证实辩证法的独自的运动方法。"因此,"关于宇宙及其进化,人类的进化,以及那些进化在人心中的反映的严密描写,只有依靠辩证的方法,只有依靠对于成长与消灭,进步的变化与退步的变化之普遍的相互关系不断的考察,才能成就"。

辩证法论理学,在历史上先行于形式论理学,古代赫拉克里图原始的唯物论之中,早已包藏了辩证法的胚种。亚里士多德的形式论理学中,也"考究过辩证法的思维的最根本的形式"。近世归纳法的创始者培根的学说,也包含了辩证法的成分。后来的新哲学,"虽然也有过辩证法的显著代表者(例如笛卡儿和斯比诺莎),但是特别受了英国(经验论)的影响,渐渐固定于所谓形而上学的思维方法"。至于辩证法的哲学,还是由德国的大哲学家所建立的。康德和裴希特的哲学中,包藏了很多的辩证法学说。但是能够综合过去一切知识的全历史的结果的辩证法哲学,还是黑格尔的哲学。"自然界、历史界、精神界的全部,在这个黑格尔的哲学上——这是黑格尔的一个大功劳——开始当作一个过程,即当作不断的运动、变化、变形、发展的过程去考察,因而要论证这种运动及发展的内的联系的企图也发生了。"

不过黑格尔的辩证法哲学是观念论的,并且还受了他自身的和当代的知识范围所限制,所以他的观念论的并且仍然是形而上学的辩证法,"把一切事物弄得颠倒,把世界的真实关系完全倒置了"。

至于在唯物论的基础上,扬弃黑格尔的观念论的辩证法,而使辩证法更加发展的哲学,是唯物辩证法。唯物辩证法,是包含自然、社会及人类精神的统一的世界观,是理论的思维之一切先行发展的最高产物。而唯物论的辩证法,即是在思维科学意义上的唯物辩证法。

唯物辩证法"不是关于思维的外部形式的科学,而是关于一切物质的,自然的及精神的事物之发展法则的科学,即是关于世界及其认识的具体的全内容之发展的科学。它是世界认识的历史之总和、总计与结论"。

第三章　唯物辩证法的诸法则

第一节　对立统一的法则

一、对立物的统一及斗争

根据前章的研究,我们已经知道,唯物辩证法是关于自然、社会及人类思维的一般发展法则的科学。但是说到发展的原理,在哲学的历史上,却有两个不同的观点:形而上学的发展观与辩证法的发展观。

(一)形而上学的发展观与辩证法的发展观

形而上学的发展观,否定自然和社会中的普遍的运动和变化,无视事物间的互相联系,并不承认运动形态的变化。就形而上学说来,在自然和社会之中观察到的事物和现象,正与这些事物和现象在人类头脑中的反映(即概念)一样,同是不变的、凝固的、一次给予了的、单纯的东西,事物及其概念,无论何时都与自己同一的、不变的。各个事物,互相独立,其间没有联系。一种事物即使与别的事物相接触,也只是表面上的接触,没有本质上的联系。18世纪的机械唯物论或自然科学家,对于运动或发展的见解,都站在这样的立场。

形而上学的发展观的根本特征,就是承认万物的不变性、静止性。所以形而上学的世界观的中心,就是关于自然的绝对不变性的学说。依据这种学说,自然从开始存在之时起,直到现在都和原来的形态一样。例如恒星,永远沿着最初的轨道回转;它依靠普遍的引力保持自己,并在自己的地位上静止着。地球永远和古时一样;地球上的一切东西,都永远是同一的。动植物的种子,永远是不变的。现代社会和原始社会是一样的。形而上学虽然也承认运动,但认定运动是永远演着循环的运动,永久停止于同一状态,常是反复地产出同一的结果。如同生物学家林涅主张物种的不变性,力学家牛顿主张太阳系的永久性,即是一例。

所以形而上学的发展观,在本质上否定世界发展的原理。这种发展观,把发展解释为扩大或缩小,解释为同一事物之量的成长或反复;把任何事物的发展解释为在其极小的萌芽状态上存在了的属性或倾向之扩大与成长。这样的发展观,不能说明对象的复杂性的原因,不能说明新事物代替旧事物而发生的原因,不能说明运动和发展的原因。这样的发展观,不能理解运动之内在的源泉,它只能在运动的对象之外去探求运动的源泉,甚至把运动的源泉归着于超世界的精神。这样的发展观,不能理解认识辩证法的客观原理,不能结合发展的原理与世界的统一的唯物论的原理。

至于辩证法的发展观,却与形而上学的发展观不同。辩证法的发展观的特征,就是承认世界的运动性与可变性。辩证法承认:世界是永远运动的,永远变化的;一切运动形态都是转变的;一切存在物互相联系,世界各部分之间有极其复杂的相互作用。世界"任何事物,都不保持同一形状,不停止同一处所,不保存同一性质,常是运动着、变化着、消灭着,而各种相互关系及相互作用,都是无限地错杂着"。"所以关于全宇宙及其进化、人类的进化,以及那些进化在人类头脑中的严密的反映,只有依靠辩证法的方法,只有依靠于成长与消灭,进步的变化与退步的变化之普遍的相互关系作不断的考察,才能成就。"辩证法把任何事物或现象的发展,当作由其内的特殊性所规定的、从一种形态到他种形态的转变去考察的。换句话说,辩证法把事物的发展当作事物本身的自发的发展去考察,当作事物本身中所固有的必然的运动去考察,当作事物本身的自己运动去考察。

（二）当作自己运动的源泉看的对立物的统一及斗争

唯物辩证法认定:物质不但它全体有自己运动的能力,并且它的各个部分都有自己运动的能力。所以唯物辩证法,对于物质对象的全体,它的各个部分,都在其内的,独立的自发的运动上去认识。特定事物或现象的内在的自发的运动之发见,这是发展的唯物辩证法的证明的基础和前提。

但是事物的自己运动或自发的发展,究竟怎样构成的呢? 换句话说,事物的自己运动源是什么? 唯物辩证法主张自己运动的源泉,是一切存在物的内在的矛盾性。从原子起,到人类社会生活的最复杂的现象,到人类的思维为止，一切事物或现象，都各具有其内在的矛盾。世界任何事物，都没有不具有内在的矛盾的。任何事物的内部，都具有种种对立的要素；这些对立的要素，是创造事物的矛盾性的东西。统一物之被分解为对立物以及充满着矛盾的构成分之认识——这是辩证法的精髓。

一切事物或现象，都是包含着对立的部分、方面、倾向等的复杂的全体。一切都是对立物的统一；一切东西的自己运动的源泉，都是内的矛盾。

运动是矛盾，是矛盾的统一。先就力学的运动举例说明。力学的运动，是作用与反作用，运动与静止的对立物的统一。力学的运动，是依据于作用与反作用的平衡法则而显现的。我们在测定运动时，借助于静止状态的总和而实行。静止是运动的尺度。运动可以在其反对物的静止上去表现它。

其次，物理学的运动，是阳电气与阴电气，阳磁气与阴磁气的统一；化学的运动，是原子的化合与分解。

再次，就生物学的领域来说。一切生命现象，都是生与死的统一。生命过程，与死的反对过程不可分离地联系着。"一切生物体，在各个瞬间，是同一物又不是同一物。生物体时时刻刻同化由外部所供给的物质，并分离其他的物质。在各个瞬间，他体内一些细胞死去，别的细胞重新生出来。因此不久他体内的物质完全更新，都由其他物质分子所补充。所以各个生物体常是同一物，又是别物。"

再次，进而说到社会的领域。社会现象的发展，如本书后半部所述，表现为许多的对立物的统一的实例。社会发展的内的根本矛盾，是生产力与生产关系的矛盾；阶级社会的发展是阶级的对立的发展。

以上所述，是客观的辩证法的根本法则。物质世界的这个客观的辩证法，反映于人类的思想上，就成为主观的辩证法，成为概念的辩证法。必然与偶然、绝对与相对、抽象与具体、一般与个别等一切概念的矛盾，都是物质世界的客观的矛盾之反映。由概念的矛盾，促进概念的运动。而概念的运动是适应于客观对象的运动的。

一切运动本身都是矛盾，一切自己运动的源泉都是运动着的东西的内的矛盾。观念论者把一切自己运动的源泉归着于超自然力的绝对精神，固然是荒谬绝伦；机械论者在运动的事物之外探求运动的原因，也是十分的错误。机械论者把事物的运动的原因归着于外的相互作用,譬如用社会外部的地理条件,用社会与外部环境相均衡的条件,去说明社会的发展,即是一例。这种从外的关系中考察事物的运动的形而上学的见解,当然不能认识事物内部的矛盾。唯物辩证法研究客体的自己运动时,当然不否认外的条件的作用。但外的矛盾与内的矛盾之间,有辩证法的相互作用。外的矛盾的作用,通过特定事物的内部矛盾,并由它而受曲折。只有暴露客观实在性的内的矛盾——自己运动的源泉,才能理解自然及社会诸现象的发展的本质。

形而上学和俗流的形式论理学,不理解客观现实性的内在矛盾,而主张矛盾只存在于我们的思维之中。这种论理的矛盾,在形式论理学说来,是必须排除的东西。即是说,论理的矛盾,证明思想的不一致与思想路线的错误,因而妨害思想的正确发展。所以形式论理学把这种论理的矛盾看成不能解决的绝对不两立的对立物。但唯物辩证法认定思维上的诸矛盾,是客观现实性的内的矛盾之反映;认定对立的两极是存在着,只有在其相互统一上才能理解。例如,偶然性是必然性的显现形态,必然性通过偶然性的秩序而实现;一般内包着个别的特质,个别内包着一般的特质,等等。在客观辩证法方面,一切的东西都依从于对立的统一法则,同样,在主观辩证法方面,也受同一法则所支配。恩格斯说,辩证法证明了:"所谓理由与归结、原因与结果、同一与差别、存在与本质等固定化的对立物是不堪批判的;分析表示着一极已在他极中成为萌芽而存在的事实;在一定之点,一极推移于他极;一切论理都能从这些前进的诸对立物去说明。"

唯物辩证法,是在对象本身中探求其矛盾的力、倾向、方面及规定之内的联结,即是在客观现实性本身中暴露它的特殊的并且推动它的矛盾。所以说:"辩证法,在其本来的意义上,是对象的本质自身中的矛盾之研究。"

(三)对立物的同一或互相渗透

对立物的统一,即是对立物的互相渗透,是对立物的同一。世间一切事物,都包含着内的矛盾。"矛盾是一切运动及生活性的根源。任何事物,只要它自身当中有矛盾,它就有自动的动力和运动"。如果没有什么矛盾,没有什么对立物的斗争,如果对立物之间没有什么推移,那就会不能有什么运动、发展、生命和动力。所以一切事物、一切现象、一切观念,都形成为对立的统一,即同一。在事物的统一过程中,内在的对立物不但互相排斥,互相否定,并且互相融合;不但互相融合,并且矛盾的诸契机(如各种规定、性质、特征、方面、属性等),都各由一种形态转变为别种形态,转变为它的反对物。

对立物的同一性、对立物的互相渗透、对立物的转变之理解,是理解辩证法的核心的最根本条件。在这种意义上,辩证法是关于对立物的统一或同一的法则的学理。

客观世界,表现着无穷无尽的对立的统一,这是在前面说明了的。对立物的统一的法则,是客观世界发展的根本法则,同时又是人类认识发展的根本法则。人类的认识,能够把任何事物分解为对立物,认识其矛盾的各成分及其相互作用,认识其转变过程,同时又能把对立物结合于统一或同一,反映出任何事物的发展过程。所以对立物的统一的法则,是在于说明客观对象是对立物的统一,因其内在的矛盾即对立物的斗争而运动而发展,由一种形态转变为别种形态。

但是对立物的统一是有条件的,是相对的,而对立物的斗争却是无条件的,是绝对的,因为世界的运动是绝对的。这里先说明对立的统一的条件性。

所谓对立统一的条件性,是说对立物在一定条件之下才成为同一并互相转变。例如前面所说,生和死两个过程,是在一定条件之下成为同一并互相转变的。生物体中"细胞的死灭是细胞更新的必然条件,是生命过程的必然契机。但生仍是生,不是死;生的要素,在这过程中征服死的要素,并且支配它"。又如社会之中的阶级的对立的统一,也和这相似。现代社会中两个基本的对立的阶级是布尔乔亚与普罗列达里亚,这两个阶级,在资本主义的经济构造中,互相反目,互相对立,却又互相结合形成为不可分的统一。一方的存在,以他方的存在为前提。任何一方如被否定,资本主义经济构造就会消灭。换句话说,前者因缺乏生产手段,不能不出卖劳动力于后者而替他生产剩余价值;后者因握有生产手段,能够榨取劳动力——这是决定资本主义社会的存在的统一的过程。但在这统一过程中,双方因阶级利害的冲突而引起的斗争,却是无条件的,是绝对的。

对立物的统一、同一或互相渗透,是有条件的、暂时的、相对的矛盾;成为发展源泉的对立物的互相排斥及互相否定,是无条件的、永久的、绝对的矛盾。

唯物辩证法要在相对的东西中认识绝对的东西,即是要在对立物的互相渗透之中,认识对立物的斗争,才能认识现象由一种形态到他种形态的转变。

(四)矛盾与敌对

事物的内的矛盾,必伴随着对立的斗争,因对立的斗争而解决,而转变为新的形态。但是事物之因内在的矛盾与对立的斗争而发展,也有采取连续性的变化的,也有采取非连续性(连续性的中断,即飞跃)的变化的。在采取连续性的变化的场合,矛盾不至发展为互不两立的、拮抗或敌对的矛盾。反之,在采取非连续性(即飞跃)的变化的场合,矛盾就发展为拮抗或敌对的矛盾。所以矛盾和拮抗有相通点,却又互有区别。机械论者(如布哈林)把矛盾和拮抗看作同一,这是错误的。拮抗即是 Antagonismus。力学上把 Antagonismus 解释为采取反对方向的二力的冲突,即是二力的反拨;但在唯物辩证法的哲学上,Antagonismus 被解释为达到直接冲突状态、矛盾激化的阶级,即是拮抗或敌对。所以在辩证法的解释上,一切拮抗(或敌对)都是矛盾的发展阶段,而一切矛盾,不必都发展到拮抗的阶段。

矛盾有拮抗的矛盾和不带拮抗性的矛盾,两者都是对立物的斗争发展程度不同的阶段。任何事物或过程的矛盾,都由矛盾本身的发展而解决。这对于拮抗的矛盾也是妥当的。但就拮抗的矛盾的发展过程说,在其不同的阶段上,准备着解决这矛盾的前提。拮抗的矛盾本身,在各个新的阶段上,逐渐趋于尖锐化,但必须通过总解决的阶段。例如,资本主义的周期恐慌,虽是解决资本主义再生产的环境的矛盾的强有力的形态,但周期恐慌,对于整个资本主义生产方法的矛盾,只是促使解决这矛盾的前提(即阶段冲突)的尖锐化,并趋于成熟的境地。所以拮抗的矛盾,由飞跃而解决。这种飞跃,即是对立变为互相反撞的外的两极,而两极的共存引起直接冲突之时的飞跃,即是废除以前的支配的对立而设立新的矛盾的飞跃。即是说,拮抗的矛盾,必须通过飞跃才引起旧形态的死灭与新形态的发生。这种拮抗的矛盾,在自然和社会之中都是存在的。譬如飞跃、突变、连续性的中断、战争革命等的变化,都是拮抗的矛盾的解决之实例。

至于不带拮抗性的矛盾的发展,只通过部分地解决的阶段,矛盾的各个新发展阶段,就是矛盾的部分地解决的表现。自然或社会中凡属不采取飞跃的发展的变化,都属于这种场合。普罗列达里亚与农民之间的矛盾,就是这样的矛盾。又如,自然与社会,生产力与生产关系之间的矛盾,在未来极进步的社会中,也是存在的,但这种矛盾,绝不发展为阶级的拮抗(因为阶级消灭了)。正因为有这种矛盾,未来的新社会才不断地向上发展。

唯物辩证法认定世界一切东西(自然、社会和思维)都依从于对立物的统一及斗争的一般法则而发展,而由一种形态推移到他种形态。但是当着研究任意的事物或过程时,就必须依从这一般的法则,根据特定事实材料,去认识特定的自然或社会现象中所固有的,矛盾的发展之具体的矛盾。即是说,唯物辩证法,要求研究自然、社会和思维的过程中各种具体的矛盾。所以,唯物辩证法要求理解一切对象及其一切发展阶段所固有的一般特征,并要求理解特定对象的特定发展阶段上充满矛盾的发展的固有特征。唯物辩证法的任何原理都是具体的,不是抽象的,因而所谓超越时空而都妥适的矛盾解决的实例是决不能有的。例如由资本主义到社会主义的转变法则,和由封建主义到资本主义的转变法则,各不相同。双方的矛盾的解决的特殊性,只有在双方的具体的矛盾中去探求。

二、当作辩证法的核心看的对立统一的法则

(一)对立统一的法则是辩证法的根本法则

对立统一的法则,是在自然,社会及思维的过程中认识其互相排斥、互相否定的矛盾与对立的诸倾向及其由一种形态转变为他种形态的法则。任何对象中内在的对立的矛盾的诸倾向诸方面的互相渗透及斗争,规定对象的生命,成为对象的自己运动和发展的源泉,"对立物包含在统一之中,由统一的分裂而生。所以在其自己运动上、在其自发的发展上、在其生动的实在上去把捉一切世界的进行的认识条件,就是把他们作为对立物的统一去认识"。只有"对立物的统一的理解,才能提供我们一个锁匙去理解一切存在物的自己运动,才能使我们理解'飞跃'、'连续性的断绝'、'向反对物的转变'、'旧物死灭与新物发生'等等的变化"。实在地说来,自然和社会一切存在物的变化,如飞跃、连续性的断绝、向反对物的转化、由量到质和由质到量的推移,只有由对立物的统一法则去说明。所以自然和社会的一切现象,只有当作自己运动,即是当

作在同一和互相渗透的界限以内的对立物的暴露及斗争,才能理解。

所以对立统一的法则,是辩证法的根本法则,是它的核心。这个根本法则,包摄着辩证法的其余的法则——由质到量及由量到质的转变法则、否定之否定的法则、因果性的法则、形式与内容的法则等。这个根本法则,是理解其他一切法则的关键。因为在对立物的统一发展过程中,所谓"飞跃"、"连续性的断绝"、"向反对物的转变"、"质量间的转变"、"旧物死灭与新物发生",都是必然的形态,都是对立物的斗争的发展,都是由对立物的转变而显现,都是由对立物的统一去说明。

辩证法的这个根本法则——对立统一的法则,原是黑格尔首先叙述出来的。但黑格尔是观念论者,他把认识客体看作是精神的发展阶段,看作是思想上的抽象的对象,并不把它看作是现实世界中存在着的现实对象。因此黑格尔把对立统一的法则,只看作是思维的法则,是离开现实的具体的发展的东西。在黑格尔看来,对立的互相渗透,只是思维上的对立的互相渗透。他虽然列举了许多自然现象的实例,但也只是用以证明自己的论理构造,即是辩明客观辩证法是依从于主观辩证法。至于矛盾在什么条件之下解决? 一种现象依着怎样特殊的方法而转变为它的反对物? 黑格尔对于这些问题,只从抽象的思维去说明,不能从现实运动的具体条件去说明。因此他把主观的恣意的概念的辩证法从外部嵌入于客观现实性之中。所以黑格尔虽然是首先叙述了对立统一的法则,但是在观念论的歪曲了的形态上去理解这个法则的。

唯物辩证法的创始者们,把黑格尔关于对立统一的那种观念论的学说,颠倒过来,用脚向下竖立,并在唯物论的基础上改造它,使它变为客观世界及其反映的思维之一般发展法则。这对立统一的法则,贯串于创始者们的一切著作之中。往后伊里奇更力说对立统一法则的意义,在其典型的理论的形态上展开了这个问题,并确定了这个法则是辩证法的本质,至于其他一切辩证法的法则,都是这个根本法则的显现形态。

(二)对立统一法则应用的范例

如上所述,对立统一的法则,是辩证法的根本法则,是认识任何事物的根本法则。当我们应用这个法则去认识任何对象时,首先要把这个对象当作一个发生、发展及转变的过程去考察。我们要把这个对象分解为许多互相渗透的对立物,在这许多对立物之中去发见一种最单纯最根本的对立物,或最单纯最根本的关系,即本质的矛盾。这本质的矛盾,必须是对象发展过程中的其他一切矛盾的萌芽。即是说,其他一切矛盾都是从这个本质的矛盾分化出来,并表现这个本质的矛盾的。我们抓住了这个本质的矛盾之后,就开始探寻这个本质的矛盾自始至终的发展的全过程、对象发展的全生涯。于是我们追求这矛盾的发展怎样准备解决矛盾的条件而变化为新的矛盾,出现为新的阶段,新的形态;追求过程的各阶段各方面的质的变化,充满矛盾的各方面的运动的相互的特殊的质,矛盾的各方面的互相渗透及互相推移;追求这对象在其内在的对立物的斗争的过程中如何转化为它的反对物的必然性,说明这必然性所由形成的全部条件及其可能性,并指出这种可能性如何转变为现实性,而由新的形态所代替。照这样研究,我们就能认识客观对象的发展法则,在思维上再造出对象。

《资本论》是辩证法在资本主义社会的经济构造中的应用。《资本论》"首先分析布尔乔亚社会(商品社会)之最单纯的、最普遍的、最根本的、最经常的、最日常的、数十亿万次被目睹着的关系——商品交换。那种分析,在这最单纯的现象之中(布尔乔亚社会的'细胞'之中),暴露现代社会的一切矛盾(或一切矛盾的萌芽)。从那里开始的叙述,把这个矛盾的发达(成长及运动),这个社会的发展,在其各个部分的总和上,自始至终地指示出来。这必须是辩证法的一般的叙述方法或研究方法"。

恩格斯应用辩证法研究自然的一切过程时,也是把对立统一的法则作基础的。他主张最单纯的运动形态或复杂的运动形态,都必须作为对立统一的特殊形态去考察。"例如,热运动的具体形态,如不研究分子的引力和斥力就不能理解。"对立统一的法则,在光学上成为连续性与非连续性的统一而出现;在电气学上,成为阳电气与阴电气的统一而出现;在生物学上,成为遗传与变化的统一而出现。

对立统一的法则,和唯物辩证法全体一样,都是行动及科学的研究之指导。科学的研究的任务,在于根据唯物辩证法的一般法则,依照事实的材料,去研究特定现象中所固有矛盾的发展的具体性。

第二节　由量到质及由质到量的转变的法则

一、质、量、质量

（一）质

对立统一法则的一种显现形态,是由量到质及由质到量的转变的法则。根据对立统一法则的发展,在逐渐的量的变化的形式中显现;这种变化,结果引起飞跃的质的转变。质的转变显现之后,更依据于新质而再回到逐渐的量的变化。辩证法的这个法则,简称为由量到质及由质到量的转变的法则。

质是什么? 这是首先要说明的问题。

质是区别事物、现象或过程并把它作为现存着东西的那样的规定性。一切事物的质的多样性,可由物质运动的种种形态去说明。所以事物的质,即是构成它的基础的运动种类的规定性。"适用于物质的运动,是变化一般",而这变化一般,包含着具体的变化的种类无限的复杂性。例如力学的运动,是物体的单纯的移动,单纯场所的变更。但在超力学的领域中,运动就变质了。固体、液体、气体中分子的运动,绝不还原于单纯的移动,而是具有其自身的质的特殊的合法则性的热。分子中原子的结合与分离,是质的特殊的化学过程。金属线中电气的运动,是产出电流的运动。以太中的波动过程,是电磁气的振动。至于有机体的生命活动、社会的发展,以及人类的思维,又是质的特殊的运动过程了。

各种运动形态虽各有其特殊的质,却不是互相孤立隔绝地存在着,而是互相渗透的。由力学的运动到物理学的运动,到化学的运动,到生命的运动,到社会的运动,是顺次由单纯的低级的形态进到复杂的高级的形态的。比较复杂比较高级的运动形态,都包含着比较单纯比较低级的运动形态。例如,"化学作用,如没有温度及电气的变化,就不可能;有机的生命,如没有力学的、分子的、化学的、热的、电气的等的变化,就不可能"。

但是任何事物过程的结合之中,必常有特定运动形态;这特定运动形态包含其他许多运动形态,处于支配地位,而构成整个事物的特征。这特定运动形态是主要形态,其他许多受支配的运动形态是次要形态(例如生理的变化,是生命运动的主要形态,它表现生命的质;而生理变化中所包含的其他许多运动,只是次要形态,不能表现生命的质)。这主要运动形态,成为这事物的规定,表现这事物与其他事物的区别,构成这事物的安定性的基础(例如动物,如果在短时间之中呼吸中断,新陈代谢停止,就会死灭,即动物停止其所以为动物而化为腐败的蛋白质块)。

所以,事物的质,是构成它的基础的运动种类的规定性。这种规定性,是事物过程的结合中所不能除去的特殊的规定性。任何事物,因为它本身中有一种特殊运动形态,它才具有它所以成为它的质(反之,它就失其存在),它才能与其他事物相区别。我们研究任何对象时,首先要把握对象的质,即对象所固有的特定运动形态,才能进而暴露对象的发展法则。所以事物之质的规定,在认识论上具有很大的意义。

(二)质的相对性与事物的一般联系

质有客观性。事物之质的规定性,与事物本身不可分离地结合着,并且离开我们的意识而独立存在,又为我们的思维所反映。但是我们的思维怎样能够反映事物之质的规定性呢?

质的范畴本身中,包含着一种质与别种质的相互联系及其差别。我们要认识一种事物的质,只有拿这种事物与别种事物相区别,才有可能。如不表明事物的差别,就不能规定事物。例如湖水与陆地是两种不同的质。我们规定湖水时,当然要把湖水周围由陆地围绕的事实,也包括在这个规定之中。又如我们讨论一个问题而陈述自己的见解时,如果不发表否定的意见,就不能表明自己的主张。所以在事物的质的一切规定中,主张与否定,是不可分离地结合着。斯比诺莎所说"一切规定都由于否定",这话是正确的。规定中不能不包括特定的质对于别种质的种种关系及其区别。

但是,我们为要完全地表现事物过程之质的规定性,首先要从最单纯的判断出发。例如,行星是太阳系的要素,资本主义是社会的构成等,都是最单纯的判断。我们从这种最单纯的判断出发,即是从"个别是一般"的判断出发。各种的质,都因其特殊性,因其固有性而成为一般的一部分,并包含着一般。各种事物各有其质的固有性,在其质的固有性之中表现出全体。因而个别包含一般。行星在其特殊运动中,表现出太阳系的一般联系;资本主义在其特殊规定性之中,表现出社会的一般发展法则,表现出生产力与生产关系的矛盾的统一。

个别与一般形成对立的统一,两者互相渗透。这对立的统一性,可以在个别之中看出来。但个别是全体的一部分,只是不完全地表现出一般。在这一点就存有各个事物的矛盾。例如资本主义,在其特殊的质之中,表现出生产方法的一般法则;因此它能助长生产力的发展,同时在其质的特殊性之中存有限制性。资本主义达到一定发展阶段,就障碍生产力的发展。于是资本主义在社会发展过程中的特定历史的使命已告完成。为要理解资本主义的历史使命,就要把它和社会发展的全体联结起来,探求它与全体的联系。所以一般通过个别而存在,而个别只是一般的一方面,只是不完全地表现出一般。一个方面的一面性,由别的方面的一面性所补足。它们互为前提,互相补充,构成统一的全体的两极。

各个事物的质,正因其存有矛盾、内在的不完全性,所以不能孤立存在,它必须以别的对立的质的规定性为前提,并在其与对立物的统一中才能存在。行星正因为有太阳,才成为行星而存在。猛兽只在草食动物存在的处所才能存在。因此,具有一定的质的各个事物,并不是绝对的孤立存在的。各个事物都和其他一切事物有共通之点,常与别的事物有一定种类的客观的联系。我们当暴露各个事物的质的规定性之时,必须暴露一个事物与别的事物的深刻的联系,证明种种质的相对性及其互相渗透。

在一个事物与其他事物的联系上去暴露这个事物的质,这是从这个事物的内的规定性出发的。因为质的相互关系,并不是外在的偶然的关系,而是从内的性质发生的东西,是包含各种质的客观存在的全体的表现。例如直接或间接由植物供给养料的动物、植物的存在,绝不是与动物无关的。行星以太阳为前提,资本家以劳动者为前提。所以事物间的关系,由其内在的性质发生。一切的质,在其存在与发展上,以一系列的别种的质为前提。

客观世界,处在永久发展的过程中。不但各个事物是变化的,是过渡的,并且它们的相互关系的变化,也和它们本身的变化相联系。不但各个动物有生有灭,并且动物一切的种也有生有灭。在社会方面,社会构成的变化,都是通过人类和他们的相互关系的变动而发生的。所以结成新联系的过程,形成新的一般的过程中的各个事物的改造,同时是破坏旧联系的过程,是消灭旧的一般的过程。个别和一般的发展的内在矛盾之理解,是理解质的变化、质的相互关系的变化及两者的相互联系的关键。

(三)质与属性

为要更进一层地说明质的范畴,不能不进而说明质与属性的关系的问题。质是表明一定事物与其他事物有别并设立其界限的东西。但具有一定的质的事物又具有其本身所固有的种种属性。质存在于事物间的关系之中;而这种关系,是由各个事物所固有的性质发生的。由于自己矛盾的结果,一定事物不能不与其他事物结合而存在;而事物的属性,即是在它与其他事物的关系上的质的显现。属性,和质一样,同是事物的客观的规定性。质与属性之间,没有绝对的同一性。如黑格尔所说:"质,首先主要地在它于外的关系上当作内在的规定性表现自己的意义上,即是属性。质具有无限的属性,但质表现特定的现象、过程或对象所固有的规定性,而属性却在(一定对象)与其他对象的关系上映出这个规定性。"例如当作元素看的金的质,是由其原子的内的构造所规定的。但金的属性,如可锻性、强韧性、重、光泽等,是由上述的构造所规定的。金这个元素,以其他化学元素为前提,金的化学的属性,是在金与其他种种元素的种种关系上显现的。

事物的属性,是在事物的运动中显现的。事物在其发展过程中展开的各种属性,表现出事物的各个方面。我们通过事物的属性,去认识事物的质。事物的一切属性、一切方面,我们固然不能无条件地完全都摄取出来,但在我们的感觉之中,可以反映出事物的一定属性和一定方面。我们依据实践,能够认识事物的许多属性、许多方面,暴露它们的内的统一,更深入地认识事物的质的规定性。

质与属性是统一的。但这个统一,是辩证法的统一,是充满矛盾的流动的统一。具有一定的质的事物,在其发展的过程中,通过种种不同的阶段。在各个阶段中,展开出种种的属性,这一定的质,必在种种属性中显现,并通过种种属性才能发展。各个阶段上所展开的属性中所显现的这一定的质,具有种种不同的程度,显出种种的差别。但质与事物的存在是不可分离地结合着。在这事物存在的限度内,在这事物的发展过程未终结的限度内,这一定的质在各个发展阶段上虽显现出种种差别,而该事物仍当作该事物而存在,即一定的质仍是存在。反之,那一定的质如果消失,该事物就转变为别的事物,而另具有一种新质了。至于事物的属性,却有很多种类,有的在这一阶段上展开,而在另一阶段消失的;有的在前一阶段潜伏着而在后一阶段展开出来。但事物全体属性中某一部分的展开或消失,只是表明质的显现的方面的差别,而质的本体仍是存在的。例如,当作社会的构成看的资本主义的质,具有由它所规定的种种属性如竞争与独占等。竞争与独占是资本主义的发展的前后两阶段上所展开的两种属性,资本主义的质在竞争与独占中显现出来。但在后一阶段即帝国主义阶段上,竞争的属性虽然被独占否定了,而资本主义的质仍是存在着。所以,特定事物的属性的全体,绝不是凝固的不变的东西。如黑格尔所说:"事物虽然在它具有属性的限度内才存在,但它的存在却不与某种属性的存在相关联。事物如不失其所以为事物,而其属性中的某部分是能够消失的。"所以质与属性的统一,是在不断的矛盾的发展之中显现的。要理解这个统一,必须在其变化的全体中去理解事物。事物的发展方向,即是事物由一种形态到他种形态的转变。而这种转变,是由于事物在其自己运动上具有自己的能动性,并以属性为媒介而显现。

在说明了质与属性的关系以后,再说起质的界限的问题。如上面所说,凡是具有一定的质的事物,都具有内的矛盾。从一个方面说来,这事物具有全体事物的性质,即个别中包含着一般;从另一方面说来,这事物在自己的特殊性上是被限制着。正因为有这个矛盾,所以特定事物与其他事物相结合,与其他事物互生关系。但特定事物与其他事物的外的联结,并不解决它的内的矛盾。反之,质通过它与其他事物的联系而发展,因此完全暴露自己的有限性。例如,有机体越是完全的发展,就越发接近于死——即生命的界限;资本主义的生产方法越是发展,就越发尖锐地显出自己有限性。实际上,界限是质本身所固有的。如没有界限便没有质,便没有规定性,便没有一事物与他事物的差别。所以,旧事物的死灭是新事物的发生;某种质的界限,就是别种质。一切的质,由于发展其一切的可能性而暴露自己的界限,并引起新质的开始发生,即转变为别的质。

（四）量

我们认识任何事物，单只暴露它的质的规定性是不够的。一切事物，除了质的规定性以外，还有量的规定性。例如，事物有大小，运动有快慢，温度有高低等，都是指事物的量的规定性说的。所以我们研究任何事物时，一面要暴露事物之质的规定性，同时要理解事物本身中所固有的量的规定性。

最初一看，事物的量与质是完全互相独立的。事物具有同一的质而能有增减。大小不同的事物能有同一的质；反之，同样的量的规定性，能存在于质不相同的事物中。例如，在资本主义国家，大小的工场都是资本主义的工业；而在社会主义国家，大小的工场都是社会主义的工业。工业之为资本主义的或社会主义的那种质，与它的大小无关系。质在表面上是离量而独立的。于是质与量，根本上互不相同。事物的质如果变了，事物就失其存在而转变为别的事物。但量的变化在其一定的限度内，事物的质不起变化。在这种意义上，量与质对立，而是事物的外的规定性。

我们认识事物时，先要把握它的质的规定性，然后才能发见它的量的规定性。只有在质的认识的一定阶段上，具体事物之量的研究才有可能。例如我们确定了资本主义的质以后，然后才能依据资本家企业所生产的商品量、资本的集积与集中的大小、资本主义国家尚未绝灭的小商品生产的比重，去规定各国资本主义发展的阶段。从社会的相互作用的种种复杂联系中，去抽象出相对的安定的质，我们才能有效地使用社会现象的统计。

所以，我们要认识事物之量的规定性，首先要知道它的质的规定性（否则事物之量的比较是无意义的），其次要在那些质的规定性之中，抽象其差别而发见其共通的东西（即量）。在这一点，量是无差别的规定性。

黑格尔说："质那种东西，一般地与后面所考察的量不同，是与存在同一的直接的规定性。量虽也同是存在的规定性，但不是与存在直接同一的东西，而是对于存在无关系的、外的规定性。"这里所说的"量是对于存在无关系的外的规定性"，是限于在量的变化不引起质的变化的界限以内，才是真理。量的变化一旦超出一定的界限，就引起质的变化。

事物之量的规定性，和它的质的规定性一样，同具有客观的性质。量的概念，即是事物本身所固有的量的关系在我们意识上的反映。对象之量的规定性,不能离开质的规定性而存在。当我们考察质的发展时,不能不顾虑到量的增减。量的变化的一定特殊程度,也表现一定的质的特征。

(五)质量

纯粹的量,只是抽象的东西。客观现实性之中的一切量的规定性,都是具有一定的质的量的规定性。例如用 4、5 等数字所表现的量,只是抽象的。现实的量,必须是 4 本书,5 本书;或 4 斤酒,5 斤酒;或 4 吨铁,5 吨铁之类。同样,质也不能离量而独立存在。一切的质,必须是具有一定大小的事物;一切质的规定性,在各个一定的瞬间,必须有一定的量的特征。例如铁,必须有一定的大小、重量、硬度、温度等;树必须有一定量的枝、叶及高低等;光线必须有一定的强度,一定的生产方法在各个地方有不同的发展程度,等等。对于在发展的各个瞬间的各个事物,必须设定它的特殊的量的规定,才有实际的和理论的意义。

但上述量与质的关联,多少带有外在的性质;各种特定的量,对于质的一般特征,是偶然的。铁之为 4 吨或 5 吨,对于为化学元素的铁,实是偶然的。又如,甲国有 10 个托拉斯,乙国有 20 个托拉斯,而托拉斯的数目,对于当作特定生产方法看的资本主义的质,并不能有所说明。照这样,在各种个别方面,事物之量的规定,表现为事物之外的规定,对于质好像是没有多大关系的。然而我们一旦在事物的发展上去观察事物时,我们就看到事物之质的规定与量的规定之间,具有深刻的内在的关联。

量受质所规定,质在量之中发展。质以事物之内的矛盾为基础而发展。质,在其发展过程中,必向着与一定运动形态上的质相适应的展开程度而前进。例如资本主义这种质的发展,以其内的矛盾——社会的生产与资本家的占有——为基础,这种矛盾的发展,必然向着机械技术的发达、市场的夺取、生产范围的扩大、小所有的绝灭、资本的集积与集中的方向前进。在这种意义上,质的发展,表明了质的规定性,对于量的规定性绝不是外的关联,而是内的关联了。量的变化的极限,量的规定性变化的法则,其根据不在量本身之中,而在它与一定的统一即联系之中。

在另一方面,一切质的规定性,也有其内在的固有的界限;质的完全的展开,同时就是质的界限的表明(这是在前面已经说过的)。为要完全认识事物的质,必须确定它转变为别种质的发展最高阶段。例如要知道金属的质,必须确定它被熔解的温度。所以要知道质的界限,就必须知道与这种质相适应的量的变化的界限。所以质与量形成为不可分的统一。在客观世界中,没有纯粹的质,也没有纯粹的量。一切的东西,都是具有质的规定性与量的规定性的事物。质与量的统一,即是质量。质量是种种对立的规定性的统一,即是对立的统一。世界一切事物,都是质量。质量表现出事物具有其特殊量的规定性的质的规定性。我们认识事物时,要把这事物当作一定的质量去认识,暴露其质的变化与量的变化的关联的法则。

二、由量到质及由质到量的转变

(一)由量到质的转变

如上所述,任何事物都是质量,而质量是质与量的对立的统一。所以任何事物在其发展过程中,由于内的质量的对立物的互相渗透,发生由量到质及由质到量的转变,而事物由一种形态转变为别种形态。

由量到质的转变的法则,是新事物发生及发展的法则。这个法则,表示着事物在其种种变化过程中如何地准备由一种质到别种质的飞跃。所以在说明各种新事物发生的一切理论中,这个法则是最根本的方法论的根据之一。

所谓由量到质的转变,就是说,事物在其发展过程中由于量的变化而引起质的变化。对象之量的变化,依据于与它相照应的一定的质为基础而发生,并在质的规定性之中发见它本身的界限。同样,质在一定的瞬间,也由对象之量的变化的界限所限制。对象之量的变化,影响于对象之质的方面。特定的对象,到一定瞬间为止,它仍是和原来一样的东西。但对象之量的变化,达到一定的阶段,就使特定的质发展到最后的界限,要求质的变化,使这特定的质转变为别种质。这就是说,量的变化,达到一定阶段,必然地引起事物之质的变化。

恩格斯说:"自然界一切质的差异,都起因于相异的化学构成或运动(能力)的相异的量,因而起因于它的相异的形态,或(差不多在一切情形都是一样)起因于以上两者。所以,如没有物质的或运动的增加或减少,即是说,如没有各该物体的量的变化,就没有那物体的质的变化。"

宇宙间一切物体，据现在所知，是由 92 种原子构成的。从氢（H）到铀（U），原子总计虽有 92 种，但仅是由于中央阳粒子的荷电量与公转于它周围的电子数而生差别。所以如果把各原子依照它的原子量的顺序排列起来，把氢作为第一号，循序渐进，到铀为止，是第 92 号。照这样得到的原子号数，除了顺序之外，还有更深远的意义。即是说，构成某原子的阳粒子的电量，是与原子的号数为正比例的。这样看来，由氢到铀，各原子各具有不同的质，而质的不同的原因，实由于中央阳粒子的荷电量与公转于其周围的电子数的差异而生的。这便是量的变化引起质的变化的最普遍的实例。像这一类的例子，在物理学上也是很多的。譬如水被热至沸点而化为汽，被冷至冰点而凝为冰，这是常被人们引用的例子。

至于社会现象方面，这种实例很多。例如商品生产和商品流通的私有转变为资本家的私有，也是由量转变为质的实例。因为在商品生产和商品流通成就充分发展的过程中，劳动力就不能不当作商品买卖。劳动力一旦成为买卖的商品，于是单纯的商品生产，便转变为资本家的商品生产，同时等价与等价的交换，便转变为一方剥削他方的无代价的价值之榨取。又如资本因集积和集中而增加起来，达到一定程度，便发生质的新转变，即转变为独占资本。

所以，量的变化，在一定的阶段上，不可避免地引起事物的质的变化。一切事物，成为一定的特殊的质而出现之时，就在其量上起变化。到量的变化的一定界限为止，事物的质仍和原来一样，但达到一定界限，量的变化就引起质的变化，新质代替旧质而出现。

辩证法要求在其质的特殊性之上去考察各个历史的阶段，同时又要求在它与先行阶段之历史的联系上去考察它。由量到质的转变的法则，是理解新质与旧质的历史联结之方法论的基础。例如，当作独占资本主义看的帝国主义，是前独占资本主义的发展的必然的结果。产业的成长，企业的扩大，这些都是资本主义所固有的量的变化，也是资本主义推移于质的新阶段的前提。达到了一定发展阶段的集中，是自行到达于独占的。新事物的发生，由旧事物的渐次的变化所准备。但这并不是说，由旧事物到新事物的推移，是渐次完成的东西。在前独占资本主义与帝国主义之间，不单存有量的差别，并且存有资本主义的质的旧阶段与新阶段的差异。在帝国主义的阶段上，资本主义的几个根本属性,转变为它们的对立物。例如"自由竞争产出生产的集中,而这种集中,在其发展的某一阶段上转变为独占"。自由竞争在新的阶段上虽也与独占一同存在,但独占的发生,却造出了资本主义的质的新阶段——最后阶段。

(二)由质到量的推移

依据于质的研究,我们就推移于量的研究。由质的研究推移到量的研究,是为了再深入地做质的研究才实行的。认识之辩证法的进行,是客观的发展法则之反映。在物质的现实性的发展上,质与量是不可分离的,两者互相推移,互相渗透。不单是量推移于质,并且质也推移于量。事物的质,规定量的变化的趋向、性质及速度。

自然界任何新质的出生,都是新量的长成。即质推移于量。就社会的事实举例。当小手工业生产推移于资本主义工场手工业之时,最初发生出多数手工业者在一个工场的单纯的结合,两者最初的差别,只是量的差别。但达到一定阶段,量推移于质。多数劳动者在资本主义企业中的协业,与小手工业有质的差别。"数人的协业,数人的力量融合为一个集合力量,造成了'新的强力',这个力量,与各个力量的总计根本不同。"但这新的力量从什么地方发生的呢? 劳动生产性增加的源泉在什么地方呢? 这明明是依存于资本主义的质(即集合人类劳动的大生产所有的新质)。在这里,新质创造了新量,即质推移于量。

一定的质,创造出一定的量。在其发展过程中,量的变化,准备到新质的转变。质与质的程度之间的矛盾之解决,同是表示质的界限的矛盾之发展及尖锐化。于是这一定的质的发展程度越是增高,质的界限就越是明了,在其界限以内不能发展,而准备质的飞跃的新东西的前提和倾向就暴露出来。于是由量转变为质,再开始由质到量的推移。

质与量的二重的相互的矛盾的推移,表现出发展的永久循环。在这种循环中,事物经过其运动形态中的不断的发生与消灭,就不断地在新的运动形态、新的质之中,把自己再生产出来。

所以,认识的任务,不单是设定事物之量的性质,也不单是发见事物的质。问题的核心,是在于质与量的相互推移。只有在各种对象之中暴露出这种推移的特殊性,才能在其自己运动上,在其生动的具体的发展上认识这个对象。

三、飞跃论

(一)飞跃的辩证法

由一种质到他种质的转变是飞跃,而飞跃是由于进化所准备的。进化是渐进的变化,是连续性的变化,是一定的质的界限以内的变化;飞跃是突然的变化,是连续性中断的变化,是一定的质转变为反对物的变化。"现实的生活,现实的历史,都包藏这两个倾向。这恰如自然界的生活及发展一样,一同包藏着缓慢的进化与急剧的飞跃,渐进性的中断。"所以进化与飞跃,形成为对立的统一,两者互相结合而不能分离。现实的发展,是进化与飞跃的统一。

飞跃由进化所准备,并不是凭空发生的。在一切发展过程中,质的内在的必然的否定,由于质的展开与强化所准备。特定的质越是比较完全地展开,量的发展程度越是增高,这质的界限也比较明显地暴露,因而这质的内的必然的否定(即转变为别种质)也比较急速地显现。但由一种质到他种质的转变,是在连续的变化过程中被准备的。在这连续的变化过程中,最初就包含着飞跃的可能性;这种可能性,要等到必要的条件在各种场合进到充分成熟的程度之时,才能实现。

例如,水的温度上升,必然引起水的微粒子的急速运动。水的微粒子的急速运动,就准备了蒸汽微粒子的自由运动。但在温度未达到沸点时,水不沸腾,而微粒子的运动仍停止在旧的关联的领域中。温度一达到沸点,水就转变为蒸汽了。又如,资本主义领域中各个方面的变化,虽不使当作社会构成看的资本主义变化,却是创造了未来新社会的诸条件。

但是所谓连续性的变化,在各个瞬间,并不是步骤同一,程度均等的。因为一定的质所包含的各个侧面,由于量的变化,通过其许多属性,形成许多局部的非连续性的变化(即部分的飞跃)。例如,由前独占资本主义到独占资本主义的转变,是资本主义展开的一般进行中的飞跃。这虽不是资本主义一般的飞跃的变化,却是从前占居支配地位的资本主义的企业的分配的组织形态的飞跃。同时,资本主义发展的这两个阶段以及这两阶段之间的推移,都包含着许多部分的侧面的飞跃的变化。恐慌与景气恢复,战争与和平,新市场的夺取与新殖民地的占有,阶级的斗争与休战等等,都可以说是全体资本主义发展过程中部分的质的飞跃。这些部分的飞跃,成为有机的联系而发展,达到一定的程度,就准备了整个资本主义的总飞跃。

任何的质,都由于内的矛盾而发展,而其矛盾的发展,暴露质的飞跃的界限,同时又表现出矛盾解决的时限。自然和社会的一切事物,其飞跃的形态及种类虽各不同,而其内在的矛盾,都通过飞跃而解决。质的界限的到达,即是矛盾的最深刻化的时限,同时是矛盾解决的始点。所以对立统一的法则,是理解"飞跃"、"连续性的中断"、"到反对物的转变"、"旧事物死灭与新事物发生"的关键。

所以,质的转变是飞跃,这是自然和社会的一切历史所证实的命题。飞跃由进化所准备,新事物的发生,由旧事物的发展所准备。两者之间,有一定的关联和继承性。例如,幼虫——茧——蝶,种子——植物——花——果实,这一切虽都是质不相同的东西,却结合于发展的一个连锁。又如,原始社会、奴隶制社会、封建社会、资本主义、社会主义——这一切社会=经济的构造,虽结合于人类史的发展一般的连锁之中,而各种构造,都是特殊的社会有机体,先行的社会与继起的社会,都是质不相同的社会,都具有其特殊的发展法则。唯物辩证法,认定各种低级阶段上的社会,是比较高级阶段上的社会的准备;对于比较高级的各发展阶段上的社会,一面要认识其质的特殊性,认识其特殊的发展法则,一面要认识其由低级阶段推移到高级阶段的各种特殊转变法则。

(二)关于飞跃论的各种曲解

俗流进化论者拥护纯粹的进化的理论,否定飞跃的学说。他们的理论的基本公式,就是"自然界没有飞跃"。他们把发展解释为扩大、缩小或反复,主张世界一切的东西,都由于缓慢的变化而发展。一切改良主义,社会法西斯主义,都固执这种见解。他们主张现代社会可以经由无限连续的、渐进的改良运动而达到于未来的新社会。

机械论者重视量的意义,忽视质的意义,因而主张连续的进化而否定飞跃。他们主张用"还原论"的方法去认识对象。所谓"还原论"，即是把物质的复杂形式还原于单纯的形式，把物质运动的比较高级的诸形态还原于低质形态。他们认定只有用这种方法，才能认识复杂的及高级的东西的基础及本质。机械论者把物质的种种运动还原于力学的运动，把质的差别还原于量的差别，同时又不理解质的客观性，所以必然地否定现实诸现象之历史的飞跃的发展。他们专从量的方面去规定对象，所以必然要把对象的发展归着于量的增减；他们专从力学的运动形态去说明一切复杂的运动形态，所以必然要把一切事物的发展还原于力学的法则。布哈林把社会发展法则还原于力学的均衡的法则，即是一例。机械论者由于站在"还原论"的立场，所以不能认识事物的发展，而否定飞跃的变化，即是否定由量到质的转变的法则。机械论者的这种理论，原是俗流的进化论。

其次，少数派观念论者对于飞跃论的曲解，与机械论者的曲解处在相反的方向。机械论者依据于"还原论"的理论，否定现实的诸现象之质的差别，而主张进化论。反之，少数派观念论者，承认质与量的统一，否定进化而主张飞跃。但少数派观念论者把质、量和质量的范畴，变为由现实界游离出来的抽象的公式，因而站在黑格尔的观念论的立场解释了由量到质及质到量的转变法则。并且，在这种解释上，质与量之间的互相推移，并没有时间性与空间性，因而一切具体的变化，都变成形式主义的。他们与机械论者不同，把飞跃的意义看得太重，把进化的意义看得太轻，差不多把一切变化都看作飞跃。但他们把飞跃解释为一刹那的现象，在本质上并无时间性。他们把飞跃弄成在时间以外显现的绝对的中断，新事物与旧事物之间绝没有历史的关联和继承性。譬如，托洛斯基主张社会主义的实现是瞬间的行为。他在新经济政策的初期就主张用整个的全盘的计划，铲除中农及富农，一举而实现社会主义。这完全是切断社会主义与资本主义的历史的联系，切断质的联络。现实上，所谓由必然的王国到自由的王国的飞跃，是需要相当的时期即所谓过渡期的。婴儿的最初的呼吸，当然是最初的生命活动的显现，但出生的作用并不还原于最初的呼吸，而是与产母的长期的阵痛的作用相结合的。同样，新社会的出生，也必然伴随着长期的阵痛，即是要经过激烈斗争的过渡期，才能成就。少数派观念论对于飞跃曲解，是由于切断质的联络而发生的。

第三节　否定之否定的法则

一、否定之否定的法则的意义

（一）这个法则的意义

对立统一法则的更进一层的具体的显现形态，是否定之否定的法则。

如第一节所述，对立统一的法则，说明一切事物都含有对立的契机；这对立的契机的斗争是待定事物自己运动的源泉，自己发展的原动力；事物之矛盾的发展，必然引起特定事物由一种形态转变为别种形态。这个法则的普遍的表现形态，是由量到质及由质到量的转变法则。这由量到质及由质到量的转变法则，说明发展过程本身的质的特殊发展阶段，说明旧事物死灭与新事物发生的过程，说明包含连续性中断及质量间连续的相互依存性的飞跃的发展过程。至于否定之否定的法则，把对立统一的法则更加具体化了。

一种对立到他种对立的推移，一种质到他种质的转变，事实上即是后者否定前者。但是发展的进行，有一定的继起性，通过种种阶段而运动，重新发生出来的质（新阶段），同样由于其自身的矛盾而转变为它自身的对立物（更新的阶段）。于是否定又由第二个否定所扬弃了。所以事物的发展的进行，是螺旋线的，不是直线的；发展所通过的前后各阶段，并不是演着同一的反复或循环，后起的阶段在较高的基础上描画螺旋线而发展。

事物在其矛盾的发展过程中，下级的发展阶段，准备它自身的自己否定的阶段，即准备转变为对立物的、新而较高的阶段。这就是后起阶段克服先行阶段的否定。这个否定，在这两个阶段间造出内在的联系，在后起阶段上保存先行阶段的积极的结果。但是第二阶段由于新的对立而推移到后起的第三阶段时，事物的发展，就把最初低级阶段的一定的特征和性质，再行重演，而在外观上这第三阶段好像再回到第一阶段。可是发展的过程因后来的发展，变得更为丰富，把那些重演的性质和特征在较高的基础上再生出来，于是当作全体看的发展过程，就描成螺旋线而发展。这样，第一阶段被第二阶段所否定，第二阶段再被第三阶段所否定。这第二的否定是否定之否定。这种采取否定之否定的过程而发展的法则，叫作否定之否定的法则。

（二）实例

否定之否定的法则,如恩格斯所说,是自然,社会及人类思维的最普遍最广泛的起作用的法则,是发展的各个过程所固有的法则。以下分别举例来说明它。

先就自然现象来说明这个法则。《反杜林论》中说:"举例说,麦粒、无数粒的麦粒,被人磨碎、煮炊或作酒,以后就被人消费。可是如果这样的一粒麦,找得经常的条件,如果它落于适宜的土上,那么,在热度及湿气的影响之下,它就发生特有的变化:它发起芽来,麦粒的本身消灭了,被否定了;在它的地位上发生了植物、麦粒的否定。可是这个植物生活的经常循环如何呢? 它生长、开花、结实,最后又产生麦粒,麦粒一成熟,麦秆即枯萎,而否定了自身。因这一否定的结果,我们又得到了原来的麦粒,可是并不只是一粒,而是加了十倍、二十倍或三十倍。麦的种类变化得非常的慢,所以现在的麦,差不多与上世纪的麦具同一的形式。可是如果举任何容易变形的装饰植物为例,如天竺、牡丹或兰花。如果我们用园艺家的技术,去培养种子及其所发生的植物,那么,因这一否定之否定的结果,我们不但得到更多的种子,而且得到能开最美观之花的更好的种子。这一过程的每次重复,每次新的否定之否定,都增加着这种完美的程度。如对于麦粒一样,这个过程,也完成于大多数昆虫,如蝴蝶之中,它们从卵发展出来,于是否定了卵,它们经过各个阶段,终于达到了性的成熟、交尾而重新自行否定,即在配偶、产生无数之卵等等过程完成以后,自行死亡。至于在其他植物及动物中,过程没有这样的简单,它们在未死之前不是一次,而是多次地产生种子。产卵或产儿——所有这些对于我们是无紧要的:现在我们只要证明,否定之否定,实际上发生于动物及植物的两个有机界中。再次,全部地质学,正是否定之否定的系列。正是旧的岩石破毁,新的岩石形成的前后相继之系列。起初,原来的,在液体冷却之后产生的地壳,为大洋、气象及风化等等作用所碎裂,这些破碎的物体,成为海洋之底的冲积层。有些地方海底之高出海面,重新又使最初的冲积,再受雨水、四季不同的温度、空气中的氧气及炭素等等的作用;从地心中冲发出来破裂地层,奔流于外而后冷却的岩石,也受到同样的作用。这样在数百万年间不断地形成的新的地层,大部分重新破毁,而又成为新的地层的构成资料。可是这一过程的结果,是非常积极的,它形成了种种化学元素所混成的土壤,能够处于机械的破碎状态之中,这样就使无数的各色各样的植物,可以繁荣起来。"

再就社会方面举例。"由资本家的生产方法所产生的资本家的独占方法,因而资本家的私有财产,是那以自己劳动为基础的个人私有财产的第一否定。但资本家的生产,又以自然过程发展的必然性,造出它自身的否定。这是否定之否定。不过这种否定之否定,并不是私有财产的复兴,而是以资本主义时代所产生的协作,与由土地及劳动所生产的生产手段之共有化为基础,以创造个人的私有。"(《资本论》第一卷第二十四章)

又如"一切文化民族,都是以土地共有开始的。至于脱离了某种程度的原始阶段的一切民族,随着农业的发展,这共有就变为生产的桎梏。它(指土地共有)被扬弃,被否定,经过或长或短的阶段,就变为私有。但在因土地私有本身招致的农业之较高度的发展阶段上,私有反而变成生产的桎梏——这在今日,关于小规模的土地所有,或关于大规模的土地所有,都可以看出。同样,要否定土地私有而把它再变为共有的要求,就必然发生出来。不过这种要求,并不是意味着原始的共有之复活,而是意味着共有的更高级的进化的形态之树立。它并不成为生产的障碍,反是最初打破生产的桎梏,而促使充分利用近代化学上的发见及机械上的发明的"。

又就竞争与独占的关系说。

"竞争从封建的独占发生,这是我们都知道的事情。即就本源说来,竞争是独占的反对,而独占不是竞争的反对。所以近世的独占,不是一个单纯的反命题,反之,它是真的综合。

肯定——竞争的先行者之封建的独占;

否定——竞争;

综合——近世的独占。这个独占,在它以竞争的支配为前提的限度内,是封建的独占之否定;又在它是独占的限度内,是竞争的否定。所以近世的独占即布尔乔亚的独占,是综合的独占,是否定之否定,是对立的统一。"

又就资本运动的最一般的形态说。资本的一般公式如下:

G(货币)——W(商品)——G'(较多的货币)

"这就是说,一定额的货币,转形为商品,然后再转形为货币。在这种情形之下,第一段过程 G——W,便是第一否定。由这个过程,货币否定自己,转形为它的对立物即商品。第二段过程 W——G',便是否定之否定。为货币之否定的商品,在这段过程中,否定它自己,转形为它的对立物即货币。这样,由否定之否定的结果,我们便再得到了货币。单就这一点说,我们好像是回到最初的出发点了,但在实际上,即就这个例子讲,我们并不是仅仅回到了最初的出发点。由这种运动所生的结果,我们最后所得到的,并不是 G,而是 G',这就是说,我们最后所得到的是比最初的货币较为多额的货币。这就是所谓否定之否定。……资本的全生涯,完全是由这种否定之否定的连锁而成立的。"

末了再就思维的领域举例。"古代哲学,是本来的自然形成的唯物论,它自身不能说明思维对于物质的关系。但是为了说明这一点的必要,引起一种能够从肉体分离的灵魂的学说,引起灵魂不灭的主张,终于进到了一神教。即古代唯物论由观念论所否定了。然而哲学更向前发展,观念论已不能支持,而由近代的唯物论所否定了。这近代的唯物论——否定之否定——并不是古代唯物论的单纯的再现,而是在永续的基础之上,加上了哲学及自然科学两千年间的发展以及这两千年间历史的全部思想内容。这已不是哲学,而是单纯的世界观;它不是在特殊的科学之科学上被证明被实现的,而是在现实的科学上被证明被实现的。即哲学于是'被扬弃了'。换言之,'同时被克服又被保存着'。在形式上是被克服,在实际的内容上是被保存着。"

二、否定与否定之否定

(一)否定之本质

为要更进一步理解否定之否定的法则,必须深入地说明否定与否定之否定之辩证法的意义。

我们知道,任何事物过程的发展,都在其内的矛盾的发展上发生的。矛盾的两个方面,成为对立物而互相渗透,互相补充。对立物的互相渗透,根本上是由于一极是他极的否定,是自身的肯定。肯定的契机与否定的契机,形成为暂时的相对的统一;由于这否定的契机发展起来,由于对立物的斗争,就引起特定统一的否定。例如种子之中,除了形成它的营养物(肯定的契机)以外,还含有未来植物的萌芽(否定的契机),这萌芽发展起来,种子便被否定了。

又如,小商品生产者的私有财产中,包含着未来资本家的财产(否定的契机)的萌芽。资本家的财产发展起来,小商品生产者的私有财产便被否定了。所以,唯物辩证法当分析任何过程的发展时,首先要暴露其本质的矛盾,探求其否定性,由其内的矛盾之发展,说明否定之发生。这否定成为对立统一的契机而出现,同时又构成由一阶段到他阶段的转变之内的关联。先行阶段之肯定的内容虽被否定,而在否定过程中,先行阶段是后起阶段的前提,前者的生命力仍保存在后者之中。

所以,"辩证法的'契机',要求指出'统一性',即指出否定与肯定的关联,肯定中的否定之存在"。即是说,辩证法的否定,必须是能够表现过程的发展中的诸现象的关联的否定,绝不是"单纯的否定,胡乱的否定,怀疑的否定"。

形式论理学,不理解过程内部的矛盾之发展,不理解过程的自己否定,把否定解释为"废弃",为"打消",即是把否定解释为外来的东西。例如考茨基在其所著的《唯物史观》中,对于由物质的自己运动而起的辩证法的否定,加以攻击。他主张运动的真源泉,是两个外力的相互作用;在这种相互作用之中,一力否定他力;例如环境否定有机体(否定),有机体又否定环境(否定之否定)。这样解释的否定,完全是外的相互间的否定。这种解释的错误,是由于完全没有理解对立统一的法则。

恩格斯说:"辩证法的否定,绝不是单纯地说否,也不是说某种事实不存在或任意破坏它。……并且否定的形式,第一由过程的一般性质所规定,第二由其特殊性质所规定。我不单是否定,还要再扬弃否定。所以我造第一否定时,必须使第二否定有可能或变为可能。然则要怎样去做呢?这要依据各种场合的特殊性质而定。我若弄碎麦粒,踩死昆虫,我虽完成了第一种行为,却使第二种行为变为不可能了。所以,各种事物,具有着发展由否定造成的、特殊的、它本身所固有的方式。"

辩证法的否定,是过程的发展的一个阶段,一方面表现为旧物的克服,他方面表现为旧物的侧面的保存。这样的否定,叫作扬弃,不过要理解扬弃,必须研究现实的发展。扬弃是实在事物的扬弃,并不是概念的扬弃(如黑格尔所主张的)。扬弃的问题,对于社会发展的倾向之分析,具有显著的意义。

简括地说来,辩证法的否定之核心,可以归着于下述五个命题:1. 否定是过程的矛盾的内在发展的结果;2.否定是对立统一中的契机;3.否定同时是否定先行阶段的一个阶段;4.否定在其自身中扬弃先行的阶段;5.否定是过程全体的各种阶段中充满矛盾的关联。

（二）否定之否定的本质

否定之辩证法的理解,能够更深入地暴露否定之否定的辩证法。在否定之否定一方面,也和否定一样,表现客观事物发展的生涯,表现新的阶段与先行阶段之内的关联,表现诸阶段之内的关联的事物一定的方向的发展。这是理解否定之否定的核心。所以在否定之否定的法则上,必须力说客观对象发展的顺序的阶段之内的关联及其相互联系。就前段所列举的麦粒的实例来说,麦粒在其发展的全生涯,采取麦粒——植物——新麦粒——即肯定——否定——否定之否定的诸阶段,完成其各种新的生活的循环。这否定之否定,显现为过程的内的矛盾的发展的结果;显现为对立的统一的过程的契机;显现为在它本身中扬弃了先行诸阶段的过程发展中的特别阶段。这个特别阶段,即是解决基本矛盾的阶段,是发展的循环终结与新的对立的统一形成的阶段。

麦粒在其发展的循环上,否定的契机已包含于肯定之中,因为麦粒的发展,成为麦粒的否定而发展为植物。同样,否定之否定的契机也包含于否定之中,因为植物的发展,成为植物的再否定而发展为新麦粒。并且,否定之否定的阶段,在它当作一个循环的终结点而成为新的发展阶段的出发点之时,它又成为一个契机而包含于新的肯定之中。所以肯定、否定及否定之否定,必须当作现实过程的矛盾的发展及其解决的形态与阶段去考察。第一阶段是事物的本质的矛盾设定的阶段,是肯定中孕育着否定的萌芽的阶段;第二阶段,是事物的矛盾的发展的阶段,是否定肯定而又孕育再否定的阶段;第三阶段,是再扬弃否定的阶段,是由先行诸阶段的发展所准备的矛盾之相对的解决的阶段,是新事物的出现而又成为新事物发展的出发点的阶段。所以各阶段之间,具有有机的联系。任何阶段,都显现为推进力的矛盾的特别形态,分裂为肯定与否定,由否定之否定而完成自己的发展。所以否定之否定的法则,就是说明事物经过先行阶段的发展而转生为新事物的法则。

关于否定之否定的法则,还有一个侧面,应当提出来说明。在肯定——否定——否定之否定(例如麦粒——植物——新麦粒)诸阶段中,否定之否定这一阶段,在外表上好像与肯定的阶段是同一的,即新生的事物好像复归到旧形态上去,好像是"较低阶段的一定的特征,特性等等在较高阶段上的反复"。这种第三阶段与第一阶段的外表上的同一的问题,我们必须理解各种发展阶段之内的关联(低级阶段在高级阶段中的扬弃),才能明白地说明。

一切事物的过程,因其分裂为互相排斥的对立物及其矛盾的解决,发生出二重的否定。二重的否定,在自然和社会的充满矛盾的过程中,是一切事物的一般运动形态,是一切事物的对立统一的发展过程之完成。过程的终点所出现的新事物,在其外的形态上,仍旧复归到发展的始点。所以否定之否定,在其外的形态上,即是否定的扬弃,因而复归到最初的状态。但在其内容上说,否定之否定,包含着先行各发展阶段之积极的成果,即新事物比较旧事物是更高级的东西。自然界的发展(例如,麦粒——植物——新麦粒)是这样,社会现象的发展(例如,封建的独占——自由竞争——近世的独占)是这样,世界认识的发展(例如,自然发生的辩证法——形而上学——唯物辩证法)也是这样。新生的麦粒比较原来的麦粒是高级的,近世的独占比较封建的独占是高级的,唯物辩证法比较自然发生的辩证法是高级的(后者是在幼稚的自然科学及社会科学的知识上建立的,前者是在发达了的经验的自然科学及社会科学的基础上建立的)。上述诸过程中个别的阶段,因其内在矛盾的发展,分裂为部分的肯定及否定,最后在高级阶段上显现出提高全部发展的否定之否定。

所以事物的发展的全生涯中的终点与始点之同一,是外表的同一,不是内容的同一,是螺旋状的发展,不是机械的循环。在这种处所,表明了辩证法的发展观与形而上学的发展观的对立。

三、关于这个法则的曲解

(一)黑格尔的三段法

唯物辩证法的否定之否定的法则,无疑地是从黑格尔的辩证法之中抽取出来,而在唯物论基础上加以改造并使其发展的东西。但是许多曲解这个法则的人们,往往把这个法则还原于黑格尔的"三段法",妄加批判。依据黑格尔的三段法,发展的过程如次:事物的发展,最初出现为正命题,这事物产生出它自身的对立性即反命题;由于以后的发展,正命题与反命题结合起来,出现为合命题。任何事物的发展,都照这样的经过构成三段法的三阶段——正、反、合。黑格尔想依据这些命题,去确证通过对立性的斗争而发展的法则。这无疑地是包藏着关于发展的最深刻的思想。但黑格尔的辩证法是观念论的。黑格尔替三段法穿上神秘的服装,把三段法化成一个普遍的公式,并把自然的一切现象都嵌入这个公式之中。"由黑格尔说来,理念的发展,依从三段法的辩证法的法则,规定现实性的发展。"唯物辩证法把黑格尔的辩证法实行唯物论的改造,使否定之否定的法则,从神秘的形式解放出来。如恩格斯所说,否定之否定,"是极其单纯的、随时随地进行着的过程。这个过程,只要把旧观念论哲学掩蔽着它的旧装取去,就是三岁的儿童也能理解"。

事实上,如果把一切现象嵌入三段法的公式,是绝不能说明发展的。黑格尔的观念论,把否定之否定看作概念的自己发展的过程,必然地要建立概念的相互推移的纯论理学的基础。这种概念的推移的无理由的游戏,表现出概念的推移的人工性与空虚。这种当作纯论理的构成看的否定之否定,只能表现出否定之否定的法则的外的侧面。

唯物辩证法,对于否定之否定的法则的理解,不在于说明那个三段法,而在于力说事物的发展、互相推移的诸现象之内在的关联,这是在前面已经说明了的。

米海洛夫斯基批判否定之否定的法则时,把这个法则还原于黑格尔的三段法。他以为现实的生活中,单只两个否定的存在是很少的。他引证恩格斯所举的例子,说麦粒发芽、开花、结实,是三个否定而不是两个否定,因而这是四段法而不是三段法了。米海洛夫斯基是爬行的经验论者,根本上不懂得:这个法则,并不在于否定的数目,而在于发展的全生涯包藏着它自身的否定及否定之否定的一点。过程的各阶段中多数否定之存在,绝不排除辩证法的发展的一般性。否定之否定的法则,并不还原于三段法,这是很明白的。

(二)机械论者与形式论者的曲解

机械论者与形式论者,对于这个法则,也有多少的曲解。机械论者把质的发展还原于量的发展,把辩证法的发展还原于机械的循环。机械论者把物质形态的发展,看作是依从于力学的法则进行的。他们从均衡论之中抽出三段法。例如波格达诺夫说:"过程如果有始点,在始点以前,就不存有两个对立力的斗争,而是存有二力的均衡,这是很明白的。均衡在于什么地方终结,二力的斗争在那时就消灭,而生出新的均衡,这是无疑的。这就是三段法的全部。即是从均衡——经过破坏它的二力的斗争——到新均衡。"布哈林的均衡论,也和这相同。他说:"黑格尔理会运动的性质,把它在下述的形式中表示了。他把均衡的最初状态称为正命题,把均衡的扰乱称为反命题,把新基础上的均衡的恢复称为合命题(矛盾和解的综合状态)。嵌入于这三段法之中的一切存在物的运动的这种性质,黑格尔称为辩证法的性质。"布哈林的这种主张,把综合解释为对立的和解,这无疑的是折衷主义。

形式论者,也犯了同样的错误,把合命题解释为正命题与反命题之折衷的和解。例如德波林把辩证唯物当作经验论与唯理论的综合,当作费尔巴哈唯物论与黑格尔的辩证法的综合去说明。德波林在合命题的问题上,转入于机械论的立场,这是很显明的。

第四节 本质与现象、内容与形式

一、本质与现象

(一)从现象到本质的认识之推进

上面已经说明了,对立统一的法则、由质到量及由量到质的转变的法则与否定之否定的法则,是辩证法的三个根本法则。这三个法则之中,对立统一的法则是最根本的法则,是辩证法的核心,其他两个法则,可说是对立统一法则的不同的显现形态。所以对立统一的法则,实在是包摄着质量间互相转变的法则与否定之否定的法则。唯物辩证法,由于发见对立统一的法则,才能理解自然、社会及思维的矛盾的发展的根源。可是对立统一的法则,不仅包摄着质量间互相转变的法则与否定之否定的法则,并且还包摄着其余的许多法则。在唯物辩证法的哲学上,除了质与量、否定与再否定那样对立的范畴以外,还有许多组对立的范畴。例如:本质与现象、内容与形式、必然性与假然性、现实性与可能性之类。像这类对立的范畴,都是对立统一法则的具体化的形态。这些对立的范畴,在其互相渗透上,显现着辩证法的一般法则。

这里先提出本质与现象的辩证法来说明。

科学的认识的任务,在于发见客观事物的发展法则。可是,客观事物最初在我们的感官上,出现为外的现象。现象是在感觉上给予着的客观事物之运动的联结形态或联结的运动形态,它是非常错综复杂的混沌的东西。为要发现客观事物的发展法则,第一步的重要工作,就要在那种极其错综复杂的混沌现象之中,把捉其一般的、主要的、统一的东西、必然的合法则的联结,即是把捉现象之中的本质。因为现象之中的本质的发见,与法则的发见,是有极密切的关系的(法则是各种本质的联结或各种本质间的联结,说明见下节)。所以,我们对于客观事物的认识,在其发展过程中,要从外的联结推进于内的联结,从比较不深刻的本质推进于比较深刻的本质,渗入于过程的深处,比较其同一性与差别性,从中取出本质的诸矛盾、本质的诸联结。这样地去分析事物之内的联结,抽取其本质的矛盾,同时就发见事物的自己运动的源泉,发见其发展的法则。

可是,当我们认识客观事物时,本质并不直接出现于现象的表面,显出本质与现象的矛盾。例如,地球绕着太阳自动的事实,在现象上表现着太阳绕着地球运动而地球本身不动;月球非发光体的事实,在现象上表现着月球为发光体。又如,商品生产间的关系显现为商品间的关系;商品的价值显现为使用价值的交换关系;工资不显现为劳动力的价格而显现为劳动的价格,等等。像这样的现象与本质之间的矛盾,正是科学的认识之前提,如果现象真正与本质完全一致时,科学变为无用的长物了。所以,我们认识客观事物,不能停滞于它的现象的表面,而要深入于它的底奥,发见它的本质;同时,也不能轻视现象,而使本质转变为不能反映客观现实的法则的单纯抽象。我们要用思维的能力,从反映于感觉上的现象之中,去发见客观现实的本质。从现象的背后去发见其本质,这是科学的认识的始点。

(二)哲学史上关于本质与现象的范畴的理解之演进

关于本质与现象的关系的理解,在哲学史有许多不同的流派。古代希腊的许多哲学家,想在变动无常的现象的背后,去探求永久不变的本质,因而他们把水、火、气、土或原子等,当作本质看待了。这种见解,虽因为那时科学不发达,未免失于幼稚,却已经具备了唯物论的内容。

到了近代,实证科学渐渐发达起来,哲学家们就由中世纪以来各种神学及观念论所主张的虚假的本质的领域,转眼来注视于现象的领域,从此形成了经验论的流派。经验论者们只把在感觉上给予着的现象当作实在的东西,至于隐藏在现象的根柢中的本质,却认为是信仰或偏见的产物;因此他们认为一切客观的现实都只是现象,对于客观的认识即是现象的知觉。他们以为科学的认识的任务,在于简约现象世界的复杂关系,确定事物间的表面的关系,而不是探求事物之内的统一、内的联结,即不是探求事物之本质的联结。所以他们认为科学的方法,只是单纯的记述而不是说明。主观观念论从现象与本质的关联分离出现象来考察,这种见解,是从经验论产生的。主观观念论,把现象归着于现实的假象,并把假象看成一刹那的幻像,从假象本身夺去客观的现实性,因而怀疑现实的认识的可能性,而到达于不可知论。

其次,唯理论者从现象分离出本质,而在思维上加以考察,并把本质看成不变的东西,唯理论者排除在感觉上给予着的现象,想靠概念的分析得到正确的认识。例如他们把数学和由公理引出认识的几何学,看作正确认识的范本。他们不能在生动的现象之中去探求本质的矛盾,而在思维上把本质解释为最单纯的不变的关系。因此,他们把整个物质世界看作没有发生和发展的世界;把一切社会现象看作永久不变的现象。

经验论者拘泥于事物的现象,不探求事物的本质,把现象看作事物全体的法则;唯理论者蔑视现实的多样性,而提供永久不变的法则。这两种倾向,是互相对立的东西。康德的哲学,企图调和这种对立的倾向。康德一方面承认在现象的彼岸有当作本质看的"物本体"之存在,另一方面却又否认这种"物本体"的认识的可能性。他主张人们所能认识的东西只是现象,因而把认识限定于现象的领域,这是和经验论的主张相同的。康德这样的把物的本质搬到"物本体"的世界,把本质从现象分离出来,使两者变为形而上学的对立物。由于否定本质认识的可能性,康德的哲学就变成了不可知论。

至于把握了本质与现象的辩证法的统一的人,要推黑格尔。黑格尔克服了上述许多片面的偏见,严格地批判了康德分离现象与本质的学说。黑格尔确定了本质这概念的相对性,确定了本质与现象、本质与假象之间的密接的相互依存性。他指出了:事物之内的本质并不自行出现于现象之中,为要理解事物的本质就必须研究现象。可以说,他确是阐明了本质与现象之具体的内容。

可是,黑格尔是客观观念论者,他虽然也承认现象是客观的存在的东西,却又把本质这个概念作纯观念论的解释。在他说来,现象和本质,对于我们经验的主观,虽是客观的,但两者都只是思维的内容。所以他主张在思维上把握了的本质,对于直接给予着的现象,是占居优位的。

(三)现象与本质的辩证法

唯物辩证法,建立了本质与现象之辩证法的关系,使本质的概念取得唯物论的内容。唯物辩证法,主张本质与现象都是离我们意识独立而为意识所反映的客观的实在。现象是在感觉上直接地被反映出来的契机;本质是隐藏于现象背后而要靠思维能力才能发见、才能反映的契机。所以,现象与本质,是被我们的感觉和思维所反映的东西,并不是感觉和思维所固有的东西。现象和本质这两个契机,并不是直接的同一的东西。但现象与本质,互相推移,互相媒介。现象以本质为媒介而存在,本质通过现象而存在。没有离开现象的本质,也不能有不具本质的现象。现象是本质的现象,是具有一定的本质的现象;本质是现象的本质,是现象之内的源泉。这两者相互作用的基础,是在现象一方面。现象代表事物之绝对的运动,本质代表事物的安定。所以,现象的本质,就是现象之内的、相对安定的侧面。

科学的认识,在于"从现象进到本质,从第一秩序的本质进到第二秩序的本质",因而暴露出客观现实的发展过程及发展法则。关于这样的认识的进行,我们可就《资本论》作为范例来说明。

我们知道,《资本论》是从布尔乔亚社会的细胞即商品,开始研究的。商品,是最单纯、最普遍数十亿万次被目睹的现象。那种分析,在最单纯的现象之中,暴露了布尔乔亚社会的一切矛盾。商品这东西,在我们的感官上显现为使用价值(即现象),可是它的价值(即本质)却不浮现于表面,这是要靠思维的能力才能发现的。《资本论》分析了千差万别的商品,发现了它们之间的共通的统一物。这共通的统一物,即是价值;而价值的基础是劳动,这是可以用社会的必要劳动时间去测量的。由于这共通的统一物的发见,一切商品就变为同等的东西了。《资本论》由于这种分析,在商品之中,发见了现象与本质之辩证法的统一。其次,价值这东西,在商品交换过程中,出现为交换价值。交换价值是价值的现象形态,商品的本质即价值,通过各种现象形态而发展,到达于货币形态的阶段时,引起商品世界分裂为商品与货币。由于货币这种商品的出现,价值又出现为价格。随着商品交换的发达,货币就在商人手中积蓄起来,等到劳动力的商品化这个条件具备之时,货币就变形为资本。资本是产生剩余价值的价值。而剩余价值,在其现象形态上,出现为利润,一看好像是从交换过程中发生的,而实际却是从生产过程中发生的,是资本家剥削了劳动者的剩余劳动的结果。《资本论》照这样的顺序,由第一秩序的本质进到第二秩序的本质,阐明本质通过各种现象而发展,使本质现象(显现)出来,现象变为本质。

本质与现象之辩证法的统一的实例,《资本论》在其他许多经济的范畴中,也是同样地指示着。例如工钱的本质是劳动力的价格,而在现象形态上出现为劳动的价格。又如,资本论分析剩余价值率,在利润、地租与利息的现象的背后,暴露三者之中的共通的统一物,即是剩余价值,因而利润率这种现象中所隐藏着的本质,即是剩余价值率。

由于《资本论》的指示,我们可以知道,马克思对于资本主义社会的研究的进行,处处表示着是"从现象进到本质、从第一秩序的本质进到第二秩序的本质",以暴露布尔乔亚社会的发展法则的。

(四)本质与假象的关系

具体的现象,极其复杂,本质是当作复杂的现象的共通的统一物而存在,当作统一的契机而存在。所以,现象与本质的矛盾,在我们的意识中反映出来,就成为认识中的矛盾。我们只有理解现象与本质的矛盾的客观性,才能理解认识中的这些要素的对立性,理解现实的发展的过程。观念论者不能理解现象与本质的这种矛盾,反而断定现象对于本质是非本质的、不必要的东西。他们主张我们的感官是不完全的东西,因而断定现象是虚伪而不能信赖的东西,不能传达本质的真相。他们把这种所谓非本质的、非真实的、虚伪的现象,称为假象。这种见解,完全是错误的,这里特别提出本质与假象的关系的问题来说明。

在唯物辩证法说来,假象也是现象,和本质一样,同是客观的。现象是一个群团,一个总体,一个系别,一个过程。总体的现象中的一般的统一、必然的内的联结之表现,即是本质。在各种个别的、单独的、部分的、一刹那的现象之中,也隐藏着本质。所以特定现象的总体,与那些现象中所显现的本质相一致。可是,在个别的、单独的、部分的、一刹那的现象之中所表现的本质,与在总体的现象中所表现的本质,是有一定的距离的。就是说,我们单只观察个别的、单独的、部分的、一刹那的现象,只能把捉本质的一个方面,而不能把捉其全体。我们只有观察现象的总体、全系列、全过程,才能把捉通过现象而发展的本质。

假象这东西,是从现实事物的运动而出现的东西,它是现象的一部分或部分的现象,并不是由"无"而发生的东西。所以假象并不与本质相分离,它是本质的现象的一部分。如伊里奇所说:"非本质的东西、假象的东西、表面的东西,它常常消灭,并不像'本质'那样'坚牢'地被维持,也不'坚固地停止'。例如河川的运动,上有水泡,下有深流。但水泡也是本质的表现!""假象的东西,是一个规定、一个侧面、一个契机中的本质。本质是当作这样的东西显现的。假象是本质在其自身中的显现"(这里所说"假象是本质在其自身中的显现"的意思,就是指明假象以本质为基础而表示本质的一个规定、一个侧面、一个契机的现象)。

基于上面的说明,我们可以知道:假象也是事物本身,是现象之中的一部分,是事物发展的一个契机中的本质的东西。所以假象也表现本质自身中的事物的运动、发展及变形。这种由本质到假象的运动,实是客观事物的自己运动,并不是"由无到无"的运动(如黑格尔所主张的"纯论理的运动")。

假象既然是部分的现象,是表示本质的一个规定、一个侧面、一个契机的现象,那么,当我们要把捉对象的全本质时,就必须观察特定现象的总体,全系列、全过程,而发现全部现象中所隐藏的本质。我们不能拘泥于一部分、一刹那的现象即假象,而遗弃事物的本质。例如,法西斯主义者大呼打倒财阀,这是假象;如果为这种假象所拘泥,便会断定法西斯主义者也主张社会革命,而把金融资本所授意的法西斯主义台柱的小布尔乔亚的法西斯运动那种本质看遗漏了。又如,社会法西斯主义者也高唱科学的社会主义,这是假象;如果为这种假象所拘泥,便会承认社会法西斯主义者也是科学的社会主义者而把劳动阶级中的布尔乔亚的影响(即劳动贵族的利害)那种本质看遗漏了。又如,托洛兹基主义者,提倡永久革命,这是假象;如果为这假象所拘泥,就会承认他们是彻底革命者,而把他们对于普罗列达里亚革命力量怀疑的那种本质看遗漏了。这些假象,虽以本质为基础而表现本质的一侧面、一契机,而那些本质的全部,却不浮现于表面。这是假象与本质的矛盾。为要把捉那些派别的本质,只有就各派的理论及行动的一切表现加以考察,才能理解其本质到假象的运动。

总括起来说,本质与现象的关系,是对立的统一。但两者之间的矛盾,并不意味着两者的拮抗。现象与本质,也有是调和的、一致的;也能是非调和的、敌对的。现象与本质是同一,又不同一,现象与本质相适应,又不相适应。现象能完全地显出本质,也不能完全地显出本质。但穷其究竟,现象是由本质所规定的。

关于现实的认识之任务,在于理解现象与本质之对立的统一。我们不能离开本质而拘泥于现象,否则便陷入于公式主义(例如布哈林拘泥于欧战后资本主义虚伪的繁荣,而提出"有组织的"资本主义的问题);也不能离开现象,而坚持抽象的本质,否则便陷入少数派色彩的观念论(例如哥尼克曼忽视社会的本质的发展,而主张历史唯物论应该探求一切社会经济构造所共通的法则)。我们当认识特定对象或问题,就必须就其现象的总体(包括假象的东西、非本质的东西、表面的东西等等),加以考察,从其中抽出一般的统一、必然的内的联结,即抽出其本质;并且还要更进一步地考察现象的发展过程中的各阶段、各侧面,追求本质的发展。因为本质绝不是死板的、抽象不变的东西,而是通过现象的发展而发展的东西。所以,为要正确地理解本质,就必须考察本质所表现的具体的诸阶段。简约起来,要理解各种现象的本质,必须在对象的全部联系上、在其运动上、在其发展的具体的阶段上去考察。这样,我们才能正确地认识现实的发展法则,才能免除那种分离本质与现象或把两者看成抽象的同一物的偏向。

二、根据与条件

(一)根据与条件的辩证法

在说明了本质与现象的对立统一以后,接着要说明根据与条件的辩证法。根据与条件的范畴,是对立统一法则的具体化的另一形态。

　　根据与本质,是同列的范畴。"根据是本质的关系的一个规定。"我们已经知道,隐藏于现象之中的本质,是事物之内的联结、必然的关系或矛盾。但是事物之内的联结或矛盾,可以有许多种类。在这些内的联结或矛盾之中,必有一种最根本的联结或矛盾。这最根本的联结或矛盾,是其他许多联结或矛盾由它发生、发展并显现出来的始点。唯物辩证法把这种最根本的联结或矛盾,叫作根据;把其余的联结或矛盾,叫作由根据所规定的东西。例如,我们认识特定社会的过程时,首先要由现象透入于本质,发见其许多的内的联结或矛盾,如生产关系、政治关系、法律关系及其他意识形态上的关系等等。在这些关系之中,生产关系是最根本的关系。生产关系的总体,形成社会的经济构造,一切政治的法律的上层建筑,都树立在经济构造之上,而一定的社会的意识形态都与它相适应。这种特定发展阶段的生产关系(即生产力与生产关系的矛盾),即是根据;那些上层建筑,都由这个根据所规定。又如,苏俄社会主义社会中,同样有许多本质的关系或矛盾,在这些本质的关系或矛盾中,最根本最原始的矛盾,是社会主义的契机与资本主义的契机的矛盾,是社会主义契机克服资本主义契机的斗争,即是根据;其他许多本质的矛盾,都由这个根据所规定。我们当考察特定社会的过程时,只要能够分析地把握住它的根据,在根据的运动及发展上去考察、去追求,就可以知道这个根据的实现及其由萌芽状态到现象的发展,知道它出现为其他许多本质的矛盾的发展过程,因而发见发展法则。

　　根据与由根据所规定的东西之间,在其规定与被规定的这一点上,是相对的对立,但在由根据所规定的东西是根据的运动及发展的现象这一点上,两者却是同一的。在这一点上,由根据所规定的东西,能转变为别种本质的矛盾的根据。例如政治的上层建筑,虽由生产关系那个根据所规定,但政治是经济之集中的表现,并且也成为意识形态的根据。这样,由根据所规定的东西也转变为根据了。又如,苏俄社会主义大工业的发展,引起农业的集体化。这农业的集体化,虽是由社会主义社会化那个根据所规定的,但农业的彻底集体化的发展,出现为农村阶级关系的改造。而这农村阶级关系的改造,是由彻底集体化所规定的。于是彻底集体化就转变为根据了。彻底集体化与农村阶级关系改造的发展,能廓清资本主义的根源,两者又一同成为农村社会主义经济的实在的物质的根据了。只有照这样去追求根据的发展形态，才能够理解苏俄社会主义社会化的发展法则。

在说明根据及根据的发展的意义以后，再进而说明根据与条件的关系。根据由其萌芽形态到现象的发展，只有在一定的条件之下才能显现。条件是根据的发展的最重要的契机，是在根据的发展过程中由根据所创造的东西。事物的发展，不单依存于根据，并且还依存于由那个根据所创造的条件。例如社会的生产与私人的占有的矛盾之发展。引起资本主义的发展，而这个发展的条件，即是劳动力的商品化。如果没有劳动力商品化这个条件，资本主义就不能存在。

条件有两种存在形式，即是本质的条件，与非本质的条件。凡是成为事物本身发展的条件，表现根据的发展的契机的条件，叫作本质的条件，否则叫作非本质的条件。这两种条件之间，有一定的联系。这种联系，由它们的发展所给予着的具体的客观的实在之联系所规定。在根据的发展上，非本质的条件转变为本质的条件，为发展的内容。例如，劳动力之有组织的集合，在苏俄第一个五年计划实施以前，还不是本质的条件（因为当时分散的农村的劳动力很多），但到五年计划实施以后，大工业发展起来，它便变为本质的条件了。又如，生产的熟练工人之养成，在从前也不是本质的条件，但到五年计划施行以后，却成为本质的条件了。社会主义的工业，是社会主义国家的根据。这个根据的发展，变化了环境的状况，克服了旧条件，创造出新条件。如苏俄的领袖所述，这些新条件，分为下列六项：1. 自然放任政策之清算、集体农场的农村劳动力之有组织的集合与劳动的机械化；2. 杜绝劳动力之自然的流出，工钱适应于劳动的质量；3. 重视个性，正确的劳动组织，劳动力的休养与责任的向上；4. 变更对于旧的智识分子的熟练工人的关系；5. 养成劳动者的生产技术的智识分子；6. 廓清无计划的经营，增加工业的蓄积。这六个条件，是社会主义经济建设的必要的本质的条件。

根据与条件，是对立的同一。在发展的过程中，根据转变为条件，条件也转变为根据。例如，封建社会的根据，是地主与农民的对立，至于后来发生的普罗列达里亚与布尔乔亚的对立，却只是封建社会发展的一个条件。但是随着根据的发展，布尔乔亚社会代封建社会而起，于是普罗列达里亚与布尔乔亚的对立,就转变为布尔乔亚社会的根据,而农民与地主的对立转变为布尔乔亚社会发展的条件了。又如,苏俄社会主义突击队,原为社会主义建设的条件,而在现阶段上却成为社会主义发展的内容(即根据)了。

(二)关于根据与条件的范畴的曲解

关于根据与条件的范畴,在哲学史上有不少的曲解。形式论理学宣称不愿飘浮于事物的表面,想进一步探索事物发生的根据(即理由),因而在"同一律"、"矛盾律"、"排中律"之外,又添上了"充足律",即所谓"理由充足的原理"。这个充足律,暗示着一切事物都是某种运动或发展的结果的理解。但形式论理学根本不理解运动和发展的源泉,基于抽象的同一性的原理(即"同一律"),把根据和由根据所决定的东西,看成抽象的同一,把探求根据(理由)的论理的进行,化为空虚的议论。例如说,植物生长的根据,是温度湿气与阳光;经济恐慌的根据,是金银缺乏。这便是所谓"充足律"应用的实例。形式论理学把现象的一个侧面的规定,当作全体的根据,这无疑是主观主义的、抽象的见解。

又如形而上学的唯物论,也是用形式论理学的方法去探求根据的。17、18世纪形而上学的唯物论,在神秘的"物质"或"力"之中,探求自然现象的根据。例如说,热的发生的根据是"热素",火的现象的根据是"燃素"。这种见解,并不曾说明现象的理由(根据),恰如所谓电气的现象的根据是电气那种见解相同。又如,18世纪的法国唯物论说,"人是环境的产物",即是说人类本质的根据是社会关系。但社会关系的根据是什么? 他们说,"意见支配世界",这便是说社会关系的根据又是人类本质。这样的见解,是在社会关系与人类本质的相互作用之间,去探求两者的根据的。这也是形式论理学的方法。

对于根据做了深刻的解释的人,要推黑格尔。黑格尔主张社会关系与人类本质的相互作用的范畴是不充分的。他提出了表现相互作用的两个方面的根据的范畴。他以为人类本性与社会环境之间虽有相互作用,而人类本性与社会关系两者都是某种"第三者"的创造物,即两者都是某种特殊力的产物。黑格尔所说某种特殊力,就是人类本性与社会关系所依存的最后的根据。黑格尔这样的见解是完全正确的。可是黑格尔是观念论者,他把根据的"概念"认作相互作用的根据。他说:"根据没有自对自的被规定了的内容,因而也不是自己活动的,也不能产生什么东西。如我们所见,只有概念才有那种即自对自的被规定了的、因而自己活动的内容"。黑格尔对于根据的理解,完全是观念论的,他把"概念"看作了现实的根据。

唯物辩证法,在唯物论上改造了黑格尔的哲学,不在概念中去探求根据,而在现实中去探求根据,对于根据的概念给予了唯物论的内容。例如说,人类的本质是社会关系的总体,这社会关系总体的根据是物质的生产关系。唯物辩证法,不但阐明了根据的客观性、物质性,并且还阐明了条件的客观性、物质性,同时建立根据与条件的辩证法——这是在前面已经说明了的东西。

现代机械唯物论者,不知道从本质即内的联结或关系出发去理解过程发展的根据,不知道从相互作用的诸原因之中去引出根据,反而主张根据是不存在的。他们把发展还原于外的条件,并在外的条件中探求发展的原因。例如,他们考察诸力的作用所显出的机械的运动,就把诸力的合成力看作运动的根据。又如,他们探求社会发展的原因时,也不在社会内部去探求,而在外部自然环境中去探求,在社会与自然环境的外的关系中去探求,主张社会发展的原因,是社会与自然之间的均势、均势之破坏与再建。这是错误的。我们考察对象的发展时,固然不能单只探求对象本身发展的根据而忽视那根据的实现的条件,但若把根据还原于条件,就不能理解对象的自己运动的源泉。

少数派观念论者,另有不同的偏向。他们考察对象的发展时,只知道从对象本身抽出根据,却忽视根据的发展所必要的条件所演的作用。例如,托洛兹基在 1905 年时提倡"建立劳动政府"的口号,忽视俄国数千万农民的作用及意义;在 1926 年时,提倡过度工业化的理论,也同样忽视农民的作用及意义。这种错误,完全是由于重视根据而忽视条件。根据要在外的条件上,才能得到具体的发展。例如,考察社会的发展时,固然要在社会本身中引出根据,即生产力与生产关系的矛盾,但这个矛盾的发展即社会的生产力的发展,要受外的自然的条件所影响,这是很明白的。所以考察社会的发展时,固然要从社会与自然之对立的统一出发,从内的过程与外的过程的统一出发,同时又要认识社会即内的过程之指导的作用,即确立根据与条件之辩证法的关系。

三、内容与形式

（一）内容与形式的辩证法

这里，我们进而研究对立统一法则的具体化的另一形态即内容与形式的范畴。内容与形式的范畴，是认识的发展过程的一种表现，引导我们深入地去发见客观世界的发展法则。

本质与现象的范畴，在上面已经说明了。一切的本质，都在一定的形式上，当作一定的内容，在现象上出现，并给予于现象之中。一切现象，各有其不同的内容，各种现象的不同的内容，各由其所具的不同的形式相比较，间时又自以形式为前提。例如，物质存在的形式，是运动、时间与空间。在这一般形式之上，各种具体的物质的存在，各具有其特殊的形式。力学的、物理学的、化学的、生命的以及社会的种种现象，各具有其特殊的运动的物质的内容与运动的形式，而互有差别。而这些形式，都由其内容所产生，并且包含于内容之中。

内容与形式的范畴，是对立的范畴。两者的对立统一的关系，是客观的实在的内容与形式的关系在我们认识中的反映。任何事物，都具有一定的内容与形式。内容常是一定形式的内容，离开了这形式就不存在。形式常是一定内容的形式，离开了这内容就不存在。形式由内容产生，它是内容的某种外面的东西，又是内容的诸契机。内容向形式的推移是形式，形式向内容的推移是内容。所以内容与形式，虽是对立的，却是统一的，而两者形成为统一的基础是内容。例如生产力与生产关系，是特定经济构造的内容与形式，生产力与生产关系形成为不可分的统一，离开生产力没有生产关系，离开生产关系没有生产力。生产关系由生产力产生，包括于生产力之中，它本身也是一个生产力。生产力是生产关系向生产力的推移，生产关系是生产力向生产关系的推移。生产力与生产关系在生产力的基础上形成为统一。

形式虽从内容产生，但在发展过程中，形式绝不是受动的。形式成为内容之本质的契机，对于内容的发展，具有能动的作用。形式对于内容的能动性，是发展过程的内容本身的能动性之一种表现。形式不但是内容之内的构造，又是它的外的构造。在其发展上，内的东西与外的东西，互相转变，互相推移。所以形式本身，对于内容能够成就其独立的发展。当形式由内的东西转变为外的东西时，就和内容相对立，变为内容发展的障碍。所以形式在其发展上，能促进内容的发展，也妨碍内容的发展。这是形式对于内容的能动性、积极性。例如，生产关系由生产力之内的构造而变为外的构造，对于生产力就取得相对的独立性。这样与生产力相适应的生产关系，能够促进生产力的发展。但生产关系的发展，往往追不上生产力的发展，终至于与发展了的生产力相冲突，而成为生产力发展的桎梏了。

但是形式由内容产生，由内容所规定，所以内容对于形式具有优越性。当形式的独立发展到了障碍内容之更一层的发展时，内容与形式的斗争，就引起"形式的逸脱与内容的改造"。内容之不断地向前发展的优越性，终于要冲破那成为障碍物的旧形式。在内容对于形式这种斗争中，内容克服形式的抵抗，并且废弃它，而要求适合于自己的发展的新形式。例如，当生产关系障碍着生产力的发展时，生产力就对生产关系斗争，终于废弃生产关系而创造新的生产关系，使适合于自己的发展。内容结局规定形式，生产力结局规定生产关系的性质及其发展。

形式与内容的矛盾，在任何事物或过程的分析上，都具有重要的意义。形式与内容的范畴，和现象与本质的范畴，是同列的。前面说过，一切的本质，都在一定的形式上，当作一定的内容，在现象上出现，并给予于现象之中。内容与形式的矛盾，恰是具有一定内容的本质与具有一定形式的现象之间的矛盾。所以，当我们分析任何事物或过程时，必须暴露其一定形式的现象中的一定内容的本质。关于内容与形式的矛盾的暴露，《资本论》之中指示了许多范例。"《资本论》中分析了的商品、价值、货币、资本、剩余价值、地租等经济的范畴之辩证法的运动，是由人们的社会的（阶级的）诸关系所制约的。"人与人之间的生产关系这种内容，常采取物与物之间的物质关系那种形式而出现。科学的认识的任务，就在于暴露出内容与形式的矛盾，指示这些经济的范畴的发展。"恩格斯在《经济学批判》的追忆记中这样写着：'经济学不研究物，而研究人与人的关系，结局是研究阶级间的关系，这种关系，常与物相结合，并表现为物。'"这便是说，经济学并不研究物与物的关系本身，而是研究那采取物的形式而出现的生产关系、阶级关系，并在物的形式的运动中，把握住社会关系的运动及其运动法则。所以，我们看到《资本论》所阐明的商品、价值、货币、资本、剩余价值、地租等等的辩证法之时,就知道《资本论》是研究着采取物的形式的社会的生产关系;并且知道,《资本论》所暴露的资本主义经济的运动法则,即是资本主义的阶级关系的运动法则。

（二）分离内容与形式的形式主义与机械论

任何现象都是内容与形式的统一。内容与形式,是互相渗透的对立物。内容与形式的运动及变化,由内容自身的发展所决定,由客观现实性的发展所决定(穷其究竟,由具有一定内容的本质中根据的发展所决定)。客观现实性的发展,决定着内容的发展阶段与形式的变迁,并且决定两者的互相渗透。当我们认识任何现象的内容时,首先要比较各种现象的形式,然后才能追求其内容的发展所通过的各种不同的形式,才能暴露其特殊的运动法则,由低级形式到高级形式的转变的法则。所以形式对于物质运动的规定性,是认识现实的重要的契机。所以科学的分类,必须确立物质运动的低级形式与高级形式的区别与联系,并且要在各种错杂混淆的形式中,抽出其具有特殊的独有的内容的特殊运动形式,作为每种科学的研究对象。如果忽视了各种运动形式的特殊性,而把形式还原于内容,或把形式与内容看作抽象的同一,就不能理解现象的矛盾,因而不能理解本质的发展中的形式与内容的发展的辩证法。

内容本身的发展,变更其形式,并通过各种形式而显现。如《资本论》所分析,价值的内容是社会关系,这种社会关系,经由单纯的形态到货币形态,通过四种形式而发展;又如地租的内容是土地所有者对直接生产者的农民的剥削,这种剥削,经由劳役、实物及货币的形态到资本主义的形态,通过了四种形式而发展。由此可知任何现象的内容,都表现于种种形式之中;内容的发展,表现于与其发展阶段相适应的种种形式之中。在现实认识的历史上,客观事物的发展,也有内容与形式的发展,常是不均衡的(这是两者的矛盾),因而有新内容与旧内容、新形式与旧形式互相错综的场合,或者旧内容在新形式中发展(如布尔乔亚专政的旧内容在法西斯主义的新形式中发展),或者新内容在旧形式中发展(如布尔乔亚政权在封建的君主政治的旧形式中发展)。此外,还有各种不同的内容,在同一形式中表现的(如无产者政党与有产者政党在同一布尔乔亚社会中表现其不同的内容);也有同一的内容,在混合的形式中表现的(如苏俄二月革命的二重政权形式中所表现的民主革命的内容)。内容与形式之互相渗透，是极其错综复杂的，所以我们对于现实的认识，要"在这种错综之中，发现指导的形式之运动，指示形式与内容的发展的辩证法，指示新物怎样渗透于旧物，旧物怎样适合于新物，指示新物如何表现于旧形式之中，旧内容如何往往表现于新形式之中——这些工作，只有辩证唯物论才能做到"。偏重形式而忽视内容，固然是错误，但偏重内容而忽视形式，也与辩证唯物论无缘。

分离形式与内容，是一切形而上学与观念论的偏见。尤其是形式论理学，分裂形式与内容，把内容表现为没有形式的东西，把形式表现为没有内容的东西。形式论理学的概念，是没有内容的表面的形式，遗弃了现实的内容的一切财富。像这样离开了内容的形式，恰像是离开了存在的意识。这样的概念，只是现实的阴影，并与现实相对立。这种见解，是形式主义。康德主义与新康德主义，都是形式主义。新康德主义的形式社会学，是形式主义的社会学。这种社会学，当然不能认识社会的发展法则。

苏俄经济学者鲁宾一派，主张理论经济只研究生产关系这形式，而把生产关系的内容的生产力划分给技术学及工艺学去研究。他们不知道生产关系是生产力发展的形式，生产力是生产关系发展的内容，因而变成了新康德主义的代表，这种错误的根源，在于不理解形式与内容的辩证法。

德波林派，偏重于形式而忽略内容，被称为形式主义者。他们的错误的根源，由于切离概念与物质的内容的关联，主张科学是研究某种概念的东西。形式主义者，忽略了对于过程的具体的内容的研究，而把形式的概念作为研究对象，因而陷入于观念论的立场。形式主义，是观念论的特征之一。

反之，在机械唯物论者方面，认为形式对于内容是受动的东西，否认形式的积极性、能动性，否认形式对于内容的反作用，因而把形式溶解于内容之中，因而不能理解事物的运动的特殊诸形式的发展法则。例如，18世纪法国唯物论者，把物理学的、化学的、生物学的及社会科学的各种物质的复杂的运动形式，都还原于力学的单纯的运动形式，把各种运动形式的物质的内容，都还原于分子之机械的相互作用。因此，他们不能理解内容的发展中形式的积极性的作用，把形式和内容看成抽象的同一物，以致不能理解各种现象的特殊发展法则。现代机械唯物论者们，也犯了同样的错误。例如布哈林派所主张的资本主义自然地转生为社会主义的理论、豪农经营平和地转生为社会主义的理论,就是从这种见解产生的。他们以为资本主义生产力的发展,会自动地变化其生产关系,而逐渐地变为社会主义的生产关系;并且以为农业生产力的单纯的向上,不问其为资本主义的形式或社会主义的形式,都自然地要彻底集体化,而豪农经营变为社会主义的经营。这种见解的错误,完全由于不理解内容与形式的辩证法。

第五节　必然性与偶然性、现实性与可能性、法则与因果性

一、必然性与偶然性

(一)哲学史上关于必然性与偶然性的理解之演进

从本节起,我们进而说明对立统一法则的具体化的其他形态。这里先说明必然性与偶然性的范畴。必然性与偶然性的辩证法之认识,正与本质与现象的辩证法之认识一样,具有相同的重要性。我们要认识任何事物或过程的发展法则,必先由现象透入于本质,在现象中发见其本质。这种从现象中去发现本质的认识,在别的方面说来,即是从偶然性中去发见必然性。为要从偶然性之中去发见必然性,就必须理解必然性与偶然性之辩证法的关联。

关于必然性与偶然性的关系的理解,在从来的哲学上,出现了形式上不同而本质上相同的两种形而上学见解——这是恩格斯在其《自然辩证法》的著作中指摘了出来的东西。

第一种见解,把必然性与偶然性表示为两极端的对立物。一种事物、一种关系、一个过程,不是偶然的,便是必然的;不是必然的,便是偶然的;决不能是必然又是偶然。必然与偶然,在自然世界中是并立地存在着。自然虽包括着一切的对象及过程,而在这些东西中,一部分是偶然的,他部分是必然的。这种见解,把能够采入于法则之中的东西和自己所知道的东西,当作必然的东西;把不能采入于法则之中的东西和自己所不知道的东西,当作偶然的东西。认为必然的东西,就当作科学上唯一有兴趣的东西去说明;认为偶然的东西,就当作不关重要的东西去舍弃。"照这样,一切科学都要完结。因为科学是

应当阐明我所不知道的东西的。换句话说,能够采入于普遍的法则之中的东西是必然的,否则是偶然的。像任何人所知道的一样,这样的考察方法,正与所谓把自己所能说明的东西称为自然的东西,把自己所不能说明的东西归诸超自然的原因的那样科学,实是同类的东西。要把我所不能说明的原因命名为偶然,命名为神,这是对于事物漠不关心的事情。这两者都是自己的无知的表现。所以两者都不属于科学。科学在拒绝必然的关联时,就告完结。"(恩格斯)

第二种见解,只承认直接的必然性而否认偶然性。依据这种见解,自然是被单纯的直接的必然性支配着。譬如豆荚中含豆五粒,而不是四粒或六粒;蚤虱咬我,在清晨四时,而不是三时或五时。照这样,自然界和社会方面,都只有必然而没有偶然,而偶然是完全被排除的。一切事变,都由于原因与结果的不变的连锁而发生,由确实固定的必然性所引起。像这样的固定不变的必然性,依然不能超出神学的自然观的范围,只是一种空虚的抽象。这种见解,不知道从必然性说明偶然性,反而把必然性贬低为偶然性了。

黑格尔在观念论的立场,否定了上述两种形而上学的偏见,确立了必然性与偶然性的辩证法的关联。如恩格斯所说:"和上述两种见解相对立,黑格尔提出了从来完全未曾听到的如次的诸命题。即,偶然的东西,有一种根据,因为它是必然的;同样,偶然的东西又没有什么根据,因为它是偶然的。偶然的东西是必然的。必然性把自己当作偶然性规定。在另一方面,那种偶然性,毋宁是绝对的必然性。"可是,黑格尔是观念论者,他虽然在其运动与发展上考察了必然性与偶然性的范畴,展开了关于两者的对立统一的思想,却主张必然的东西是概念而不是现实,并认定概念是真正的存在,结局把偶然性解消于概念的必然性之中,因而偶然的东西也是概念而不是现实。所以黑格尔把客观的必然性与偶然,当作主观的概念。客观的偶然性与必然性的辩证法,在他看来,只是概念的辩证法的外现。

至于克服上述形而上学的两种偏见,发见必然性与偶然性的辩证法的哲学,只有唯物辩证法。

(二)必然性与偶然性的辩证法

唯物辩证法认定必然性与偶然性(甚至外观上的偶然性即假象上的偶然

性),都是客观的实在的东西。现实的必然性与偶然性,都在我们感觉上给予着,但我们感性的认识,只能把捉其偶然性,而潜藏于偶然性之中的必然性,却要靠我们的思维能力,才能发见它,并不是用思维的能力创造出必然性而把它嵌入于偶然性之中的东西。我们的思维能力,只是发见在偶然性之中客观的给予着必然性而已。

所谓必然性,是由事物或过程的发展的根据而合法则地发生的东西,即是对于过程全体的发展所必然发生而不可避免的东西;所谓偶然性,是必然性的表现的形式及其补充,即是对于过程全体的发展不是不可避免的并且也能是在过程以外的东西。任何事物或过程,都具有其内的必然性,但这种必然性的显现形式,却是偶然性。可以说,一切的现象,个别的都是偶然。例如,植物的种子被埋在土壤之中,在一定条件之下,经过一定时间,便变为植物。这是种子的必然性。但种子的发芽有迟速不同,并且由种子变成的植物,也有种种形状,这些都是偶然性。又如人的寿命,在其自然的生长上,有一定的期限,这是人的有机体的必然性。但人的一生是无常的,他受环境所规定,或者自杀,或者横死,或者因衰老而自然死,这些都是偶然性,这些偶然性,都是必然性所由显现的形式,都是必然性发展过程中的一部分。并且,偶然性即使遮断了必然性的发展过程,它仍然构成了必然性的发展过程的一部分(即偶然的东西是必然的)。

必然性发展的当然的顺序,引起一列的偶然性,并通过这些偶然性而发展。"当作必然的东西看的经济的运动,通过偶然性(即事物、事件之内的相互的联结非常隔离、非常不易规定,因而我们或者忘记它,或者以为它不存在,像这样的事物或事件)的无限的集合,打开自己的道路。"又如,当作必然的东西看的革命的战争,也是通过无数的偶然性而向前发展的。这种战争,依存于双方的经济的、政治的、军事的状态。在这些状态中,双方的组织力、作战计划、指导人物、阶级意识等无数的偶然性,发生作用,战争的过程,通过这些偶然性而展开;特定阶级的胜利的必然性,就通过这些偶然性而实现。这类的必然性,都是从这些偶然性的加减乘除的错综复合的总体而产生的。这些偶然性,都是必然性的发展所引起的东西,都包含于必然性的发展过程之中。

任何事物,在其发展过程中,经过无数的推移和转变,与其他许多种的事物的过程相联系。世界并不是完成了的事物的复合,而是无数的过程的复合。在这些过程中,事物不断地生成和消灭。这种生成和消灭的变化,在外观上常采取偶然性的形式。但在这偶然性的形式之下,潜藏着向前发展的必然性。所以必然性是偶然性的合成,而偶然性是隐藏着必然性的形式。科学的认识,固然是以暴露客观世界的内的联结的必然性为最初的前提,但那种内的联结的必然性,是通过无数的偶然性而实现,而由隐藏着它的偶然性合成的,因而科学的认识,就不能不研究偶然性。我们知道,科学的任务,在于发见对象本身的发展的法则。法则是事物本身的发展所暴露的必然的联结,即是在偶然性的形式上显现出来并贯串于一系列的偶然性之中的东西。例如,在商品经济之中,各个商品生产者把自己所生产的商品拿到市场去贩卖,他的商品能不能遇到购买者,并且用什么价格而出卖,大致由偶然支配着。即是说,当我们个别地考察各个商品的交换时,就看到那些个别的交换都是偶然的事情。但在这无数的偶然的事情中,却隐藏共通的必然性,并受这种必然性所支配。商品经济本身的发展所暴露的必然的联结,即是价值法则。所以研究商品经济的经济学的任务,就在于从商品交换的无数偶然的事情中,去暴露这价值法则。

偶然性是必然性的一种显现形式,是必然的一个契机。在客观世界中,偶然性的作用是很重大的。我们对于现实的认识,绝不能忽视偶然性。"如果偶然性不起什么作用,世界史就会变为具有很神秘的性质的东西。偶然性当然进入于发展的一般的进行,而由他种偶然性相减杀。但是促速与延迟,大大地依存于偶然性。在这些偶然性之中,最初站在运动的前面的人们的性格那种'偶然的东西',也起作用。"例如,1914 年发生帝国主义战争,因塞尔维亚一青年刺杀奥皇太子一事而爆发,这是偶然的。但这个偶然,变成了帝国主义战争的必然性的发展的一部分。假使奥皇太子不在当时被刺,战争的爆发也会延迟,而战争的情势也会稍有不同。又如,社会革命首先爆发于帝国主义战线脆弱的一环的俄国,这好像偶然的,俄国大革命得到列宁的指导,也是偶然的。如果俄帝国主义者不因前次世界大战而疲惫不堪,仍有维持其统治的实力,这革命也许不会在 1917 年爆发。如果当时不是有列宁做领袖,革命的胜利也不会那样迅速成就。

　　偶然性不但隐藏着必然性，由必然性所贯串，并且偶然性，在其发展上，也转变为必然性。例如，原始的商品交换，最初是由于两个各有其特殊的剩余的生产物所引起的，这纯粹是偶然。但往后生产力向前发展，各共同体就为交换而生产了；并且由于社会的分业与私有财产的发生，这个商品交换，就成为必然的现象。又如，在近代社会中，最初各个劳动者对于雇主之个别的抗争，纯是偶然的，但到后来，这种抗争就取得大众的性质，对于全体劳动者阶级，就成为一个必然了。

　　所以，必然性与偶然性，形成为对立的统一，两者互有差别，却又互相渗透。我们对于过程的认识，必须把现实的必然性与偶然性的辩证法反映于概念之中，阐明两者的统一、转变与差别，并且指出必然性如何通过偶然性而实现，因而暴露过程的法则。

（三）现代机械论与少数派观念论关于必然与偶然的问题之曲解

　　偶然性是与必然性相对立的范畴，它并不是与因果性相对立的范畴。但偶然性的本身，也是有原因的。在自然界和社会方面，任何现象，没有不具有其发生的原因，因而没有原因的偶然性，是绝不会有的。一切的偶然的现象都由无数的原因和条件所媒介，都与其余世界全体相联系。不过各种偶然的现象的原因，不一定能够知道，因为它与现象的内的联结相隔离，不易加以规定，因而人们常常忘却它，而实际上它是客观地存在着的东西。后来的形而上学者，把偶然性的范畴和因果性的范畴对立起来，把自己所不能知道其原因的东西，当作偶然的东西去舍弃，这是大大的错误，前面已经述说过了。现代的机械论者，踏袭了这种错误见解，提出了否定偶然性的主张。他们以为：一切现象既然都有原因，那就在现实上不能有所谓偶然的现象，因而所谓偶然性只是纯粹主观的范畴，只不过把我们还不曾理解其原因的现象在主观上命名为偶然而已。例如，布哈林说："严密地说来，偶然的即没有原因的现象，一个也没有。现象，在我们没有充分知道的原因的范围以内，表象为'偶然的'东西。"他把因果性与偶然性对立起来，把偶然性看作无原因性，这是非常的谬见。偶然的东西本身是有原因的，它是从原因发生的必然的东西，不过它的发生，不是从特定过程的本质而来，它在这过程全体中并无根据。只有在这种意义上，偶然性继与在特定过程中有根据的必然性相区别，它并不与因果性相区别。

所以偶然性,对于特定过程全体,是外的过程的必然性,而它自身在这外的过程中仍有其原因,即是必然性,仍是有根据的(因为他和他的父亲奥皇同时塞尔维亚的侵略者,并且抱了野心走到塞尔维亚,以致为塞尔维亚人所刺杀),仍是必然的。所以,因为不明白偶然性的原因而否定偶然性的存在这种主张,实际上简直是承认了绝对的必然性。

少数派观念论者,在另一方面,犯了与机械论相反的错误。例如,德波林派曾经批判了机械论者否定偶然的见解,主张偶然性是存在的,并且建立了偶然性是外力的结果那种命题。但是这种批判,虽然有相当的真理,同时却又含有错误。德波林主张偶然性是由外的条件所规定的东西。他说:"由于从事物之必然的本性以外发生的纯粹外的条件所规定的一切东西,都可以叫作偶然的。"这里所说的"纯粹外面的条件"那东西,在现实上是不存在的。在现实上,外的东西与内的东西,互相关联着。一种现象,对于这种过程是外的东西,对于别种过程就是内面的。我们在前面说过,任何过程,都通过无数的推移,与其余的许多过程相联系。所以一个过程,常与别种过程相交叉,而由别种过程所搅乱,所遮断。这两个过程的交叉点所发生的现象,在各个过程的全体中没有根据,可以说是偶然的。即是所谓"外的必然性"。这样的偶然性,对于过程的发展,往往有决定的意义。例如,行人被汽车轧死,经济的繁荣因大地震而毁灭,这都是偶然的。这种偶然性就是所谓外的必然性。但这种外的必然性,在与它所交叉的另一过程说来,却是内的必然性。因而偶然性这个范畴,只是相对的。并且就是这样的偶然性,也仍然是特定过程的必然性。因而偶然性这个范畴,只是相对的。并且就是这样的偶然性,也仍然是特定过程的必然性的现象形态和补充物。德波林不明了必然性和偶然性的辩证法,主张偶然性只是"外的必然性",并且还把必然性看作与"盖然性"相同的东西(例如他在所著的《辩证法与自然科学》中,把统计各种偶然现象的盖然性,看成必然性),这显然是错误。至于说把两个过程的交叉的契机,看作偶然,这是踏袭了普列哈诺夫的见解的。普列哈诺夫说:"偶然性只出现于必然的过程的交叉点。"这样的偶然性,如前面所说,当然是存在的,但它只是偶然性的一部分的形式,并不是偶然性的一切形式。各种过程的内部都有偶然性(必然性的显现形式),这是很普遍的偶然的现象,并不一定单只在两过程的交叉点才有偶然性(如果这样,某一过程如不与别种过程相交叉就没有偶然性,因而这过程的必然性就没有显现的形式了)。普列哈诺夫与德波林这种见解,显然地把偶然性当作和必然性抽象的对立物了。

偶然性是必然性的显现形式和补充,是对于必然性而言的外的现象,这在上文已经说明了。我们对于这样的偶然性,不能看作绝对的东西,必须就各种具体的现象去考察偶然性与必然性的发展。现实的现象,极其复杂,我们当然不能一次地、完全地、绝对地把它的法则反映出来。所谓必然性与偶然性,只是现实的合法则性的一种显现形式,我们不能把两者嵌入于绝对不变的公式之中。

在讨论了必然性与偶然性的问题以后,还须提出对于这问题的实践的态度的问题。在解决这个问题时,有三个契机是必须理解的。这三个契机,是对象、条件与行动性。我们认识对象时,首先要把捉住对象的根据的发展的必然性,其次要考察:对象的必然性的发展,在什么条件之下显现于具体的偶然性的形式之中;在什么条件之下,积极地克服偶然性,通过偶然性的系列而发展,偶然性转化于必然性;并在什么条件之下,对象的发展,由一种形态转变为他种形态。这样,关于对象的认识,就能使我们成立科学的预见,决定实践的态度。例如,关于现代社会之具体的全面的研究,使我们预见到现代社会之必然地转变为未来社会,并决定特定阶级的行动性。

二、法则与因果性

(一)法则

一切科学的认识的穷极目的,就是暴露研究对象的发展的法则。当我们认识特定的对象时,首先要依据对立统一的法则,从质与量的范畴出发,次第推移到对立统一法则的具体化的诸形态——否定与再否定、本质与现象、根据与条件、内容与形式、必然性与偶然性等形态,认识对象的诸现象的全面的联结,更进而发见诸"现象的更深刻的法则、联结、关系、媒介、源泉、自己运动的原因,阐明其发展的根本倾向"。

关于特定对象之科学的认识,要在对象的全面性上,在其一切的联结、媒介与运动上去把捉并反映对象的全体性。这样的工作,虽然是可能的,却是很困难的。但现实的全面的研究之要求，却警戒着"思想的硬化"，使我们在认识过程中不至离开"具体的真理"的原则。我们的认识，在种种的限制上虽然不能够绝对完全地把捉现实的全面性，而现实中内的法则，却是能够把它反映出来。所以一切科学的认识的任务，在于发见现实的内在的法则。

于是我们提出法则的概念来说明。

法则是事物本身所固有的、客观的、内在的诸现象的联结的发展的倾向之反映，是表现两个或两个以上的现象间之必然的关系的东西，是表现诸现象的本质自身所发生的联结的东西。所以法则是事物的发展过程中的本质的东西的反映，"法则是诸本质的或诸本质间的关系"。

"法则与本质，是同种类的概念。"本质潜存于现象之中，所以当作本质的关联看的法则，是"现象中坚固的东西"、"现象中同一的东西"、"本质的现象"、"现象之静止的反映"、"运动中的本质的东西的反映"。所谓法则的认识，就是在现象间的复杂错综之中，发见其本质的关联、"静止的东西"。正因为法则是现象中的本质的关联、静止的东西的反映，所以法则比较现象是贫弱的。法则只能在大体上、近似地、不完全地把捉变动中的现象，不能摄取现象之无限的丰富的内容。因为本质的关联，在各种个别的现象中有种种的偏差，这些偏差就是各种个别现象的特殊性。当我们从现实的各种现象中抽取其本质的关联即法则之时，就不能不舍弃各种个别现象中的那些偏差或特殊性。所以法则比较各种具体的现象是贫弱的。即是说，一般的东西只包摄个别的东西的侧面，而个别的东西的内容比较一般的东西更为丰富。但是，从现实性之中抽取出来的本质的关联即法则，在现实的发展的倾向中，通过现象群而出现、而发展。在法则贯串于现象群而实现自己的这一点，法则的概念，却"比较各种个别现象更深刻、更正确、更完全地反映现实性"。即是说，一般的东西比较个别的东西，更深刻地反映现实性。所以法则的概念，一方面是现象之静止的反映，它比较变动中的现象是很贫弱的，因而是"狭隘地、不完全地、近似地"把捉现象群；另一方面，法则反映着现象群的静止的东西、本质的关联，它比较个别的变动的现象，更深刻、更正确、更完全地反映现实——在这一点，就存有法则这概念本身的内的矛盾。法则的概念这内的矛盾，是客观现实的发展过程中内的矛盾在认识上的反映，是现实中的本质与现象的矛盾在认识上的反映。

法则这概念,正因为含有其内的矛盾,所以它的本身,也是可变的,是发展的;它也和其他的概念一样,成为人们认识世界的一个契机,一个阶段。"法则的概念,是人类对于世界过程的统一及关联、相互依存性与全面性的认识的阶段之一。"(伊里奇)人类在其实践的过程中,不能一举而完全正确地把客观世界的全体性都反映于法则的概念之中。人类只有通过数千年物质的生产的实践,才能逐渐地、比较完全、比较正确地、近似地认识客观世界的法则。所以法则虽是现象之静止的反映,但所谓静止的东西的反映,也只是相对的,不是绝对的。法则本身,是可变的,是发展的。

唯物辩证法,认定法则是变动的,不是永久固定的东西,它也有质的差别。法则的质的差别,由现实性的质的差别而生;法则的变质,由现实性的质的变化而起。法则的认识的发展,以人类的历史的实践为基础。就自然法则举例来说,例如古代人所发现的"摩擦生热"的法则,往后由于实践的发展,演进为"一切力学的运动借摩擦之助而转化为热"的法则;到了近代,这法则更普遍化起来,演进为"任意的运动形态,在一定条件下,转化为他种运动形态"的法则。又如,"温度相同时,气体的容积,与压力为反比例"——波依尔这个法则,往后经过列诺尔的实验,把这个法则改变为比较正确的东西,即发见了波依尔那个法则不能适用于由压力而变为流动液体的气体,并且在压力接近于液化点便不能适用。又如,牛顿氏的引力法则,近来演变为相对性法则。这是自然法则的历史的相对性的实例。再就社会法则举例。人类社会的各个历史的发展的阶段,各自具有其质的特殊性,各自具有其特殊的发展法则。又如,资本主义的法则,也有其历史的相对的性质,并不是永久不变的自然法则。并且,《资本论》所暴露着的资本主义社会的法则,如《资本论》著者所自述,也只是当作一种支配的倾向而实现的。例如他说:"大概在资本主义生产方法之下,一切一般的法则,以极其错杂的近似的方法,只当做支配的倾向、当作决不能充分确立的、不断地动摇的某种平均而被实现的。"所以在各种具体的现实性之中,法则只是在纯粹的姿态上表现现象的本质,而近似地把捉其一般的合法则性。现实上,法则绝不是以纯粹的姿态而实现,并且只是以不断的偏差为媒介而实现,当作克服不断的动摇和偏差的支配的倾向而实现。例如价值法则,是当作不断的背离于价值的动摇及偏差的平均而实现的。

所以,法则的规定,只是相对的,不是绝对的。任何法则,只有在严格规定了的条件之下才是妥适的。具体的条件变化了,那种现象的法则,也不能不起变化。这种具体的条件,和所研究的现象的运动一样,是历史的发展的结果,因而法则也是历史的。

一切的法则,虽然都具有历史的相对的性质,但法则的普遍性,即普遍化了的法则,仍是存在的,即反映物质的永远的运动、发展的法则,仍是存在的。例如唯物辩证法的诸法则、对立的统一的法则及其具体化的诸形态,就是普遍化了的法则,是绝对的永远妥当的法则。因为物质的运动是绝对的永远的,因而反映物质运动的绝对性永远性的对立统一的法则,是客观世界的一般发展法则,它本身是辩证法的,又是历史的。这是在科学及技术的发展过程中,在人类知识的全历史中所确证的客观的绝对的真理。法则的绝对性与相对性,是辩证法的对立,不是形而上学的对立,这正和绝对真理与相对真理之间的辩证法的关系是相同的。真理是具体的。法则的相对性与绝对性,要由人类之长期的实践的规准所检定、所证明。

形而上学的法则观,把现象的一断片当作绝对不变的东西,因而把法则看作绝对化物神化的东西;在另一方面,观念论的法则观,把法则作为主观的产物,作为悟性或理性的产物。这两种法则观,都是唯物辩证法所要积极地去克服的东西。

(二)法则与因果性

由于法则的研究,我们不能不进而研究因果性的问题。法则原是因果关系的必然性。

一切的现象,都由先行现象而发生,又转变为后续的现象。一切的现象都有其发生的原因,它自身是那种原因的结果,同时又是后续现象的原因。原因和结果的这样的关系,叫作因果性。为要说明因果性,不能不先说明相互作用。

世界是无数运动的物质的过程的复合体。任一过程,由于物质的自己运动,发生现象的系列,这些现象间有无数的推移、联结和相互作用,这些由过程内部发生的相互作用,是内的相互作用。同时,任一过程,都与其他的过程相联结、相作用;过程与过程之间的这些相互作用,是外的相互作用。"当我们考察运动的物质时,首先映现于我们眼前的东西,是各个的运动、各个物体相互间的交互联结、相互制约性。""相互作用,从今日自然科学的立场,在大体的考察运动的物质的场合,是我们最初所遇到的东西。我们看到,一切的运动形态,即力学的运动、热、光、电、磁、化学的化合及分解、凝集状态的推移、有机的生命——这一切都互相转化,互相制约;在这里是原因的东西,在那里就变为结果,并且那种场合,运动的总量,通过一切的形态变化而同一地被保存着。""我们只有从这种普遍的相互作用开始,才到达于真实的因果关系。即,理解各个的现象时,我们要从全体的关系把它分离出来,并且孤立地观察它,在那种场合,相互的变化的运动,一方出现为原因,他方出现为结果。"(恩格斯)

所以我们认识客观世界时,不能单只考察其相互作用,而是要从物质的运动及其联结的过程,抽取原因与结果的关系,借以表现物质的运动及联结的法则。在物质运动的过程中,有起能动作用的运动,由于能动作用的运动,引起受动作用的运动。这能动作用的运动,可以看作原因,这受动作用的运动,可以看作结果。这两种运动,是从物质的运动的过程中抽取出来的东西,即是从一般的联结、相互作用中抽取出来的东西。例如考察特定对象的过程时,我们从中抽取先行和后续的两种运动,把前者称为原因,把后者称为结果,这样地去构成因果性的概念。我们凭借这样构成的因果性的概念,作为认识对象的一个阶段,去认识对象的普遍的联结的合法则性。

但是从全部运动过程中、从全部的相互作用中抽取出来的原因与结果,只是全部过程中的一个断片,一根链子中的一个环,一般联结中的一契机。因而因果性的概念,也只是相对地、一面地、不完全地东西,它只是相对地、一面地、不完全地反映现实的全过程中的一般的联结。所以我们所理解的因果性,只是客观的一般的联结的诸规定之一小部分。只有这样的去理解因果性,才能懂得因果性是认识现实过程的一般的联结的合法则性的一个阶段。

原因与结果,在相互作用的基础上,形成为对立的统一。在相互作用上,原因变为结果,结果又变为原因,两者互相转变,互换地位。例如,我们从任何物质运动过程中抽出任一现象而追溯其因果时,就知道这一现象是先行现象的原因,是后一现象的结果,同时又知道原因的现象更有原因,结果的现象,更生结果。所以"在其与宇宙全体的总关联上去考察其个别的情形时,原因与结果就互相混乱,变为普遍的相互作用,两者无间断地互换地位,此时在这里是结果,在那里立即变为原因,反之,在这里是原因,在那里立即变为结果"。(恩格斯)再就某一过程中抽取先行和后续的两个现象而考察其因果关系时,前者是后者的原因,后者是前者的结果,但在反对的方面,后者也影响于前者,而成为前者的原因之一。例如就社会现象来说,经济构造是政治的上层建筑之决定的原因,但当作上层建筑看的政治,又反作用于经济构造,而成为经济构造的变化的原因之一。像这样,原因与结果之间,存有相互作用,存有内的必然的联结。但原因与结果,虽有相互作用,而两者的相互作用的基础必须指明出来。若单只说起相互作用而不指出其基础,就变为循环论理。例如说起政治与经济的相互作用时,就要指出经济是基础;说起生产关系与生产力的相互作用时,要指出生产力是基础。只有指出这样的基础,才能认识现实的自己运动及其运动法则。

因果性的概念,虽然只是相对地、一面地、不完全地反映现实诸现象之一般的联结,但这个概念却是认识物质的运动过程的一般的联结的法则的阶段。从因果性的见地去考察现实的过程,固然是把现象弄得单纯化了,但因果关系的发现,却能使我们深入地去认识现实。因果关系是科学的认识之必然的基础。我们在实践上观察对象时,看到诸现象的相互作用,探求对象由于什么原因,在什么条件之下,由一种形态转变为别种形态(即结果)。这样的因果关系的发见,使我们能够预见对象的发展的倾向,而得到合目的的实践的行动的可能性。我们知道了对象的某种运动所由发生的条件,就能够在实践上造出那种条件,因而再造对象。这种实践的认识与认识的实践,在自然现象的认识领域中、在社会现象的认识领域中,都是必然的基础。所以人类的实践,不但造出因果性的表象,并且能成为证明因果性的规准。

唯物辩证法的因果观,与观念论及机械论的因果观,截然不同。观念论者主张因果性是悟性之先天的形式;休谟主张因果性是思维的习惯的产物;马哈主张因果性是以数学上的函数关系为模型的思维方法——这些主张,完全否定了因果性的客观性。至于黑格尔虽然非常"深刻地丰富地理解"了因果性,而主张因果性是世界的一般联结的认识上的一个契机,可是他所说的世界,却当作绝对精神解释,因而他对于因果性的见解,仍是观念论的。所以观念论者即使承认了因果性,也仍然是主张思维规定存在的。

机械唯物论者,虽然也知道因果性的概念是物质关系的反映,却把机械的因果性看作因果性的一般形式。他们把物理学的、化学的、生物学的、社会的诸现象的因果关系,都还原于单纯的力学的因果关系。他们不知道从物质的自己运动形式之相互作用的观点去理解因果关系,却把原因与结果当作一过程与过程的外的相互作用去说明,因而把原因和结果看作固定不动的对立物,并且主张在外的相互作用中探求对象发展的原因(例如说社会的发展依存于自然环境)。这种见解,完全没有理解因果关系的辩证法。

(三)目的的概念之科学的说明

人类的实践,证明了因果性的客观性,而反映着客观的因果关系的因果性的表象及概念,也是人类在实践的基础上构成的。人类在其实践上,发见了现实的现象的因果关系,就能够从事于合目的的实践的行动,而再造那种现象,因而改造世界。这种合目的的实践的行动,是人类认识客观世界的因果性的结果。

提起"目的"的概念时,我们不能不说明这个概念与"目的论"的见解的区别。目的是与原因相结合着的东西,即是说,合目的性与因果性是互相结合着的东西。因果性不与合目的性相对立,而与"目的论"相对立,这是要特别注意的事情。唯物辩证法,并不否认自然现象及社会现象的"目的"的意义,尤其不否认人类的合目的的实践的行动,反而由因果的认识的见地去说明这个目的,这是与"目的论"那东西截然相反的。

"目的论"是与原因论相反的观念论哲学中的一种潮流或倾向。目的论的见解,在近代以前,特别是在中世纪时代,完全与宗教或神学相结托。那时的目的论者,主张世界一切存在物,都是上帝以一定目的创造出来的东西,一切存在物之中都存有上帝所预定的目的,因而一切自然现象及社会现象都遵从既定的目的而显现。如恩格斯所说,在目的论者看来,"猫是因为吃鼠而被创造、鼠是因为供猫所吃而被创造的东西,并且自然全体是因为证明造物主的聪明而被创造的"。这样的目的论,是与神学合流的。到了近代,自然科学与技术逐渐发达,目的论却改变了形态,已不向事物外部探求上帝所设定的目的,而在事物内部去探求合目的性了。例如说,生物之内的合目的性,是生物有机体之合目的的构造。生物体的各部分的器官,由于那种合目的的构造,所以能够发挥其一定的机能,如目能视,耳能听,舌能尝,鼻能嗅,手能握,足能行等等,都是由于人体的合目的的构造的结果。这种改变了形态的目的论,也浸透于观念论的社会科学的领域,例如新康德主义的历史学说,排斥历史的因果性而主张探求历史的内的目的或最高价值,就是这种目的论的应用。

各种形态的目的论,现在都被唯物辩证法所克服了。在唯物辩证法看来,事物的合目的性,只是因果性的产物。一切事物或过程,都依从其内的因果性的法则而发展。就有机体的合目的性为例,如达尔文所主张,这是要由因果性的法则去说明的。生物有机体的这种合目的性,是数千万年的自然淘汰的因果性的结果。所以现象的合目的性,要由现象的因果性去说明,即一种现象"为什么目的"而发生的问题,与那种现象"因什么原因"而发生的问题,是互相结合着。就生产的劳动来说,劳动当然是一种合目的的东西,这就是所谓"合目的的劳动"。人类的这种"合目的的劳动",是与动物形态的无目的的劳动不同的。人类的劳动,依着预定目的实行。"人不但变化自然的形态,同时还在自然物中实现他的目的。"但是人们如果不理解自然现象的因果性,就不能变更自然物的形态,使适合于自己生活上的目的。例如人们为了取得粮食的目的而经营农业,如果不知道植物种子在一定温度、阳光与湿气等条件之下而发芽而滋长的因果关系,当然就不能实现自己的目的。并且,劳动的生理能力的支出与加工于对象时的变化之间,也存有因果关系。所以合目的的劳动,只有根据于自然的因果性的认识,才有可能。人们在社会中的一切实践,都追随于各种特定的目的,而一切合目的的行动,又都是由于认识各种社会现象的因果性的结果。所以,自然现象与人类行动的合目的性,都必须当作它自身的因果性、合法则性的特殊的显现形态去考察。

三、可能性与现实性

(一)可能性与现实性的两个概念的意义

最后,我们进而说明可能性与现实性的范畴。可能性与现实性的范畴,是对立统一法则的更进一层的具体化的形态,反映着客观世界的更深刻的多面的联结。所谓现实性,意指着当作由先行的发展全体所准备的合法则的必然性而在实际上给予着的存在,它不仅是各个事物的事实上的存在,并且是比较外的存在还更深刻的东西。现实性的范畴,反映客观世界的全部联结,暴露客观世界的合法则性。现实性之中,包括着本质与现象、根据与条件、内容与形式、必然性与偶然性等等;因为这些范畴都反映着现实性的各种侧面,而现实性这范畴,是反映构成客观的实在的一切(内的及外的)契机的总体,反映一切侧面的相互关系的。正因为现实性这范畴反映客观的实在的一切侧面的总体,所以它是非常重要的东西,客观的具体的真理,是从"现实性的一切侧面的总体"构成的。

可能性也是客观的实在。某种事物的存在条件虽然存在着,而它的存在不能当作必然性主张的东西,叫作可能性。可能性是与现实性有区别的,两者不能看作同一的东西。现实性与必然性密切地结合着,它由必然性发生,并表现必然的过程。"现实性在其展开上出现为必然性"。但必然通过偶然性的形态而显现,所以现实性之出现为必然性,常因偶然性的情形不同,有采取不同的姿态的可能性。但是可能性仍是受限制的。特定的现实性,表现特定的必然的过程。这必然的过程的内的本质、根据的发展倾向,决定着在这过程的适应的阶段上发生的可能性。所以可能性也是实在的,它仍受根据的发展所决定,不过不能当作必然性主张而已。这样的可能性,是实在的可能性,是唯物辩证法上所研究的可能性,它是与形而上学所想象的抽象的或形式的可能性,截然不同的。

抽象的或形式的可能性,是想象上的可能性,是形式论理的、排除了思维上的矛盾的意义上的可能性。譬如说,太阳明天能与地球碰撞,桃树上能长出梨子,低能儿能变成哲学家,劳动阶级能变成资产阶级,苏俄的共产党能变成资本家团——这一切都是想象上的可能性。但这样的可能性是不能转变为现实性的。因为这些都不是基于现实性的诸条件的空想的可能性。所以形式的可能性与实在的可能性这两个范畴,不能不严格地加以区别。实在的可能性,是在特定过程的适应的阶段上发生的东西,是在特定过程的根据的发展倾向中存在着的东西;反之,形式的可能性,却不具有这种性质。所以可能性虽能转变为现实性，而能够转变为现实性的东西，却只是实在的可能性。哲学上所说的，物质由一种运动形态转变为他种运动形态，就是意指着由一种现实性转变为他种现实性。而一种现实性到他种现实性的转变，即是前者的发展过程中的特定阶段上发生的可能性转变为他种现实性。譬如，资本主义社会的发展，转变为社会主义社会，这是必然的过程，但在这过程中的特定阶段上发生的社会主义革命，能促进这种必然性实现，这是社会主义的可能性。这种可能性的实现，即是社会主义社会（现实性）。所以可能性即是存在于现实性之中而往后能够展开为现实性的东西。

实在的可能性，能够有两个或两个以上，大概可以分为两个种类。因为如上面所说，实在的可能性是在特定过程的适应阶段上发生的东西，并受根据的发展倾向所决定，所以实在的可能性，是表现根据的发展的可能性。但任何根据，都包含矛盾的两方面，因而表现根据的发展的可能性，也分为两个种类（各种类之中，也不一定是一个）。例如，生物有机体，因其内的根据（即根本矛盾，如生与死）的发展，由于种种的条件的不同，或者生长，或者死亡，这是两种实在的可能性。又如，德国1848年的革命，也有两种实在的可能性，即布尔乔亚与封建阶级妥协而终结革命，或者普罗列达里亚为实现劳动阶级的解放而继续革命。这两种可能性都是实在的。在社会生活的领域中，实践的阶级，对于这两种可能性，是要善于选择的。

实在的可能性与抽象的可能性的区别，在上面已经说明了。但两者之中，由于实际条件的变化，也能互相转变。例如空想主义所主张的，合作社能实现社会主义，这是抽象的可能性，但在苏俄的种种新条件之下，合作社现实地转变为农民经济的社会主义改造的唯一可能的道路。于是抽象的可能性转变为实在的可能性了。又如，先进资本主义国家，要通过社会革命，才有转变为社会主义的可能，这是实在的可能性。但在今日非常落后的非资本主义国家，却可以不通过社会革命①而转变为社会主义。于是，实在的可能性转变为抽象的可能性了。不过，两者互相转变的问题，要由其具体的条件与发展的一般的进行所决定，并不是一切抽象的可能性都转变为实在的可能性，也不是实在的

———————

① 指以直接实现社会主义为目的的革命。——编者注

可能性常常失掉意义。

（二）可能性转变为现实性的三个契机——对象、条件与运动

可能性之转变为现实性，是在一定条件之下实现的。当我们考察可能性转变为现实性之时，必须观察一定的对象与它转变为他种形态时的一定的条件。对象与条件，都是现实的存在着的东西，它们的本身是现实性，并且是不断地变化着的东西。由于对象与条件的联结的运动及变化，可能性便转变为现实性。例如麦子（对象），在一定的土壤、温度、阳光、湿气等条件之下，有变为麦苗的可能性。由于麦子与条件的联结的运动，麦苗便生长出来，可能性便转变为现实性了。但是麦子在别的条件之下，也有变为啤酒的可能性。所以对象与条件的联结的运动，使可能性转变为现实性。但对象与条件的结合的运动，有种种的形态，因而可能性到现实性的转变，也能有种种的色调。就各个的场合观察对象与条件的结合的运动时，可能性就含有种种偶然性；当发展着的对象与其全部的条件相结合之时，可能性就成为现实性。所以黑格尔说："什么事是可能或是不可能，这依存于内容，即依存于现实性的契机的总体。"

可能性转变为现实性的条件的意义，固然是很重要的，但我们对于条件的意义，不能做过大的估价（否则就变成自然生长论者），也不能做过小的估价（否则变为盲目行动家），这是在研究根据与条件的问题时已经说明了的。但是单只说明可能性转变为现实性的条件之意义，还不能完全解决可能性转变为现实性的问题。为要完全解决这个问题，我们还得在对象与条件两个契机之外，再提出运动的契机来说明。所谓运动，即是物质对象的自己运动，是其内的根本矛盾的运动。这种运动，表现着物质对象的积极性。对象的根据之发展，克服偶然性，废除旧的条件，创造新的条件，于是对象就由一种形态转变为他种形态。所以物质对象的自己运动，规定着它自身所具有的可能性到现实性的转变。物质对象，由于自身的积极性，在一定条件之下，促进它的可能性转变为现实性。物质对象的自己运动、积极性，在一切自然现象及社会现象之中，都是存在的。

在人类历史方面，使可能性转变为现实性的运动，是有意识、有目的、有计划的社会的实践，穷其究竟，这就是在政治上集中地表现了的社会集团的实践。一切历史的现象，都是人类积极的活动的结果，人类的历史是人类自己所创造的。所以历史领域中的可能性到现实性的转变,必须通过人们的社会的实践而实现。例如,社会主义的可能性到现实性的转变,需要一系列的条件,特别是一定经济的条件。但这类条件本身,并不能使可能性转变为现实性,为要促进这个转变的实现,进步的社会集团,不能不从事于实践的活动。为要从事于这种实践的活动,他们必须在实践中去认识现代社会的发展法则,认识并选择那些实在的可能性,积极地担负自己的历史的使命,获得指导实践的理论,严密自己的各种组织,在政治上集中自己的活动,只有这样,才能促使这个转变的实现。

由于上述的说明,我们可以理解客观情势与主观条件的问题。实际上说来,可能性实现的诸条件之中,包含着客观的条件与主观的条件。例如经济的诸条件即是客观的条件;而进步的社会集团的有意识有目的有计划的实践,即是主观的条件(进步集团的实践,原是现代社会的根据的发展的产物,在这种场合,根据转变为条件了)。所谓客观情势,就是那些客观条件与社会各集团间的势力关系的总称。进步的社会集团,只有分析客观情势,去发见并选择实在的可能性,尽量地把捉并利用客观的条件,努力地促进主观条件的成熟,使这可能性与客观的及主观的条件相结合,有意识、有目的、有计划地避免一切的迂路,努力促进所选择的可能性的实现。

关于两种实在可能性的选择的问题,是促速或延迟过程的发展的枢纽,是成功或失败的关头。这个选择,必须正确地分析客观的情势,估量主观的条件,注意于整个过程的发展的链与环的关联,把所选择的一种实在的可能性当作链子中的特殊的一环来确定。例如1918年的普列斯德媾和,就是当作链子中的特殊的一环而抓住的两种实在的可能性(媾和则新政权有维持的可能性,续战则新政权有崩溃的可能性)之一。又如,第一次五年计划进行的时期中"抓住技术"的口号,也是当作社会主义经济发展的链子中的特殊的一环而抓住的两种实在的可能性(如能于最短期间使技术赶上先进资本主义诸国,社会主义经济的建设就有可能性,否则有崩溃的可能性)之一。所以可能性的选择,要考察整个过程的发展的倾向,把所选择的可能性当作链子中的一环来确定,抓住这一环而接近于其次的一环,决不能因要抓住一个环而拆散整个的链子,不能因为目前的暂时的利益而牺牲后来的永久的利益。

　　如上所述,社会的实践,是可能性到现实性的转变的重要的契机,如果忽视这个契机,就会陷入于机械论的宿命论者的立场。机械论把可能性与现实性看成同一的东西,不理解可能性实现的诸条件,也不理解主观条件与客观情势之适应的统一,更谈不到两种实在可能性的选择的问题。他们认为可能性到现实性的转变是必然的过程,既然是必然的过程,它就是自然生长的东西,就不需要什么条件,也不需要人们的努力。如同月蚀是预见了的必然,人们当然没有组织月蚀促进会的必要;劳动阶级的解放也是历史的必然,人们当然也没组织要求解放的党派的必要。这种见解,就是所谓"自然生长论"。

第四章 当作认识论和论理学看的
唯物辩证法

第一节 认识过程考察的根据、意识的生成

一、当作反映论看的认识论

(一)认识过程展开的论纲

我们已经知道:辩证法,论理学与唯物辩证法的认识论,是同一的哲学;三者所以同是一个哲学的最重要的特征,是因为它们都是"从人类的历史发展之考察抽象出来的最一般的诸结论之概括"。这一哲学,把外界及思维的发展的一般法则作为研究的对象。所以,这一哲学,把当作外界发展的一般法则之思维的反映看的论理的东西(法则、范畴),根据认识的历史的发展去考察它,并在其相互关系上去考察它。为要完成这种工作,就必须依照科学之现代的水准及人类之先进的实践,把认识的历史(哲学史,科学史一般知识的历史),作普遍化的概括。这样得来的论理的东西,与它所反映的客观世界的发展(即历史的东西)是相一致的。即是说,论理的东西与历史的东西相平行,论理的东西的总体反映历史的东西的总体;思维的一般发展法则即是外界一般法则之写真。

但是,唯物辩证法,不单是从认识历史的普遍化的概括的见地,去阐明反映外界发展法则的思维发展法则,并究明两者的内的关联,同时还要站在历史主义的立场,去研究外界发展法则在人类思维上反映的过程,并阐明这反映过程本身所固有的发展法则。即是说,唯物辩证法,不单要概括认识的历史,并且要研究认识的本身,研究认识过程的辩证法。

论理的东西之反映历史的东西,即是认识。人类的认识,是一个过程,并

且是一个辩证法的过程。认识的过程,由实践出发,而复归于实践,其中包括着由物质到感觉及由感觉到思维的认识的发展过程。这认识的发展过程,具有其本身所固有的特殊发展法则。唯物辩证法,必须阐明这认识本身所固有的特殊发展法则,才能正确地理解反映历史的东西的论理的东西之历史的发展及其内的关联。

认识论即是辩证法。认识运动的过程,是辩证法的过程。"不单由物质到意识的推移是辩证法,并且由感觉到思维的推移也是辩证法。""认识是思维对客观的永远的无限的接近。在人类思维上的自然的反映,不可以当作'死板的东西'、'抽象的'、无运动的东西、无矛盾的东西去理解,而应该在永远的运动过程,矛盾的发生及解决的过程上去理解。"所以认识虽是人类对于客观事物的反映,但认识并不是单纯的、直接的、全体的反映,而是一列的抽象与概念、法则等的定式化及形成的过程,这概念、法则等(思维、科学——论理的理念),正是有条件地、近似地把捉永远运动、发展的自然之普遍的合法则性的东西。

认识过程的运动,是自己运动,是内的矛盾与对立物的斗争。认识过程的自己运动,反映着客观世界的自己运动。认识过程的诸契机(如感觉、表象、概念等),原是客观世界的诸契机在思维上的反映。所以认识的发展,反映着客观世界的发展。

论理的东西原是历史的东西的反映。"人类的实践,无数亿次地重复起来,当作论理学的定式固定于人类意识之中。这些定式,有先入之见的永续性,这样一来,就成为无数亿次重复的结果(并且只是它的结果),具有公理的性质"。这就是说,反映历史的东西的论理的东西本身,也是有其本身的历史。所以唯物辩证法当着分析论理的东西、认识的诸契机之时,也必贯彻其历史主义。

(二)认识主体与认识客体的统一之基础

依据上述的论纲,我们当分析认识过程时,第一要阐明由物质到意识的推移的辩证法,第二要阐明由感觉到思维的推移的辩证法。为要阐明由物质到意识的辩证法,就必须展开唯物辩证法的反映论。

人类的认识是物质世界在人类意识上的反映。但认识的人类,是社会——历史的人类。社会——历史的人类的认识,是物质世界发展的最高产物,是物质现实性的最高存在形态的属性。人类的认识过程,是物质世界的愈趋深化的运动的联系的反映过程。这种认识过程,只有在社会——历史发展的诸条件之下,才能发生,即是说,只有在社会——历史的物质的生产之下,才开始发生。随着社会——历史的物质的生产之发展,社会的认识就不断地反映出物质的现实性的新方面。正因为人类在其社会的历史的实践上不断地反映出物质现实性的一切新方面,所以为认识主体的人类绝不单是生物学上的有机体,而是在特定发展阶段中从事劳动与斗争的人类。

从前一切形而上学的唯物论,把为认识主体的人类当作人类学、生物学上的人类来考察,因此切离认识过程与社会历史的实践的联系,不能根据历史的辩证法去理解认识与存在,主体与客体的统一。反之,唯物辩证法,主张认识的人类是特定社会的人类,是阶级社会中的特定阶级的代表。唯物辩证法,在社会历史的实践的基础上考察认识过程,去理解主观与客观、认识与存在的统一。在物质的生产过程中,人类之主体的活动,与外界物质的对象相结合。即是说,"在劳动的过程中,劳动常由活动形态推移于存在形态"。(《资本论》)"在劳动过程中,主体的活动,被包括于对象之中,加工于对象,而在其与对象的统一中出现。"(库捷诺夫)所以就物质生产的对象,加以考察,我们就可以在它当中看出主体的活动形态推移于特定对象形态的、无数人类的世代绵延的社会的实践。但是,认识是实践的必然的契机。在物质的生产过程中,物质的生产的对象之认识,是对象的生产之必要的契机。所以,实践上自然之物质的对象,不但与人类的社会活动形成为统一,并且与人类的认识过程形成为统一。"在一切生产工具之中,体现出社会的实践与认识的特定历史阶段。近代的机械,不单是人类生产活动的现代的发展水准,并且也把与它有关联的二千年以上的科学的发展为前提。"(库捷诺夫)

这样说来,认识主体与认识客体的统一,是在社会历史的实践上实现的。所以,要理解人类的认识过程,必须在其与社会历史的实践的统一上去考察。

概括起来,唯物辩证法,是以反映论为基础的论理学。正因为以反映论为基础,所以唯物辩证法又是当作认识论看的辩证法。为要究明认识过程的辩证法,就不能不展开唯物辩证法的反映论。

二、意识与人类肉体的关系

（一）精神活动与神经系统的关系

基于唯物辩证法的反映论，意识是客观世界在人类头脑中的反映，即是说，意识是客观的实在的映像。

然则人类的意识究竟怎样生成的？这个问题的说明，是我们理解反映论的关键（以下所述，主要地根据了卢卡捷夫斯基的《无神论教程》第二章）。

依据现代科学的研究，人类的意识，以人类的神经系统之存在为前提。人类的精神活动，与神经系统有不可分离的关系。人类的神经系统，是分为许多部分的复杂的器官。神经系统分中枢神经系统与末梢神经系统两部分。脑髓和脊髓，属于中枢神经系统；由脑髓和脊髓出发而到达于身体表面（皮肤、筋肉等）为止的神经，称为末梢神经系统。脑髓和脊髓，由神经细胞和神经细胞枝组织而成。在这些神经细胞枝之间，有神经纤维介在着。所谓神经，正是由互相结合的神经纤维束形成的东西。

大脑司掌身体诸器官的运动。如果切断了由大脑通到某一器官例如手的神经，手虽然还是存在，而人却失掉运动其手的能力。因而我们所切断的那一神经，即是由手传达外界刺激于大脑的所谓知觉神经。所以这一神经如被切断，手的运动能力虽能保持，却不能感受外界的刺激。因而感觉与手足的运动，是脑髓得到神经之助，觉知神经所受的外界的刺激，并刺激器官的作用。

人类与高等动物的大脑，其构造极其复杂。大脑由神经细胞和神经细胞纤维构成。神经细胞的堆积，叫作灰白质，纤维的束也叫作灰白质。灰白质横布于成为劈绉的大脑半球的表面。半球像帽子一样，覆盖着大脑的其余部分。半球成为深沟，分为一系列的部分。前方为前头叶，上方为颅顶叶，后方为后头叶，侧面为颞颥叶。脑的表面，有许多褶襞。所以在很少的容积中有较多的面积。因此，有多量的神经细胞散布于表面上。

其次，再说明神经系统的其他部分的意义。如上所述，神经有运动神经与知觉神经。两种神经在有机体中的作用，各不相同。运动神经如被切断，四肢就不能运动；知觉神经如被切断，就丧失知觉。

神经系统，有许多分支，伸出于有机体的一切部分，能知觉外界或动物体内所显现的变化,改正由它所受的刺激,并传达于各器官,因而刺激各器官的作用。刺激首先是在各种感觉机关的末端被知觉的。

我们的眼张有网膜,膜的表面,是感觉神经的末端,当光线刺激于这些末端时,知觉神经就把刺激传达于神经系统的中枢机关。同样,鼻的黏膜中也有知觉神经的末端。空气中所散布的物质最微小的分子一接触于这黏膜时,就刺激知觉神经,引起种种香臭的感觉。同样,外物刺激舌的黏膜的味觉神经的末端时,就引起味觉;刺激于内耳的听觉神经末端时,就引起听觉。此外,知觉神经的末端,又散布于皮肤的表面,当与外物相接触时,就引起触觉。

并且,有机体之中,还有所谓交感神经系统。它管理内脏的作用(消化、分泌、血液循环等等)。这个系统,也具有固有的特殊的神经中枢和神经,但它隶属于中枢神经系统。

(二)精神活动与脑髓及分泌腺

精神活动的主要器官是脑髓。精神活动依存于脑髓的事实,科学家曾用蛙与鸡做过种种的实验,得到了这样的结论:随着脑髓的毁坏,高级的精神能力就完全丧失。

精神活动与脑髓活动的密切的联系,在人类方面也可以实验出来。例如人因某原因,头部遭受打击而忽然震动其脑髓时,他就丧失其知觉。又如醉人行动异常,是因为脑髓中了酒精的毒。酒精的毒中得越多,人就完全丧失其意识。不但是酒精如此,就是其他各种药品(如麻醉品等),也能毒害脑神经组织,使人们丧失意识,这是无待赘言的。

人的脑髓受了损伤,就引起一定的精神的变化,所谓"精神病者",实在就是"脑神经病者"。科学家检验死后的精神病者的头脑,知道他所以害精神病的原因,是由于大脑质受了损伤,或者是由于内分泌腺的变调。又如白痴,其原因也是由于脑髓的发育不完全。总之,脑髓与精神活动密切地结合着。脑神经一部分受了损伤,就丧失一部分的精神活动,全部分受了损伤,就丧失全部的精神活动。这些都是科学上所已经证明了的事情。

但是有机体的精神活动,也不仅是专由神经系统所调剂。人和动物的身体中,还有造出有机体的生活所必要的各种化学的物质的特别器官。这些器官叫作分泌腺。分泌腺大别为两种:一是外分泌腺,一是内分泌腺。外分泌腺,是把液体流出于外部的腺,例如唾液腺(把唾液流入口中,因而润泽食物,助其消化)。至于内分泌腺,没有出口,其腺液通过血管壁而直接渗透于血液。内分泌腺所造出的化学的物质,叫作"霍尔萌"。各种内分泌腺,各分泌特别的"霍尔萌"。这些"霍尔萌"对于我们有机体的作用很大。"霍尔萌"和神经系统一同支配着我们身体的全生命。人类的发达、成长、营养、正常的性生活、外貌、性格等等,都依存于"霍尔萌"的作用。内分泌腺的疾病,能引起全身的残废或重病,并且破坏正常的精神作用。

人体中最重要的内分泌腺,是甲状腺与生殖腺。甲状腺的"霍尔萌",维持并增进脑髓的活动。所以甲状腺,对于人的精神的活动大有影响。人的甲状腺如被毁损,其有机体的正常活动就被破坏,其智力就趋于衰弱而变为白痴。白痴之由于甲状腺的发育不完全,这是人所共知的。

其次,生殖腺(在男子为睾丸,在女子为卵巢),对于人类有机体的发达,也有极大的影响。男女的生殖腺,双方同时以一定的部署活动,向外部分泌出适于生殖的性细胞(在男子为精虫,在女子为卵子),向内部(血液)分泌出调剂有机体的作用特殊"霍尔萌"。生殖腺的"霍尔萌"之调剂性的发达,这是人们所已经知道的事实。目前科学家正在从这方面研究着返老还童的有效方法。

所以,内分泌腺一类东西,由于分泌"霍尔萌",调整有机体的作用,对于有机体的成长、形态、智能及行为等,给以很大的影响。我们理解了神经系统与内分泌腺的活动,就能够知道人类有机体的作用及其发达,是由这些机构所调整的。

三、动物的意识的生成过程

(一)下等动物的反作用

基于前节的研究,我们知道意识是最高等的物质即神经系统的产物。最高等的神经系统,当然是属于人类所有的,但是人类以外比较低级的其他动物,也具有等级不同的神经系统,因而它们也是有意识的。我们既然知道人类是由动物发展而来的,当然不能否认人类的意识由动物的意识发展而来的事实(虽然人类的意识高出于动物的意识,其原因后段再说)。所以为要说明意识生成的过程，不能不由高级的意识追溯到低级的意识。但要追溯到低级的意识，又不能不更进一步地追溯到最低级动物的行为、对于刺激的反映。

在动物界的最低级阶段上，动物的行为，极其原始而简单，当然不能预想到意识的存在。先就单细胞动物的阿米巴的行为来说。依据实验的调查，若在阿米巴周围放置极微细的海藻，阿米巴就接近于海藻来摄取营养分。又如在阿米巴的队伍中放下少量的食盐，阿米巴就开始离开。阿米巴被放在少量淡水之中，就完全停止运动，变成圆块状。照这样观察起来，阿米巴受到外界的刺激时，就起反应，否则它就不运动。阿米巴的反作用，是由于外界的物理的——化学的变化所引起的。

其次，就组织简单的多细胞动物例如海绵来看。海绵的反作用，就是它的收缩与膨胀，与外界的水液的成分的变化相适应。因而组织简单的多细胞动物的反作用，正确地与外界的物理——化学的条件相适应。不过意识作用在这类最简单的多细胞动物中，是不能有的。

再次，就腔肠动物（例如水母）来看。腔肠动物的反作用，比较海绵更为敏感。腔肠动物中，已有神经系统的萌芽，外界的刺激，由它的有机体表面的特别神经细胞所知觉。因而腔肠动物，比较海绵有反应多种的刺激的能力。

与神经系统相关联的、对于刺激的反应，叫作反射运动。在这种意义上，阿米巴与海绵因为没有神经系统，所以没有反射运动。

再次就复杂的有机体（例如昆虫）来看。昆虫的反作用，比较腔肠动物更为完全。昆虫的神经系统比较复杂。在腔肠动物方面，一个一个的刺激，都引起一样的反作用。而昆虫对于刺激的各种反作用，都互相结合。每逢引起一种反作用时，接着就现出其他一系列的反作用。例如黄蜂的反作用——反射运动，像锁链一样，互相结合着。

反射运动的那种连锁性，是动物的本能。本能在高等动物中，也是有的。动物由于本能的作用，能够建筑住所，贮藏食物，并选择气候。本能是动物在一定生活时期内由于内脏方面的一定刺激的影响而自行显现的。例如海獭知道建筑住所，知道筑堤。这完全是本能的作用。依据实验的考察，若把初生的海獭养在笼中,使他发育成长。但它到了成熟之时,仍由本能的作用去建筑住所或实行筑堤(其材料由人所供给)。照这样,海獭已有住所,却仍旧筑堤,并且又不曾有老海獭教过它,可知这完全是本能的作用。

(二)高等动物的意识、无条件的反射运动与条件的反射运动

现在更进而研究最高级的多细胞动物,即脊椎动物。按照复杂性增加的顺序,脊椎动物发展的顺序是鱼类、两栖类、爬虫类、鸟类,最后是哺乳类。哺乳类中最复杂的有机体是人类。

脊椎动物的神经系统,比较下等动物,其组织极其复杂。脊椎动物的反作用的复杂性,与其神经系统的复杂程度相适应。脊椎动物方面,已经显现出反作用的新类型,这是低级动物所没有的特征。

依据俄国学者巴威洛夫自己的研究,狗这种脊椎动物,除了先天的反射运动以外,还显现了狗的生活中所得到的新的反射运动。巴威洛夫用适当的方法,研究了狗的消化腺。他在狗的颈项上造出了人工的瘘管(即孔),另用橡皮管接连于这个瘘管,使狗的唾液通过瘘管而滴入于玻璃杯之中,借以观察唾液分泌的分量(此外骨骼、内脏及其他分泌腺,都可用同样的方法研究)。实验的结果,知道狗的唾液,在食物进到口中时都同样地分泌出来。巴威洛夫把这样的反射运动,叫作无条件的反射运动。唾液及其他消化液的分泌,也和微尘进到我们眼中而立即转瞬的那样,很正确而且必然地发生出来。

巴威洛夫举行这种实验时,发见了狗除了先天的反射运动以外,还有新的反射运动。例如屡次打铃子给狗以食物,狗在就食时就流出唾液。这是狗的无条件的、先天的反射运动的作用。但是打铃给食物的实验经过数次以后,狗只要一听到铃声,即令没有食物,也同样地流出唾液。于是狗有了新的反射运动。巴威洛夫把这种反射运动,叫作条件的反射运动。这种反射运动,是在一定条件下的动物生活中出现的。

无条件的、先天的反射运动,是在脊髓及长椭圆形脑髓的神经系统的最下级部门的媒介之下显现的。至于条件的反射运动之形成,就必须有大脑半球,即较高级精神活动与它相结合的机关之存在。这条件的反射运动,必须常用练习去维持,否则就会衰弱或停顿下去。

巴威洛夫实验的结果,知道高级动物一经得到条件的反射运动,还可以由此而得到更新的反射运动。例如狗听到铃声而分泌唾液时,如果同时更给以别的刺激,狗就能得到更新的反射运动。如果打铃时又开亮电灯而给狗以食物,结果狗在开电灯时就开始分泌唾液。这就是第二次的条件的反射运动。依据这种实验的方法,还可以使狗得到第三次、第四次的条件的反射运动。

构成新反射运动的能力,使动物得到适应变化的环境的可能性。条件的反射运动,是在动物的生活中形成并蓄积的。这种条件的反射运动之形成并蓄积,实是使动物所以能制胜于生存竞争的原因。

从上面的说明看来,我们可以知道,动物的精神活动的复杂性,完全与其神经系统的复杂性相适应。

具有构成复杂的反射作用的能力的动物,就已经具有所谓心理的或精神的能力。例如就狗来看,我们可以说,狗也具有思考能力、愿望及性格,狗也有智狗与蠢狗的区别。概括起来说,在这些动物中,已出现了高级的神经作用。这高级的神经作用,即是意识。这高级的神经作用(即意识),只有在具有构成复杂的反射作用的能力与大脑的动物的有机体中,才能发生。但是人类的意识与普通动物的意识,究竟有什么差别呢? 这是下面要说明的问题。

四、人类的意识的生成过程

(一)条件的反射运动与人类的精神活动

如果反射运动构成动物的精神活动的基础,在这一点上,人类与动物之间,究竟有差异么? 我们知道,人是由动物状态发展而来的,反射运动在人类的行为上,当然有很大的作用。人类带着一系列的先天的反射运动而出生。例如刚刚脱离母体的婴儿,有吸乳的反射运动。母亲的乳头一进到婴儿口中,他就用口唇开始一列的动作,当他感到不舒适或生病之时,他就用哭号来表示。这都是人类带着先天的反射而出生的证明。

不但婴儿有先天的反射运动,并且成人也还保存着先天的即无条件的反射运动。例如我们的眼睛遇到尘埃时,立即把眼睛闭住,这时并不曾意识到那是不是尘埃。又如鼻的黏膜受到外界的刺激时,就立即感到奇痒而喷嚏。这样的反射运动,多至不可胜举。

人类由于无条件的反射运动,可以发生条件的反射运动。柏克捷列夫教授曾经用成人做试验,表明了以无条件的反射运动做基础而发生条件的反射运动的事实。例如我们的手指触到电流的刺激时,立即把手向后撤退。又如在通电流之时而同时用声音去表示。这样经过数次的反复之后,人们即使听到不带电流的声音,也立即将手向后撤退。这便是条件的反射运动。不过这种条件的反射运动,必须随时练习,否则也会消失,但也会复生。

带着无条件的反射运动出生的婴儿,在其初生以后不久,就开始获得条件的反射运动。例如睡在摇篮中的婴儿,当感到饥饿或不快而哭叫之时,乳母立即摇动摇篮,或实行授乳。这样经过数次的反复之后,婴儿当哭叫时只要感到摇篮的摇动就立即收敛哭声。这是条件的反射运动。又如,婴儿出生数个月之后,能够辩认授乳的母亲,每逢饥饿而接近于母亲时,母亲即实行授乳。照这样经过数次的反复之后,每逢感到饥饿而哭叫之时,一见到自己的母亲就立即停止哭声。这样的经验上的积累,以后他只要见到母亲就感到舒适了。所以基于无条件的反射运动,能够发生一系列的条件的反射运动。

小儿所得到的条件的反射运动之量,逐渐地增加起来,而反射运动的本身也就愈趋于复杂,因而他的精神生活,也愈趋于丰富,逐渐地获得较高级的反射运动。于是他的经验日趋丰富,而识别事物的能力也逐渐增高,逐渐发展其为成人的行为的一切特征了。随着幼儿的成长,他的精神世界,就由思想、感情、希望等所充实。于是幼儿的心理变成成人的心理。

所以,一切等级的复杂的反射运动之丰富的复杂的机构,是人类的心理生活之生理学的基础。

(二)人类意识高出于动物意识的特征

我们在前面引用了许多的实例或证明,说明了人类与动物的精神活动的类似性,然则在心理方面,人类与动物之间究竟有什么差异? 人类意识高出于动物意识的特征,究竟是什么?

人类意识高出于动物意识的特征,首先是由人类的神经系统的构造所规定的。人类的大脑半球,比较动物有显著的发展。尤其是成就了很大的发展的东西,是半球壳,并且脑内的皱纹比较动物的皱纹更是多得异常。人类脑髓中的神经细胞和纤维的量,比较动物的脑髓也多得异常,达到百亿之数。又,人类方面的、支配手的动作的神经网部分,也发达到无与伦比的程度。通过咽喉、颜面和口腔的筋肉的神经路,也成就了非常的发展。还有,脑腔之内,有支配言语运动的、微妙的组织的中枢部。

人类的神经系统的这一切特征,是数千百年的社会生活的产物。社会生活,促进了言语机关的强有力的发达。社会生活的发达,促进了人类的脑髓机关的发达,使人类得到丰富的条件的反射运动;而这类条件的反射运动,是富于迅速适应环境变化的柔软性的。这样的脑髓机关,就是人类的特别的大脑半球。

社会生活的环境,对于人类的精神活动的发达,有很大的影响,这是不待言的。复杂的社会的生活之存在,是用有音节的言语说话并作抽象的思维的那种人类能力出现的主要条件。随着言语的发生和发展,人们就能够造出事物的表象。当人们接触于无限的事物时,他们就得到无限的映像,就开始去认识它们。他们知道把一切事物和行为,加以分类,并用一定的言语表现出来,因而造出事物或动作的抽象的表象。例如"苹果"一个名词,就结合为一个有一定的色香味等的圆形物的表象。又如"动作"的名词,就结合为一种有某种的方向、速力、运动等物体的位置变化的表象。假使人类没有言语,他虽然得到关于事物的映像,却不能依据一定的特征实行分类,并适当地反映出来。所以言语对于人类的条件的反射运动的形成,具有很大的意义。当发出任意的言语时,表象的全连锁,就立即出现于我们的意识之中,这是很明白的。还有,条件的反射运动的全连锁,还能依靠言语,由一人传达于他人。所以一人的头脑中发生的新的表象结合,能变为许多人的所有物。由于这种事实,人类社会才得到急速发达的可能性,人类的言语,由共同劳动的事实而发生,又进而统制共同劳动,更进一步地组织这种劳动。劳动的经验,借言语的助力,由一代传到次代,把经验蓄积起来,造出一定的体系。各个人的精神生活的范围,因此扩张起来,个人的经验依靠集体的经验而增加。于是精神生活便日趋于复杂而丰富。

所以,人类与其他高等动物的精神生活上的差异,就在于人类因独有反射运动最复杂、最丰富的机关而具有抽象的思维、抽象的概念构成的能力。但这种能力本身，虽是高等动物的心理发展到最高阶段的结果，而这种结果却是在人类社会的生产的实践过程中发生并发展的。换句话说，人类的意识、人类的思维能力，是数千百年的社会生活的产物。

（三）意识的生成之概括

基于前面的说明，我们可以知道，物质世界，在其发展过程中，出现了意识的人类。依据科学的证明，地球从前只有无机界的物质存在形态，往后才出现有机界的新的物质存在形态，再后才发生意识——用特殊方法组织了的物质的性质。

所以意识不是存在于物质之外的东西，不是与物质平行的第二个本源。意识依存于物质，并从物质发生。意识是具有复杂神经组织的有机界最高代表所具有的属性。神经组织，是意识活动的必然条件。社会的人类，是意识的最高形态的担当者；这种最高形态，与人类在其社会的实践中发展了的意识，是物质的一定发展阶段中物质生命的一种表现。

只有高等物质，只有动物的最高神经组织的物质，才能知觉在它内外发生的过程，才具有内的反映、知觉的能力。我们神经中枢中发生的客观的生理过程，唤起意识形式中的这个过程的主观的表现。其本身虽是客观的东西，虽是某种物质的过程，而就具有脑髓的生物看来，同时却是主观的心理的行为。意识本身，同样具有长期发展的历史。动物意识（本能）的下级阶段，虽与高等动物神经组织的发展相联系，但意识之更进的发展，却与动物到人类的推移相联系，与社会的劳动之发展相联系。因为这社会的劳动，造出了使人类脑髓发达的条件。

俗流唯物论，把意识看作脑髓的分泌物，正如胆汁是肝脏的分泌物一样。这种见解是错误的。意识不是可以测量可以分泌的东西。意识是运动的物质之内的状态，是反映在其中发生的生理过程的（不能与客观的神经作用分离的）特别属性，又和这生理过程不同。

意识的、思维的物质，是有特殊物质的物质；这种物质，随着人类社会生活中言语的发展，发展到最高阶段。辩证唯物论承认物质组织的高级种类与低级种类的差别，却不否定思维本体的意识与特殊性。辩证唯物论，把意识当作物质的发展的形式及历史的产物去说明;意识的发展依存于物质的生产之发展,并与言语的发展相联系。

第二节　感　觉

一、当作认识的源泉看的感觉

(一)感觉的形成

就认识过程的诸契机、诸形态发生的顺序说来,最初的契机、最初的形态,是在感官上反映客观现实性的感觉。人类的一切的认识,都是由感觉出发的,所以当考察认识过程时,首先要研究感觉。

感觉究竟是怎样发生的呢?

我们的认识活动,与所谓感觉系统和神经系统的存在及其机能相结合。属于感觉系统的东西,是视官、听官、嗅官、味官、触官五种感官。感觉系统,由于神经纤维而与神经系统紧密地相联系。这神经纤维的根本性质,是传达性——即是在自己的延长上传达外界所给予的刺激的能力。

神经纤维,分求心性(或知觉性)与远心性(或运动性)两种。求心性纤维,从身体表面把刺激传达于中枢神经系统;远心性纤维,从神经系统把刺激传达于身体表面。至于构成末梢神经系统的神经,由神经纤维的末端,而通达于身体表面,于外部的感官。当这些外的感官(眼、耳等)接受外界的刺激时,求心性纤维,就把这一定的刺激传达于脑的神经细胞,脑神经细胞就把这些刺激转化为感觉。例如,触官对于对象的接触,传达某种刺激时,这刺激就由求心性神经末端所通达的特殊触觉小体(特殊知觉细胞群)所摄取。这求心性神经,正是把刺激传达到中枢神经系统的东西。一经达到半球皮质的触觉中枢,刺激就转化为特殊的触觉。又如光线,顺次经由角膜、透明的水液、瞳孔、透明水晶体及玻璃体而接触于网膜,引起特殊的化学变化。这化学变化,对于神经纤维而成为刺激物。视神经把这样得来的刺激传达于脑,于是就转化为视觉。至于其他的感觉,也和视觉及触觉一样,有相同的形成过程。

与感觉的种类(视觉、听觉、味觉、嗅觉、触觉)相适应,在大脑皮质之中,具有这些感觉的形成与其存在相结讬的一定的感觉中枢。大脑皮质的颅顶叶之中,存有所谓知觉中枢及运动中枢的领域。这是刺激转化为触觉及运动觉的场所,如实验及病理学所指明,大脑皮质中某一部分如受损伤,就丧失与它相适应的感觉。

依照上述的方法,我们的意识中就发生感觉。许多感觉合流在一起之时,就成为知觉。例如关于蔷薇的知觉,是形成为蔷薇的心像(知觉)的诸感觉(视觉,触觉,嗅觉)之结合。所以,当我们的身体接受外界对象的作用时,就得到这对象的知觉。就是在离开这对象之后,那种知觉的记忆,仍留存于脑海之中。关于这个感性的知觉的记忆,就是所谓对象的表象。而感觉的积累就是经验。

所以"感觉是外物刺激于人体外部器官的结果,它依存于外物,也依存于人体器官的构造。外物形态的多样性与人体器官的多样性(因而又是脑髓的分化的活动),产生出感觉的多样性"。外物的各种方面是互相联系着,人体的各种感官,在其外的与内的方面,也是互相联系着,所以外物作用于感官,就发生出反映外物的内的联系的感觉。所以感觉是在认识上把我们和外物联络起来的东西,它是我们的认识的最初的形态,最初的契机。

(二)感觉的发展与实践

世间一切的东西都是发展的,同样,人类的感觉也是发展的。"感觉的发展法则,只是一般的发展法则之特殊形式。"

感觉的发展,与社会历史的实践,有密切的关系。首先,就人类的感觉和动物的感觉比较,来说明人类感觉的发展。人类的感觉和动物的感觉,确实是不同的。例如,人在黑夜中所能观察的明暗的区别,与鸟和猫所能观察的明暗的区别不同;人的嗅官所能嗅的气味,和其他昆虫等动物所能嗅的气味不同;人的触官所感受的水的温度,和鱼类所感受的水的温度不同。并且就特定感觉的锐敏性来说,人有时不如动物,但人的感觉比较动物的感觉却是高级的。恩格斯说:"鹫眼比人眼更能望远,但人眼观察事物,比较鹫眼能够识别很多的东西。狗比人具有很敏锐的嗅觉,却不能区别对于人类成为各种事物的一定标志的香气的极小部分。"人的感觉所以高出于动物的感觉,这当然是根源于人的感官、生理构造的发展。而人的感官、生理构造发展的原因,是由于人是制造器具的动物,是从事于物质的生产的社会的动物。人在生产过程中,一面变革自然,同时又变革自己的性质,发展自己的性能与自然力,因而扩大自己感性的领域,使自己的感觉超出于动物之上。

其次,就野蛮人的感觉,和现代人的感觉比较,说明感觉的发展。野蛮人的感官,不能精细地,正确地辩别外物的色味声香及形状等等,也不能感到极大、极小、极远的东西。现代人的感官,却是非常发达,感觉也非常复杂,并能够应用人工器械(如望远镜、显微镜、分光镜、测温器等等),感觉到肉体感官所不能感觉到的东西。现代人的感觉比较野蛮人特别显著发展的原因,无疑地是社会历史的产物。感觉的＝人类的活动,随着生产手段的发达,与生产技术的改良,逐渐地扩大起来。不断地发展起来的生产手段与生产技术,使人类的五官不断地发展起来,因而扩大了对于现实的感觉,丰富了对于世界认识的感性的材料。所以人类的感觉,具有深刻的历史的性质,我们研究感觉时,不能单从生理学的见地去理解,最重要的是贯彻历史主义。马氏说:"五官的形成,是迄今为止的全世界史的业绩。"这是关于感觉的历史的见解。如果单从生理学的见解来考察感觉的发展,那就要归结于感官的生理构造的差异了。可是现代人的感官,和过去人的感官,在生理的构造上是没有差异的,为什么感觉的发展程度却相差很远? 这差异的最后原因,是在物质的生产手段及生产技术之中。

感觉之依存于外物与人体生理器官的构造,这是前面已经说过的。"比较发达了的感觉,一般地说来,以比较发达了的人体构造为前提。"人与人各不相同,生理的构造也各不相同。由于天禀与遗传等等的差别,就发生感官发展程度的差别。因此,有的人感觉特别敏锐,有的人感觉特别迟钝。感觉特别敏锐的人,比较具有做艺术家的资格,这是不容否认的。可是艺术家之所以能成为艺术家,不是个人的特殊生理的禀赋所能单独决定的,最主要的是受特定的社会条件及阶级关系所决定的。这种具有做艺术家资格的人,如果所处的社会条件与阶级关系,使他不能发展其特殊的禀赋,他不能不从事于与自己禀赋相反的工作。"愁苦的穷困的人们,对于很好的戏剧,没有什么感觉。宝石商人,只看到宝石的货币价值,不看到宝石的美丽及其特殊性质,即是说,他没有关于宝石的矿物学的感觉"。所以感觉的发展,由历史的发展水准所决定,由社会的人类之具体的实践所决定。

（三）当作认识的出发点看的感觉

感觉是一切有形体或外界的映像，"是外界和意识之实在的直接的结合，是外部刺激的能力到意识的事实之变形。这种变形，是各人看见过几百万次，而且现实地一步步地看见着的东西"。当我们的感官接触于外界事物之时，外界事物的一切方面、联系和属性等之合法则的统一，都反映于我们头脑之中，即成为感觉。这感觉是人类认识的最初的阶段，是认识的出发点。

感觉是对我们启示客观真理的东西，它能使我们正确地明了外界事物的真相。如果感觉单只给人们以关于外物的歪曲的映像，人类与自然的斗争将成为不可能。视有如无，视无如有，以真为假，以假为真——有这样感觉的人，必不是健全的人或是狂人。全社会的人如果都是这样，社会就不能与自然相斗争，而社会也难于存在了。所以感觉是不欺骗人们的。固然，我们不能说，人类的感觉是绝对正确而没有错误的。外物在感觉上所给予的假象，有时是错误的。例如我们用肉眼眺望天空，觉到太阳比地球小，恒星比地球更小。这是假象。又如用肉眼眺望水中的木棒，觉得是弯曲的，这木棒如果原是直的，我们却视为弯曲的，这也是假象了。这种假象当然是错误。不过，我们不单用视官观察外物，并且还能用其他感官观察外物；不单用肉体感官观察外物，并且还能用人工方法延长感官去观察外物。这样，假象的错误就由实践订正了。但无论如何，假象也对我们"启示客观的真理"，因为太阳、恒星、木棒等物仍是离我们的意识而独立的客观的实在。

感觉的发展，是一个过程。感觉虽是客观世界的映像，却不能无条件地、完全地、正确地、一次地把客观世界都摄取出来。"世界是比较它所显现的那样更为丰富、更为生动、更为复杂的东西，因为科学的发展每一进步，在世界之中发现的新的方面。"所以我们的感觉只是近似地正确地反映客观的真理，只是客观世界的近似地正确地映像。

人类的认识过程，是在实践基础上由感觉起到思维为止的统一的认识过程。客观世界之合法则的统一，都在感觉上给予我们，我们的思维，把感觉作为材料，抽象出客观世界的发展法则。最初以某种程度在感觉上给予着的东西，就是思维的全部内容。即是说，在感觉中未曾给予着的东西，在思维中也是没有的。所以我们在世界的具体的认识上，都必须由感觉出发。从古以来，一切的科学,都是从反映外物的感觉出发的。思维的高级认识形式,是从感觉的初级认识形式发生,两者具有不可分离的联系。"人类的认识,在怎样的形式上,经过怎样的途径,依从怎样的法则而发展——这件事情的严密的科学的分析,在理论上、在历史上,都必须由感觉开始。"所以说,"感觉是认识的源泉"。

但是,感觉是认识的源泉,不单是唯物论者这样认定,并且主观观念论者也是这样认定的。不过两者却有大不相同的地方。感觉是认识的源泉,这是认识论的第一前提;离开人类及其意识而独立的客观的实在,是在感觉上给予于人类的东西,即外物是感觉的源泉,这是认识论的第二前提。主观观念论虽然承认第一前提,却否认第二前提。主观观念论不把感觉看作是意识和外物的结合,而把它看作是从外物隔离意识的障壁;不把感觉看作是反映外物的映像,而把它看作"唯一的存在物"。反之,在辩证唯物论者看来,感觉、表象及思维,都是外物的合法则的统一性的反映。感觉是人类通达到外界去的渡桥。外物作用于感官而成为感觉,我们只有凭借感觉去认识外物的存在,并在意识中区别外物与自己。只有依靠这种区别,思维才有可能。所以,"我们从感觉出发,可以走向到达于唯我论(物体是感觉的合成或复和)的主观主义的方向,也可以走向到达于唯物论(感觉是物体的、外界的映像)的客观主义的方向。就第一种见解——不可知论,或更进一步的主观观念论——说来,客观的真理那东西是没有的。就第二种见地即唯物论说来,客观的真理之认定,是根本的东西"。换句话说,唯物论认定反映外物的感觉是认识的源泉。

(四)关于反映论的曲解之批判

"观念的东西,是在人类头脑中被翻译了被加工了的物质的东西"(马氏);"我们头脑中的概念"是"现实事物的反映"(恩氏);"认识是人类对于自然的反映","感觉是物体的、外界的映像"(伊里奇)——这些命题,是唯物论的反映论的古典的见解。依据反映论,客观的实在,首先是在感觉上给予于我们的东西,这感觉即是认识的源泉,认识的端绪。

唯物论的感觉论,是以存在规定意识的前提做基础的。唯我论的哲学虽也从感觉出发,却是以意识规定存在的前提做基础的。这种哲学,根本上是与辩证唯物论相反对的。辩证唯物论不但反对一切观念的感觉论,并且也反对接受观念论或经验主义的影响的属于唯物论阵营中的认识论。这里先举出普列哈诺夫的象形文字论加以批判。

普列哈诺夫,用象形文字论代替反映论,说我们的感觉只是象形文字,只是条件的记号,主张感觉与引起感觉的事物并不相似。这种见解,显然偏向于康德主义。普列哈诺夫的象形文字论,是从感受康德主义影响的自然科学家黑尔姆霍尔的踏袭而来的。黑尔姆霍尔分离感性与思维,对感性的经验表示怀疑。他企图就视觉证明感觉对于现实性的相对性。他认为人们对于色彩的知觉是各不相同的。色盲的人把紫色看成青色,把黄色看成玫瑰色。甚至健全的人的视官,也有把对象作不同的反映的。例如对象的映像投到所谓"盲点"之时,那对象就看不见了,这时只有转动瞳孔才能看到它。黑尔姆霍尔由于这种视觉的相对性,就作出下述的结论:对象在我们意识上的反映,与对象本身全不相似,它只是在我们意识以外的某种对象的单纯的象形文字或记号。我们是知道这对象的存在的,因为感觉到这对象对我们所起的作用。但是我们却不能知道对象本身究竟是什么。我们只能主张客观对象的一些关系和变化是与各种感觉间的关系及互相作用相照应的。但这个对象本身究竟是什么? 其中所生的各种变化的本质究竟在那一点? 这是我们所绝不能知道的事情。

这种象形文字论或照应论,无疑地是康德主义的不可知论。普列哈诺夫从黑尔姆霍尔所借用的象形文字论或照应论,绝不能说是唯物论的。依据这种理论,存在规定思维的问题以及外界认识的客观真理性的问题,便被涂抹了。并且所谓照应论,显然地把物质与精神看作平行的东西,这显然陷入二元论的错误。所以普列哈诺夫的象形文字论或照应论,其中隐藏着康德的二元论和不可知论,这是与反映论截然相反的。

普列哈诺夫的象形文字论,往后被机械论者所展开,形成了机械唯物论的体系。例如普列哈诺夫的弟子亚克瑟洛特,拥护象形文字论,反对反映论。她说:"如果感觉是事物的肖像或反映,我就要问:物究竟为什么是必要的呢? 物在这种情形,就会变为绝对意义上的物本体。把感觉看成对象的肖像或反映,那就是再度在主体与客体间设立不可逾越的深渊。"亚克瑟洛特忽视思维的能动作用,忽视实践之历史的发展,不理解主体与客体在实践基础上的统一。这种主张,与迂回的经验论相通,支持着象形文字论,必然地分离思维与感觉,而把思维还原于感觉。这正是机械论的认识的谬误的根源。

此外,形式论者德波林也有相似的谬误。德波林一面支持黑格尔的观念论,主张社会的认识之发展只是论理的认识一方面的发展,并不回顾感性的直接的认识;在另一方面,又为象形文字论作辩护,他说,"伊里奇反对象征论或象形文字论,是完全正确的。一般地说来,普列哈诺夫不曾站在象形文字论的见地;并且,他承认了自己的用语不正确,这是读者所知道的。在普列哈诺夫一方面,问题只是用语,而不是问题的本质"。德波林在这里虽然没有直接拥护象形文字论,但对于象形文字论之康德主义的本质,却是不曾理解。他这种见解,与他的黑格尔色彩的观念论,不能说是无缘的。

二、感觉与思维

(一)感觉与思维的关系

从物质到感觉,到意识的过程,上面大致已经说明了,现在进而说明由感觉到思维的过程。

由感觉到思维的过程,是认识的深化的运动过程。伊里奇在《黑格尔辩证法(论理学)的大纲》中这样写着:"最初,印象,其次,某种东西出现;其次,本质(物或现象的规定)与量的概念发展。其次,研究与探索,把思想诱导到同一——差别——根据——本质(关于现象的),因果律等的认识。认识的这一切契机(进行、阶段、过程),由实践所检证,从主观诱导到客观,通过这检证而到达于真理。"由这一段话看来,人类对于客观世界的认识,要经过种种不同的契机,不同的阶段。简括起来,如伊里奇所说:"从生动的直观到抽象的思维,由抽象的思维到实践,这是认识真理的辩证法的路程,是到达于客观的实在之认识的路程。"在认识的深化的运动过程中,感性与思维是认识的两个契机、两个阶段,两者之间,具有辩证法的联系。

在由感觉到思维的认识过程中,感觉是最初的契机,是初级的阶段;思维是最后的契机,是高级的阶段。前者是感性的认识,后者是论理的认识;前者是直接的知觉,后者是被媒介了的知觉。两者不是个别的独立的认识,也不是独立的认识阶段。两者之间的差别,只是相对的,不是绝对的。两者互相渗透,其间绝对没有不可逾越的界限。

一切客观的事物都是对立的部分、方面、倾向等的统一。人类在其实践上，接触于在意识以外的许多事物，在感官上唤起感觉，即客观实在性的映像。所以"感觉也和一切认识形式一样，反映事物之质的方面与量的方面、现象与本质、物的属性与当作统一体看的物本身、单独的东西与普遍的东西"。在感性的反映上的事物的全体的知觉，是事物的一切方面、属性、关系、倾向等在其本身中成为"合法则的联系的统一的结果"。至于思维，是依靠抽象的作用，从感觉所给予的无数偶然性的错综之中，抽出在感觉上所给予的外界事物之内的关联，并在其本质的形态上把它表示出来。思维原是从感觉生长的，思维的过程，原是感觉的明晰化的过程。在思维的认识上，例如在同一性、对立性、因果性、必然性等观念上反映出来的客观事物的各种联系，"都已在感觉的诸现象的萌芽形态中表现了的。例如观察某种类似和差别，理解一种现象之后接着发生别种现象。我们看到昼与夜的交替，听到打击之后随着发生的声音。这一切都成为关于现实的各方面的规律性、因果性及相互依存性的推理的基础"。

客观对象的总体性，固然在我们的感觉上反映出来，但这种反映还是直观的认识。如要理解客观对象的各方面的规律性、因果性及相互依存性等等，单靠感觉是不够的。这种理解，是论理的认识，是比较直观地认识更为高级的东西，是比较直观更深刻的物质界的反映的高级阶段。例如《资本论》论述价值时，这样写着："诸商品的价值对象性，在不知道它的所在这一点上，与胡尔斯达夫的情妇郭克里寡妇不同。各个商品，无论怎样把它反复舞弄，依然不能抓住它的价值。"这就是说，我们的感官，虽然能把商品拿来观看，舞弄，而对于商品的价值，商品所有者之间的关系，却不能认识。所以，论理的认识，比较感性的认识，更加深刻地反映现实。

感性的认识与论理的认识，互为条件。人类在其社会的实践上，随着对于外物的感觉的发展，人类对于外物的理解就更趋于深刻；在另一方面，对于外物有了理解，就能更正确、更深刻地感觉外物。例如，当特定的自然现象或社会事变发生时，在没有科学素养的人看来，只能有浅薄的直观的认识；反之，在科学家看来，却能深刻地感觉到它。还有一层，在前面曾经说过，现代的人能用人工器械如望远镜，显微镜，分光镜等来延长生理的感官，使人们更深刻更精细地感觉到外界的事物。而望远镜、显微镜、分光镜等人工器械,原是人们在实践上理解外界事物的结果。所以,思维与感觉,互相发展,互相丰富其内容。

(二)由感觉到思维的推移及其与实践的关系

由感觉到思维的推移的问题,以及感觉在思维中保存的问题,是在辩证法的认识论上占居主要地位的问题。

费尔巴哈说:"在联系上去读感觉的福音书——这是思维"。这种主张是正确的(虽然他不能现实地解决感觉与思维的关系的问题)。思维是在感觉的多样性之中去发现联系,不是自己去创造联系。由感觉到思维的推移的认识能力之发展,在其根据中存有人类的实践,这是要特别说明的命题。

思维和感觉,同是客观的实在在人类意识中的反映。感觉是直观的认识阶段上的反映,思维是论理的认识阶段上的反映。但所谓意识是客观实在的反映,只是就"镜面性"的反映取义而言,并不是说人类的意识也和无知的镜面一样,常依从自己的某种不变的法则,千篇一律地去反映对象(只有机械唯物论者或唯物辩证法的敌人才作这样的主张)。人是意识体,是积极地能动地变造自然以维持其生存的动物,是从事于物质的生产的社会的动物。人类之实践的物质的能动性,在观念的形式上反映出来,就成为意识的能动性或认识的能动性。所以人类在意识上反映外物的那种反映,是能动的反映。这种反映的认识,正是历史的社会的实践之积极的契机。

当人们就感觉的材料稍微实行推理或稍微实行普遍化之时,就已经表现了主体的若干的能动性。向着比较深刻的联系推移的认识的运动,是预想到主体对于对象的能动的现实关系的。所以在由感觉到思维的认识的深化的过程中,认识的能动性,就表现为创造的能力,把感性的认识提高到论理的认识。而认识的这种能动性,是社会历史的实践的契机,认识的深化的运动,也是在实践的基础上显现的。在实践的过程中,人们看到各种现象的反复,各种现象在实践上的再现,一种现象的消灭与别种现象的继起,物质的再生产过程中许多对象的综合,等等——这一切都是普遍化的进行,认识运动的基础。

例如,普罗列达里亚,在其发展的初期阶段上,对于资本主义的认识,只是直观的,所以他们只是"自在的阶级",还不能对布尔乔亚作意识的斗争。但是随着资本主义的发展,他们所感受的压迫和剥削日益加重,他们的生活水准都被降低到饥饿线上,于是他们依据在奴隶生活条件下所得到的体验和知觉,不断地和布尔乔亚作日常的斗争(虽然不是意识的斗争)。基于多年斗争的经验和教训,他们就渐渐地把关于资本主义的直观的认识提高到论理的认识,而理解了资本主义的本质了。于是他们就具有阶级的意识而由"自在的阶级"转变为"自为的阶级"了。于是他们深刻地理解了资本主义的矛盾及其没落的必然性,并担负起扬弃资本主义的使命而企图实现新的社会理想了。这样看来,"普罗列达里亚对于资本主义的现实之认识的过程,最初从感觉、表象与对象的直觉阶段,进到对于现实的较高级的理解的阶段,其次再从这高级的阶段,进到革命的实践"的阶段。这是在实践的基础上由感觉到思维的运动过程之实例。

再就人类的全历史来说明由感觉到思维的推移的过程。在人类史的最初期阶段上,人类还不能从自然分离自己。由于与自然斗争的结果,他们才渐渐地从自然分离出来,但他们对于自然的认识,也只是感性的认识,直观的认识。并且,他们的感性的领域也是很狭隘的。随着物质的生产的实践之发展,人们的感性的领域逐渐扩大,而理解力也逐渐增加,于是逐渐地由感性的认识阶段推移到论理的认识阶段了。往后由于数千百年的社会的历史的实践,感性与思维的互相浸透,不断地使社会的认识的运动更趋于深化了。所以,社会历史的实践,是人类认识运动的最深的源泉,决定的基础。

(三)关于感性与思维的关系的问题的许多异论

感性与思维的关系的问题,在全部哲学史上,是哲学上的一个中心问题。"感性的经验与思维,究竟那一方面是真的呢? 关系这个问题的解决,在近世哲学史上,首先出现了两个不同的哲学流派,即感觉论(经验论)与唯理论。"

经验论或主观观念论,都切离感觉与外物的关系,只把感觉的表象作为认识的唯一对象。例如巴克列或休谟,承认主观的感觉或知觉是认识的唯一材料,但否认知觉中有内的必然的联系。这种联系,在他们看来,只是主体的心理的经验中的知觉中的种种结合。所以他们说,理论的范畴——因果性,相互作用等——对于认识之感觉的材料是主观的,是用以排列感觉的材料的图式。他们从感性的经验夺去一切客观的内容及规律性,结果却对感性的经验不相信。这是"从感觉启发而到达于主观主义的方向"的。

唯理论，与经验论不同，主张人们只有直接依据思维才能认识外界，并说明感觉是混乱而不能相信的东西。例如，斯比诺莎与笛卡儿，主张思维应从感性解放出来，而停止在它自身的领域。他们说，只有思维才能把捉对象的本质，而感觉却没有这种能力。唯理论认定科学的认识的根本特征，是它的结论的普遍性与必然性。但具有这种特征的东西，只是论理的悟性的认识，并不是感性的经验的认识。唯理论相信思维的法则与存在的法则原是一致的，所以要从几个明白判定的前提出发，依据思维本身的法则，把对象作思辨的构成。但那些前提，又是由别的许多观念，由意识中所固有的最一般最明了的观念构成的。所以唯理论的见解，是与关于先验的诸范畴及思维法则的见解相接近的。可是唯理论还不能完全脱离感性的经验，譬如莱卜尼兹同时承认"理性的真理"与"事实的真理"（即观察与经验的真理）的存在，即其一例。

康德哲学，企图克服经验论与唯理论的偏向，建立了所谓先验的观念论体系。但康德哲学，在二元论的、形而上学的、不可知论的立场，把感性与思维对立起来，却又用先验的观念的图式来调和它们。他也承认外界事物作用于感官而生感觉，而认识是从感觉的经验出发。但他却主张感觉与唤起感觉的外物并不相似，因而感觉不能反映事物并说明事物；所以他主张物本体是人们所不能认识的。人们所能够认识的东西，只是现象的世界，只是主观的东西（即意识的内容、感性的形式、悟性的范畴），因而把科学封锁在纯粹主观的领域。这种不可知论的二元论，实际上没有超出观念论所解释的经验的界限以外，仍是不彻底的主观观念论。

黑格尔在观念辩证法上解决了感性与思维的关系问题。他把感性作为认识的初级阶段，把思维作为高级阶段，认识的运动是由感性到理性。但他认定物质是精神的产物，不把意识看作物质的映像，而只是在极抽象的形式上说明意识。他虽然承认感性是认识的最初阶段，但在观念论上蔑视物质的感觉，不能把感觉的丰富材料的改造作基础，去促进论理的东西之现实的发展。在他看来，认识越是上升到高级阶段，就越发远离于感性，并逐渐与"一切感觉的具体性"相分离，而思维与感性的联系也不能保持了。所以，黑格尔的观念辩证法虽然对于论理的认识一阶段，发表过很贵重的思想，而其全体的方向，在根本上是错误的。

费尔巴哈复活唯物论,攻击黑格尔的观念论,再行提高现实认识的感性契机的意义。他说:"在联系上去读感觉的福音书——这是思维。"这种主张是很正确的。思维是在感觉的多样性之中去发现联系,不是自己去创造联系。思维依存于感觉,思维的法则,依存于感觉的真理性。感觉不单是对思维提供材料,并且是对于现实的理论的认识之基础。所谓只有依靠思维才能理解对象的各方面的联系,并施行普遍化——这种观念论的命题,完全被费尔巴哈驳倒了。费尔巴哈这样提起问题的方法虽是正确的,但他把感觉只当作感性的对象去解释,不知道把感觉作为感性的人类的活动去解释。即是说,他缺乏实践的见地,只知道意识是受动的反映,不知道意识是能动的反映。所以他虽曾正确地提起了这问题,却不曾现实地解决这问题。

第三节　概　念

一、表象

(一)表象的意义

由感觉到思维的过程,即是由感觉到概念的过程。这个过程,又可以细分为两个过程,即是由感觉到表象,及由表象到概念的过程。表象可说是感觉与概念之间的中间的阶段,中间的契机。

表象是关于对象的感觉的普遍化的最初特殊形式。前面已经简单地说起,对象的表象,首先是关于各个感性的知觉的记忆。我们的认识能力,把在知觉的记忆上残留着的各个属性、方面和特征等,放在一个形象上统一起来。这种统一的形象,就叫作表象。表象比较感觉,形式上虽然距离客观的对象较远,而在本质上却与客观的对象相接近。在俗流唯物论或迂回经验论的认识论上说来,由感觉到思维的推移的过程,伴随着脱离感觉并使感觉贫困化空虚化的过程。但在唯物辩证法的认识论上说来,当构成关于客观事物的表象或概念之时,我们形式上固然远离于客观事物,但本质上却接近于客观事物总体性的合法则的联系之概括。

前面说过,意识是能动的反映。当客观事物作用于我们的感官时,我们就在关于客观事物的各个感觉上,必然地与客观事物的各个属性、方面和特征等相结合,并且能够把在感觉上给予着的客观事物的许多方面、特征、属性等统一为一个形象——即表象。

"科学的表象之任务,在于概括直观"。概括直观的方法,一方面是就关于过去对象的多方面的感觉之中,抽出其"共通的本质的特征",尽可能地、正确地、客观地去反映它;同时,在另一方面,"给予关于对象之个别的全体的形象"。所以表象比较感觉,更能深刻地反映外界事物。通常我们对于外界事物,要感到它是很容易的,要表象它却比较困难。因为表象之形成,与人类的实践、头脑的创造力相关联。前面说过,意识的能动性,是人类的物质的生产的活动在头脑中的反映。这意识的能动性,在其本来的意义上,显现为头脑的创造力(头脑的创造力,原是"人类的实践的物质的能动性之观念的反映形式")。所以由感觉造成表象,实是头脑的创造力最初发挥作用的结果。

(二)表象之形成与实践

由感觉到表象的推移,是在实践的基础上显现的。人类在其实践过程中,不但观察事物的变化,并且观察事物变化的方向;不但看到一种现象之后有他种现象随着发生,并且能动地影响于事物,人工地再生产出某种现象所由发生的诸条件,诱发另一种现象。由于现象的反复以及实践上的各种现象的再生产,人们的头脑的创造力便发挥出来,就能够得到关于事物的内的联系的表象了。恩格斯说:"我们不单看到对于一种运动有他种运动接着发生,并且看到:如果一定的运动,在自然中于某些条件之下显现,我们就能够造出那些条件,因而手造这种运动。不单这样,我们还看到:能够造出自然中所完全不发生的——至少不是以那样的形式发生的——运动(工业),并能给这些运动以预定的方向及其大小的程度。通过人类的活动,就形成了因果性的表象,即某一现象是其他一现象的原因的表象。"(恩格斯)所以对象的表象之构成,与人类的生活有直接关系。"例如,在农业上,只有在人类无数次耕作地面,伐倒树木,掘去树兜之时,人们关于地面的表象才发达起来。"(米丁)所以表象是从感觉发达的,并且是在直接的实践的活动的基础上发达的。

但是,认识的运动,并不停顿在表象的阶段上。对象的表象,只是感觉的最初的普遍化,它虽能反映出对象的统一的形象,却不能把握对象的发展过程及发展法则。"客观的实在性,是运动的物质,或物质的运动,因而它在人类头脑中的反映,只是运动之观念的形态。"物质的运动的形态及其发展法则,固然要通过感觉、通过表象,而在概念上更深刻地反映出来。但是,单只在表象上,还不能理解客体的运动及其法则。伊里奇说:"表象不能把捉当作全体看的运动,例如不能把捉一秒间 30 万基米的运动(光),但思维却能把捉它,并且必须把捉它。"表象虽能反映出光以那样的速度而运动,却不能指示光以一秒间 30 万基米的速度而运动。因为光以一秒间 30 万基米的速度而运动这种认识,是认识在实践的基础上更趋深化的结果。这就是比表象更为深刻的认识阶段。所以,"通常的表象,虽能把捉差别与本质,却不能把捉由一方到他方的推移"。可是由一方到他方的推移之理解,在认识上是"最重要的事情"。即是说,物质世界的一切方面的辩证法之认识,要依靠抽象的思维,才能达到。所以,"认识的头脑之从表象开始的这种内在的作用,在表象上不能完成。它只有在思维上才能充分发达,即只有在概念判断与推理的运动、客观世界的最高认识形态之论理的认识上才能充分发达"。因此认识的运动,必须由表象的阶段推移到概念的阶段。

"表象是从感觉到思维去的认识的推移、联结、运动,是由前者到后者的转变的过程。"

二、概念

(一)概念的意义

"人们在感觉或表象的形式上,虽能知觉客观实在的对象之形象,却不能透入于对象的本质。"为要透入于对象的本质而认识对象之内的合法则的联系,认识的运动不能不从感觉和表象而上升到思维的阶段。思维与感觉的关系,上文中已经说明,思维中所反映的东西,即是感觉或表象中所已经反映的东西。感觉和表象固然不能完全地反映出对象的现实性,而思维中所反映的对象的本质,对象的合法则的联系,都已由感觉和表象反映了出来,不过由思维的能力去发见它而已。

思维是把感觉和表象造成更高级的普遍化的东西,它把在感觉和表象上给予着的"对象之具体的单独的存在形式,抽象出来,给以最一般的规定。人们只有把反映着客观现实性的感觉和表象实行普遍化,才能得到关于客观对象的概念(例如物质运动的概念,有机体成长的概念,社会发展的概念等)"。所以概念比较感觉和表象,在形式上虽然更加远离于客观对象,而在本质上却更接近于客观对象,更接近于客观事物总体性的合法则的联系之概括。

概念是认识的契机,是思维的形式,是反映客观实在的形式。唯物辩证法的概念,与形式论理学的概念不同。形式论理学的概念,虽也是同样从表象或直观抽取出来的东西,可是舍弃了生动的直观及其中所包含的客观实在的内容。形式论理学的概念,"是姿意的,因而是主观的"。形式论理学的概念,关于对象的规定,只是列举对象之本质的标志。但"其本质的内的标志,不能把握运动源泉之对立的统一,不能把握运动本身。所以形式论理学的概念,是丧失运动的,它是死板的不动的东西,也不互相联系"。一切事物,都是对立的统一,但在形式论理学上说来,这种统一,"或被解释为抽象的同一性,或被解释为机械的集合。同样,所谓对立,在形式论理学上,也被解释为完全抽象的、死板的东西,对立物并不互相渗透,没有运动,也没有联系"。所以形式论理学的概念,是与客观的现实性相隔离的、抽象的、无内容的思维形式。反之,唯物辩证法的概念,却是反映着现实世界的永久发展的有内容的思维形式。在论理的概念反映客观现实性这一点说来,它是从这个反映过程分离出来的东西,是抽象的概念,因而它是主观的东西,但辩证法的抽象,能够比较深刻、比较忠实、比较完全地反映客观现实性。在这一点,概念是客观的。所以,辩证法的概念,包含着主观与客观,思维与存在之对立的统一。所以,伊里奇说:"人们的概念,在其抽象性分离性上,是主观的;但在全体性、过程、总计、倾向、源泉上,是客观的。"

客观世界的一切事物,都是联结着,同时又都是运动着,在运动中联结,在联结中运动。所以我们认识任何对象时,必须尽可能地从其一切侧面来研究它,从其一切的联结与媒介来研究它,即尽可能地把握对象内部各方面及其与外部各方面的一切复杂关系的全体性。在另一方面,同时必须把握这对象的发展过程及发展的生命,然后我们才能认识对象的发展法则。

所以反映客观世界的事物的一切概念,具有联结性与运动性。

一切事物都是联结着,这是概念的全体性、联结性的源泉。在思维领域中,任何概念,都与其他一切概念发生关系,发生相互作用,形成对立的统一。在概念间的这种对立同一上去考察概念,我们就能够发见现象与本质、形式与内容、偶然与必然、可能性与现实性、原因与结果等范畴的联结的法则。

同时,一切事物又都是运动着,这是概念的运动性、"柔软性"的源泉。在思维领域中,任何概念,都是运动的、发展的。任何概念,都依据对立统一的法则而运动、而发展。人类的思维,对于客观现实性的认识,必须"在运动的永远过程中,在矛盾的发生及其解决的永远过程中去理解"。人类的思维的运动的起动力,也是内的矛盾,对立物的斗争。思维的运动,即是概念和范畴的对立统一的发展过程。在这个过程中,概念和范畴,也分解为对立物,其对立的矛盾,因斗争而解决。因而概念和范畴的运动与发展,也依从于对立统一的法则。譬如,商品在其运动中,引起货币(特殊商品)和普通商品的分裂,由于货币与商品的斗争,达到一定阶段,就引起货币化为资本。其次,资本的运动,更由于新的对立的契机,经过一系列的矛盾的发展,又引起资本的没落而转化为反对物,等等。又如,思维在其运动中发生现象与本质、形式与内容、偶然与必然、可能性与现实性、原因与结果等范畴的对立及其互相渗透、互相推移。因而由这些范畴的运动,发见其发展法则。

所以"各种概念,是把客观现实性的某种本质的方面,当作全体的联结及运动的契机去反映的"。

(二)概念的构成过程

恩格斯说:"现实上,一切实在的包括的认识,只在于下述一点:我们在思想上,把个别的东西,从其个别性抽取出来,把它移到特殊性,再从特殊性移到普遍性。换句话说,我们在有限的东西中发见无限的东西,在暂定的东西中发见永久的东西。"这种思维的运动过程,同样是概念的形成过程。辩证法的概念,是具体的概念,是由于分析个别并抽象其普遍而构成的东西。在现实上,个别与普遍,同是客观的存在,离开个别就没有普遍,离开普遍就没有个别。普遍是当作个别的某种侧面而存在。概念就是反映着当作个别的某种侧面看的普遍。但这种普遍,是具体的普遍,是包含着个别或特殊的丰富内容的普遍。具体的普遍,包含特殊与个别,差别与对立的同一性。普遍、特殊与个别这三个契机,在概念之中,是不可分离地结合着。这样包括特殊与个别的全部丰富内容的概念,才是具体的完全的概念。关于对象之具体的认识,就是应用这样具体的概念,发见对象中的普遍,阐明对象中的普遍与特殊之辩证法的统一。

具体的对象,在我们的感性的表象中,出现为具有无限复杂的侧面和关系的总体。我们只有利用分析的能力,从这些侧面和关系中,抽象出最单纯的本质的规定即普遍,作为媒介,才能逐步认识那些侧面和关系,到达于对象的全面性的理解。但"普遍只是个别的一个部分、一个侧面或一个本质,只是近似地把捉一切个别的对象",只是"死板的、不纯粹的、不完全的东西",所以我们要依靠这个在对象中所发见的普遍之研究而完全无遗漏地去认识对象的具体性,却是不可能的。但在对象中所发见的普遍,却是接近于具体对象的认识的一个阶段。普遍与个别的这种矛盾,促进思维的运动。在运动的过程中,"一切个别,由于无数的推移,与其他种类的个别的事物、现象、过程等相关联"。于是个别的丰富内容,不断地闯入于普遍之中,而我们的认识,就把个别提高到特殊,到普遍的阶段。由于个别到普遍的转变,而偶然就转变为必然,现象就转变为本质。因为个别是现象,是某种程度的偶然,而普遍是个别的本质,是某种程度的必然。所以,"在这里,已存有自然的必然性,客观的关联等的要素、端绪、概念。在这里,已存有偶然与必然,现象与本质"。(伊里奇)换句话说,普遍表现对象的无限复杂的侧面的关系的契机,而个别却是由于普遍的无限的总和而表现其内容的。在认识的历史上,"人们决不能完完全全地认识具体的东西",但唯物辩证法,不断地要求认识之更进一层的深化和发展,要求认识与现实的发展相适应。因而"一般的概念、法则等无限的总和,给予具体物的全体"。

所以在具体的概念中,特殊与普遍,互相渗透而形成为同一。现象的一切特殊性,产生出具体的普遍,而具体的普遍,包含着特殊的丰富的内容。特殊之内的关系,显示着推移于普遍的可能,而具体的普遍又推移于特殊的内容。我们认识对象时,一面要发见对象中的普遍性,一面要抓住对象的发展过程中各阶段的现象的特殊性,抓住那表现发展的链子中的特殊的环。而这特殊的环,是普遍的本质,并且充实普遍、表现普遍。在这里,特殊转变为普遍,普遍转变为特殊。只有这样建立普遍与特殊之辩证关系的认识,才是具体的认识,才能获得具体的真理。

（三）概念之发展与实践

认识是实践的契机，实践是认识的基础。认识是客观的实在的统一性的反映，但是这种反映，是积极的能动的反映。人类在其实践的过程中，无数次地接触于外界事物，迎受外界事物的刺激，而成为感觉、知觉，这些感觉和知觉，在我们头脑中积累起来，由于头脑的创造力的作用，造出论理的轮廓。头脑的创造力，先把感觉普遍化起来，造出表象，更把表象普遍化起来，造出概念。所以"人类不单是实践上在一定的感觉和表象中积极地把捉物质世界，并且把那些感觉和表象积极地加工来造成思想或概念"。反映客观世界的认识，不是"单纯的、直接的、全体的反映，而是一列的抽象与概念、法则等的定式化及形成的过程；这样的概念、法则等（思维，科学 = '论理的理念'），正是有条件地、近似地把捉永远运动、永远发展的自然之普遍的规律性的东西"。

就人类的认识的历史与实践的历史考察起来，人类对于世界的认识，是一个发展过程，是逐渐由低级阶段推进到高级阶段的过程。人类的认识的发展，表现于论理的概念或范畴之中。唯物辩证法说明概念的联结和发展，反映着客观世界的联结和发展，说明概念随着现实的发展法则而发展，说明概念"在根本上反映现实与认识之历史的发展及过程"。所以，反映一切事物的联结及发展的概念本身，也是联结着、发展着。在这种意义上，"就有具备客观意义的概念的辩证法及认识的辩证法"。（伊里奇）

"人类的概念，不是不动的东西，而是运动的东西，是互相推移、互相汇合的东西。否则，人类的概念，就不反映生动的生命。概念的分析及其研究（《概念运用术》），常要求研究概念的运动、概念的联结，及其互相推移。"但是，概念的自己运动，"不是概念自身的纯论理的运动"，而是客观事物的联结及运动之反映，是客观世界与人类实践的客观运动之反映，是主观与客观、思维与存在的对立统一过程的反映。并且，这种反映本身，也是一个发展过程。

客观事物的一切运动及联结的法则，不能够一次地、完全地、正确地、无条件地都反映于概念之中。概念中的这种反映，正和相对真理到达绝对真理的过程一样，是顺次由一个阶段进到高级阶段而到达于完全的反映的。所以概念之反映客观世界的发展法则,只是有条件的、相对的、近似的。人类在其实践上,不断地暴露出客观世界与主观表象之间的新矛盾和新联结。这新的矛盾和联结,同时又进到人们的丰富的感觉和表象之中,人们更就这样的感觉和表象实行论理的加工,造出比以前更为丰富更为深刻的概念,而更进一层地反映客观世界的发展法则。因而人类的实践,不断地使客观世界的新矛盾与新关联反映于概念之中,形成概念的新矛盾与新关联,促进概念的向前运动和发展,变化思维的发展法则。

"论理学的最一般的概念或范畴之发展,与人类社会的历史全体,物质的生产的实践及生产的发展过程,不可分离地结合着。它与思维的历史、哲学史联系着"。因为概念或范畴,是世界认识的阶段,是"帮助认识世界的网的结孔"。概念的发展过程,即是认识的发展过程,它表现着认识的历史。例如就"物质"这个概念举例来说。"在 18 世纪之时,物质的终极要素,是被看作物理学上的分子的。分子曾经是科学上的最后的名词。但是,也只有形而上学的,时代落后的思想倾向的人们,才在分子之中,去认定人类的知识的界限,并以为表象完全与事物相适应。实际上,知识达到了一定发展阶段时,对象就在经验中,把那用当时的知识所不能把捉的另一方面显现出来了。知识的对象,和那关于对象的知识,就起了矛盾。这个矛盾,促起知识的进步;而知识的进步,又必须顺应于对象的新现象而行。在一种新兴科学——化学——发生以后,起初关于对象的知识,变成了和知识的对象相对的适应着的东西。化学的现象,在我们的表象上起了一个变革,而原子之中能够认识的终极的物质分子被发现之时,能够发见出它的说明。对象与概念的矛盾,知识的动因,在相对的统一之中被解消了。但在这新的统一的内部,又生长了一个新矛盾。经验对我们指示了原子论所不能理解的种种现象。这新的矛盾,又成为一个统一而被解消了。即,电子的物理学,新的知识阶段,是现象的概念对于概念的现象的新反映。但这个反映,当然不是绝对的,也不是永久的。"(卢波尔)由此可知"物质"这概念,实是表现人类对于现实的物质世界的认识的发展阶段。"物质"这概念的发展的历史,概括了关于现实的物质世界的知识的科学史。至于"分子"、"原子"、"电子"等概念,又是表现"物质"这概念的发展的诸阶段,是反映现实的物质世界的诸侧面的契机。由分子到原子到电子的这些顺次出现的概念,是把现实的物质世界从一侧面到另一侧面顺次反映出来的东西。所以概念随着客观世界的发展而发展,不但旧有的概念的内容愈趋丰富,并且还产出新概念。

概念的发展之反映现实的发展,由《资本论》一书显示着很好的实例。"马氏论证了,资本主义,内包着以前一切的发展史,单纯商品经济及货币经济等等。反映比较初期的发展阶段的概念(价值、货币、地租),在他对于资本主义社会的分析中,也同样地被发见出来"。所以"在《资本论》之中,资本主义的历史及简约那历史的概念之分析",都被给予着。"他所把握了的东西,简直就是'简约'资本主义历史的概念。但是,他为什么在《资本论》中所说的顺序(价值、货币、剩余价值等)上给予这些概念,而不在和这不同的顺序上给予这些概念呢? 这不只是由于价值、货币等在资本主义社会中所有的意义、位置及其任务,才配置那些概念的。他那样地描出资本主义,就是在根本上照应于资本主义的现实上的历史发展过程。在实践的过程中,商品经济的初期的阶段,再行发展,也包含着当作商品经济的最高发展阶段的资本主义,而变成商品经济的较高阶段的基础。"所以对象的论理、对象的概念,反映着对象的历史。

第四节　判断与推理、分析与综合、归纳与演绎

一、判断

(一)黑格尔判断论的评价

我们研究了唯物辩证法的概念以后,在论理的程序上,必然地推移于唯物辩证法的判断与推理的思维形式的研究。我们已经知道,概念是客观世界的合法则性在思维形式上的反映,是世界认识发展的阶段。同样,判断与推理,也是客观世界及人类认识的发展史的一般法则在思维形式上的反映。所以"判断与推理,从其形式上说,是各种不同的对立的概念之联结及关系,但从其内容上说",是客观世界的事物与过程之"客观的实在的联结及关系的反映"。

判断与推理是思维的运动形式,又是概念的运动形式。概念是世界认识

发展的阶段,所以反映客观世界的逐渐深刻化的认识的概念,互有"从属的关系",同样,判断与推理,表现人类的"认识透入于客观世界的深刻的具体的联结和法则性,也同样处于从属的关系"。所以,判断与推理的分类,要适应于概念的分类。

这里先说判断的分类。

关于判断的分类,从来的形式论理学,做过许多的研究。但形式论理学,正因为是没有内容的论理学,所以关于判断的形式,不能表现"由一概念到他概念、由一个概念连锁的形式到另一概念连锁的形式的联结、统一、差别及推移"。

黑格尔的论理学,克服了形式论理学的判断的分类,提出了下述的判断的分类。

"一、定有的判断。判断的最单纯形式。在这里,关于一个个别事物,肯定地或者否定地表明一种普遍的属性(肯定判断:玫瑰是红色的。否定判断:玫瑰不是褐色的。无限判断:玫瑰不是任何骆驼)。

"二、反省的判断。在这里,关于主语,表明某种关系规定、某种关联(单一判断:这人是可死的。特殊判断:二三个多数的人是可死的。普遍判断;一切的人,或者所有人,都是可死的)。

"三、必然性的判断。在这里,关于主语,表明其实体的规定性(断言的判断:玫瑰是一种植物。假言的判断:太阳如果上升,就是白天。选言的判断:南美的肺鱼,是鱼,或是两栖动物)。

"四、概念的判断。在这里,关于主语,表明它在怎样的程度适应于它的普遍的本性,或——如黑格尔所说——它的概念(实然的判断:这个家屋是坏的。盖然的判断:家屋如果是这样的状态,它是好的。必然的判断:这家屋因为是这样的状态,所以好)。"(恩格斯:《自然辩证法》)

以上,恩格斯所揭示的关于判断形式的黑格尔的分类,并不是把种种判断的形式,单纯地拿来并列或对置,并不是把这些形式放在"同格的关系"上,而是放在"从属的关系"上,建立这些形式的必然的关联,及其由一形式到他形式的推移。恩格斯认定黑格尔所提起的分类,含有内在的真理,并且是必然的。因为这个分类,不仅根据于思维法则,并且根据于自然法则。

（二）恩格斯的判断论

恩格斯虽然称赞黑格尔的判断分类含有"内面的真理与必然性"，可是他对于黑格尔的分类，却做了唯物辩证法的解决。黑格尔的分类，虽然表现着认识之历史的发展过程，指示着由一个判断形式到另一判断形式之联结、统一、差别及推移，但黑格尔是观念论者，他对于判断的分类仍含有观念论的、神秘主义的色彩。黑格尔依据观念论的构想，使历史隶属于论理学，因而他的判断的分类仍然是观念论的辩证法的。恩格斯在辩证唯物论的基础上，改造了黑格尔的判断的分类，指出了"论理的判断形式的发展"实是人们关于自然的认识之历史的发展的结果。换句话说，判断形式的分类，必须根据于历史的发展，判断的诸形式中的由低级形式到高级形式的展开，必须根据于关于自然的认识的历史的发展过程（而历史并不隶属于论理）。所以恩格斯这样说："例如思维历史上某一概念或概念关系（肯定与否定、原因与结果、实体与非本质体）的发展，与各个辩证法论者头脑中那些概念的发展，采取同一的经过。这恰和古生物学上某一有机体的发展，与发生学上（或者在历史及各个胚芽上）的那个有机体的发展，采取同一的经过，正是相同的。"

恩格斯因此提出了自己的关于判断的分类，并已根据这个分类，用具体的实例，证明判断之一般的运动。

"摩擦生热这件事，已由有史以前的人类，在他们发见摩擦取火之时——或许在十万年以前——或者更在以前因摩擦身体的寒冷部分而取暖之时，实践上已经知道了。但从那个时代以后到发见摩擦一般是热的源泉这件事为止，不知道经过了多久的岁月。无论怎样，人类的头脑充分进化，而能够作成摩擦是热的源泉的定有判断并且是肯定判断的时代到来了。

"以后又经过了数千年。到了 1842 年，迈尔（Mayer）、焦耳（Joule）和柯尔丁（Colding），把这个特殊事象，依据它与其间所发见的其他类似诸事象的关系，即依据于那最接近的一般条件，加以阐明了。于是形成了一切力学的运动得因摩擦而转变为热的判断。我们在这个对象的认识上，从肯定的定有的判断进到如下的反省的普遍的判断为止，需要了许多的时间和大量的经验的认识。

"现在，事态迅速地前进了。三年以后，迈尔至少在实质上把反省判断提高到今日所显现着的阶段了。

"各种运动形态,对于各个场合,在特定条件之下,直接或间接能够而且必须转变于其他各种运动形态。这就是概念的判断,并且是必然的判断,换句话说,是判断的最高形式。

"因此,在黑格尔当作判断本身的思维形式的发展出现的东西,于是在我们看来,就出现为关于运动一般性的我们经验的基础上站立的理论的认识之发展。这正是表示着思维法则与自然法则,在它们正当地被认识之时,必然地互相一致。

"我们可以把第一个判断看作个别性的判断。这即是记录摩擦生热的各个分散的事实。第二个判断,可以看作特殊性的判断。即表示了运动的特殊形态、力学的运动形态,在特殊情形之下,(由于摩擦)转变为他种特殊运动形态即热的特质。第三个判断,是普遍性的判断。即证明了运动的一切形态是能够而且必须转变为运动的其他一切形态。在这个形式上,法则就到达于最后的表现了。我们依靠各种新发见,就能够给这个法则以新的证明,给以新的、比较丰富的内容。不过对于这里所表明的那样的法则,已不能加上别的东西。在其普遍性上,所谓形式和内容,两者原是普遍的——这个法则,并不受什么扩充。它是绝对的自然法则。"(恩格斯:《自然辩证法》中的《觉书》)

(三)判断论的概要

我们看了恩格斯上段的说明,就可以理解恩格斯把观念辩证法的判断论改造为唯物辩证法的判断论的原理,同时可以理解唯物辩证法的判断论的一般特征。

第一,"从唯物辩证法的见地说来,判断反映物质世界的事物和对象的合法则的联结。真正的判断,是客观实在性的合法则的联结的一种反映形式"(米丁)。

第二,"从唯物辩证法的见地说来,就是判断的问题的中心点,并不向着事态的形式方面,而是向着它的内容"(米丁)。

第三,判断形式的分类,依从于概念的分类。判断的各种形式,并不是各自分离的东西,而是互相联系的东西,它们不处于同格的关系,而处于从属的关系;比较高级的判断形式,从比较低级的判断形式展开出来。

对于概念是正确的东西,对于判断形式也是正确的。前面论述概念时,我们已经知道,辩证法的概念是具体的概念,它包含着个别、特殊与普遍的三个契机。表现世界认识的发展的阶段的概念的运动,显示着由个别到特殊及由特殊到普遍的推移。因而适应于概念的这三个契机的判断,也分类为个别的、特殊的及普遍的三个基本的形式。所以,从上面恩格斯所列举的具体的实例去考察,就可以看出由个别到普遍的判断之发展,显示着由个别(摩擦)到普遍(运动形态、能力)的概念之发展。

第四,判断是思维的运动形式,判断的运动,依据于对立统一法则。判断是概念的规定。一定概念的存在和它的规定,究具有何种必然性,必须在判断上显现出来。一个判断,是两个对立的概念的联结,是对立的统一。判断有两个契机,一个是主辞,一个是宾辞。概念是那个统一中的主辞。主辞对于自己的宾辞,规定自身,又对于自身的区别,规定自身。概念规定的本性,要求概念的运动,要求把自己的对立物包含于自身中,并在自身中假定它。判断中的主辞与宾辞的关系,表现对立物的同一性。主辞从宾辞得到自身的规定,宾辞本身也只有在与主辞的关系上,具有实在性。没有宾辞的主辞,和现象中没有特性的物本体一样,是空虚的东西。例如说"约翰是人"、"巴儿狗是犬"这样的判断,表现着个别(或特殊)与普遍对立物的同一性。

但是,判断运动的目的,是在于要复活概念的同一性。在判断之中,虽表明主辞是宾辞,而宾辞不能是主辞,在这里就发生矛盾。就上例"约翰是人"一判断来看,约翰虽是人,而一切人却不能都是约翰,在这里却存在个别与普遍的矛盾。这样的矛盾,是判断运动的源泉。正因为有这样的矛盾,所以判断由低级形式转变到高级形式。因而个别的丰富的内容,不断地闯入于普遍之中,使我们的认识,把个别提高到特殊到普遍的阶段,因而在判断的形式中反映出客观事物的合法则的关联,客观的实在的一般法则。所以低级的判断形式到高级判断形式的转变,并不是观念论的神秘主义的思想的纯粹的运动,而是以具体的实在的状态以及与它的运动相适应的概念的联结为前提。

第五,判断的运动,与人类的实践及科学的发展相联系。关于这一点,我们可以从上述恩格斯的判断的实例看出来。判断以概念为前提,而概念的形成,是从反映客观事物的感觉、经验出发,经过思维的活动,而在论理的形式上反映出客观事物的合法则性的关联的东西。所以判断之暴露概念的内的契机及概念的联结和关系,必须以一定的科学的认识和人类的实践为前提。人们如不实践地作用于对象,就不能得到对象的感觉、经验,即不能得到对象的知识。人们如没有旧有的知识,就不能得到新的知识,因而不能进行判断。就上述一种运动形态转变为他种运动形态那种普遍性的判断一看,就可以知道它是与数百千年间的人类实践的历史和认识的历史联系着的。

二、推理

(一)推理形式的检讨

推理是思维的高级运动形式。"正如判断是发达了的概念一样,推理是发达了的判断。"在这种意义上,推理是概念与判断的统一。

前面已经说过,判断与推理,从其内容上说,同是客观世界的事物与过程之客观的实在联系与关系的反映。两者不同的地方,就在于下述一点,即判断是"事物与过程的各个规定的合法则的联结之反映",而推理是"这些联结的相互的必然的关系之反映"。所以推理是思维的高级运动形式。

关于推理的形式,在形式论理学上,有许多不同的分类,如所谓三段论法、归纳推理、演绎推理、类比推理之类。形式论理学的推理形式的根本缺陷,是在于"蔑视论理形式之实在的内容,而专只注意于概念和判断的外的关系"。对于形式论理学的推理形式做过严整的批判的人,是观念辩证法论者黑格尔。黑格尔对于形式论理学的推理形式的批判之正确性如何,这里暂不讨论。这里所要提出讨论的东西,是黑格尔论理学中的推理论的诸形式。

黑格尔把推理的形式分为三种形式。第一是质的推理(或定有的推理)。"质的推理,又有下述三个形式:即当作个别看的主辞,是经过特殊的媒介的普遍(个—特—普)。结果,单一的主辞自身,变为普遍,并且它是普遍与特殊的统一(普—个—特)。在这种形式上,普遍被认为特殊,因而它形成为特殊与个别的统一(特—普—个)"。

第二是反省推理(或本质的推理)。反省推理,包含演绎法、归纳法及类推法。"人皆有死,苏格拉底是人,故苏格拉底有死"。在这演绎的推理中,只要结论("苏格拉底有死")是正确的,大前提也正确,否则便不正确。因而演绎法就依据于归纳法。黑格尔说:"一般地,推理法引起归纳的推理法,在这里,中名辞是不可分离的东西。例如说起一切金属都是导电体之时,我们表现出基于一切各个金属的预定研究的经验的假定。……金是金属,银是金属,铜铅等等是金属。这是大前提。而小前提表明这一切东西都导电。从这里便引出一切金属都导电的结论。因而中名辞在这里成为一切不可分离的东西的总体。"但是归纳的推理不能完全摄取经验,上例所说的一切金属,也只是限于我们所已知道的金属。因而归纳的推理不是完全的东西。于是归纳的推理的缺陷,就由类推法来填补。黑格尔说:"属于已知的属的某一对象,具有某种的质,由于这种事实,就推论出同类的其他对象,也具有与它相同的质,这是依据类推法而下判断的。例如我们从前发见一切行星依从各种法则而运动的事实之时,于是就推论出新发见的行星也会依从那种法则而运动,这就是实行类比的推理。依据经验的诸科学,类推法正确地演着显著的作用。"演绎法和归纳法的推理,固然各有缺点,但类推法也没有必然的性质。

第三是必然性的推理(或概念的推理)。依据黑格尔的见解,必然性的推理,是比较高级的推理形式,它是从对象的必然的本性,它的"自己发展"发生的东西。演绎的推理,是从本质进到现象的方法;归纳的推理,是从现象进到本质的方法,两者都是不完全的。只有必然的推理,才能表现本质与现象的统一,表现现象的法则。

以上是黑格尔的推理论的概要。他的推理论,表明了"推理的各种不同的形式之联结与推移,从比较表面的形式到比较深刻的形式的运动"。这无疑是黑格尔推理论中最贵重的东西。但是黑格尔的推理论,虽是辩证法的,却是观念论的。黑格尔主张"一切事物都是推理",主张推理形式从其自身中产出客观世界,主张主观的概念推移于客观性(概念产出客体),因而他的论理学中的这些部分是观念论的。唯物辩证法,主要的注意是采取黑格尔推理论中这种贵重的核心,放在唯物论的基础上加以改造,以构成唯物辩证法的推理论。

(二)推理论的概要

唯物辩证法的推理论的要点,大概可以作如下的概括的说明。

第一,从唯物辩证法的见地说来,推理也和概念与判断一样,同是客观世界的合法则的联结的反映,但它比较概念和判断是客观世界的合法则的联结之更深刻更高级的反映。

第二,从唯物辩证法的见地说来,推理论的诸问题的中心点,是反映于推理形式中的内容方面。唯物辩证法,对于形式论理学的推理形式的批判,是集中于形式论理学蔑视推理形式的实在内容这一方面,并不是纯粹地批判那些推理形式,也不是简单地放弃它们。唯物辩证法,对于从来自然构成的推理形式的批判,是在于指出那些推理形式的局限性,并打破形式论理学上把各种推理形式绝对化的见解。唯物辩证法指出形式论理学上的各种推理形式的不完全性,同时又指摘那些旧的推理法(如归纳法与演绎法)虽同是推理,而任何一方面的、单个的推理法,都不是绝对的东西。旧来的各种推理法(黑格尔的推理法也在其内),只有在唯物辩证法的基础上,才能成为正确的推理的方法。例如,恩格斯说:"归纳法与演绎法,正如综合与分析互相关联一样,是互相关联的,不能牺牲一方而极端尊重他方,务要使它们各得其所。但这件事情,只有在考虑它们相互间的关联及相互的补充的场合,才能做到。"因而要正确地使用归纳法与演绎法的推理形式,只有基于唯物辩证法的原则,才能做到。

第三,"唯物辩证法所视为最高推理形式的东西,无疑是基于本质上必然的前提的结论。因而必然性的推理、从事物的实体的性质抽出的结论,是比较根据于外的联结和关系的结论更为高级的形式。但是从普遍的东西中、从事物的内在必然性及其运动法则中、从普遍的本性中抽出来的结论的基础,是基于从个别到普遍的运动的推理"。

必然性的推理,从唯物辩证法的见地说来,是客观的事物基于它的"内的本性"、它的"自己运动"而发展的必然的联结、关系、倾向、推移在思维形式上的反映。正因为这样,客观事物是一个发展过程,它的"内的本性"也是发展过程,所以推理过程中所产生的结论,必须反映出客观事物的发展的必然的联结、关系、倾向及推移。正因为这样,所以唯物辩证法的结论,不单要反映出特定的客观事物之现在的联结,并且要反映出它的未来的发展的倾向。即是说,这样的结论,不单要综合先行的发展,并且要预见到后来的发展。所以当进行推理时,必须就客观对象之运动的、发展的、必然的倾向,作具体的全面的研究,暴露现实的运动的诸法则及其联结,并指出其未来的发展的倾向。照这样得来的结论,才是具体的真理。

第四,从唯物辩证法的见地说来,必然性的推理,建立特殊(个别)与普遍的辩证法的关系。必然性的推理,反映从个别的东西到普遍的东西的运动,在大量的丰富的个别的具体性之中发见其运动法则与一般倾向。在这种处所,是基于客观对象之具体的全面的研究,利用着归纳的推理的方法。但在这种场合的归纳法的应用,与唯物辩证法以外的单独的、绝对化的归纳法的应用,绝不相同。因为这是基于客观对象之具体的全面的研究而应用归纳法的,所以归纳在这里是与基于具体的全面的研究所得到的科学的预见结合着,而逐步地摄取现实的各个侧面及方向,现实的未来的发展的倾向,已在某种程度包含于结论之中。

必然性的推理过程中所得的结论,又必须应用于新的现象。在这种处所,我们又看到由普遍到特殊到个别的推移。在这种处所,我们又看到演绎的推理法的利用。但是"从对象的本质得来的结论的具体的真理性,受特定对象的全面的研究所规定。当应用这结论于新现象之时,就必须具体地研究新现象所实现的条件"。这就是说,当应用结论于新现象之时,即从普遍推移于特殊(个别)时,必须具体地研究新现象的特殊性,暴露出普遍在特殊(在个别)中显现的特殊的形相,以建立普遍与特殊的辩证法的关系。

第五,推理从实践出发而复归于实践。人类在社会的生产的实践上,不断地接触于外界事物或现象,积累着无数的经验的知识。这些经验在意识上就形成为推理的基础。例如由"础润"而推论到吹风,由"月晕"而推论到下雨,由"履霜"而推论到"坚冰至",由各种物与物相摩擦之后生热的经验知识而推论到摩擦生热等等——这些都是由实践所产生的推理。所以"一切的推理,即令在穷极的方面,也只有根据于经验的认识,根据于实验、物质之实验的研究,才是真实的。所以唯物辩证法,就是从观察出发,从单独的事实出发,也能够引出真的一般的结论"。

在推理过程中所引出的结论,反映着人类的实践的历史与认识的历史。所以在推理的问题上,也必须贯彻历史主义。

由推理过程中所得的结论的真理性,也只有由实践所证明,并推移于实践。由实践所证明的论理的结论,是人类社会的实践的契机,它一面推动现实之论理的研究过程,使我们的思维能够更深刻地反映出现实的发展法则,并认识这法则在个别的、特殊的现象中实现的条件。

三、分析与综合、归纳与演绎

(一)分析与综合的统一

概念的构成、判断的确定、推理的进行,必然伴随着分析与综合的统一的过程。分析与综合的统一过程,即是由感性的认识到论理的认识的过程。客观的对象,反映于我们的感觉,形成为表象。我们就由感性的表象内部无数偶然性的错综之中,把在感觉上给予的对象之内的关联抽取出来,在其本质的形态上去表现它。即是说,我们首先要分析这感性的表象,把表现对象的最单纯的本质的规定抽取出来。这种抽象,是唯物论的抽象,同时又是伴随于分析的抽象。分析的本质,就在于把具体的直接的东西还原于最单纯的东西(例如资本论的思维的出发点的商品,商品交换)。所以分析这个工作,"就是分解特定的具体的对象,分离其差别,给以抽象的普遍性的形态。或者把具体的东西作根据,把看作非本质的东西的特殊性舍弃出去,因而拔取某种具体的普遍,即属性或力或法则。这是分析的方法。"(黑格尔)简单地说来,分析的任务,就是在个别中发见普遍,在现象中发见本质、法则。但分析的结果,是具体的普遍,是包含了特殊的丰富的内容的普遍。例如《资本论》中分析的抽取出来的"生产物之商品形态",就是这样的具体的普遍。这是由直接的具体到抽象的过程。

但是,科学的认识,并不停顿在这个阶段,并不以抽取一般的规定或抽象的范畴为止境,而必须更进一层地在其"多种规定的总括","复杂性的统一"上,把对象在精神上再生产出来。即是说,科学的认识要从最单纯的规定或关系,循序上进到复杂的规定或关系。最单纯的关系中内在的合法则的发展,要用综合的方法来探求,即是顺次把新的关系引入研究的范围,顺次添加新的规定,而到达于综合多数规定及关系的丰富的总体,到达于媒介的具体。例如,《资本论》由最单纯的关系——商品关系出发,把商品经济的诸矛盾及现代社会的发生、发展及其必然没落的法则,在其多数规定及关系的总体上,从始到终地表现了出来,这是从抽象到媒介的具体的过程。

分析与综合,互相结合、互相制约,形成辩证法的统一。综合以分析为前提,分析受综合所指导。"分析是抽离具体的现实,抽出一般的最单纯的范畴。综合是从这些最单纯的关系出发,在其一切质的规定性及多样性上,把具体的现实,再现于思维之中。"所以辩证法方法,"在其运动的每一步的前进上,同时分析地综合地起作用"。(黑格尔)但在综合指导分析的这种意义上说来,以分析为前提的综合的方法,又是辩证法的论理学的基础。在关于对象的认识过程的各个阶段上,"同时分析地综合地起作用"。

(二)归纳与演绎的统一

在分析与综合的过程中,必然伴随着推理的作用。推理的方法,除了类推法以外,还应用归纳与演绎。但从唯物辩证法的见地说来,归纳与演绎是不可分离地统一着,归纳与演绎的统一,隶属于分析与综合的统一。

形式论理学,把归纳和演绎,看作孤立的绝对化的方法。归纳是从各个的事实或现象到一般的结论的推理。归纳的出发点,是各个事实或现象的观察及记述。反之,演绎是把一般原理原则应用于各个事实或现象的推理。演绎的出发点,是一般原理原则。形式论理学中把归纳法作为一定研究方法的东西,叫作归纳论理学;把演绎法作为一定研究方法的东西,叫作演绎论理学。

归纳论理学者,从观察各种个别的现象之中,抽出一定的标志或关系,推及于这一种类的一切现象。但归纳法的结论,只是预告的、假定的东西,不是被证明了的东西;只是未解决的、部分的东西,不是必然的、普遍的东西。归纳法论者把客观的现实当作已成的不变的东西,不理解现实的发展,不能认识对象的发展之本质的推进的规律性。例如,商品的交换,在各种时代都是存在的,各种时代的人们都做过雇佣劳动,归纳论者从这些时代抽出这些标志,引出人类社会的一切时代都有商品交换或雇佣劳动的结论。但是历史的发展,对我们指示着各时代的商品交换,与各时代的特殊经济构造的特殊性相结合,先资本主义的、资本主义的、过渡期的商品交换,各有其特殊的特征,并且商品这范畴在未来社会中是不会存在的。至于雇佣劳动,也只有在现代社会中才成为社会的生产的基础,将来雇佣劳动这范畴也是不会存在的。归纳论者,停止于现象的表面,只知道采取现实的某种标志或关系,在种种方面去比较,如果这类标志或关系在这些方面反复出来,就把它们普遍化。这种推理的方法,当然不能把捉现象的运动法则、本质的矛盾。

演绎论理学,与归纳论理学相反。演绎论理学,从一般命题或特殊事实引出结论。形式论理学的三段论法,一切都根据于演绎法。几何学上的论证,都是从公理和定理出发的。但几何学上的公理或定理,原是人类的数千年的实践的产物,并不是人类空想的产物,所以由演绎的推理所得的结论,常是正确的。否则若用空想的主观的(未经实践证明的)原理原则作为出发点,试行演绎的推理,其结论必然是主观的,是谬误的。例如奥国经济学派从"人对物的主观评价"出发以说明经济现象,所以只能建立主观主义经济学。实际上,演绎法的推理,完全不是结论。因为在结论中所给予着的东西(如前段所说"故苏格拉底有死"),已经包含于包摄一切个别现象的大前提(如前段所说的"人皆有死")之中。但这个大前提的普遍性,仍是由归纳的推理得来的,所以演绎法不能与归纳法相分离。

从唯物辩证法的见地说来,上述那种绝对化了的归纳法或演绎法,都不能成为科学的推理方法。形式论理学者,"沉沦于演绎与归纳的对立之中,把一切论理的推论形式都还原于这两个方法,完全不知道下述的事实。即,他们(一)在这个名称之下无意识地使用完全不同的推论形式;(二)在不能嵌入于这两个推论形式的范围之时,就不使用推论形式的一切内容;(三)因此,把推论形式那东西作为毫无意义的东西了"。

从唯物辩证法的见地说来,归纳与演绎都是推理,但两者不是独立的方法。归纳与演绎都是辩证法的契机,两者在辩证法之中形成为一个统一。我们只有"在其内在的联结及相互渗透上去考察这两者,更深刻地理解那当作归纳与演绎的概念发生的基础看的经验与思维的内容和联结。归纳是从具体的东西到抽象的东西、从单独的事物和事实到它的运动法则去的上升过程。反之,在唯物辩证法上,演绎与从抽象的东西到具体的东西的上升,是相同的。但个别的东西与一般的东西,在客观现实性上,在其真的科学的反映上,都不能分离。……归纳与演绎,就是这些客观的实在的过程在人类头脑中的意识的反映"。

归纳与演绎的统一,隶属于分析与综合的统一。归纳如不与具体的分析相结合,就变为肤浅的东西;演绎如不与具体的分析相结合,就变为独断的东西。所以归纳与演绎,都不能不隶属于具体的分析。由于与分析相结合,两者同时成为综合的契机。《资本论》的方法,同时是演绎也是归纳。从其形式的侧面看,适应于所研究的问题,有时用归纳,有时用演绎。如《资本论》的序文所说:"研究,必须详细地占有材料,分析那材料的种种发展形态,探求这些形态的内的关联。""详细地占有材料"一件事,如没有对于事实的研究作深刻的观察,这是不可能的;这就是说,如不使用归纳法是不可能的。又如说,劳动日必须多于必要劳动时间,这是由演绎的方法推论的,因为这是设定着,如果不是这样,资本主义的生产方法将不能存在。但必要时间以外的剩余时间究竟是多少,这只有由归纳的方法才能设定了。又如机器驱逐劳动者的事实之研究,两种方法都可以利用。像这类例子,在《资本论》之中是很多的。

(三)认识之圆运动的发展

人类的认识,从实践发生,并与实践相统一。人类是自然界的一部分,人与人、人与外部自然的联系,是自然界的无限复杂的联系中的一部分,人类在其与外部自然的斗争中,变化自然,同时又变化自身,建立他与自然之间的一定联系,知道自己与自然的区别,又知道自己与自然的联系,同时自然界的各种联系,不断地进到自己的感觉和表象之中。因此人类能够知道自然界的发展法则,而更加有效地,积极地改造自然界。同样,人类在其社会的实践中,也是这样的理解社会发展的法则,去积极地变化社会。所以人类的意识活动,是社会的实践的一个必要的契机。

在社会的实践的活动上,客观世界的联系的运动与发展,不断地作用于我们,我们的感觉和表象便积蓄起来,成为思维的材料,而我们的思维,也和实践一样积极地能动地与客观世界相联系。于是从直接的具体进到了抽象的思维的领域。在抽象的思维过程中,我们把这个直接的具体来分析它,同时又综合它,这分析的路线与综合的路线,形成为一个统一的认识的曲线。在这个曲线的进行过程中,我们所应用的概念之联系的运动,反映着客观世界的发展过程。概念运动的起动力,同样是它当中所包括的内的矛盾,如现象与本质的对立、个别与普遍的对立、偶然与必然的对立、形式与内容的对立、原因与结果的对立等等。但这些概念间的对立,是辩证法的对立,它们互相渗透、互相融合。所以在思维过程中,由现象到本质、由偶然到必然、由形式到内容、由原因到结果等的转变,愈加反映出客观世界发展的真相而到达于综合的认识。于是客观世界就在思维上具体地再现出来。于是就从思维的领域更进到实践的领域。

实践,比较认识是高级的东西。关于客观世界及其过程的认识,虽然阐明客观世界的历史的发展的法则和倾向,而这种认识的正确与否,只有实践才能给以最后的证明,只有实践才能把握对象之历史的具体性。但实践与认识是不可分离地统一着。实践是认识的基础,认识是实践的动因。实践不但证明认识的真理性,并且依据认识的真理性,而积极地变革客观世界。

所以关于客观世界的认识,是采取如下的过程,即:"实践直接的具体→抽象的思维→媒介的具体→实践"——这是采取圆形运动而发展的。由直接的具体到媒介的具体——这是出发点与到着点之间的辩证法的统一。媒介的具体,是在思维上正确地反映出来的直接的具体。所以这个统一,是思维与存在、主观与客观的统一。这个统一,是在实践的基础上完成的。换句话说,媒介的具体与直接的具体之结合点,就是实践。可以说,认识的运动是圆运动。这个圆运动,不是形而上学的循环,而是辩证法的发展。认识随着客观世界的发展而发展,随着社会的实践的发展而发展。在社会的实践之历史的过程中,不断地暴露出客观世界的新矛盾、新关联、新属性和新侧面。这些新的矛盾、关联、属性和侧面,不断地闯进于人类的意识中,形成客观与主观的新矛盾,促进认识的新运动,使认识进到反映客观世界发展的新阶段,更深刻地、更完全地、更具体地把捉客观世界,因而社会的实践更进一步地、积极地、能动地变革客观世界。所以认识的这种圆运动是一个历史的发展过程,是由相对真理到绝对真理去的发展过程。

第五节　形式论理学的批判①

一、形式论理学的总批判

(一)形式论理学的思维原理

从来关于思维方法的学问有两种:一是形式论理学,一是辩证论理学。这

---

① 新中国成立后,作者认为本书对形式逻辑的批判是不当的,并在主编《唯物辩证法大纲》时已予改正。——编者注

两者之中,究竟哪一种能够教导我们去思维事物呢? 哪一种是唯一的科学的方法呢? 这是这里所研究的主题。

一切形而上学者或观念论者们,心目中除了形式论理学以外,不知道还有辩证论理学。他们崇奉形式论理学为正确的思维方法的科学。他们宣称:形式论理学,"对于一切时代,一切国土,和一切人们,都是同一的"治学工具;形式论理学,对于任何科学,任何问题和任何事变,都是正确的思维方法。每逢讨论一个问题而引起论战之时,他们都依据于形式论理学。所以,一切形而上学的和观念论的自然观、社会观或一般世界观,都采用形式论理学做它们的方法论。

形式论理学,够得上称为科学的思维方法么? 要答复这个问题,不能不先就形式论理学做一番批判的研究。

形式论理学,开宗明义地告诉我们:思维的根本法则有三个,即同一律、矛盾律和排中律。这三个根本法则,是思维上一切法则的根据,即是思维作用的根本条件。概念的构成,判断的决定,推理的进行,都依据这些根本法则来确定。如果否认这些法则,人们的思维活动就陷于不可能。这是形式论理学所诏示我们的。

这样说来,形式论理学的批判,就归着于上述三个根本法则的批判。这里先批判这三个法则。

第一,同一律的公式是:"甲是甲"或"甲等于甲"。依据同一律,我们必须"把任何对象和任何概念,都看作与它自身同一或相等的东西"。譬如说,"社会是社会"。社会是与它自身同一或相等的。当我们就现实的社会实行推理时,只要在社会这概念中"装入同一不变的内容"就可以了。照这样,社会就不会有什么发展,太古社会与现代社会将是同一的,文明社会与野蛮社会也将是同一的。

这个同一律,表示着抽象的同一——排除一切差别的同一。它完全是"空虚的同语反复","主辞和宾辞的同一","已经与命题的形式相矛盾"。它只是暗示着:关于对象的一切标志,已当作永久不变的东西被包摄于概念之中,准备在进行推理之时,从这概念中取出任意的标志下判断。

第二,矛盾律的公式是:"甲不是非甲"。这原是同一律的另一表现。例如说"社会不是非社会",在其肯定的形式上,仍然是"社会是社会"。这是意指着社会与社会同一,与非社会有差别。至于社会与非社会(即社会以外的东西)有无关系,能否同一,那是形式论理学所不关心的。

这个矛盾律,表示着抽象的差别——离开了与同一的统一的差别。形式论理学不能在同一与差别的统一中去认识同一或差别,所以这矛盾律也和同一律一样,与其命题的形式本身相矛盾。形式论理学为了认识抽象的同一性,不能同时看到同一中的差别与差别中的同一,不能同时看到肯定中的否定契机与否定中的肯定契机,所以主张对于某事物不能同时肯定又否定。

第三,排中律的公式是:"甲是乙或是非乙"。依据排中律,两个自相矛盾的判断中,必有"一个是真理,别一个是谬误"。这是把在"矛盾律中作消极主张的东西来作积极的主张"。"甲是乙或是非乙"的公式,恰恰符合了"是—是,否—否,其他都是错误"的公式。在这公式中,关于一个事物的两个对立判断之一是正确,不能再有第三个判断。例如说,一根线,是直的,或不是直的。这两个自相矛盾的判断中,必有一个是真理,一个是错误。但高等数学告诉我们,这两个判断都是真理。

排中律只表示抽象的对立——排除对立物的统一的对立。但在客观世界中,一切事物都是对立的统一。对立物在其统一上,互相联系。对立物的每一极,必然地以另一极为前提,并要求另一极的存在。同时,每一极又是另一极的否定,并要求另一极的不存在。所以每一极都肯定并否定另一极,又是肯定地并否定地互相联系,因而自是肯定的并否定的,即要求自身的存在与不存在。这种对立物的矛盾,只有由对立物的斗争来解决。所以我们要认识事物的必然性,必须理解事物的内在关联,理解事物的对立的统一。形式论理学的排中律只承认对立物的一极而否定他一极,所以只能表示抽象的对立。但抽象的对立,在客观的现实上,是不存在的。

(二)形式论理学的总批判

从上述三个法则考察起来,我们可以说,形式论理学的基本原理是抽象的同一律,即是抽象的同一性的法则。在现实世界中,同一与差别是统一的。只有在这个统一中,同一或差别才是实在的。形式论理学,"把这个统一当作无差别的同一或抽象的同等去观察",因而主张事物或概念都与它自身同一或相等,绝不发生变化。至于矛盾律,只是"同一性的命题的别种表现",即是说同一物不能不与它自身同一。最后,排中律也只是同一律的更进一层的展开,由于排除对立物的一极而采取其一极,结果就还原于同一物仍与它自身同一。所以形式论理学的基本原理,仍归着于抽象的同一律。

于是形式论理学的批判,不能不以抽象的同一律为问题。

从辩证论理学的见地说来,现实世界的一切事物都是对立物的统一,都是发展的、都是联系的。所谓抽象的同一性,无论在无机的自然界或有机的自然界,或人类社会的领域,都不存在。世界一切事物都是差别地存在着。就是每一个别事物,在其发达过程中,也无时不与它自身相差别(即不是同一),并且还转变为它的反对物(即对立物)。但是形式论理学者不能理解世界发展的法则,只漂浮于事物的表面,把各个抽象、概念或标志的互相同一之点,抽象出来,把它们之间的丰富的差别性多样性,舍弃了去,因此建立抽象的同一律。形式论理学一经建立这抽象的同一律之后,就把它当作思维的根本法则,便不再回顾客观世界的发展,而把自身局限在抽象的思维的领域了。

可是,抽象的同一律,原是抽象的制品,对于现实世界原是不适合的。形式论理学者,却依据这抽象的同一律,使具体的全体性转变为死物的阴影,转变为没有内容的形式。所以抽象的同一律,只是"抽象的悟性的法则",在具体的现实的认识上,它不能成为思维法则,并且也全无用处。

形式论理学的批判,可以总括为下列四项:

第一,形式论理学是主观主义的。形式论理学,拘泥于现实事物的形式,不能深入地把捉其内容,只是一面地、偏狭地、抽象地反映现实全体的关联,而建立那些所谓永久不变的思维法则。它根据这些永久不变的思维法则,去研究概念与判断间的形式的关系,至于概念与判断是否与现实对象的具体内容相符合,那是置之不问的。形式论理学,不甘停顿于抽象思维的领域,它还依据思维的永久法则,希图从新的经验与观察,引出新的抽象的真理。如果遇到客观事实与永久法则相矛盾之时,就尽可能地在思维上排除这种矛盾,务使客观事物与思维的永久法则相适合。所以形式论理学务使客观世界隶属于思维的永久法则,因而思维所得的真理,是抽象的真理,是思维与思维法则相一致的真理,不是思维与现实世界相一致的真理。

第二,形式论理学完全缺乏发展的观点。形式论理学的三个法则,都是就变化中的不变性,运动中的静止性,以认识事物,即是切离在发展过程中的事物一断片、一分段、以认识固定不变的同一、差别或对立。同一永远是同一,差别永远是差别,对立永远是对立。同一不能推移于差别,差别不能推移于对立,而对立又不形成为统一。照这样,事物是不能有变动的,世界是不能有发展的。这可以说是只考察事物的存在而忽视其成长与消灭,只考察其静止而忽视其运动的思维方法。

第三,形式论理学,完全缺乏联系的观点。形式论理学的三个法则,都是在离开全体性的孤立性上考察事物的。同一物是同一物,同一物不是非同一物,同一物与其对立物截然分离,绝无关系。照这样,形式论理学从事物的全体性之中,只采取其一面性或部分性,而孤立隔绝地去运用思维,即是从事物间的全部关系中分离出个别事物,而孤立隔绝地去加以考察。这可以说是只看见树木不看见森林、只看见部分不看见全体的思维方法。

第四,形式论理学的原理,与社会的实践相隔离。人类的思维与客观世界相一致与否,这是社会的实践的问题。在社会的实践中,人类一面变化自然,同时又变化自己和思维的本身。由于社会的实践,客观世界的矛盾,反映了人类的思维,形成法则与范畴。人类更依据这些法则与范畴,积极地变革世界。所以社会的实践之发展,一方面使发展着的客观世界的新矛盾与新关联,不断地反映于思维法则与范畴之中,形成思维法则与范畴的新矛盾与新关联;另一方面,"又变化思维法则本身,变化概念的运动与发展的一般法则"。所以思维法则的理论,绝不是"永远确立了的某种永久真理"。形式论理学的思维法则,思维形式,是与客观世界分离了的抽象的产物,是社会的实践所不能证明的无内容的形式。

二、关于形式论理学的批判的问题

(一)辩证法论理学扬弃形式论理学的解释

现在我们来讨论形式论理学与辩证论理学的关系如何的问题。

关于这个问题,有不少错误的见解。有人主张替两者划分势力范围,便各自独霸一方;有人主张把两者调和起来,同时并用。这类错误的见解,都是必须加以纠正的。

这类错误见解的根源,存在于不理解辩证论理学如何扬弃形式论理学一件事实之中。实际上,这里所说的"扬弃",是说辩证论理学从形式论理学的形式中把它的内容解放出来,在辩证法上加以改造,使变为辩证论理学的一个契机。辩证论理学改造形式论理学的内容使成为它的一个契机,这件事正和它把改造了的直观的认识当作它的一个契机是相同的。辩证论理学,一面采取直接的直观作为认识的第一阶段,一面否定直观主义;一面采取抽象的思维作为认识的第二阶段,一面否定形式论理学。辩证论理学,由于从形式论理学采取其思维的诸要素而施行辩证法的改造,使综合于辩证法的思维最后阶段,就这样扬弃了形式论理学。"这样的'扬弃',与唯物辩证法'在唯物论上改造观念辩证法的内容',因而扬弃观念辩证法,可说是相同的"。所以辩证论理学之扬弃形式论理学,并不是无条件地把形式论理学的内容原封原样地采入于辩证伦理学之中。

辩证论理学,把反映着客观世界的发展法则,即对立物的统一法则,当作思维的根本法则。在客观世界中,"一切对象(事物、过程、现象等),都包含对立的契机(诸侧面,诸倾向),其分裂与交互作用,引导到内的矛盾之斗争,引导到对立契机之相互渗透及相互推移,这件事迟早引起特定现象的死灭,而转变为别种对象。矛盾之内的斗争,是对象发展的起动力"。所以客观世界在其发展的过程中,通过种种不同的形态和阶段。"差别推移于对立,对立推移于矛盾。而矛盾引起斗争,引起特定事物的变化。差别、对立、矛盾及其反对物(不相容的矛盾),是同一之矛盾的诸形式。"这样看来,在客观的发展过程中,一切都是运动着、联系着,没有绝对安定的东西,没有绝对孤立的东西,即没有绝对同一的东西。我们在现实上所能看到的,只是暂时的相对的安定性,只是有条件的相对的独立性。只有在这种情形,才能说起暂时的、有条件的相对的同一性。这就是具体的同一性,是包含了差别和对立的同一性。可是形式论理学,把发展过程中相对的安定性化为绝对的安定性,把互相作用的相对独立性化为外的完全的独立性,因此在主观上造出抽象的同一律——排除差别与对立的抽象的同一性法则。所以形式论理学,只能给予着关于世界发展法则之"被曲解了的映像"。至于辩证论理学,是关于世界发展的全面的理论。它把形式论理学所绝对化了的相对安定性与相对独立性,当作发展过程的一个契机去理解。它用对立物的统一法则去否定抽象的同一律。在这种辩证法的否定中,形式论理学的要素,只形成为辩证论理学的契机。

再就辩证法的认识过程来说明形式论理学与辩证论理学的关系。在以历史的实践为基础的认识史的过程中,最初是直观的阶段,其次是形而上学的思维阶段,再次是辩证法的思维阶段。这三个阶段,对于任何对象的认识过程也是适合的。这三个阶段,表现着认识是依据于否定之否定的法则而发展的。当我们认识客观世界时,客观"世界反映于直接的直观上,表现为一个混沌流动而且具有朦胧的规定性的总画面"。这样的总画面,是直接的具体,是我们认识的出发点。从直观的阶段进到形而上学的思维的阶段时,思维的活动,开始就形成为直接的具体的世界总画面,加以一定的操作。在这个阶段中,为了在思维上描写现实的运动及其联系,不能不把生动的东西来切断、来麻痹,不能不把联系的东西来隔绝、来分裂。即是说,要破坏那个总画面,要否定那个直接的具体。但这个破坏,是为了再建设(即再统一)才实行的,这个否定,是为了再否定才实行的。于是在认识了现实之相对的暂时的性质以后,思维就必然进到辩证法的思维阶段。这个阶段,并不否认前两个阶段认识的意义与作用,而是把它转变为科学的认识的运动,转变为自己的契机。事物的一面性与其全面性相关,有限性与其无限性相关,固定性与其运动性相关。抽象的思维,是一面的,是有限的、是固定的。辩证的思维,是全面的、是无限的,是运动的。辩证的思维,一面把对象限制着、规定着,同时又扬弃这限制和规定,而到达于全面性的理解。所以前一阶段的规定的一面性、有限性和固定性,就被扬弃而形成为辩证法的思维的全面性、无限性和运动性。因此,辩证的思维,再否定抽象的思维的规定,以建立高级的肯定。即是说,辩证的思维虽使用直接的直观及抽象的思维,却是把现实照它在客观上存在着那样,在思维之中再建起来。总起来说,辩证法的思维过程,是从世界之现象的总画面——直接的具体的统一——出发,顺次把构成那个总画面的许多细目,分别研究,加以单纯的抽象规定,再综合这些单纯的抽象的规定,以到达于复杂的具体的规定,而反映出现实的生命,反映出现实的运动之内的关联,构成与最初那个总画面相适应的统一的世界观——媒介的具体的统一。

（二）形式论理学只是抽象的思维的论理学

从上述辩证法的思维看来,形式论理学的思维方法,好像是与其中的第二个阶段相当,即好像是抽象的思维的论理学。但是实际上却不然。因为上述过程中的第二阶段,是辩证法的思维过程中一个必然的契机,是归属于辩证法的思维过程的。形式论理学的思维诸要素之能构成辩证论理学的契机,是在形式论理学的内容经过辩证法的改造以后的事情。因为辩证法的思维过程中的第二阶段即抽象的思维活动,与未经改造的形式论理学的思维活动,原是不同的。辩证法在实行抽象的思推活动之时,为了"预防陷入于一面性,也会努力在一切媒介上把捉对象",为了在思维上再现对象的运动及其联系而"切断生动的全体时,也会努力选择一种切断的方针",使这些部分在客观上与互相作用的对立之现实境界相合致,决不忽视从部分引导到全体的关联。

总起来说,"形式论理学,是一面的论理学,它是立脚于把认识过程的一契机当作唯一物,当作绝对物的一事实之上的。在这种意义上,它是主观主义的,是狭隘的,即令对于现实世界之抽象的简单的关系的理解,也没有充分的妥当性,因为那样的关系,现实上是具体地在其与他物的关联上才成立的,只有依据抽象才能单独考察。因而要具体地把捉现实,思维就不能停顿于抽象的阶段,而必须上进到高级的思维阶段。高级的阶段,是把认识出发点的感性所供给的错误的具体的全体,放在概念上再生产出来的。在这种高级思维阶段上,辩证法就诞生出来;因此,抽象的阶段,变为认识的一个契机;而站在这契机的一面的扩张上的形式论理学就被扬弃。认识发展的这样的过程,也是辩证法的"。所以形式论理学绝不能为科学的方法。

（三）普列哈诺夫调停两种论理学的错误

在说明了形式论理学与辩证论理学的正确关系以后,再就那些不理解这种关系的各种的错误见解,加以批判。

普列哈诺夫,站在辩证法的立场,对于形式论理学做过有名的批判,但他不能理解两者的正确关系,"调停形式理论学与辩证论理学,没有把前者'扬弃'于后者"。

普列哈诺夫说:"正如静止是运动的特殊的场合一样,依据于形式论理学的规则的思维(依据思维的根本法则),是辩证法的思维的特殊的场合"。这种见解，显然是折衷主义的。他的意思是：一方面——运动，他方面——静止；一方面——辩证论理学，他方面——形式论理学。如西洛可夫等所指摘的，"普列哈诺夫对形式论理学的根本法则之批判，就归着于辩证论理学与形式论理学的'势力范围'之划分"。普列哈诺夫的主张，就是这样："一定的结合，在当作一定的结合而停止的范围内，我们对于它，就不能不依照'是—是，否—否'的公式去判断。但它如果变化，不当作那样的东西而存在之时，我们就不能不依靠于矛盾的论理学（辩证论理学）。"譬如说：特定的社会，当作特定的社会而存在之时，必须依据形式论理学的法则去认识它；但特定社会如果变化而转变为另一种较高的社会之时，就不能不依据辩证论理学的法则去认识它。这种折衷主义的见解的错误，我们看了前面的说明，就容易理解。静止虽是运动的特殊场合，但这也只是运动过程中的暂时的相对的安定性，只是过程中的一分段。若说认识一个过程要依据辩证论理学，而认识这过程的一分段却要依据形式论理学，这显然是"论理的矛盾"。

普列哈诺夫的错误的根源，是由于不理解对立统一的法则，并承认了抽象的同一律的正确。因此他对于形式论理学不能在原则上作强有力的批判，反而变成了形式论理学的俘虏，并且曲解了辩证论理学。

和普列哈诺夫这种谬见有关系的谬见，是所谓全体论理学与部分论理学的创见。这种见解，主张辩证论理学是全体的论理学，形式论理学是部分的论理学。这种谬见，是普列哈诺夫的谬见之扩张，不需另行批判。

（四）分离理论与实践而调停两种论理学的错误

调停两种论理学的另一种谬见，是形式主义者亚斯姆斯所主张的。他说："在我们下实践的决心而必须实现实践的行为的处所，往往不能也不可有任何动摇、任何不规定性的余地。一个人不能从他所住的屋子一次走出两个门。在这里，就不能不依据'这个或那个'的排中律的公式去行为"。这种见解，是从黑格尔所主张的"悟性的偏执性"为规定的实践之根据的见解学习得来的（黑格尔的这种主张，原是错误的）。亚斯姆斯显然地分裂了理论与实践。他把理论的领域划分给辩证论理学，把实践的领域划分给形式论理学，因而构成了"理论上——辩证论理学，实践上——形式论理学"的公式。这种见解是正确的么？

辩证论理学家,在其社会的实践上,遇到事变的重要关头而必须当机立断时,不能不就两条可能的对立的道路中,选择一条道路走。这样的选择,在形式上好像和形式论理学的"或——否则"的公式相同,但在内容上却是完全相反。

实践是认识发展的基础,认识是社会实践的动因。所以实践又以辩证法的认识为前提,它本身又构成现实的发展的契机。所以辩证论理学家,必考察"现实发展的诸条件,而抓住全体发展过程中的当前的阶段之决定的一环;把展开发展过程中内在的发展条件的这一环,作为当面的目的,因此意识地使实践成为客观过程的展开的契机"。至于形式论理学的排中律的选择,却完全是另一件事。形式论理学既不理解发展的全过程,又不理解过程内部的发展的契机,更不能"意识地使实践成为客观过程的展开的契机"。形式论理学的排中律的选择,"是主观的、任意的、盲目的(就客观上说)"。因此,亚斯姆斯把形式论理学和辩证论理学并列的见解,是大错而特错。

综合以上的说明,可知形式论理学,在学问研究的汪洋大海中,既不能成为科学的思维方法,也不能与辩证论理学分庭抗礼,更不能成为辩证论理学的副次的或从属的部分。它只有在它经过辩证法的改造以后,才能成为辩证论理学的契机。

(五)形式论理学所能适用的范围

然则在学问研究的汪洋大海以外,形式论理学有没有它的适用范围呢?关于这一层,如恩格斯所说,形式论理学,是所谓健全的常识,"在其有限的家事的领域中",是"一个极可以尊敬的伴侣"。他又这样地说"抽象的同一性和一切形而上学的范畴一样,在采取小的范围和短的时间考察的家内的应用上,是适合的。但它所能适合的界限,几乎在一切场合都各不相同,并依对象的性质所左右——就太阳系看,为着通常星学上的计算,把椭圆看作根本形式,实际上也不生谬误,即是和那在两三星期中完成变态的昆虫的场合比较起来,界限是很广的(其他例如以几千年计算的种的变化)。但在以总括为目的的自然科学上,就是在各个部门中,抽象的同一性,完全无用"。这是说,形式论理学,只在其家内应用的范围内,是适合的。因为在这种范围中,对于事物不须作科学的具体的考察,单只作抽象的考察也就完事了。

还有，如伊里奇所说，形式论理学"限于学校内部。并且——加以订正——限于学校的下级用"。这是说，形式论理学是抽象思维的论理学。这种论理学，在抽象科学的数学领域中，例如"学校的下级用"的初级数学领域中，是应用颇广的。例如说，"正数是正数，不是负数"，"一个数是正数或是负数"。这是所谓健全的常识。但在这样的数学中，一旦导入变数的概念，就变为辩证法的，因而从前用形式论理学的方法研究着的数的关系之辩证法的本质便暴露出来。实际上，"数学初步法则的四则的区别，也是辩证法的，如负数自乘产出正数的事实中也贯串着辩证法的法则，直线与曲线具有辩证法的同一性的关系"等，这是恩格斯所已经指摘了的。

第 二 篇

当作科学看的历史唯物论

第五章　历史唯物论序说

第一节　历史唯物论的对象

一、辩证唯物论与历史唯物论的关系

(一)辩证唯物论与历史唯物论的关系

唯物辩证法的大体的内容,在前篇之中已经说明了。从本章起,我们着手研究历史唯物论。但在研究历史唯物论的各种根本问题以前,我们先要解明下面三个问题。即:1.辩证唯物论与历史唯物论的关系的问题;2.历史唯物论的对象的问题;3.关于形而上学及观念论的社会学说或历史理论的批判的问题。本节先说明辩证唯物论与历史唯物论的关系的问题。

根据前篇的研究,我们已经知道,辩证唯物论是世界观与方法的统一、理论与实践的统一。这个哲学的对象,是自然、社会及人类思维的一般发展法则;而在唯物论的认识论上,思维的一般发展法则是自然与社会的一般发展法则之反映,两者在其内容上是一致的。所以在认识论或论理学上研究的思维的一般发展法则,是自然诸科学与社会诸科学的成果之普遍化的概括。因而辩证唯物论,是"从人类的历史的发展之考察抽象出来的最一般的诸结论之概括",是人类一切知识的历史之总计、总和与结论。

当作世界观看的唯物辩证法,当作自然科学与社会科学的成果之普遍化的概括看的唯物辩证法,其中包含着两个部分、两个领域,即唯物论的自然观(=自然辩证法)与唯物论的历史观(=历史辩证法)。唯物论的自然观,以自然现象的发展法则为对象,因而它是自然诸科学的成果的概括;唯物论的历史观,以社会现象的发展法则为对象,因而它是社会诸科学的成果的概括。在这种意义上,唯物论的自然观与唯物论的历史观,是唯物辩证法与自然诸科学及

社会诸科学之间的媒介的环。所以唯物辩证法之与唯物论的自然观及唯物论的社会观,具有密切的不可分离的关联。德波林说:"如没有唯物论的自然观及唯物论的社会观,就没有辩证法;如没有辩证法就没有近代的科学的唯物论。"这句话是很正确的(这句话与他的哲学的偏向无关)。所以,历史唯物论,与自然辩证法,同是唯物辩证法之必然的构成部分。

当作认识方法看的唯物辩证法,其一般的法则、原理和范畴,都是从一切个别科学抽象出来的东西,都具有极普遍的性质,所以它不但适合于任何特殊现象的领域,并且适合于一切现象的领域。唯物辩证法在自然领域中具体地适用起来,就成为自然辩证法;在历史领域中具体地适用起来,就成为历史唯物论。所以唯物辩证法,是一切科学的方法论。一切科学只有依据唯物辩证法,才能正确地把握客观的真理。

基于上述的见解,辩证唯物论与历史唯物论之间,具有极密切的关联。历史唯物论,如没有辩证唯物论,它本身就不能成立;辩证唯物论,如没有历史唯物论,也不能成为统一的世界观。

所谓辩证唯物论与历史唯物论的关联,这句话的本来的意义,就是彻底地把辩证唯物论应用并扩张于历史的领域。只有彻底地把辩证唯物论扩张于人类社会或历史的领域,才能使辩证唯物论更趋于深化和发展;人们才能在世界变动的过程中去认识世界,改造世界。

"历史唯物论,是科学的思想之最大的收获。"它给予进步的阶级以正确的历史观=社会观,以理论斗争的武器,使他们能够积极地担负起改造社会的使命。

(二)关于分离辩证唯物论与历史唯物论的见解之批判

历史唯物论之积极的意义,"只有阐明在辩证唯物论与历史唯物论之间的内的不可分的联系与统一",才能得到正确的理解。从前,一切形而上学的唯物论者(连费尔巴哈包括在内),根本上不知道唯物辩证法与历史唯物论,也不知道两者之间的关联和统一;他们的唯物论,只是自然科学的唯物论,不知道把唯物论扩张到历史的领域,反而在历史领域中变成观念论的俘虏。

恩格斯说:"费尔巴哈说,单纯的自然科学的唯物论,'确是人类知识建筑的基础,不是建筑物的本身',这句话完全是正确的。因为我们不单是生活于自然之中,并且生活于人类社会之中,后者也具有不亚于前者的自己特有的发展史和科学。所以,最重要的事情,是要使社会科学,即所谓历史哲学的科学总体,与唯物论的基础相调和,并在这个基础上重新建筑。但这件事情,不能期望于费尔巴哈,因为他在这方面尽管具有基础,却依然被束缚在传统的观念论的圈子里。这种事实,他自己也承认,他说:'退后说,我与唯物论者一致,但向前说,却不与他一致'。"

这段说明,是指出费尔巴哈的唯物论的缺陷,及其在历史领域中的观念论的性质,同时主张把唯物论彻底地扩张于历史领域的重要性。所以,辩证唯物论创始者们当时最大的注意,是向着历史的唯物论,在他们的著作中,"极力主张比辩证法的唯物论更为辩证法的唯物论,比历史的唯物论更为历史的唯物论"[1]。(伊里奇)

历史唯物论,是进步的阶级的实践的理论斗争的武器,同时又是布尔乔亚的最大的敌人,所以布尔乔亚不能不集中注意去攻击历史唯物论。他们或者在认识论的领域中,赤裸裸地站在观念论的立场,从根本上去否认辩证唯物论,因而否认历史唯物论;或者用观念论的哲学去修正历史唯物论,把它改造为历史观念论。这种修正主义的策略,在战斗的唯物论者看来,比较从根本上否认历史唯物论的倾向更为险恶,而必须与它做无假借的斗争。例如修正主义柏伦斯泰因一派,否认辩证唯物论的意义,而用新康德主义来修正历史唯物论。他极力主张历史过程中的精神的契机的意义,否定了历史唯物论所主张的"历史的发展之物质的规定性";用逐渐的和平的进化的理论,代替历史的飞跃的辩证法。

又如,波格达诺夫,自称是历史唯物论的信徒,却用马哈主义代替辩证唯物论,因而毁坏历史唯物论。玛克时亚德拉,也自称是历史唯物论的信徒,却用新康德主义代替辩证唯物论,因而修正历史唯物论。

还有,被称为"现代社会法西斯的罗马法皇"的考茨基,也努力表示着拥护哲学的唯物论与历史唯物论,承认"历史唯物论是适用于历史领域的唯物

---

[1]　这段引文与列宁的原意有出入,应改为"特别强调的是**辩证**唯物主义,而不是辩证**唯物**主义,特别坚持的是**历史**唯物主义,而不是历史**唯物**主义"。(见《列宁专题文集(论辩证唯物主义和历史唯物主义)》,人民出版社2009年版,第115—116页)——编者注

论"。可是他把哲学的唯物论当作认识的方法,因而"从哲学的世界观切离历史认识的方法",而到达于"唯物史观与唯物论哲学无关"的结论。这种结论,引导他站在分离世界观与方法、分离理论与实践的机会主义的立场。

现代机械唯物论者们,也不能理解辩证唯物论与历史唯物论的统一。他们主张用自然科学代替辩证唯物论的哲学,并用自然科学的法则和范畴,来解释历史,造出了社会的自然生长性的历史理论。

上述观念论者与机械唯物论者对于历史唯物论的曲解修正,是拥护历史唯物论的人们的攻击的目标。

(三)社会的存在与社会的意识之关系

历史唯物论,是把辩证唯物论适用于社会的认识的理论,这在上文已经说明了。辩证唯物论怎样地适用于社会的认识呢? 关于这一层,伊里奇这样说明着:"唯物论一般,承认离人类的意识、感觉、经验及其他而独立的客观的实在的存在(物质)。历史唯物论,承认离人类之社会的意识而独立的社会的存在。意识无论在哪一方面,只是存在的反映,至多也只是存在之近似的忠实的(适应的、观念上正确的)反映。"他又说:"唯物论总是由存在说明意识的东西;如果不是相反,那么,在人类的社会生活的应用上,唯物论要求由社会的存在说明社会的意识。"伊里奇这几句话,是简单地解释"社会的存在规定社会意识"这个论纲的。这个论纲,是历史唯物论的根本论纲,历史唯物论的全部内容,都是这个根本论纲的说明。

所谓社会的存在,是人类社会的现实的生活过程,是人与人在生活资料的生产过程中发生的相互关系。简单点说,社会的存在,即是社会经济的构造。所谓社会的意识,是一定的社会、阶级或职业等集团所具有的、非组织的或稍稍组织化了的感情、情绪、思想或学说。简单点说,社会意识,即是在意识中被反映了社会的存在。

所谓社会的存在规定社会的意识,就是说:我们人类生活在社会之中,第一件重要的事情,是取得物质的生活资料来维持自身的存在。所以人们在从事政治生活及其他各种精神生活之前,必要先满足衣食住等项的需要。这类生活资料的生产,以及一个时代的经济发展的阶段,就形成了社会的基础。其他国家机关、法律见解、艺术及宗教表象等,都是在这个基础之上发展起来的上层建筑。这些上层建筑,都是要受那个基础所规定、所说明。

二、社会的基础

(一)生产力

说明了历史唯物论的论纲以后,更进而规定历史唯物论的对象。但在规定历史唯物论的对象以前,我们不能不把社会构成的原理作一个极简括的说明。

人是社会的动物。人的生活,是社会的生活。所以人是生活于社会之中的,一瞬间也不能离开社会而孤立。人类自有生以来,就结成社会而生活着。

人类社会为要继续维持其存在,第一件重要的根本的事情,就是要经常不辍地取得物质的生活资料。为要取得生活资料,就必须从事于劳动。人类当从事劳动时,首先要有劳动的工具即劳动的手段,才能使用其劳动力。有了劳动手段之后,还必须有加工的对象即劳动对象,才能造出生产物,供作消费之用。所以劳动力,劳动手段和劳动对象,是劳动过程中的三个要素:三者之中,如果缺少了一个,人类的劳动便不可能。但这三种要素,不能分散地各自孤立地存在着。它们必须互相结合起来,即是说,劳动力必须和劳动手段及劳动对象结合起来,而一同运动的时候,人类才能开始生产。这三者互相结合而参加生产过程时发挥出来的制造物资的能力,就是生产力。

这里所说的生产,是社会的人类的生产,是社会上被规定了的人类的生产。所以生产力只有在特定的社会形态中,只有在特定的社会关系的框子中,才能存在。因而所谓生产力,只是由特定社会关系给以形式的生产力,即是在特定发展阶段上的社会的生产力。

(二)生产关系

人们当生产之时,不但劳动力要和劳动手段、劳动对象结合起来,同时人与人也必须结合起来。人们"只有共同劳动,并互相交换其活动,才能生产"。所以人们"为要生产,就必须结成一定的关系,只有在这种社会关系之内,他们才能作用于自然,才能生产"。这种社会关系,即是人与人在生产过程中发生的相互关系,称为生产关系。

生产关系,是被给予着的东西,在社会中生活着的人们,无论自己愿意与否,都必然要加入这种生产关系。

生产关系是与特定发展阶段上的社会的生产力相适应的。因为生产关系与生产力,是不可分离地结合着,生产力是生产关系的内容,生产关系是生产力发展的形式。在生产关系与生产力之对立的统一过程中,生产关系常对生产力斗争,而生产力对于生产关系占居优位。

生产力是不断地向前发展的,适应于生产力的特定发展阶段,就成立特定发展阶段的生产关系的体系。

(三)生产方法与生产关系

所以当我们说起生产力之时,是意指着特定发展阶段上的社会的生产力,而不是生产力一般;同样,我们说起生产关系之时,是意指着特定发展阶段上的社会的生产关系,而不是生产关系一般。

人类社会的发展,经历了许多发展的阶段,各个阶段上各有其特殊的生产关系的体系。各个阶段上的生产关系体系,是由各个阶段上的特殊的生产方法所规定的。所谓生产方法,即是劳动力与生产手段(即劳动手段与劳动对象)结合的方法。

说到生产方法,不能不提起财产关系。在社会发展的最初阶段上,生产手段是属于社会公有的。因而生产手段与劳动力结合的方法即生产方法,是平等的生产方法。由这种生产方法所决定的生产关系,也是平等的生产关系。但是到了生产手段被特殊的社会集团所独占以后,生产手段与劳动力结合的方法,就成为敌对的生产方法。由敌对的生产方法所决定的生产关系,就成为敌对的生产关系,如古代的、封建的、现代的生产关系即是。所以敌对的生产关系,又是社会集团互相对立的生产关系。

(四)社会的经济构造

生产关系,是生产力的发展和作用的形式,是社会生产过程的形式。生产过程之中,包摄着四种过程:第一是生产过程,即是劳动组织和分业或共同劳动的过程;第二是生产手段、劳动力及生产物的分配过程;第三是生产手段、劳动力及生产物的交换过程;第四是生产手段、劳动力及生产物的消费过程。这四种过程之中只有第一种过程即生产过程是占居支配地位的,所以我们把四种过程的统一,称为生产过程。换句话说,生产过程,是包摄了分配过程、交换过程和消费过程的东西。

因此,生产关系,又分为下述四大类:第一是人与人在生产过程中结成的相互关系,第二是在分配过程中结成的相互关系,第三是在交换过程中结成的相互关系,第四是在消费过程中结成的相互关系。这些生产关系,都是与特定发展阶段上的生产力相适应的。这些生产关系的总体,形成了社会的经济构造。这种经济构造,就是社会的基础。

三、社会的上层建筑

(一)政治的法律的上层建筑

人类当生产他们的生活资料时,必须在一定的方法之下,共同劳动。因为共同劳动,就不能不维持共同劳动时的一定的规律秩序,并且不能不有维持这些规律秩序的指导者。可是在平等的生产方法支配着的社会的经济构造中,譬如在原始社会的经济构造中,生产手段是归社会所共有,人与人在生产过程中的关系都是平等的。所以这个时代的社会的经济构造及其规律秩序,完全依靠传统习惯去维持,并受种族中的年长而有经验的人所指导,没有用特别权力去实行压迫或强制的必要。因而政治权力那东西,在这样的社会中,是不能想象的。即是说,在原始社会中,政治和法律一类的东西,是不曾有过的。

然而进到敌对的经济构造中,情形就完全不同了。在敌对的各种经济构造中,一方面的社会集团独占着生产手段,另一方面的社会集团,被剥夺了生产手段。前者利用生产手段的独占权,剥削后者的劳动而生活。于是这两种利害不同的社会集团,因为利害的冲突,就进到了互相对立、互相冲突的状态。因此,占有生产手段的社会集团,为谋维持社会上的安宁秩序,就创出了一种公共的强制权力,来镇压那丧失了生产手段的社会集团。这种公共的强制的权力,就是国家。国家的强力装置,是武力的种种组织以及种种强制他人意志服从权力的种种手段。于是占有生产手段的社会集团,通过国家这个机关,变成了支配者;同时丧失了生产手段的社会集团,变成了被支配者。所以国家是在敌对的经济构造之上建立起来的,是一个社会集团统治别个社会集团的工具。社会的各个发展阶段上的国家,依存于各个阶段上的经济构造,如古代的、封建的、现代的国家,是依存于古代的、封建的、现代的经济构造的。

支配者对被支配者实行支配时,单靠掌握国家权力,还是不充分的。支配者还得要组成政府机关,创制种种法律,对被支配者宣布关于权利义务的种种规定,关于保障财产及维持秩序的种种规定,然后才挟着强制权力,使被支配者奉行遵守。所以法律的主要作用是保障财产关系的,而财产关系,是生产关系之法律术语的表现。

随着敌对的经济构造之发展,国家也随而发展,随而扩大其规模,凡属武力的组织、政党、教会、学校等及其他种政治机关,都包摄在内。

统括上述各项,总称为政治的法律的上层建筑。政治的法律的上层建筑,是社会的上层建筑之一。

(二)意识形态的上层建筑

于是我们进而说到社会意识的领域。关于社会意识,如我们在前章中所说,社会意识是被反映了的社会的存在,而社会的存在是经济构造。但照本章的说明,政治的法律的上层建筑,是从敌对的社会的经济构造中分化出来而建立于经济构造之上的东西,所以它仍然隶属于社会的存在。这样说来,社会意识是反映经济构造及政治的法律的上层建筑的东西了。

人类在其物质生活的生产过程中,依从于特定的生产方法,形成了一定的经济关系和政治关系;同时人们又依从于一定的经济关系和政治关系,形成了一定的社会意识。

但是社会意识,必具有种种的形式。社会意识的形式,即是意识形态。在形式与内容的相互关系上,不具形式的任何社会意识,是没有的,不具内容的任何意识形态,也是没有的。

各种意识形态,是按照社会现象的范畴,把社会意识的一定内容采取出来,实行抽象化、普遍化、系统化的精神生产物。这些意识形态,更分为法律上的意识形态、政治上的意识形态、宗教上的意识形态、哲学上的意识形态等部门。

社会意识与意识形态,是随着经济构造的变动而不断变化的,都是历史的、暂时的、无常的产物。

在敌对社会中,社会意识和社会意识形态,也是敌对的。大体上,在特定的敌对的社会中,支配者的意识形态,常占居支配的地位。这是支配的物质关系之观念上的表现。但是随着各个社会集团间的对立和冲突，被支配者的意识形态就成立起来，而与支配者的意识形态相对立。这种精神的冲突，实是物质的冲突之反映。

一定社会的意识形态，是一定社会的上层建筑。意识形态的上层建筑，是社会的上层建筑之二。

（三）上层建筑对于基础的作用

如上所述，经济构造是社会的基础，政治的法律的上层建筑与意识形态的上层建筑，都是树立在这个基础之上并受这个基础所规定的。可是这两种上层建筑虽受基础所规定，而对于基础却又给以一定的反作用。在社会的发展过程中，政治的法律的上层建筑与意识形态的上层建筑，不单是受动的社会现象；两者互生作用，并影响于经济构造的发展而成为能动的社会现象。这就是上层建筑对于基础的反作用。但是上层建筑对于基础的反作用，从其发源与结果看来，是决不能与基础对于上层建筑的作用相同的。上层建筑反作用于基础的可能性，是由于上层建筑从基础得到的发展力量而来的。可是这些上层建筑的作用的结果，只在它没有和基础发展的倾向相矛盾之时，才能持久，才有意义。在相反的方面，反作用虽也能延缓并障碍经济发展的过程，却决不能变更这发展过程的倾向，而经济的必然性，结局是必须打开它的进路而前进的。以下分别说明各种上层建筑对于基础的作用。

先说政治的法律的上层建筑对于基础的反作用。

"政治是经济之集中的表现"，即是说，政治是在经济的基础之上成长起来，而表现经济的东西。政治对于经济取得了一定的独立性之后，就立即反作用于经济发展的进行。政治对于经济的发展，可分为两个方向：第一，当政治作用于合法则的经济发展的方向时，它和经济相调和，经济就能向前发展。譬如新建的国家，支配者厘定种种适合于经济的新法律制度，这确是能够助长经济的发展的。第二，当政治违背于合法则的经济发展的方向时，它和经济相冲突，经济的发展就被阻碍。譬如陈腐的国家，支配者为保持自己的利益而利用政权以苟延残喘，这确是能够障碍经济的发展的。所以政治权力的作用很大，它能促进经济的发展，也能破坏经济的发展。在这种情形，政治对于经济占居优势。但这种优势，仍是从经济发生，并受经济所规定。

总之,在阶级社会中,一切经济上的问题,要在政治的形式上,才能解决。阶级社会中,一切社会事变,都通过阶级的行动而出现,而构成这些阶级行动的顶点的东西,即是政治。所以历史唯物论,对于政治在社会发展上的积极的作用,是非常重视的。

其次,意识形态虽是反映经济构造及政治的法律的上层建筑的东西,同时它对于两者有很大的反作用。这样的反作用,也分为两个方向:第一,正确地反映了经济构造及政治的法律的上层建筑之意识形态,能够暴露出经济及政治的发展法则,使人们能顺应这些法则去改造经济与政治,以促进社会的进步。第二,如果曲解了经济构造及政治的法律的上层建筑的意识形态,那就曲解或否认政治与经济的发展法则,徒使人们陷于心理的游戏。这样的意识形态,至多也只是颠倒事实的真相,以为特殊的社会集团的利益说法,结果只能暂时阻碍社会的进步,而社会发展的必然性,终究要暴露出这种意识形态的反动性。

一切革命的学说、思想或哲学,只是当时社会的物质生活的矛盾、阶级的斗争等社会变动的事实之观念的反映。这种学说、思想或哲学,无疑地是革命的阶级的实践的契机,能够促进社会的改造。但是意德沃罗基这种促进社会改造的作用的原动力,仍然潜伏于社会的存在的根柢中。所以历史唯物论在考察社会的变革时,必须区别"物质的变革"与"意识的诸形态",而主张意识形态"必须从物质生活的矛盾,从社会的生产力与生产关系的矛盾去说明"。

四、社会的发展法则

(一)社会的构成形态及其发展

基于以上的说明,可以把社会构成的原理,作下面的概括:"人类在其生活之社会的生产上,加入于一定的、必然的、离其意志而独立的诸关系,即适应于物质的生产力的一定发展阶段的生产诸关系。这些生产关系的总体,形成社会之经济的构造,是法律的政治的上层建筑在它上面树立与一定社会的意识形态和它相适应的现实基础。物质生活的生产方法,决定社会的、政治的及精神的生活过程一般。不是人类的意识规定他们的存在,倒是人类之社会的存在规定他们的意识。"

因此,社会的构成形态(即社会形态),就是处于特定生产关系总体以及由它所生的特定政治的法律的上层建筑与意识形态之下的社会。并且这个社会,是一定历史的发展阶段上的社会,是有其特殊的,固有的特质的社会。因为"生产关系的总体,是构成称为社会关系,称为社会的东西",所以社会形态,就是当作特定的生产关系总体看的社会,譬如先阶级社会、古代社会、封建社会、现代社会、未来社会,就是这样的生产关系的总体;这各种的社会,同时又造成了人类社会全部历史上的各个顺序的特殊的发展阶段。

社会发展的各个阶段,如上面所划分的一样,共分为五种构成形态。但是各种构成形态,都是继承先行的社会形态的积极的结果而发展起来的,同时又包含着种种复杂的经济制度。这些经济制度,是和构成形态有区别的。各种构成形态,是由特定的生产方法所决定。如封建社会的构成形态,受封建的生产方法所支配;现代社会受资本制的生产方法所支配。至于经济制度,可以在特定的构成形态中杂然并存。因为特定构成形态中的各种经济制度,除了占居支配地位的东西以外,有的是先行的构成形态的遗物,有的是同一构成形态内部的发展阶段。这些经济制度,都是特定构成形态的复杂的成分,不过这些成分,都受特定构成形态中的支配的生产方法所规定、所包摄,都是被支配的东西,是附属的东西。例如现代社会中,资本制生产方法占居支配地位,所以现代社会的构成形态,是资本主义。但在这个构成形态中,仍包含封建的经济制度(如家长制的农民经济与小商品生产)的遗物。这就是经济制度与构成形态的区别。

(二)社会发展的意义

所以历史唯物论所研究的社会,必须是特定的历史发展阶段上的社会构成形态,即是当作特定生产关系的体系看的社会。于是我们更进而说起社会的发展法则。

人类社会是不断地向前发展的。人类社会之所以发展,也和世界一切东西的发展一样,是由于它内部包含着矛盾。社会内部所包含的矛盾,是生产力与生产关系的矛盾(在敌对的社会中,显现为阶级间的矛盾)。由于生产力与生产关系的矛盾,社会就不断地往前发展。因为人类在其物质生活的生产过程中,不断地获得新的生产力。人类一日获得了新的生产力,就变更了劳动力与生产手段结合的方法,即成立了新的生产方法。由于新的生产方法之成立,就改变旧的生产关系而成立新的生产关系。于是新生产关系体系代替了旧生产关系体系,随着社会的基础之变动,那些树立在旧生产关系体系上的上层建筑,就或缓或急地随着变革。于是崭新的社会构成形态,起而代替了陈旧的社会构成形态。这是社会发展的最一般的意义。以下先说明各种社会构成形态内部的发展法则的特殊性,再说明由一种构成形态转变为别种构成形态的转变法则的特殊性。

(三)特定社会内部发展法则的特殊性

社会是一个发展的过程,社会的发展法则自身,也是一个发展的过程。在过程中的各个阶段上的社会形态各不相同,因而在过程中各个阶段上的社会的发展法则,也是各不相同的。各个历史的时代,各自有它特殊的法则。如同古代社会、封建社会、现代社会等各种社会的有机体,也和各种动植物的有机体一样,在根本上是互不相同的。一个阶段上的社会当发达到一定高度而转变到次一阶段时,就开始受另一种发展法则所支配。各时代的社会的发展法则所以各不相同的原因,从根本上说来,是由于物质的生产诸力不断的发展。人类间的生产关系,是和一定社会的生产力相适应的。人类依存于一定社会的生产力,造出一定的生产关系,同时又依存于那一定的生产关系,形成一定的原则、观念及范畴。因而一定社会的发展法则,就支配这一定的生产力和生产关系,支配着那一定的时代的社会。人类一旦获得了新生产力,生产关系就随着改编,因而那支配这新生产力和新生产关系的社会的新发展法则,就代替过去的发展法则来支配社会了。所以各个时代的社会发展法则,各自有它的特殊性,适用于过去的,决不能适用于现在。即是说,无条件地适用于一切时代而都妥当的社会的发展法则,只是一个抽象,实际上是没有的。

(四)社会形态由低级到高级的转变法则的特殊性

依照前面的说明,人类社会全部历史的发展过程,可以列成下述各个顺次的发展阶段:1. 先阶级社会;2. 古代社会;3. 封建社会;4. 现代社会;5. 未来的新社会。这些社会各自有其内在的、固有的特殊发展法则,这是刚才说过的。现在再说到由低级社会形态到高级社会形态转变的法则。这些社会形态之间的转变法则,可以分为下述四种:1. 由先阶级社会到古代社会的转变法则;2.

由古代社会到封建社会的转变法则;3. 由封建社会到现代社会的转变法则;4. 由现代社会到新社会的转变法则。这些转变法则是互不相同的,是特殊的。

这些转变法则的特殊性,根源于各个社会的特殊发展法则,即根源于生产方法的特殊性,根源于生产力与生产关系的特殊性。例如由现代社会到新社会的转变法则,和由封建社会到现代社会的转变法则,是各自有其特殊性的。由封建社会到现代社会的转变,是封建社会母胎中孕成了的生产力与封建的生产关系相冲突的结果。由现代社会到新社会的转变,是现代社会中孕成的生产力与现代的生产关系相冲突的结果。譬如法国革命与俄国革命,都各有其特殊性。这两者的特殊性,可说是两种转变法则的特殊性之具体的表现。所以各种社会构成形态间的转变法则,是各有其特殊性的。

(五)历史唯物论的对象之规定

综合以上的说明,可以把历史唯物论的对象,作如次的极简括的规定:

第一,历史唯物论是把社会当作适应于生产力的特定发展阶段的生产关系总体去把捉,即是把社会当作特定的历史发展阶段上的社会的生产有机体去把捉,阐明其固有的机能与发展的法则;在敌对的社会条件之下,就说明这社会的各阶级间的关系;于是更进而探索那些与这生产关系总体相适应的政治上与意识形态上的上层建筑,说明其内的关联,以到达于基础与上层构造的统一,以形成一定的社会构成形态之生动的形象。

第二,历史唯物论把社会当作客观的、合法则的、自然史的发展过程去把捉,阐明各个特定阶段上的社会的特殊的发展法则,阐明社会由低级形态到高级形态的特殊发展法则。

第三,历史唯物论把社会全部历史列为先阶级社会、古代社会、封建社会、现代社会、未来社会的五个顺次发展的阶段,指出人类社会发展的一般的进行与特定发展阶段上的特殊形态之统一,指出历史过程的统一与联结,发现历史发展之一般的正确的法则。

就上述三项,再简约起来,历史唯物论的对象是:在最一般的大纲上说明人类社会之历史的客观的发展过程及其发展法则,阐明各种社会构成形态的特殊发展法则及由一种构成形态到他种高级构成形态的特殊转变法则。

第二节　当作历史观与方法、理论与实践的统一
看的历史唯物论

一、历史唯物论是社会发展理论与社会认识方法之统一

历史唯物论的对象既经规定,它的意义就容易理解。

历史唯物论究竟是什么? 关于这一问题,有两种非正确的见解,这里应当加以批判。

(一)机械论者主张历史唯物论是社会及其发展法则一般的学说

第一种非正确的见解,是机械论的见解。机械论者说:"历史唯物论是关于社会及其发展法则的一般的学说。"这就是说,历史唯物论是关于社会一般的学说及关于社会发展法则一般的学说,这种见解,明明是谬误的。这种见解的主要的谬误,是用抽象的社会一般代替具体的社会历史,用抽象的社会发展法则一般代替具体的社会发展法则。依据前章的说明,我们知道,人类社会的发展,经历了先阶级社会、古代社会、封建社会及现代社会的各种顺序的阶段。各个阶段上的社会,是互不相同的特殊的生产关系体系,各有其固有的特殊发展过程和固有的特殊发展法则。历史唯物论研究的出发点,是"一定历史的发展阶段上的社会"。历史唯物论把这"一定历史的发展阶段上的社会",当作特定的生产关系的总体去把捉,由此以探求各阶段上的社会的特殊发展法则,及其转到高级形态的特殊转变法则。这样,才能阐明社会的这种多方面的矛盾的过程之客观的合法则性,才能在最一般的大纲上把握住全人类社会的客观的发展过程及其发展法则。照这样在最一般的大纲上说明了的社会的客观的发展过程及其发展法则,是具体的社会历史过程之正确的反映,是一般的全部社会发展过程与特殊的各阶段上的社会发展过程之统一。只有依照这样在最一般的大纲上反映了的社会的发展法则,才能理解这一般的发展法则在各个阶段上的社会中所显现的特殊形相。所以社会的发展,常是具体的,是一般进路与各个历史阶段的特殊性之融合。

但是如果依照机械论者的见解,全社会发展的具体的历史就在抽象的社会一般之中消失了,社会发展的具体的法则就在抽象的社会发展法则一般之

中消失了。照这样,先阶级社会、古代社会、封建社会及现代社会的各种具体构成形态及其各种具体发展法则,都转化为"社会及其发展法则一般",而丝毫没有具体性与特殊性存在。于是所谓社会一般,在论理上就归结到古往今来的人类社会同是人类的集合体;而所谓社会发展法则一般,在论理上就转变为没有空间性和时间性的永久不变的真理了。事实上,所谓"社会一般"和"社会发展法则一般"都是抽象的,而抽象的东西是不存在的。

（二）形式论者主张历史唯物论是社会的方法论

关于历史唯物论是什么这一问题的第二种非正确的见解,是形式论的见解。形式论者说:"历史唯物论是社会的方法论,是一种抽象的社会认识的论理学。"形式论者与机械论者相反,主张在历史唯物论方面必须"提倡这种方法论的内容和历史的内容"。形式论者所说的"方法论的内容",即是"社会科学的方法论"的意思。至于所谓"历史的内容",就是说,历史唯物论是在于"研究种种社会形态的种种法则"而"结合这些法则的一般的东西,就是这些法则的推移转变及这转变的研究方法"（这里所说的"研究方法"即是"方法论"）。

形式论者这种见解,在表面上好像和机械论者的见解相对立,而实际上却和它很接近。形式论者的见解的主要谬误,是把"社会的方法论"代替社会发展理论即历史唯物论,把关于互异的形态不同的种种社会现象的几个预定的抽象的前提代替社会的历史的发展之统一的全面的一般理论。依照这种见解,历史唯物论,变成了抽象的方法论与关于历史过程的各个形态的经验论态度之特殊的结合。

我们知道,社会全部的历史过程是这全部过程中各个阶段上的特殊构成形态之具体的统一。全体离开部分不能存在,部分离开全体不能存在。形式论者主张历史唯物论只研究各个发展阶段上的社会形态的种种法则,而不能在最一般的大纲上说明人类社会全部的历史的发展过程及其发展法则。这样的见解,暴露出他们只知道各个发展阶段上的"种种社会形态",不知道有统一的全面的社会发展过程;只知道有"种种社会形态的种种法则",不知道有社会史的"一般的发展法则"。这种见解,在论理的进行上,势必用俗流实证论及迂回经验论的精神,去解释各时代的历史的特殊性。这种见解,是形式论理学的见解：只看见部分，而不看见全体；"只见树木，而不见森林"。

如上所述，形式论者所"提倡"的"历史的内容"，只是断片的历史而不是整个的历史，是抽象的历史而不是具体的历史。因此，他们就从历史唯物论的内容抽离出与内容不一致的形式，从历史唯物论的对象抽离出与对象不符合的方法。于是，历史唯物论转变为只研究形式的抽象的"方法论"，转变为非从对象的分析得来的、完全抽象的前提之体系。

（三）**上述两种见解的异同**

在上述两种见解之下，历史唯物论的本来的对象——社会的＝经济的构成形态的发展之历史的过程，就完全消失了。在机械论的一方面，抽象的、自己造作的"社会一般"的公式，代替了特殊的、异质的、社会形态的真正历史过程之研究。在形式论的一方面，关于特殊的、异质的、社会形态的几个先定的抽象前提，代替了一般的、统一的、社会的发展过程之理论。所谓社会的"方法"，在这种情形，就完全丧失了那物质的、具体的、历史的基础。这两种见解的差异之点，就是在前者一方面，所谓"关于社会的一般的学说，变成了机械的从外部嵌入于历史的永久不变的尺度；而在后者一方面，把历史唯物论解消于方法之中。后者是把前者所主张的'一般法则'化为同样抽象的论理的范畴之总体，主张用这种范畴去研究种种形态的特殊法则。在这种情形，看不到社会发展的历史过程"。

如果应用"社会一般"的学说来研究现代社会与过渡期社会的构成形态时，就不能理解这两者质的差异。而两者的特殊发展法则就变为抽象的同一的东西了。如果应用"社会的方法论"的学说来研究帝国主义的发展与过渡期的各种经济制度时，就必然要把两者的具体的研究，转化为内容空虚的"方法论"的抽象，把两者的特殊性转化为经验论的、主观主义的东西了。

（四）**科学的理论与科学的方法之统一**

基于前面的说明，历史唯物论不是"关于社会及其发展法则的一般的学说"，也不是"社会的方法论"，而是社会发展的理论与社会认识的方法之统一。

历史唯物论是社会之理论的研究。社会之理论的研究，当是社会史的反映，并且是社会史的普遍化的反映，是依从于指示社会发展的现实进行的法则的正确的反映。简明点说,历史唯物论是在最一般的大纲上,反映出统一的社会史的发展过程及其发展法则,反映出特殊的、异质的各种社会形态的发展及其转变的根本法则的理论。

在这种处所,一般与特殊之间,成立了正确的关系。因为历史唯物论是具体的社会发展过程的反映论,并不是抽象的、"超历史的"历史哲学的发展之公式,不是解决一切历史上的问题的万应膏。具体的发展过程,在其本身中统一着一般的进行的路线和各个发展阶段的特殊性,即是统一着整个过程的一般发展法则与过程中各阶段的特殊发展法则。这是一般与特殊的正确关系。社会的历史,自有其一般的发展法则。例如说,当生产关系障碍生产力的发展时,必引起社会革命——这就是社会的一般发展法则。可是这一般的法则,在种种社会的构成形态中,却有种种不同的具体的表现。所以只有从特定构成形态(如封建的或现代的等等)的特定历史发展条件之具体的研究出发,才能理解特定构成形态之质的特殊性,才能理解社会的一般发展法则在它当中所表现的特殊相貌。所以历史唯物论当是研究"特定历史发展阶段上的社会"。

只有从科学的认识论出发,我们才能理解历史唯物论所以能成为社会现象的认识方法即社会科学方法论的理由。历史唯物论只有在它正确地反映了社会的构成形态之自然史的过程与社会史的这种最一般的发展法则时,才成为科学的理论。只有当作科学的理论看的历史唯物论,才能成为方法论的理论,我们才能得到"社会科学上的方法的理论",才能得到"唯一的科学的历史说明方法"。

当作社会科学方法论看的历史唯物论,其主要之点如下:

第一,在社会的存在与社会意识的正确关系上,去理解各种历史的社会的现象。这就是说,要把特定构成形态的物质的生产关系,当作一切历史之现实的物质基础抽取出来。即是说,要把一切历史的社会的现象,当作与特定历史阶段上的生产关系相联系的现象去考察。

第二,在全体的关联上去理解各种社会的现象。如上所述,社会是包摄生产诸关系的总体、国家形态、法律制度以及一定意识形态的系统,而生产诸关系是这个系统的基础。同时,基础与上层建筑,上层建筑的内部,又有极复杂的相互作用。并且,敌对的社会是各个社会阶级之对立的统一,这种对立物的认识,是理解各种社会现象的关联性的基础。

第三,在发展过程上去理解各种社会现象。一切的社会现象都是发展的,一切社会现象的发展,都是内在的对立物的冲突,归根结底是生产力与生产关系的冲突。所以研究一切社会现象的发展时,必须深入地去暴露其发展的根本动力,由此以探寻其发生、发展及其没落的趋向。

所以历史唯物论的方法是具体的,是受研究对象的社会的规律的特殊性所限制的。它绝不是抽象的社会的方法论。在这种处所,历史唯物论是社会发展理论与社会认识方法的统一,它决不与具体的历史相分离,也决不与其他社会科学相隔绝。它是反映历史发展之具体过程的科学的历史观,它是这种历史观之哲学上、理论上及方法论上之本质的内容。

历史唯物论,指导经济学去研究各种社会经济构造的各种历史的特殊发展法则(广义经济学),研究资本主义的社会经济构造的特殊发展法则,克服布尔乔亚经济学的观念论的见解。它指示法与国家的理论,把法与国家当作建立于经济构造之上的上层建筑去理解,阐明法与国家是随着经济的构造之历史的发展而发展,而取得历史上所规定的特殊的形态,阐明其特殊的发展法则,使法与国家的理论,从一切布尔乔亚的法与国家的观念论的见解解放出来,得到真正科学的性质。在意德沃罗基的理论中,历史唯物论指示社会意识是社会的存在之映像,并随着经济构造的发展而发展,而意德沃罗基的发展法则,即是社会的存在的发展法则之映像,与社会的存在循着同一的法则而发展,由此以表明其阶级的性质,克服一切观念论及机械唯物论和俗流唯物论的谬论。

二、历史唯物论是社会的理论与社会的实践之统一

(一)理论与实践的统一

"理论不是教条,而是行动的指导。"这个原则是像一根红线一样,贯串于历史唯物论之中。社会发展的理论,是社会的客观发展过程及其发展法则之正确的认识。但这种认识,不是可以靠研究室的研究所能得到的,而是要在人类的活动的过程中,在社会的实践的过程中,才能得到的。社会发展的理论的命题,在单只停顿在学究的理论的范围中,它只是根据于一种或数种事实而成

立的原则。反之,各种理论的命题,如果移到于现实生活方面,并且根据它来改造现实生活之时,我们就把这种命题,从特殊性或个别性移到普遍性。这样,在社会的实践中,社会的理论,就消失了那学究的性质,它不但有普遍性的价值,并且有直接的现实性。在另一方面,社会的实践,如果离开社会的理论,它是盲目的,是愚笨的。社会的实践,是人们要变更社会的客观现实性而使它适合于自己的目的的种种有计划的行动。人们如果不去研究社会的现实性的法则,不理解社会的理论与社会的实践之统一,就不能改造社会,这是很明白的事情。

社会的理论与社会的实践,是不可分离地结合着。社会的理论中,有社会的实践的成分;社会的实践中,有社会的理论的成分。社会的理论,由社会的实践而获得;社会的实践,由社会的理论而贯彻。没有社会的实践的那种社会的理论,只是空洞的理论;没有社会的理论的那种社会的实践,只是盲目的实践。但是社会的实践,比较社会的理论,占居优位。社会的实践所以比较社会的理论占居优位的理由,可以分为四点:第一,社会的实践,是人们对于社会的认识的出发点;第二,社会的实践,是一切社会的认识之规准,是社会的理论的真理性之规准;第三,社会的实践,是认识客体与认识主体两者间所必要的联结的规定者;第四,社会的实践,不但有普遍性的价值,并且有直接的现实性。

哲学的任务,不是各色各样地解释世界,而是变革世界;同样,历史唯物论的任务,不是各色各样地解释社会,而是变革社会。

(二)由历史的必然到历史的自由

"理论是解答实践的活动所提起的问题的。"理论从实践产生,又能指导实践。社会发展的理论,反映出社会的发展法则。基于被反映了的社会的发展法则,人们就得到关于社会现象的预见的可能性。但是社会学的预见,不从社会现实分离,不从社会的实践分离。只有在理论与实践之有机的统一上,历史唯物论才能反映出社会的发展法则,才能预见社会的将来。因此,人们才能有计划地从事于社会的实践,而从历史的必然的领域进到历史的自由的领域。

依历史的必然与自由之正确关系来说,历史上的自由,即是历史的必然之认识。"自由是必然的洞察。""自由在必然未经理解之时,必然是盲目的。""自由并不存在于如一般所梦想的离自然法则独立的处所,而是存在于自然法则的认识之上,存在于与这法则一同发生而有计划地把它适用于一定目的的可能性之上。"所以自由是被认识了的必然。我们知道,水火风雷等大自然力,当人类还没有认识并处理它们的时候,它们作用于人类,完全是盲目的,是强制的,是破坏的。往往一场大水能够把人口、牲畜、田园、屋宇都破灭,一场大火能够把人畜、屋宇、粮食都烧毁,一场大风能够把房屋、农作都败坏,一场大雷能够把动物、植物、屋宇都打倒。这些都好像自然界的不可抗力,但当人类认识并处理了它们之时,就能够防卫它们、利用它们,而转祸为福了。我们现在不但知道疏水导河以治水,并且知道利用水力以造水碓水磨水车,现在还用来发电;不但知道防避火灾,并且利用火力以发动蒸汽机关;不但知道避风,并且知道利用风力以造出风车,行驶帆船;不但知道避雷,而且知道利用电力以应用于种种事业。于是这些大自然力,便由倔强的恶魔一变而成为忠顺的奴仆了。同样,生产力这种大社会力,当我们没有认识它并处理它的时候,它作用于人类,正和大自然力一样,完全是盲目的,是强制的,是破坏的。一次经济的恐慌,往往能够夺掉数百千万人的饭碗,损失若干万万的财产,一次帝国主义战争,至于把数百千万的穷苦人民化成少数帝国主义者的炮灰,把全世界的经济生活都陷在不可名状的混乱。这种大生产力,在现在好像也是一种不可抗的大自然力,向人类作用着。假若我们能够认识它,理解它的作用、它的方向和它的影响时,我们就可以渐渐地使它服从于我们的意志,而容易达到我们的目的。假使我们一旦了解了它的性质并依其本性而加以处理之时,它就会和在电信机中起作用的电力一样,就有益而无害了。即是说,假如我们能依着生产力的本性,把它放在协力的生产者手中,变生产手段之私人的所有为社会的所有,而生产依照社会的必要而被组织之时,人就会变为自然和自己的主人。到了这时候,人类就会以充分的自觉造出自己的历史;人类自己所发动的社会的诸原因,就会生产出自己所希望的结果。这即是从必然到自由的飞跃。

"各个人的有意识的自由行动,产生出他们所不能预料不能预见的结果。这种结果,是与全社会有关系的,即是作用于他们的相互关系的总体的。所以人们从自由的王国转移到必然的王国。但是由人们之个人的行为产生而未经他们所意识的社会的结果,一旦引起社会组织的变革,就在人们的面前,产生出新的个人的目的。人们的有意识的活动,必然地使面目一新。人们就再从必然的王国转移到自由的王国。"所以人类的历史,可以说是从必然到自由的历史。

历史唯物论,在研究现代社会时,必须说明下述诸问题:现代社会是从怎样的社会发展的,并且循着怎样的发展途径? 现代社会从它出生之时起到现在为止,经过了怎样的阶段? 现代社会将转变为怎样的新社会,而这种转变的可能性如何推移于现实性,并受怎样的物质的客观条件所规定? 又,担负改造现代社会为新社会的使命的主体,为什么必须是普罗列达里亚? 历史唯物论必须研究上述诸问题,才能发见现代社会的发生、发展及其必然没落的法则。而现代社会的这种特殊发展法则,又是一切社会形态的一般发展法则之具体的形态。所以历史唯物论实是现代最进步的阶级即普罗列达里亚能动地推进现代社会发展的学说。

"人类的最高问题,在于把握一般根本路程上的经济的进化(社会的存在之进化)之客观的理论,而尽可能地、明白地、显著地、批判地,使人类之社会的意识和一切现代国家进步的诸阶级之意识与它(上述客观的理论)相适合。"

(三)当作理论、方法及实践指导看的历史唯物论

综合以上的说明,历史唯物论的意义,可作如下的概括:

敌对社会的领域中的具体的历史的研究,是在于暴露特定历史的生产方法中的内在矛盾、阶级的对立。但如上所述,历史唯物论并不单是这种矛盾之"客观的"证明。历史唯物论在特定社会形态的机能及发展法则本身中,阐明这社会形态的必然没落的法则,指出新社会制度起而代替它的必然性的根据。历史唯物论指出超过这特定社会形态而前进的路线,预见它的将来,在社会的实践上,说明前进的社会阶级的任务。简单地说,历史唯物论又必须是社会实践的指导。

历史唯物论是上述诸契机的统一。即历史唯物论是社会发展的理论,是社会的研究方法,是社会的实践的南针。

第六章　布尔乔亚社会学及历史哲学之批判

第一节　布尔乔亚社会学之批判

一、布尔乔亚社会学之先驱

（一）社会契约说的社会观

历史唯物论,是在它与布尔乔亚的社会学及历史哲学作长期的斗争中,锻炼而成的。所以,为了拥护历史唯物论,不能不与现今流行的各种潮流的布尔乔亚的社会学说,以及曲解历史唯物论的偏向,作积极的、毫无假借的斗争。但要有效地制胜于这个斗争,就必须就那些敌对的社会学说的来源,实行批判的检讨。因此,本章要先说明布尔乔亚的社会学说的发生、发展及其变迁的趋势,掘翻那些现在流行着的观念论的、机械唯物论的社会观的根株,纠正一切对于历史唯物论的修正和曲解。

布尔乔亚的社会观之发生和发展,与布尔乔亚本身的发展史相关联。布尔乔亚,在封建时代,还是一个被压迫被支配的身份。自从 15 世纪末叶"资本主义生产方法的基础之革命的序幕"揭开以后,布尔乔亚渐渐地"成为新生产力发展的一环,成为技术及自然科学的发展的担负者"了。他们由于自己的经济劳力的发展,就由被压迫被支配的身份抬头起来,而与封建的贵族分庭抗礼了。他们在其社会的实践中,逐渐地形成了新的世界观、社会观,而自觉到自己的阶级之历史的使命了。这种历史的使命,是布尔乔亚的革命,即是变封建社会为资本主义社会,推翻封建的支配阶级,自己爬上支配阶级的宝座。

布尔乔亚革命的理论,即是布尔乔亚的社会观。布尔乔亚的社会观,也是在反封建的社会观的斗争中发生发展的。我们知道,封建的社会观,是神学的社会观。神学的社会观，是欧洲封建时代的教会与国家的现实状态的反映。依据神学的社会观，人类社会，受神意所范围。世俗界的支配权属于国家，精神界的支配权属于教会。一切社会的关系及社会的制度，都是遵从神意而设定的永久不变的东西。封建领主永远是支配者和剥削者，其他一切人民（布尔乔亚也在内）永远是服从者和被剥削者。这种社会观，是新兴的布尔乔亚所首先要打破的东西。新兴的布尔乔亚，在其社会的生产的实践上，由于技术与自然科学的启发，经验上知道社会生活是在变化着。他们为了反对封建国家而建立适合于他们的利益的新国家，不能不另行建立新的社会观。布尔乔亚的社会观，首先表现于国家学说或政治思想之中（因为当时还不知道社会与国家的区别，认为国家即是社会）。布尔乔亚的政治学之先驱，是马凯维利。马凯维利的政治学说，首先主张政治与道德、政治与宗教的分离，说破了封建的神学的国家观的虚构。但是人类社会生活，既然不受神意所支配，却用什么根据去说明人类社会呢？就这一层说来，对于布尔乔亚革命大有影响的社会学说，要算是社会契约说了。

社会契约说，以自然法学说为基础。自然法学说，把人类的生活状态分为自然状态与社会状态。自然状态，是人类还没有加入共同生活状态以前的个人或家族的孤立状态；这时的人类度着自然的生活，一切受本能所支配。在自然法学的这种见解之中，也有两派的主张。一派主张人类的自然状态是斗争状态，一派主张这是和平状态。代表前一派的主张的人是浩布思，代表后一派主张的人是卢梭。浩布思主张人类的自然状态是万人对于万人的斗争。斗争的结果，个人的本来的利己心大受损害，所以人们为充分满足自己的利己心起见，不能不放弃固有的权利，共订契约，组织国家，以保障其利己的行动。这是形成国家的社会契约。浩布思的这种社会契约说，是代表布尔乔亚借助绝对主义政权以保障自己利益的主张的。至于卢梭的社会契约说，却是不同。卢梭主张自然状态是平和状态。人类之脱离平和的自然状态而加入社会状态，是私有财产发达的结果。他认为自然状态中自由平等的孤立的个人，虽是很幸福的，而自然状态下的孤立，对于各人的自我的保存甚不便利。为要除去这种不便利，就要用共同的力量去克服它而保障更进一步的自由和平等。这只有共同缔结契约，加入于政治社会（即国家）。所以社会契约的本质，就是"各人把自己的身体和权利,放置在共同的最高的普遍意志支配之下,把自己看作全体的不可分的统一"。卢梭的这种社会契约说,是代表当时已经成熟了的革命的布尔乔亚的要求的。

社会契约说的社会观,是观念论的,又是机械论的。一方面在观念论的虚构上,设定所谓人类的自然状态做出发点;一方面又在机械学力学的见地上,把社会看作"互相独立平等的原子的个人之机械的体系,而把社会的成立还原于互有平等的自然权的个人相互间的契约"。这种社会观,是以互相自由竞争而同时需要缔结契约的"资本主义的商品生产者间的关系"为标本的。

(二)地理学的唯物论的社会观

社会契约说的社会观,虽然对于布尔乔亚革命,发生过很大的影响,但它的本身不是科学。这一层,在当时的布尔乔亚学者们,也都觉察到,并且发表过许多反驳的议论。至于采取科学的外貌的布尔乔亚的社会学说,要算是地理学的唯物论的社会观。这种社会观,与社会契约说相比较,是能够说明各种时代、各种国家的社会制度及文化的特殊性的。

地理学的唯物论的社会观的要点,是在自然的地理环境之中探求社会发展的根源。这种自然环境的社会观,在古代和中世纪,已经有人倡导过,但现代布尔乔亚学者中首先提倡的人,要算是约翰·布丹。布丹著有《历史易知法》一书,说明地理环境对于社会的影响。他认为考察自然环境的第一个基础,是地球的纬度。纬度的差异,即是温度的差异。温度的差异,对于社会发生种种不同的影响。寒冷刺激人类,酷暑使人精神懦弱。由于温度的差异,一般的北方人体躯伟大而有精力,但缺乏才智;南方人体格较小,有才智而缺乏精力;极北的人矮小而耐寒,至于位居南北之间的中部民族,各与其幼年、中年及老年之性质相适应。由于性质的不同,其统治国家的精神亦不同。北方民族倚赖权力,南方民族倚赖宗教,中部民族倚赖正义与公平。南方民族富于神秘的冥想,北方民族擅长劳动与工艺。中部民族调和两者的长短,能为其他民族制定法律与秩序。其次,布丹又用地球的经度,决定民族的特性。西方民族多具北方民族的性质,东方民族多具南方民族的性质。高山地方的居民的性质酷似北方,溪谷地方的居民的性质,酷似南方。总而言之,由于地球的经纬度的不同,由于海洋、河川、气候、土壤等等的不同,就产生出种种民族的特性、风俗、习尚、宗教与社会制度,因而形成了各色各样的社会。这便是布丹的自然环境论的大概。布丹根据这种论点,为近代布尔乔亚的大国家,造出理论的基础,因而确立了他的主权的理论。

布丹以后,把自然环境的社会观展开出来而比较具有一般性的学说,要算是孟德斯鸠的《法意》一书了。孟德斯鸠说一切事物都有法,社会有法,国家也有法。"法,在最广的意义上,是由事物的性质发生出来的必然的关系。""法,一般地在其支配世界一切人民的限度内,是人类的理性。而各国民的政法及市民法,只是这种人类理性被适用的特殊情形。这些法,在各国人民说来,必须是固有的东西。"孟德斯鸠虽然力说国民的法的特殊性,而同时又主张法的同一性。这同一性的前提,是广义的自然环境、风俗及生活形式。因此,他展开了自然环境的社会观,从各地民族所处的地理环境的特性,说明这些民族的生活形式、国家形式及其精神文化的特殊性,说明各民族的生成及其历史。

自然环境说的社会观的大概的内容,无非是说明自然环境与社会制度的关系,而在社会以外的自然环境之中去探求社会发展的原因。这种社会观,流传很久,影响很大。与孟德斯鸠同时代的哲学家韦科的《新科学》,也支持这种社会观。此外,关于这类见解的著作甚多,这里无须一一列举。

黑格尔的历史哲学中,也杂有自然环境说的见解。在今日流行着的许多布尔乔亚社会学之中,所谓地理学的社会学思想,都是这种倾向的延长。尤其是今日的德国布尔乔亚学者,对于德国在大战以后的殖民地的丧失,非常愤慨,因此鼓吹殖民地夺取的必要,并努力建立取得殖民地之理论的基础。他们认定一切国家的政策,要由其所领有的自然的财富的欲望所决定。这种欲望,就是夺取殖民地。所以目前的德国布尔乔亚,在这种意义上,想出了新的学问名称,即所谓"地理政治学"。

地理学的唯物论的社会观,不但影响于今日的布尔乔亚社会学,并且还影响于一班自称为历史唯物论者的人们。譬如考次基与布哈林关于历史唯物论的曲解,就感受了这种学说的影响(说明见后)。

概括地批判起来,地理学的唯物论的社会观,是把人类社会当作由某种势力操纵的玩具来表象的。这种社会观,完全不知道:社会发展的原因,是必须在社会本身中去探求的，绝不是可以在社会的外部去探求的。"人类自己变革自然。他们对于自然的关系，不是受动的关系，而是能动的关系。自然固是社会的必要的条件，社会没有自然就不能生存。但是，一切的问题，都在于下述一点，即自然与社会的联系的性质，完全依存于社会本身的发展阶段。"例如，在同一的地理环境之下的民族，能够由封建时代进到资本主义时代，或由资本主义时代进到社会主义时代，这就是说明社会的发展并不依存于自然环境的明证。

（三）旧派机械唯物论的社会观

布尔乔亚的社会观，除了上述两派之外，还有机械唯物论的社会观。社会契约说与地理唯物论，在其本来的意义上，原是机械唯物论，不过这里所说的机械唯物论的社会观，是指 17、18 世纪的唯物论哲学家的社会见解说的。17、18 世纪的机械唯物论，与现代的机械唯物论之间，由于布尔乔亚社会的发展的两个历史的时代之不同，因而两者在历史领域中的适用，也有本质上的差异，这是要注意的。

旧机械唯物论，代表着当时已经成熟的革命的布尔乔亚的阶级意识。这种哲学的缺陷，如我们在前面所指摘，约有三点：第一是不能在社会领域中贯彻唯物论；第二是缺乏历史主义的观点，不理解辩证法；第三是带有直观的性质，不能理解认识与实践的统一。旧机械唯物论在历史＝社会领域中的适用，很明显地暴露了上述三种缺陷。

旧机械唯物论者的社会观，是从人类之理性的本性出发的。他们把理性作为一切事物的唯一尺度。凡属"宗教、社会、宇宙观、国家制度及其他一切，都要受无假借的批判。一切事物，都要在理性的审判之前，证实它自身存在的理由，否则就不能存在"。他们认为从来的一切社会形态及国家制度都是不合理性的东西，都应当完全废弃。"世界从来只是由偏见领导而来的，过去的一切东西，只值得怜悯与侮蔑。如今是，太阳的光出现了，理性的王国出现了。从今以后，迷信、偏私、特权及压迫，将为永久的真理、永久的正义、基于自然的平等以及人间不可分的权利所驱逐了。"（恩格斯）

旧机械唯物论者，不能理解人类的理性原是具有其固有的特殊发展法则的社会关系的总体，而把社会看作是利己主义的个人之单纯的、机械的集合。

他们以为,在这种社会之中,各个人的利己主义是互相冲突的,所以人们不单自求幸福,并要为他人求幸福。为要完成共同的幸福,就需要完美的社会制度。因此,他们提出了"人是社会环境的产物"的论纲。这即是说,人的好和坏,由社会制度的好坏所决定。如霍尔巴克所说:"不是自然使人变坏,而是我们的制度使人变坏。"为要使坏人变为好人,就必须有好的社会制度,给人们以社会的道德的教育。如爱尔勃秋斯所说:人们完全依存于教育。他所说的教育,是指社会的影响之总体说的。所以他们主张要改造个人的性格,就必须用一种方法去改造社会环境。这种见解,是他们的革命的要求之理论的基础。但是说到改造社会环境的方法时,他们就只能看到历史过程中人类意志的活动,而否认历史的法则(如霍尔巴克所主张)。因此,他们对于历史过程的研究,引出了"意见支配世界"的结论。他们以为"人是社会环境的产物,而社会环境的性质,又由政府的行动及立法的活动所规定;但政府的行动及立法的活动,是属于人类意识的活动领域中的东西。这种活动,又依存于以这种活动使它活动的东西的意见"。照这样,他们就陷于二律相反的矛盾。因为最初既然主张人类及其意见是社会环境的产物,意见当然就不能支配世界了。但是经过了某种曲折的途径,却到达于意见支配世界的结论。这种矛盾,完全是脱离了唯物论而走到观念论的矛盾。

旧机械唯物论,因为缺乏历史主义的观点,也不理解辩证法,并且离开社会的实践,所以不能说明社会发展的原动力,不能理解社会环境之革命的变革,因而暴露了他们的社会观之形而上学的、反历史主义的性质。"他们不能理解:人类的活动是能够一致的,并且这种一致,是在革命的实践的过程中实现的。"

旧机械唯物论的社会观的缺陷,是由于当时社会生活及科学的发展水准所决定的。可是所谓"人是社会环境的产物"的见解,对于后来的社会思想的发展,却有不少的影响。在这种意义上,旧机械唯物论是从来的空想社会主义的先驱。

(四)空想主义的社会观

空想社会主义,如恩格斯所说,"从它的内容说,一方面是现代社会中显现着的有产者与无产者,资本家与工钱劳动者的对立的产物,一方面是认识生产界的无政府状态的产物。但从它的理论的形式说,是继承18世纪法国大启蒙学者们所主张的诸原则而使它更加前进并在外观上使它更加彻底的学说"。在18、19世纪的交替期,资本主义的生产已是突飞猛进,因而伴随于资本主义的弊害也是日益加重。布尔乔亚爬上了支配阶级地位以后,利用政治权力,尽量剥削劳苦大众,发展其资本主义。"所以建筑在资本主义基础上的产业的繁荣,就变得把劳动大众的贫困和悲惨,作为社会存立的条件了。"于是"从'理性的胜利'产生出的社会上及政治上的诸制度,与启蒙学者们灿烂的期待和预约比较起来,实是痛苦的失望的漫画。这时候所期望的,只是明白说出这种失望的人物。这种人物,随着世纪的转换而出现了"。这种人物,就是傅立叶、圣西门与欧文三大空想家。

这三大空想家,并不是"当时在历史上产生出的劳动阶级的利益的代表者"。他们和旧机械唯物论者一样,在历史和政治领域中,都是观念论者。他们的社会观,也是从理性出发的,是从所谓"人是社会环境的产物"及"人们完全依存于教育"的前提出发的。他们也和启蒙学者一样,想为全体人类在地上制定理性和正义的王国。但他们所主张的理性和正义的王国,比较由启蒙学者们的理论所树立的布尔乔亚社会不同,是从前的人们所未曾认识而直到他们才发见出来的绝对真理。这种绝对真理,就是他们的空想的社会主义。

空想的社会主义之所以成为空想,就是因为他们不能在当时的生产关系之中,找出解决社会问题的方法,"却要在头脑之中去创造它"。他们依据理性的思维,"发明完全的新社会制度,用宣传的方法,可能的时候,用模范的实例,从外部把那些新社会制度拿到社会中去实行"。他们"不想先解放一个特殊的阶级,而是想一举而解放全人类"。

空想社会主义,如恩格斯所说,只是"适应于未成熟的资本家的生产状态与未成熟的阶级状态"而生产的"未成熟的学说",我们在这里无须详细批判。不过这些空想家的社会观中,也有不少"天才的大思想和它的萌芽"。

傅立叶是布尔乔亚社会的批评家和讽刺家。他暴露了资本主义的罪恶,指斥了所谓"理性王国"即布尔乔亚共和国的矛盾。他的"最大的优点,是他对于社会历史的解释。他把从古迄今的社会的全部过程,分为四个发展阶段:蒙昧时代、野蛮时代、家长时代、文明时代"。而这文明时代,即是资本主义时代。他把文明社会看作比野蛮时代不如的"伪善的存在体"。"文明是用'恶的循环'和矛盾进行着,不断地重新造出矛盾而不能解决它,常是到达于自己所要到达它或想获得它的那种东西的反对物。例如'在文明之下,贫困生于富裕'。"傅立叶的这种见解,如恩格斯所说,是辩证法的应用。

圣西门的"天才的眼界中",包藏着"后来社会主义者所提倡的——不是严密的经济的———切思想的萌芽"。"他把法国革命当作阶级战争解释,并且不仅把它当作贵族与布尔乔亚之间的阶级战争解释,还把它当作贵族及布尔乔亚与无产者之间的阶级战争解释。"这在当时"实是最有天才的发见"。"他又把政治当作生产的科学解释,并且预言过政治应当依存于经济。"这些都是圣西门的天才的卓见。

欧文是社会改良主义的实行家,他依据人道主义,先后在曼彻斯特和纽拉纳克经营工厂时,实行他的社会改良的理论,实际上试验了"人是社会环境的产物"的论纲,并且得到了很好的成绩。他在实践上知道了生产手段应归公有。他攻击私有财产、宗教与现行婚制,说这是"阻碍社会改良的三大制度"。最后从事于劳动运动,组织劳动组合,并使英国政府制定限制女工童工的劳动法。

空想主义的社会观,固然是观念论的,是非科学的,但前面所列举的那些主张或事实,却是"天才的大思想和它的萌芽"(恩格斯)。这些思想和它的萌芽对于科学的社会主义,是一个准备阶段。

二、布尔乔亚社会学及其变迁的趋势

(一)实证主义社会学

现在我们来检讨布尔乔亚的社会学。社会学这个名称是由实证主义者孔德创始的。他的社会学,被称为实证主义社会学。孔德的社会学,是开始在社会学这个学名之下拥护布尔乔亚的社会的秩序的学说。

19世纪初期,布尔乔亚的社会秩序,已经具有它自身的历史。当时胜利了的布尔乔亚,已经爬上支配阶级的地位,他们一方面要继续对封建的遗制及封建贵族作不断的斗争,另一方面又要对新兴的普罗列达里亚的反抗作严重的镇压,以期巩固自己已得的胜利,稳定自己政治的权力。布尔乔亚的这种欲求与目的,在当时的法国特别显著地表现着。孔德的社会学,就是适应于当时布尔乔亚的这种欲求和目的而建立的理论。所以孔德把他的社会学叫作"人类社会的秩序与进步的科学"。所谓"秩序",是指布尔乔亚的秩序说的,所谓"进步"是暗示着布尔乔亚社会是历史上最进步的东西。"他努力要论证没有秩序就不能进步,秩序实是社会之'调和的'存在的条件。"

孔德是圣西门的剽窃者,他的社会学中的许多重要之点,反乌了圣西门的学说。旧机械唯物论的人性论的见解,后来为空想社会主义者所支持、所发展。尤其是经过圣西门的思想的加工,便成立了所谓知识的发达是历史运动的根本动力的见解,建立了所谓"社会由个人而成立,因而社会的理性的发达是个人的理性之大规模的复制"的论纲,并设立了所谓"神学的、形而上学的、实证的三个发达阶段"的知识发达的法则。所以,圣西门把布尔乔亚对封建领主的斗争,解释为由形而上学到实证科学,由军国主义到产业主义的推移的过程。圣西门的这种见解,更经过孔德的加工和补充,就创立了所谓实证主义的社会学。

根据人性论的见解去研究社会时,就不能不在人性之中去探求社会发展的原因。但"社会的理性"既是"个人的理性之大规模的复制",那就个人的理性必须供给历史解释的关键了。但圣西门和孔德,不知道从特定的社会的生产关系之中去研究个人的本性,却要从生理学中去研究它。他们以为"研究个人的本性的东西,是广义的生理学",因而把所谓"社会物理学"作为社会学的基础。因为要在社会物理学之中去研究个人的本性,就不能不研究"世代"递邅的影响。"一定的世代,影响于其次的世代,把前一世代传承下来的以及本身所得的知识遗留于其次的世代。因而社会物理学就弄得要用知识及一般教化的发达的见地去观察人类的进化了。这已是 18 世纪纯观念论的见地即'意见支配世界'的见地。"

基于上述的研究,所以孔德师承圣西门的学说,把知识的历史分为神学的、形而上学的及实证的三个阶段,把现实的历史分为军事的、法治的及产业的三个阶段。而现实的历史是受知识的发达法则所支配的。因此,他认定知识之实证的阶段,是知识发达的最高阶段,即是布尔乔亚的知识的阶段;历史之产业的阶段,是历史发达的最高阶段,即是布尔乔亚的社会的阶段。所以布尔乔亚社会是合乎理性的东西,是必须拥护的东西。

实证主义,在其本来的意义上,是经验主义。它蔑视经验是由意识以外的存在所引起的前提,即是形而上学或观念论。孔德应用实证主义所建立的社会学,不能看到社会之经济的基础,只是用主观的理想,用精神的宗教的原理去完成他自己的体系而已。

(二)生物学主义的社会学

布尔乔亚社会的发展,到了19世纪中叶,已经充分地暴露其自身的矛盾,普罗列达里亚对于布尔乔亚的斗争,也是日趋于激烈——这对于资本主义,确是很大的威胁。因此,布尔乔亚社会学者,不能不为资本主义社会造出新的理论的根据,并在精神上麻痹大众。这种社会学,就是生物学主义的社会学,即是社会学上的有机体学说。

社会学上的有机体学派,孔德是一个首创者,但充分展开了有机体学说的人,要算斯宾塞。斯宾塞吸收当时进化论的学说(主要是受了拉玛克的影响),创立了生物学主义的社会学。就他的社会学看来,社会是有机体,而有机体又是细胞的社会,最初的自然的有机体是没有生理的、分业的、简单的细胞,与这种自然有机体相当的社会的有机体,是没有社会的分业和集团的分化的原始群。但动物的有机体,只有在其细胞增加而分化为两群细胞时,才有进步。第一群细胞是外的细胞,对于环境的影响实行摄取或排除;第二群细胞是内的细胞,摄取营养资料,并实行加工,所以在进步的社会群团中,有军事团体与劳动团体(由女子或俘虏构成)。但自然有机体进步以后,除内外两群细胞之外,更有中间细胞群,形成为营养液分配的血管,所以在进步的社会有机体之中,除军事阶级与劳动阶级之外,还有商人阶级。军事阶级,发展为支配阶级,便成立国家(有如外的细胞群,不但形成为皮肤,并且形成为调整运动的全神经系统)。这种军事形态的社会,往后就转变为由自由意志结合的产业形态的社会(即布尔乔亚社会),营养、分配及支配这三个机关,互生作用,维持生命的发展,有机体越是进步,三者的相互作用越是复杂。所以社会的生命,受进化的法则所支配。又个体神经系统,是意识知识的机关,与这种机关相适应的社会的共通的知识的机关,即是僧侣阶级。社会进步以后,不能不有法律去调剂,这法律的制定,就是人类的精神作用即论理的知识在社会秩序上的最初的应用,于是社会不单受自然法则所支配,并受精神法则所支配了。

概括地说来,这样的社会学,把社会看成生物学的有机体,把社会的阶级分化看作有机体内部的各种有机的机能之分化,借以证明支配的、剥削的阶级与被支配的、被剥削的阶级之存在是合乎自然法则的(即是天经地义)。因此,他们"引出了阶级调协、阶级利害的共同与调和的思想,引出了阶级差别是一切社会所必然存在的思想"。

生物学主义的社会学,流传很久,派别也很复杂,而其一般的倾向,大致如上所述,即同是布尔乔亚自由主义者。不过在这里要连带的加以检讨的东西,是社会达尔文主义。社会达尔文主义,是生物学主义社会学的变种,这一学说,把达尔文学说做恶意的解释,把生存竞争、自然淘汰及适者生存等进化论的范畴,搬到社会领域中来应用,借以证明布尔乔亚中的斗争及竞争的必然性。依据这种学说,社会群斗争的结果,必然是优胜劣败,弱肉强食,布尔乔亚对于普罗列达里亚,帝国主义者对于弱小民族的支配和剥削,正是天演公例。这种学说,在帝国主义时代是特别流行的东西。

生物学主义社会学的又一变种,是所谓人种学的社会学。这种社会学,把社会的过程看作是直接依存于有机的实体即人种的东西,实行机械的生理的解释,所以与社会有机体说相近似。这一学派,由哥比诺亚的"人种不平等论"所建设,往后更经法国人拉布乌知、德国人阿孟、渥德曼等所支持,所修正,所发展(美国社会学者乌德也支持这种学说)。这一学说,把人种或民族当作历史的根本要素,把人种或民族的斗争看作历史进化的原动力。这一学说,研究人种或民族的特质,把人类分为黑色、黄色、白色三人种(其他是混合的人种,这是哥比诺亚的分类)。三人种之中,白色人种是文化的创造者,尤其是日尔曼民族与伊兰民族最为优秀,而斯拉夫人种是黄色人种的混血种,人种的价值很少。至于劳动阶级,在人种上看来,是变质者,是下等人。依据这一学说,世界只有纯粹白色人种是最高贵的人种,是天之骄子,世界的主宰,其他一切有色人种及变质的或混血的白种,都是他们的奴隶,必须受他们的支配和剥削。这显然是帝国主义政策的公开的辩护论。这种学说,现在已呈现最露骨的法西斯主义的党派性,希特勒所说的"世界史上的一切事变都是'人类的自己保存的冲动的表现'这种主张,实是德国法西斯主义历史哲学的基础"。

总括起来,生物学主义的社会学,用生物学的原理说明社会,在表面上好像是唯物论的,而其实际上纯粹是观念论的虚构,与社会的发展法则之研究完全无关。

(三)心理学的社会学与形式社会学

生物学主义社会学之后,成为重要潮流的社会学,要算是心理学的社会学与形式社会学了。心理学的社会学,主张社会是由人们的心的相互作用构成的。这心的相互作用,即是社会学的对象。这种社会学,把心理的发展程序,看作是社会的发展程序,因而主张知识是社会发展的原动力。所以要改良社会,必先改造人心;要改造人心,必须依赖于教育。这种社会学,是十足的观念论的社会学,其政治的目的,是否认阶级的差别与对立,否认社会革命,而主张社会集团之冲突,只是精神的冲突之表现形式。这种社会学,针对着帝国主义时代阶级斗争的实况,提倡心理改良主义,借以缓和阶级对抗而为帝国主义服务。

心理学的社会学,对于形式社会学的倾向,有一种过渡的性质。形式社会学,是德国人齐美尔所创立的,形式社会学之哲学的基础,是康德的形式主义。形式社会学,把心的相互作用看作社会的本质,而主张把这种心的相互作用之一般的抽象的形式,作为社会学的对象。依据这种社会学看来,一切社会现象都是心的相互作用的状态,至少都具有一种形式和内容。所谓形式,如齐美尔所说,是"上下关系、竞争、模仿、分业、徒党、代表、对内的结合与对外的团结"、"集团之扩大与个性之发达"等类的东西(他还有一个烦琐的形式分类表)。所谓内容,是"成为这些结合的原因的关心",即是各种结合之经济的、政治的及法律等的行为及其结果。各种内容,是各种别的社会科学(如经济学、政治学、法律学等)所研究的,至于结合的形式,是由社会学所研究的。

形式与内容,是不可分离地结合着,离开内容的形式,只是抽象的、非现实的东西。但形式社会学者,却以这种抽象的、非现实的形式为满足。他们不考虑社会关系的各种经济的、政治的及法律的等等的内容,而单是考虑社会关系的形式。他们以为文法不研究文辞的内容而只是研究文辞的形式,和这一样,社会学也可以不研究社会关系的内容而单只研究社会关系的形式。他们说,譬如家族关系,其中虽包含着经济的、法律的、宗教的、政治的(统制的)等等的内容,但社会学可以不考虑这些内容,而单只研究家族的大小(家族人口数目)、家族的密度(家族人员间结合的强弱)及关系的状态(家长与其他人们间的上下关系)等方面。形式社会学者自己虽然也知道形式是离不开内容的,但认为在观念上是可以从内容抽出形式来研究。他们也承认社会的形式,与几何学的形式,是一个精神的舍象,是一个论理的抽象。可是他们自以为发见了社会学的对象,对于从来的孔德、斯宾塞等综合的一般的社会学,采取反对态度,斥为百科辞书的社会学。他们以为这种抽象的社会关系的形式,是社会学所独有的对象(其他各种社会科学并不研究它),由于这种对象之发见,社会学才能成为一个社会科学(即他们所说的特殊社会学)。

形式社会学,是康德的形式主义在社会领域中的应用,这是很明显的。它先在头脑中设立所谓社会关系的形式的概念,拿这种概念去照取现实的社会现象来说明它。这正是所谓"用论理的范畴绣成的绣花布上的刺绣",是想"在论理的范畴中看出万物的本体"的东西。形式社会学者,站在康德主义的立场,用主观的虚构的概念镶嵌于现实的社会现象之中,他们绝对不知道:关于社会关系的概念是现实的社会的发展过程之反映,因而这些概念,是随着历史的各个发展阶段的特殊性而有不同的意义的。伊里奇对于齐美尔的"社会分化论"的命题的批判,这样写着:"关于个性的发达(及幸福的状态)如何依存于社会的分化这种抽象的议论,是完全非科学的,因为要设定适合于一切形式的社会构造的那种关系,是不可能的。所谓'分化'或'发达'等等的概念本身,在把它适用于各种不同的社会环境时,就取得完全不同的意义。"

形式社会学,在前次大战终结,布尔乔亚革命胜利以后的德国(1920年前后),非常流行。因为德国的布尔乔亚,虽以取得政权为满足,而对于普罗列达里亚的反抗却感受威胁,所以在理论斗争领域中,选择形式社会学作精神的武器以对抗历史唯物论。布尔乔亚社会学者,大都替历史唯物论加上综合社会学或一般社会学的污名,而宣称形式社会学是特殊的社会学,是比较综合社会学更为科学的社会学,因此企图把历史唯物论当作综合社会学的一种,加以排斥,其实历史唯物论,与布尔乔亚社会学是完全相反的东西。

形式社会学,由于形式与内容之概念的分离操作,把具体的历史=社会的内容舍象出去,把帝国主义时代的尖锐化的阶级对抗的真相隐去,而专做论理的游戏,假装"为科学而科学"的科学性。这种蔑视现实的阶级中和性与抽象的超越性,恰好与当时德国布尔乔亚的政治上的立场相适应。形式社会学体系建立者韦瑟,著有《关系论》一书,其中之《社会构成论》,详细地说明了所以要努力建立新秩序与超越党派利害的原因。形式社会学的这种企图,是蔑视现实,装出不偏不党的态度,想借以造出保证社会政府的实行的可能性的立场。这种社会学,无疑地是反动的东西。

(四)知识社会学与文化社会学

但是,现实的布尔乔亚社会,离开形式社会学者的意志,向着没落的阶段前进,而到达于布尔乔亚社会及其文化的危机的时代了。于是蔑视现实的形式社会学,也随着布尔乔亚社会及其文化诸形态而一同遭遇着危机,已不能为布尔乔亚服役了。于是布尔乔亚社会学,被逼迫着要接触于布尔乔亚社会的现实问题,不能不改换装束,登上理论斗争的舞台。这种新装的社会学,即是今日布尔乔亚社会中最流行的文化社会学。文化社会学,是小布尔乔亚想克服文化的危机而创造新文化的改良主义的要求之反映,而实际上所谓新文化的创造,却只是对于腐朽的布尔乔亚文化之强烈的拥护,对于历史唯物论之猛烈的袭击。

文化社会学的先驱,是所谓知识社会学。知识社会学,如该派学者曼海姆所规定,这是"知识的所谓'存在的规定性'的学说"。这种社会学之哲学的基础,是观念论的认识论,它站在观念论的历史主义的立场,主张思维的形成,由所谓"存在的要素"的理论以外的契机所规定;并且规定具体知识内容的存在的要素,还深入于内容与形式规定认识的观点。曼海姆说:"在一个集团内部认为绝对妥当的东西,若在站在这一集团外部的人看来,就当作由该集团所制约的东西、部分的东西去认识。而成为这些认识的前提的东西,即是距离化。"这便是说,知识是由知识者所存在的时间、空间及所属集团的差异等而有不同的。曼海姆的知识社会学中多元主义的见解,包含着所谓"意识形态的无差别的法则"的照应论。在现实上,布尔乔亚的意识形态与普罗列达里亚的意识形态,是完全相反的;但两者虽然相反,却都是由其所属的阶级(即存在)所规定的意识形态。在这样的情形,知识社会学就不能不把两者看作无差别的东西了。于是互相争论的两种意识形态,为了克服现代思维的相对主义的危机，就应当觉悟到自己的立场的局限性和存在规定性，避去对立而到达于妥协，曼海姆说："想在其意识形态性上观察布尔乔亚，这已不是社会主义思想家的特权。这种方法，在一切阵营中都是适用的。"所以在知识社会学的立场上说来，社会主义或马克思主义，在其自身的意识形态性上，也必须作相对主义的观察。这便是说，知识是知识，意识形态是意识形态，不管它的社会的立场如何，都必须在相对主义的见地上去考察。

知识社会学，是观念论的、形而上学的历史哲学。知识社会学者，并不理解意识形态是特定阶级对于特定社会的认识。布尔乔亚的意识形态，为了拥护现代资本主义的秩序，故意回避现实，而趋向于虚伪、蒙蔽、顽迷的意识。普罗列达里亚的意识形态，却能正确地反映现代社会的发展法则，担负起推进时代的历史的使命。两者之中，只有反映现实的意识是真理，反之，曲解现实的是谬误，其间并没有相对主义存在的余地。知识社会学，自称是关于知识受存在所规定的学说，表面上好像是与"社会意识受社会的存在所规定"的学说相近似，而实际上却是由观念论的认识论的前提出发的。这种社会学的政治目的，是在于隐蔽阶级对立的现实性，企图消灭阶级意识，克服社会主义，结局只成为法西斯的烟幕，扮演其反动的角色。

至于所谓文化社会学，与知识社会学的内容是相同的东西（知识社会学是文化社会学的先驱，现已成为文化社会学的主要部分），两者的政治性质也是一样，同是法西斯主义的文化的拥护者。文化社会学，是想把各种文化形态，就其社会的历史的规定性去认识的社会学。据文化社会学者自己的解释："文化社会学，是在其社会的规定上理解文化的学问。所谓文化之社会的规定，即文化的社会性的主要的东西，可以举出国民性、阶级性、时代性等项。文化并不是唯一的东西，文化形态是复杂的。由于国民、阶级或时代的不同，就有各种不同的模型的文化存在。认定这种事实而把文化当作各种模型的文化去理解的东西，即是文化社会学。"（日人关荣吉的文化社会学概论）

文化社会学者，不但主张由国民的、人种的、社会的、历史的、阶级的见地去理解现代一切的文化，并且主张要创造新的文化，尤其是要创造一种符合于"民族精神"的超阶级的文化。他们的目的，不单是拥护布尔乔亚的精神文化，并且在文化再建的名义之下，保障自己阶级的经济的政治的权力。他们认定布尔乔亚文化是神圣的东西,把普罗列达里亚看作是文化的破坏者,因而进攻历史唯物论。他们宣称形式社会学是正命题,马克思主义是反命题,而文化社会学是合命题,即是说,文化社会学是形式社会学与马克思主义的综合。这种见解的滑稽可笑,实是布尔乔亚陷于文化危机之中而毫无出路的事实的反照。

(五)布尔乔亚社会学的总批判

布尔乔亚社会学的各种派别及其变迁的趋势,上文中已经大略地说明了。布尔乔亚社会学的政治性质,主要地是站在布尔乔亚的利害的立场,拥护布尔乔亚的秩序。孔德和斯宾塞的社会学,主要地是反对封建制度或封建残余的理论。因为在 19 世纪前半期,资本主义的生产方法,在英法两国已经占居支配地位,布尔乔亚在政治领域中不能不彻底廓清封建的势力,并抑压新兴的普罗列达里亚的运动,以巩固资本主义制度。所以这时期的社会学,就是这种社会的现实状况的反映。但是到了 19 世纪的后半期,布尔乔亚社会已显出崩溃的征兆,阶级冲突逐渐地尖锐化,而普罗列达里亚的理论已经普遍于各方面。于是布尔乔亚为维持于自身有利的社会秩序,不能不提倡阶级协调的议论,并实行改良主义以期和缓阶级的冲突。而这种阶级协调议论的根据,就是回避现实,闭着眼睛否认阶级的存在。这就是心理学派社会学及形式社会学产生的社会的背景。历史的车轮,不断地向前转动,直到现在,资本主义的经济的政治的及文化的危机,日益严重,布尔乔亚为寻求自己的出路起见,不能不逃避现实,而期望把阶级解消于帝国主义的民族主义之中,企图世界的再分割。在社会学领域中反映这种现实状况的理论,即是所谓知识社会学和文化社会学。所以布尔乔亚社会学变迁的趋势,实是布尔乔亚本身的现实要求的变迁之反映。

布尔乔亚的各派的社会学,虽然都装出科学的外貌,但实际上并不是科学。科学是暴露其客观的研究对象的发展法则的理论,而布尔乔亚社会学,却与科学的这种本质无缘。

第一,布尔乔亚的各派的社会学,始终没有找到自己的研究对象。形式社会学者,反对孔德及斯宾塞的综合社会学,加以"百科辞典的社会学"的徽号。因为综合社会学,把一切社会现象作为研究对象,这显然是把各种社会科学所研究的对象都拉致在社会学研究的领域来做综合的研究的。这样的社会学，实际上并没有特定的研究对象，它本身明明是不必要的东西。但是形式社会学，虽然发见了所谓社会关系的形式作为研究对象，做了一些概念的分析及形式论理的研究。可是所谓社会形式，是离开内容的形式，是抽象的形式。这种抽象的社会形式，只是形式论理的产物，在现实上是没有的。形式社会学，把现实上所没有的东西作为研究对象，这显然不是研究现实的学问。知识社会学和文化社会学，不满意于形式社会学，而把知识或文化作为研究对象，自称是"现实社会学"。可是所谓知识，所谓文化，原是一切自然科学和社会科学所分别研究的东西，原无须另设一种独立的科学部门去研究。所以布尔乔亚的各派的社会学，是没有特定研究对象的社会学。

第二，各派社会学之哲学的基础，都是观念论的。孔德和斯宾塞的社会学，把原子论，或生物学的概念、范畴和法则，从外部搬到社会的领域，说这是社会的发展法则，显然是纯粹主观的虚构。心理学的社会学，把心理学的范畴和法则从外部移入社会之中，其为主观的虚构，是很显然的。形式社会学，是形式论理学在社会领域中的应用，实际上只是所谓"社会几何学"。至于知识社会学或文化社会学，表面上剽窃历史唯物论的命题，加以观念论的曲解，实行脱胎换骨，自称要研究知识或文化的社会性，而实际上只是观念论的历史主义的见解，贯串着法西斯主义的精神。

伊里奇对于主观主义的社会学，有这样一段批判："实际上这些理论，十分之九……是在社会是什么、进步是什么等等纯粹先天的、独断论的、抽象的构成之上成立的"。这句话，对于一切流派的布尔乔亚社会学的批判，都是适合的。

第二节　布尔乔亚历史哲学的批判

一、康德与黑格尔的历史哲学

（一）康德的历史哲学

历史唯物论，不但要与布尔乔亚的社会学相斗争，并且要与布尔乔亚的历史哲学相斗争。在现时阶段上，新康德主义与新黑格尔主义的历史哲学，不仅侵蚀于社会科学的领域,还要闯入普罗列达里亚的理论斗争的战线中,企图用观念论来修正历史唯物论。所以历史唯物论为要有效地克服目前流行着的新康德主义与新黑格尔主义的观念史观,不能不更进一步去掘翻它的先行者的观念史观,即康德与黑格尔的观念史观。历史唯物论原是在它与观念论的历史学说的斗争中锻炼出来的东西。

康德与黑格尔的历史哲学,是 18 世纪末叶到 19 世纪初期的德国布尔乔亚的二重性的反映。当时在半封建的德国开始抬头的布尔乔亚,一面欢迎法国革命的理论,一面又害怕革命的恐怖而与封建的贵族相妥协。所以,他们的历史哲学,是当时布尔乔亚的妥协性的表现,正与他们的一般哲学一样,同是"法兰西革命的德意志理论"。

康德的历史哲学,是他的二元论的折衷主义的哲学在历史方面的应用。康德的折衷主义之明显的表现,是他的道德论。他把世界划分为绝对对立的两部分,一是自然世界,一是历史(=社会)的世界。自然的世界属于必然的领域,历史的世界属于自由的领域。所以他在自然的认识上,还认定科学的意义(虽然采取观念论的形式),但在社会的方面,却认定有永久不变的道德律,即所谓定言的命令存在着。他认为道德义务的意识,是使人类与动物相区别的、先验的东西,即人类生来就具有的东西。所以在人类的行为上,因果律的原理不发生作用,只有道德律发生作用。

据康德说来,社会属于道德关系的世界,也是属于物本体的世界。这个世界,是受神、宗教、信仰等所支配的。因为道德的命题,是先验的、超感觉的东西。人类在其所生存着的感性的、受规定受限制的世界中,能够实现道德律,实现定言的命令。从这种处所,就发生了理想与现实、义务与感性的要求之冲突。这种冲突,只有依靠神、宗教、信仰等才能解决,才能调和。

"康德所说的定言的命令,其要点如次:'你要在你的人格和别人的人格上,尊敬人类的品位,要常把人格当作目的使用,不要当作手段使用'。这种原理,具有极一般的形式的性质,所以成为布尔乔亚伪善的意识形态的一个形式。"当时法国革命的布尔乔亚所宣言的自由、平等、博爱等空洞的口号,可说是从康德的形式的道德律引出来的东西。这种形式的道德律,很能够隐藏布尔乔亚社会的真相,变为阶级妥协的精神的工具。

康德的历史观的布尔乔亚的特性,在他的关于所谓"德"的学说中,表现得特别明了。"他以为人们的最高义务,是自己的能力的完成,是自己的价值的保存。人们固然要想到他人的幸福,但这要靠完成自己的努力,才能达到。"他以为人人如都能完成自己的幸福,便是全体社会的幸福到来的条件。这种学说,恰是布尔乔亚利己主义的写照。利己主义,主张人人都应力求自己的私利,增加自己的财富。各个人的财富的增加即是全社会财富的增加,各个人幸福的增进即是全社会幸福的增进。这样说来,现社会中贫富的差别,是利己主义完成与否的差别,与现社会制度并无关系。康德的道德理想,实是把资本主义的现实看作绝对正当的东西,而社会中一切的矛盾都在道德理想之中消失了。

康德把道德论作为他的历史观的中心,认定道德理想是支配全社会历史的永久不变的定律。人类社会的发展,由原始的自然状态而推移于法治社会与国家。原始自然状态,受情欲与本能所支配;法治社会及国家,是道德进步的结果。所以他的历史观,认定历史不受必然性所支配,而受自由所支配。人原有理性、有道德,都能意识自己的自由,这种意识到自己的自由的理性或道德性进步了,发展了,社会就自然地发展了。所以在康德说来,历史发展的原动力是道德。在这种纯观念论的历史观中,一切丑恶的现实都被笼罩了,社会只有平和的道德上的改进,决不能有革命的物质的改造。

(二)黑格尔的历史哲学

"黑格尔的历史哲学,是德国布尔乔亚与德国布尔乔亚革命的发展的其次的更成熟的阶段之反映。"黑格尔的时代,是"布尔乔亚上升的时代,一般地是布尔乔亚民主运动、民族运动的时代,是封建的专制制度急速破碎的时代"。但当时德国经济的政治的状况,比较英、法两国是很落后的,民主革命胜利以后的法国布尔乔亚的现实生活,对于在经济上政治上都微弱无力的德国布尔乔亚,还是一种梦想。关于这一层,在黑格尔对于法国布尔乔亚革命的评语中,表现得非常明白。他说:"正义的思想、正义的观念,忽占优势,非正义的立场,不能抵抗正义而被破坏了。于是在这个正义之上,设立了一个宪法,此后一切东西,都要在这个基础上建立起来。自从太阳悬于天空而诸行星环绕于它周围以后,从未曾听到过人类以头脑为主即以思想为主而由此以造出现实的话。从前亚那查哥拉斯曾经说过：'道理,理性支配着世界'。然而直到现在,人类才承认了思想必须支配精神的现实。这真是灿然的日出。一切思索着的生存物,都共同祝贺了这一日。庄严的情绪,风靡于当代了;人心的热情,横溢于世界了。现在真像是神意与世界的调和的到来。"可是,德国布尔乔亚虽然憧憬于革命,而对于法国革命发展以后的恐怖状态,却感到恐惧而怀疑,反而与封建势力相妥协,想依附于封建势力来实现自己的要求了。这种倾向,在黑格尔的历史哲学中反映了出来。

黑格尔《历史哲学绪论》第一章,标题为《世界史的理性观》,这便是表明他的历史哲学即是"世界理性"的历史观。他在辩证观念论的基础上,克服了康德分离自然与历史的形而上学的见解,主张自然和历史都是"世界理性"或"绝对精神"的发展的阶段。"他把世界史的目的及历史事件之内的联结",叫作"绝对理念之实现"。他主张历史必须通过家族、市民社会及国家的三个阶段。绝对精神,在国民的历史中,在宗教、艺术及哲学中,在家族及市民社会中,都表现出来,但最后进到国家的阶段,就实现其最高的目的。所以国家是世界理性或绝对精神的最高的表现。在黑格尔看来,国家也是"建立于社会之上而预想到市民社会即经济关系的发展"的。绝对精神,到达于自己的发展的最高阶段,以后便停顿起来。这样的国家,在黑格尔看来,即是当时半封建的普鲁士立宪君主国。黑格尔把这普鲁士的立宪君主国,叫作与精神所到达的绝对的永久的真理相一致的绝对的永久的国家制度。黑格尔这样颂扬普鲁士立宪君主国,固然是他的哲学所以成为当时国家所公认的哲学的原因,而其历史的根据,是由于它反映了当时布尔乔亚与封建势力相妥协的倾向。

黑格尔主张绝对精神的辩证法的发展的径路,即是世界史。而"世界史是自由在意识上的进步——我们在其必然性上去认识的进步"(因为"自由即是必然的洞察")。他依照自由发展的程度,把历史划分为三个阶段:第一阶段,是一人自由的东洋;第二阶段,是少数人自由的希腊及罗马世界;第三阶段是万人自由的日尔曼世界。"东洋譬如人类幼稚期,希腊是少年期,罗马是成年期,日尔曼是老年期(但历史的老年期,不是衰老;而是完全的成熟)。而黑格尔所说的日尔曼世界之经济的内容,是布尔乔亚的,其政治的形式,即是普鲁士王朝。"

黑格尔的历史哲学，也说起"世界史之地理的基础"。他依照地理的特征，把世界划分为几种范畴，例如"具有大荒原与平原的干燥的高地"（如蒙古人所居住的中央亚细亚），"由大河川所分划所灌溉的溪谷的平地"（如中国、印度、巴比仑、埃及等），以及"与海洋有直接关系的海岸地"（如荷兰与葡萄牙等国）。他依据这些地理的差异，去说明"各处居民的生活条件、产业、国家组织、气质等的差别"。这种见解，又杂有地理史观的成分。

黑格尔的历史哲学，虽是观念论的、反动的，但其中却也有不少的部分，违反他的意思，包含了"在某种程度促成历史唯物论的准备的深刻的命题。他也曾力说经济对于历史发展的意义，其中实践和技术的作用，劳动手段的意义"。特别重要的事情，是他关于全部历史的合法则的过程之最一般的命题。这个命题，就是他所说的"一切实现的东西都是合理的，一切合理的东西都是现实的"。这个命题，如恩格斯所说，在当时成为普鲁士政府的同感与自由主义者的愤怒的对象。因为这个命题，"明明地是一切现存事物的肯定，是专制主义、警察国家、秘密裁判、检阅制度之哲学的颂扬。腓力特威廉三世是这样考察的，并且他的臣下也是这样考察的。但在黑格尔说来，一切现存物并不就是那样现实的东西。在黑格尔说来，所谓现实性的属性，同时只属于必然的东西。现实性'在其自己的显现上'出现为必然"。这个命题，在历史上应用起来，"历史上'现实的东西'，只是历史上必然的东西"。照这样说来，就具有完全不同的革命的意义了。历史上现实的东西，发展到特定的阶段，就变为非现实的东西，就失掉自己的必然性、合理性，而由新的历史的现实性所代替了。这新旧的交替，如不是和平地进行，必然是暴力的革命。所以，黑格尔的这个命题，如果彻底地应用唯物辩证法解释起来，就能暴露其革命性，而成为历史唯物论的先导。在这种意义上，历史唯物论，可以说是在它和黑格尔的观念史观的斗争中锻炼起来的东西。

（三）新康德主义的历史哲学

19世纪后半期，对抗历史唯物论而出现的布尔乔亚的历史观，是新康德主义的历史哲学。历史唯物论，暴露了历史的发展法则，特别是现代社会的发生发展及其必然没落的法则。新康德主义的历史哲学，却从根本上否定历史的客观的合法则性。

新康德主义的历史哲学,是继承康德的历史哲学的传统的。康德形而上学地分离自然与社会,把自然作为必然性所支配的世界,把社会作为以自由为原理的伦理的世界。因而历史是受自由的道德律所支配,不能有什么必然的发展法则。新康德主义继承这种思想,把它发展起来,彻底地否认历史的客观的合法则性,借以克服历史唯物论。

新康德主义的历史观,可以分为两派:一是伦理史观或伦理的社会主义,这是玛尔布尔克学派的理论;一是采取所谓文化科学的认识论的历史哲学,这是巴敦学派的理论。

伦理史观或伦理的社会主义的根本主张,是所谓伦理对于经济的优位的见解。伦理的社会主义的创始者,是黑儿曼·柯亨。柯亨主张社会是在"道德的诸人格的交通"之上成立的,所以只能作目的论的考察,不能作因果论的考察,当作道德的人格看的各个人"纯粹意志的活动",即是规定社会过程的原理。因此他认为历史唯物论所主张的经济优于伦理的见解是错误的。同时他又指摘历史唯物论之中也含有道德的精神,这虽是与历史唯物论本身相矛盾的,可是历史唯物论的错误,却由其本身中所含有的道德精神订正了。因此,他主张社会主义,应该是从伦理学引出的"近代世界史的将来的道德的纲领",它并不是解决物质问题的理论,而是解决精神问题的理论,人类只有增进道德上的进步,才能到达于理想的社会。柯亨用伦理主义修正历史唯物论,除去历史唯物论的科学的精神,使它变为布尔乔亚的自由主义。

继柯亨之后,"建设所谓社会哲学、法律哲学、展开伦理的社会主义的人,有纳特福、西达姆拉、西达登加、佛连答等。他们都有一致之点,就是用'社会的观念论'对抗历史唯物论,否定社会发展的因果性而主张目的论,力说伦理、'道德的精神'的作用对于经济作用的根源性。这个学派,对于促进第二国际之理论的堕落是有力的思潮,这是要记住的"。

其次,巴敦学派(其代表的人物是里喀特、温德邦特等),建立了新康德主义的历史哲学。他们的历史理论,也是从自然与社会之形而上学的对立出发的。在他们看来,社会现象与自然现象绝对不同。第一,自然现象是重复的,所以能在重复的现象中发见它的法则,而社会现象不是重复的,所以不能发见它的法则。第二,自然现象,可以用人工把它再生产出来,能够发见其本性所暴露的必然性,而社会现象却不能再生产,即无由发见它的法则。第三,自然现象的发生大都是必然的,而社会现象的发生却完全是偶然的。第四,自然现象的发生,与人类的意志无关,所以有一定的因果律可以探寻,而社会现象是有意志的人类的合目的的活动,是完全自由的。第五,历史由伟人所创造(伟人即是伟大的人格),决不受什么法则所支配。基于上述理由,所以他们主张自然现象受机械的因果律所支配,而社会现象却受各个人的目的活动所支配,历史的过程中决不存有一般的合法则性。

新康德主义者根据上述的理由,主张自然和历史的研究方法是完全不同的。如里喀特所主张,自然研究的方法是普遍化的方法,即是从引起自然现象的原因的见地去探寻自然的法则。至于历史研究的方法,是个别化的方法,即是从价值的见地,把各个现象实行分类的研究。而各个现象的价值,是由于把这现象还原于理想的指导原理的事实决定的。这些指导原理,是道德、宗教、美学等等的规范,都是由科学家所选择的东西。所以历史的研究(即历史科学),只是历史的事变、事实及人物之个别的记述。于是"里喀特在事实上废除了关于客观的社会的历史过程的科学,把它变为个人的事件之规范的评价了"。即历史科学变为记述的、伦理的或规范的科学了。

"里喀特的历史哲学,明白地表示了:对于社会史之观念论的见解,是全无成果的;观念论对于社会历史的过程之认识,是完全无用的。"

(四)新黑格尔主义的历史哲学

新康德主义的历史哲学,也和形式社会学一样,对于历史唯物论的斗争,是一件无效的武器,所以随着帝国主义政治的经济的情势的推移,布尔乔亚哲学的潮流,就由新康德主义推移于新黑格尔主义。于是,新黑格尔主义就在历史的领域中采取新的历史哲学的形态,来和历史唯物论相对抗了。

新黑格尔主义的历史理论的祖国是现在的德国。德国在前次世界大战以后,国内的阶级斗争异常激烈,布尔乔亚的政权几乎不能支持,殖民地也丧失了。所以德国布尔乔亚,为了复兴自己的势力,不能不提倡国家主义、国民主义,引诱普罗列达里亚为祖国牺牲,企图世界殖民地与市场之新的分割。所谓新黑格尔主义的哲学及其历史理论,是从这种社会的根据上生产出来的。这种历史哲学,现在已成为一般的法西斯的历史观了。

　　新黑格尔主义,是黑格尔哲学的复活,是已死的东西的复活。新黑格尔主义的历史理论的根本观点,是从黑格尔的历史哲学采取出来的,主要地是所谓历史是精神的过程以及现代国家是合理的有机体的见解。新黑格尔派,从黑格尔的这种见解,创出了大布尔乔亚独裁及国民排外主义的理论。

　　新黑格尔主义的历史理论,反对个人主义与社会主义,高唱全体主义。所谓全体主义,即是国民主义,国家主义。所谓国民和国家,在新黑格尔派看来,即是同一性、统一、普遍及共同体。例如,笛格拉说:"民族以及国民,是决定的现实性,个别者没有反抗它的任何原则上的固有的权利。"宾德尔说:"国家是主观精神与客观精神之完全的统一,是自由的现实态","是个别者与一般者的统一"。赫拉说:"在黑格尔的价值的系列中,国家常是最高的东西,它常是绝对的价值;真、美、善的理念,只对于国家,才有相对的价值。"西奔古拉说:"世界史是国家的历史","国家,在黑格尔说来,是历史的创造者"。意大利的新黑格尔派金提雷,主张国家是道德理想的完成,不服从国家便是最大的罪恶,因为国家所用的权力都是道德的。

　　基于上面的说明,可以知道,新黑格尔派的历史理论的中心,即是国民、国家。国民和国家,是全体的东西,阶级在它当中被扬弃了。国民主义,国家主义,是超越时间与空间的永久的必然的东西。国家是社会史的发展的最高阶段,是最高的道德,超越于艺术、宗教与文化之上。于是金融贵族的寡头政治,在这种国民主义、国家主义的烟幕弹之下,就幻变而为全民政治、全体主义了。法西斯主义之反对议会政治与政党政治,就是从这种见解出发的。法西斯主义,不但反对社会主义,并且也宣称反对资本主义。这种反资本主义的主张,好像是不可思议的。实际上这并没有什么奇怪。法西斯主义所反对的资本主义,是指资本主义的个人主义的精神说的,因为个人主义,含有社会原子论的性质,是破坏全体主义的东西。至于资本主义的生产方法,却是法西斯主义的基础,除此以外,法西斯主义并没有独特的生产方法。

　　国民主义、国家主义,既然是至高至上的东西,所以一个国民及其具体的表现的国家,就不能不拥护自己所固有的原理而增进自己的利益。结果,国民与国民之间,必然发生利害的冲突,而引起国际间的战争。这种战争,在新黑格尔主义者看来,是必然的东西。如西奔古拉所说:"国家的历史,是战争的历史","战争是最高的人类的存在之永久的形式,国家是为着战争而存在的"。宾德尔也说:"黑格尔把战争当作国民的自由之必然的拥护手段表象了。"因此,新黑格尔派所主张的国民主义、国家主义,必然地要表现为军国主义、排外主义。如没有军国主义、排外主义,帝国主义者就不能实行世界的再分割。

根据上面的说明,大概可以明白知道,新黑格尔主义的社会学说,只是法西斯的国民主义、国家主义之哲学的圣化。

第 三 篇

社会的经济构造

第七章　生产力与生产关系

第一节　劳动过程、自然与社会

一、劳动

（一）劳动是人类与自然间的物质代谢过程

人类社会为要继续存在,第一件根本事情,是取得物质生活资料。为要取得物质生活资料,人类首先要到外部自然界去采取并变造自然的存在物。这种到自然界去采取并变造自然的存在物的行为,就是劳动。这劳动是人类求生存的第一个前提。"不要说一年,就是几个星期,如果停止了劳动,任何国民也都要死灭,这是小孩们也都知道的事情。"因此,我们的研究,从劳动的分析开始。

"劳动首先是人类与自然间的一个过程,是人类以自己的行为来媒介、调节并统制他与自然间的物质代谢的一个过程。人类是当作一个自然力,和自然物相对立的。他因为要以能够适用于自己的生活的形态去占有自然物,就运动属于他肉体的种种自然力,即腕、脚、头、手,他由于这种运动而作用于在他的外部的自然,并且变化它,同时又变化他自己的性质。他展开他自己的性质中所蕴蓄的各种潜伏力,而统制这些力的活动。"所以人类与自然之间的这种"物质代谢"的过程,就成为人类社会与自然环境之间的根本关系。

（二）劳动过程是社会与自然之对立的统一

社会现象与自然现象的统一,实现于劳动过程之中。人类一方面与自然相结合,同时又与自然有区别。人也是自然的实体,他和某种自然力一样,与"自然物"相对立。人类的劳动,当作自然的过程(物理的、化学的、生理学的

263

等等)看,是人类运用自身的生理器官而与其余的自然实行物质代谢的过程。换句话说,人类的劳动,就是"他因为要以能够适用于自己的生活的形态去占有自然物"。但在这样的人与外界自然的物质代谢过程中,发生了和其他动植物有机体的物质代谢根本不同的人类劳动之质的特殊性。

人类劳动之质的特殊性,表现于人类的有意识的劳动与劳动手段之中。因此,我们进而分析劳动过程的各种要素。

二、劳动过程的三个要素

(一)有意识的劳动

劳动是劳动力的使用,即是劳动力作用于自然的状态。而劳动力即是劳动能力,是存在于人类肉体中的种种物理的及精神的能力之总括,是人类变造自然物为有用物时所运用的"属于他肉体中的种种自然力"与"潜伏力"。

"我们所据以为前提的劳动,是专属于人类的形态的劳动。这专属于人类的形态的劳动,是与动物的劳动完全有别的。动物的劳动是本能的、无意识的、无目的的;人类形态的劳动,是有意识的、有目的的。这种专属于人类的形态的劳动,即是合目的的劳动。"

譬如"蜘蛛实行与织工的作业相类似的作业,蜜蜂建筑出来的蜂窝,使得许多做人的建筑师感到惭愧。但是使得最拙劣的建筑师最初就超越于最巧妙的蜜蜂的地方,就是人类的建筑师在用蜂蜡建筑蜂窝以前就已在他头脑中建筑着的一件事。在劳动过程的终结时出现为结果的东西,即是在开始时已经存在于劳动者的表象中,因而已经存在于观念中的东西。他不单是使自然的形态变化。他同时还在自然物中实现他的目的——他所意识着的并且当作法则决定他行为的种类的,而使他自己的意志隶属于它的那种目的"。所以人类的劳动是有意识的合目的的劳动。

(二)劳动手段

"劳动手段,是劳动者用来放在他自己与劳动对象之间而替他传导他的活动于其对象的一物或诸物的复合体。劳动者为要依照他的目的把这些东西当作作用于他物的手段而起作用,就利用这些东西的机械的、物理的及化学的种种属性。劳动者所直接左右的对象——例如把采集果实那样已经完全的生活资料的情形置之度外（在这种情形，只有他自己的肉体的器官是用作劳动手段的）——不是劳动对象，而是劳动手段。所以他把自己周围的世界的各种东西，变形为自己的活动的器官。土地也是他劳动手段的本来的武器库，正如它是他的本来的粮食仓一样。它对他供给例如他用来投掷、摩擦、压榨、切断的石头。土地那东西，也成为一种劳动手段。固然为要把它充用为农业上的劳动手段，还要以别的劳动手段的一系列和已经发展到较高程度的劳动力，作为前提。"

"如果劳动过程多少发展起来，它就必要有已经加工的劳动手段。我们在人类住过的最古的洞窟中，也还发现出石制的器具和石制的武器。在人类历史的初期，即已经加工的石、木材、骨及贝壳之外，那已经驯服因而它自身已经劳动变化了的家畜，当作劳动手段，演着主要的任务。"

"劳动手段的使用与创造，在其萌芽状态上，对于别种动物种属也是有的，但它却特别构成人类的劳动过程的特征。所以福兰克林（Franklin）'把人类当作制造器具的动物'界说了。"因此，我们知道劳动手段的使用与创造，是区别人类与动物的一个标准。

"遗骨的构造，对于已没落的动物种属的身体组织之认识，是重要的；同样，劳动手段的遗物，对于已经没落的经济的社会组织之判断，也是重要的。区别经济上的各时代的东西，不是什么东西被造出的一件事，而是怎样地、用怎样的劳动手段去造出的一件事。劳动手段，不单是人类劳动力的发展的测度器，并且是劳动所由实行的社会诸关系的指示器。"

（三）劳动对象

劳动对象，是劳动过程中所能加工的一切对象。"自然"对于人类，是劳动对象的总和。"土地本来对人类供给食料，供给现成的生活资料，它不待人类的协力就当作人类的劳动的一般对象存在着。由于劳动而单只从它们与大地的直接联系中分离出来的一切东西，是天然存在的劳动对象。例如可以从生活要素的水分离出来捕获来的鱼，可以从原始森林中采伐的木材，可以从矿脉分割出来的矿石即是。"

"反之，劳动对象，如果经过以前的劳动所滤过，我们就把它叫作原料。

例如已经从矿脉分割出来而要加以洗涤的矿石即是。"

"一切原料,都是劳动对象。但一切劳动对象,却不一定都是原料。劳动对象,只有在它已经起了由劳动所媒介的变化时,才是原料。"

"要之,在劳动过程中,人类的生活,借劳动手段以引起最初所企图的劳动对象之变化。但这过程,在生产物之中是被消失的。劳动过程的生产物,虽是某种使用价值,但在这里,劳动已和那对象物相化合。劳动被对象化,对象物被加工。在劳动者方面以动摇的形态出现的东西,如今在生产方面,却成为休止的性质,出现为存在的形态。"

"我们从生产物的立场观察这个全过程时,劳动手段与劳动对象两者出现为生产手段;劳动那东西,出现为生产的劳动。"

三、劳动过程之社会性

(一)纯抽象的劳动过程

"我们在其简单而抽象的诸要素上说明了的以上的劳动过程,是产出使用价值的合目的的劳动,是满足人类欲望的自然物的占有,是人类与自然间的物质代谢的一般的条件,是人类生活之永久的自然条件,因而是离开人类生活的任何形态独立而又对于人类生活的一切的社会诸形态都同样是共同的东西。所以我们没有把劳动者在他与别的劳动者的关系上来说明的必要。只要在一方面说及人类与其劳动,在另一方面说其自然与其物材就够了。"

劳动过程,是创造使用价值的过程。这使用价值的创造,虽由现实的生活的社会形态所决定,而对于一切社会形态却都是共通的东西。在研究的程序上,我们是可以从一定的社会形态先把劳动过程抽出来观察的。所以我们在上面分析了的劳动过程,是从现实的社会生活的形态抽象出来的过程,是纯抽象的过程,并不是现实地存在着的过程。这劳动过程,只有在我们把它和社会关系一起来理解的时候,它才是现实的东西。

(二)劳动过程之自然的方面与社会的方面

人类的活动之合目的的性质,以及作用于劳动对象的劳动手段之使用与创造,是从动物的劳动区划人类劳动的最一般的特征。由于劳动手段的使用与创造,劳动就同时获得了自然的方面和社会的方面。人类为了取得生活资料,就不断地运动自己的肉体器官,消费物理学的及力学的等等的能力,去作用于自然界,这是劳动过程之自然的方面。随着劳动的这种自然过程之发生,同时发生了对于人工劳动手段的相互间的关系,造出了劳动过程在其中进行的人工环境,造出了人类之社会的结合。这是劳动过程之社会的方面。劳动过程之自然的方面,是人类与自然间的物质代谢的过程;劳动过程之社会的方面,是人与人之间的劳动交换过程。所以具体的、现实的劳动过程,是上述自然的方面与社会的方面之统一。

人不是孤独地从事于生产的,而是在社会之中生产的。人的劳动,是在社会之中进行的。人是社会的动物。人的生产,常是社会的生产,即是社会的被规定了的生产。所谓在社会外部的孤立的个人的生产,是抽象的,是无意义的。"我们越是深深地追溯历史,就见得个人,因而又是生产的个人,越是非自立地属于更大的全体。即,最初完全自然的属于家族及扩大为种族的家族,后来属于由种族的对立与融合而生的种种形态的共同体。直到18世纪,社会的结合之种种形态,才在诸个人的面前,显现为诸个人的自私的单纯手段,显现为外在的必然。但是造出这种立场、孤立的个人的立场的时代,正是从来最发达的社会的(由那立场看来是一般的)诸关系的时代。人类正是文字上所表现的社会的动物;不单是社交的动物,并且是只有在社会内部才能单独化的动物。"

所以人类的劳动,常是社会的劳动。社会的劳动,只有在人与人的一定的社会联络及关系之中才能进行。一切人类劳动的一般特征,在社会的各个历史发展阶段上,在各个历史上特定形态中,采取种种不同的表现。因而人类的社会生活,具有特殊的社会的质,具有其历史的规定性。

(三)劳动过程的社会方面之积极性

如上所述,劳动过程的社会方面与自然方面,是互相渗透的,但在两者的统一上,这社会的方面,具有决定的作用,它是在劳动之历史的过程中发生发展的。发展着的劳动过程对于人类的自然的本性,又给以反作用。近代生物学告诉我们,人类是从类人猿进化而来的。但在从类人猿到人类的进化的过程中,劳动演过很积极的决定的作用。从类人猿到人类的过程,不是人类对于自然的纯生物学的"适应"的过程。这种进行过程,完全受了劳动的直接的影响,这简直就是人类劳动的发达过程。例如人类利用两足直立步行,只有在人类的两手做他种专门的机能时,才能发生,才有力量。所以说,人的两手,"不单是劳动的器具,并且是劳动的产物"。只有依靠劳动的作用,只有利用两个前肢去适应于复杂的劳动作业,并使它继续发展,人类的两手才采取现在的形态。劳动促成了人类的结合,发展了发音的器官,发达了人类的头脑。脑髓、手、发音器官等的共同动作,促进人类有机体的发展,使他脱离了动物的境界。这是劳动在由猿到人的进化过程中所演的作用。

劳动划分了原始人群与类人猿群的鸿沟。随着劳动的发生,人类的脑髓就发达起来,能够创造出器具。于是人类的劳动,便代替了动物状态的劳动。于是人类依据有意识的活动,去变化外界的自然,并且认识它;同时,人类社会又接触于劳动手段的制造的新源泉和新的劳动对象。随着劳动手段的发达,人类就变化了劳动活动的性质、形式和方法,同时改造了他自身的本性。生产的性质的变化,使人类发生新的欲望,而这新的欲望,又使人们继续去改良劳动手段。人类一面变革外界的自然,同时又变革自己的本性,因而变革社会的环境。所以劳动过程之社会的方面,对于那自然的方面,是演着主导作用的。

四、社会发展法则必须在社会内部去探求

于是我们提出"社会发展法则必须在社会内部探求"的命题来说明。

（一）社会与自然之差异

如前面所述,劳动过程是它的自然方面与社会方面之对立的统一。在这个对立的统一中,社会的方面,是演着主导作用的。我们知道,社会是自然的一部分,是在有机体的发展过程中发展的。所以社会绝不能离开自然。但在另一方面,社会是与自然有区别的,两者是本质不同的东西。因而社会与自然是不同的,同时又是异质的。在我们分析的始点上,社会与自然,出现为对立的统一物。

社会是在有机界的一定发展阶段上发生的。在这一点,社会是与自然相结合。在有机界之中,有达尔文所发见的法则;这种法则的特征,大体上就是自然淘汰与生存竞争。一切生物,都不能不从周围的环境采取食物。因此,一

切生物不能不适应于环境。人类这种生物,也是要从自然环境采取生活资料来维持生存。在这一点,人类和其他一切生物相同,但是除了和动物界相似的这种特征之外,人类还具有其固有的根本特征。人类具有着和其他一切动物截然不同的适应环境的方法,这是我们在前面已经详细说明过的。

当人类依据合目的的活动,利用人工的劳动手段,作用于劳动对象,而生产自己的生活资料时,就脱离动物的领域而进到社会的领域。从这一瞬间始,一部分的自然的历史,就转变为社会的历史;支配那自然的历史的法则就转变为新质的社会的法则;因而在历史的发展中,外界自然就转变为隶属于社会的对象。这一切,都是人类创造了劳动手段的结果。因为从这一瞬间起,消极的适应于自然的过程,就转变为生产过程。

从有机体的发展过程中发生出来的人类社会,由于劳动手段的使用与创造,就从被给予了的自然,创造出新的自然。人类社会,开始了对自然的进攻,使自然从创造的地位变为被创造的地位。因为这样,所以社会法则和自然法则是不同的。

(二)自然环境对于人类社会的意义

人类社会对于自然环境,虽演着主导的作用,但在另一方面,自然环境对于人类的意义,却是不容轻视。关于这点,不能不有正确的估价。因为当作人类与自然间的物质代谢看的人类劳动,对于社会具有规定的意义。我们知道,在生产技术极其幼稚的时代,自然环境对于原始社会的作用是很大的。譬如,原始人是利用粗糙的石器猎取动物为生的,当他们所能猎取的动物绝迹之时,他们就不能不从一个地方漂泊到别的地方。但是人们在与自然斗争的过程中,一旦获得了新的生产技术,他们就取得了新的生产力,形成了新的生产关系,而从渔猎生活进到农业或牧畜的生活了。于是从前自然环境对于原始社会的支配,就被打破了。从此,自然环境对于人类社会的影响,又显现于别的方面。而人类社会又不断地取得新的生产技术去打破它。所以自然环境对于人类社会的影响,因人类的生产力的发达水准而异。从前障碍人群交通的河海,由于船舶的创造,这障碍就被克服了。从前窖藏地下的矿物,由于采矿技术的进步,这矿物就供人们利用了。由于生产力的发展,不毛之地能变为工商业繁盛的区域,深山大泽能变为农产物出产的产地;远隔的朋友可利用电器交谈,僻偏的乡村可看到汽车驰骋。所以自然环境的条件,不能限制生产力与社会关系的发展,反而生产力与社会关系的发展,能够利用自然环境的条件。即是说,自然环境的利用,由生产技术的可能性所决定,由社会的条件所决定。而生产技术的可能性与社会条件,只有在生产力的一定发展阶段上,在一定生产关系之下才是可能的。所以人类社会在各种历史的发展阶段上,能够适应于生产力的状态,各色各样地去利用自然的环境。

(三)社会发展的原因存在于社会之中

由上面所说的看来,我们可以知道,社会发展的"终极原因",必须在社会关系之中去探求,在社会发展的规律性之中去探求。社会发展的原动力,存在于社会的劳动过程的内的关联之中,存在于适应生产力的特定发展阶段的特定生产关系的特殊性之中,但是我们绝不能说,自然环境的外的条件对于社会的发展绝无作用。无论何时,我们绝不能忽视:人类社会,在其历史的发展过程中,是从自然的内部分化出来的;人类的社会生活以及成为它的基本的劳动过程,就是人类与自然间的"物质代谢";这种物质代谢过程,包含着物理的、力学的等等自然的方面;人类的劳动手段和劳动对象,都是人类所变造所利用的自然的物质和能力。在这种意义上说来,社会的生产过程中所显现的自然环境的作用是很大的。但是如前面所述,劳动过程中的这些自然条件,在社会生活的种种制度的发展上,绝不能演出主导作用来。

我们着手分析社会时,是从社会的发展之内的条件与外的条件——劳动过程之社会的方面与自然的方面——之对立的统一出发的,但在两者之中,演着主导作用的东西,是内的条件。为要正确地估评自然条件的意义,我们必须从内的条件出发。在社会的初期的历史发展阶段上,原始人的生活是完全依存于自然环境的。即是说,自然环境对于原始社会,演过规定的作用。可是,社会发展的阶段越是增高,经济制度越是复杂,人类用作劳动手段和劳动对象的自然条件的性质,早已不依存于自然环境,而依存于特定经济制度的特殊性了。所以在社会与自然之对立的统一中,演着主导作用的方面,是社会而不是自然。

因此,我们对于社会的发展过程及其发展法则的分析,必须从生产过程开始。

五、各派社会学说对于自然与社会的关系之谬论及其批判

（一）旧派社会学的谬见及其批判

旧派社会学说，对于社会关系的本质如何的问题，不能给以正确的解答，所以对于自然与社会的相互关系，也不能给予正确的观念。

社会学上的自然主义及机械论，把社会与自然看作抽象的同一的东西。它们把社会看作机械的集合体，看作生物的有机体，看作物理的、生物学的个人之总体。它们把社会生活看作生物学的特殊的领域，看作一切动物中所固有的社会本能之特殊的表现。因此，它们把社会的法则看作生物界的法则，把社会学看作复杂的生物学的法则之体系。

此外，社会学上的观念论，在社会与自然之间，划分抽象的区别，使社会与自然完全分离，而把社会生活看作与有机的自然界绝对无缘的某种心理的东西。心理界与自然界截然有别。所以社会生活，决不能用自然科学所使用的一般概念去认识它。依据这种理论，社会现象是没有原因的，即是说，社会现象不受任何法则所支配，人们只能从所谓"目的"或"道德"的见地去考察社会现象，才能在社会现象中决定它的路向。所以在这种见解说来，社会学就是社会心理学或心理学的特殊部门。

但是依据前面的研究，历史唯物论，建立了自然与社会之对立的统一，在这个统一中，考察了两者的一切差别，考察了社会现象的一切质的特殊性。历史唯物论，在人们的社会生活中，看到特别的特殊的质。这特殊的社会的质，绝不是可以用物理学、生物学、心理学等等的概念去认识的。社会的人，与生物学上的人不同，社会与有机体的总体不同。与人类存在之自然的方面比较起来，社会是一种新的东西。社会生活，只有通过特殊的社会的联结和规律性，才能认识它。而这样的联结和规律性，是社会所固有的，是与外界自然截然有别的社会的特殊性。同时，历史唯物论，又承认社会的历史的生活之特殊的关联与法则，是存在于它与自然的一般法则的统一之中，并不是绝对地从这一般法则分离的。所以历史唯物论，主张社会现象与自然现象之统一，是在社会的劳动过程中实现的。而社会的劳动过程，是人类之历史的生活全体的基础。社会发展的原因及其法则之客观的认识，必须从这劳动过程的分析开始。

这是在前面已经说明了的。

(二)新派社会学说的见解及其批判

其次,关于社会与自然的统一中研究哪一方面演着主导作用的这一问题,旧派社会学说,固然不能答复,但就是在新派社会学说中,也有种种的曲解。从来的地理史观的主张者如孟德斯鸠、巴克尔、拉占霍法等人,把地理环境或一般自然条件对于历史发展的意义和作用,作夸大的估价。他们的目的,是在于建立社会与自然之间的均衡,借以证明现社会制度的基础,是由这种均衡所巩固的。所以他们把达尔文的进化论当作社会对于自然的受动地适应的理论,来适用于社会之中。因此,他们主张:自然条件,在社会适应于自然的过程中,演着主导的作用;人类社会,在这个适应过程中,只演着纯粹的受动的作用;而一切历史的发展,即是社会对于自然环境的受动的渐次的适应过程。所以他们的结论就是:社会生活的发展法则,完全受外界自然的法则所规定,只能适应于自然环境的变化而变化。

像这样明明谬误的见解,在所谓新派的社会学说之中,也还是继承着。例如古诺主张社会的劳动的技术,在最高程度上,与自然条件相联系。考次基在其初期著作中也提倡了这种均衡论。他在最近所著的《唯物史观》中,把社会对于自然的适应说,完全地展开出来。他把全部历史的发展过程,当作社会对于自然环境的有意识的适应过程去说明,这是主张在社会对自然的适应过程中去探求社会发展的原因的。

其次,蒲列哈诺夫,也有这样的偏见。他在他的著作中,对于地理环境的作用,作了过大的估价。他说:"地理环境的性质,规定生产力的发达。而生产力的发达,又规定经济关系,及其他一切社会关系的发达。……结局,规定一切社会关系的发展的生产力之发达,是由地理环境之性质所规定的。"这种见解,显然地在地理的条件中探求历史发展的根本原因了。

还有,布哈林的《历史唯物论》,更加发展了这种偏向。他虽然把社会的生产力做出发点,却把生产力看作是表现自然与社会间的能力均衡的东西。因此,依据他的理论,社会与自然间的"有正符号的均衡",是当作从自然吸取的物质能力超过人类的劳动的支出之结果而被确立了。换句话说,构成历史的发展的原动力的东西,不是社会发展之内的规律性,而是外的自然条件。他的这种均衡论,显然是地理观的见解。

末了,新派社会学说中,还有分离社会与自然的观念论的影响。例如鲁宾,从社会的劳动过程中,完全排除劳动之自然的生理构方面。他忽视人与自然间的物质代谢对于社会的意义,因而他所说的劳动,变为没有物质性的劳动。又如卢波尔,一面把社会规定为生产关系的总体,同时又以为生产过程中人们的劳动结合不是社会关系之本质的根本标志,以为劳动不是社会的基础。他们把人类的劳动和动物的劳动看成同一的东西。这两种见解,都是一种观念论的见解。

第二节　生　产　力

一、当作社会发展的原动力看的生产力

"社会生活的生产与再生产,是社会发展之决定的动因"。

我们把劳动过程和社会关系统一起来,就到达于生产过程。

(一)生产

但是以生产为问题时,"生产常是意指着特定的社会发展阶段上的生产——各种社会的诸个人的生产"。这是前面已经提起过的。这里先说社会的生产的意义。

生产是人类社会凭借人工劳动手段而变化自然物的过程。生产是社会对于自然的关系;这个关系,是由劳动手段作媒介的。从生产上观察劳动手段时,我们看到劳动手段是在生产以前已被给予着的东西。实际上,在生产过程开始以前,劳动手段必须当作已成的东西而存在。因为劳动手段如不预先做成,生产就不能成为生产。所以劳动手段,起初出现为生产的结果,出现为人工的物质的事物。但劳动手段,不单是人工的事物,又是充用于生产上的特殊物体。因而劳动手段,又是充用于新的生产(即再生产)的新事物。在生产上,不断地生产出新劳动手段,所以生产又把它自身当作新的生产而再生产出来。于是我们得到一个结论:生产过程的分析,把我们引导到再生产的分析。而再生产更成为社会发展法则的研究的始点。

"人类社会凭借劳动手段而变化自然物的过程",是人与自然的关系和人

们相互的关系之统一。生产只有当作社会的生产，才是可能的。人们如不互相联结，生产不会发生。人们"为要生产，必须结成一定的关系。只有在这种社会关系之内，他们才能作用于自然，才能生产"。由此可知生产过程，是人类社会在一定的形式上共同作用于自然并互相交换其活动以从事于制造物质生活资料的过程，即是统一着人与自然间的物质交换及人与人间的劳动交换的过程。更进一层地说来，生产过程，一方面是把它自身再生产出来的人与自然的关系，即是再生产过程；同时在另一方面是把它自身再生产出来的人与人的关系的形态。

（二）单纯的再生产

上面的结论，是理解社会发展法则的关键。因此，我们要在社会生活的再生产过程之中，去探求社会发展法则。即是说，社会发展的原动力，在社会的生产过程之中，在社会凭借生产而不断地把自身再生产的过程之中。

"生产过程，不问社会形态如何，总是经常不辍地，即是周期地不断地重新通过同一的阶段。一个社会，正如不能停止消费一样，也不能停止生产。所以社会的诸生产过程，如果从那不断地关联与更新的不断的流动观察起来，它同时又成为再生产过程。"

所谓再生产过程，又有单纯的再生产过程与扩大的再生产过程的区别。先说单纯的再生产过程。

"生产的条件，同时又是再生产的条件。任何社会，如果不把那生产物的一部分继续地转化于生产手段，于新的生产要素，就不能继续生产，因而也不能再生产。在别种事情无变化的范围内，社会如果不把等量同种的新物品去补充例如一年的期间所已消费的生产手段之劳动手段、原料、补助原料等，就不能以同一的规模去再生产或保存（社会的）财富。而这些物品是从一年的生产物之中分离出来而重新并入于生产过程的东西，所以每年生产物之中的一定量，是归属于生产的领域的。"像这样继续进行的生产过程，即是单纯再生产过程。

（三）扩大的再生产

再生产过程，不是每次以同一姿态而不断反复的停滞的过程。如果是那样，就会没有历史，没有发展，而只有永久的反复和停滞了。但是历史只在其一般的轮廓上是反复的,实际上每次呈现新的相貌和新的形态。所以说明社会的发展时,再详细检讨再生产过程。

再生产过程,只有凭借人类与生产手段的结合,才有可能。在这个过程中,人类是演着积极的作用的。因为人类由于变化自然而生产新的生产手段,同时又变化他自己的性质。于是人类与生产手段及其关系的再生产,就是人类与生产手段及其关系的变化。所以再生产的一切循环,是新的再生产,结果出现了新的人类,出现了新的生产手段,出现了新的人类相互间的关系。人类与生产手段间的这种新的相互关系以及人们相互间的新关系,如后面所见,是由生产之先行的性质所决定,它自身又成为生产的往后的变化的基础。于是生产的种种要素,发生联系。历史的过程,不是同一的反复的过程,而是前进的发展过程。

(四)社会发展的原动力——生产力

由于再生产过程的分析,我们就发见社会发展的原动力。

再生产过程,是技术的过程,同时又是社会的关系。因为人类凭借劳动手段而变化自然物一事,不单是生产过程,并且是劳动手段、人类及其关系的新形态上的再生产。这是再生产的技术的过程。同时,生产及再生产,是在社会的内部实行的,离开社会便没有生产及再生产。这是再生产的社会关系。因为再生产是技术的方面与社会方面之统一,所以它是社会生产的决定的动因。

为要说明再生产是社会生活之决定的动因,必须更进一层去考察再生产过程内部的关系。人类在其与自然的斗争过程中,造出了人工的生产手段;由于生产手段的创造,又改造他自己的性质——这件事,是再生产过程内部关系的本质。于是新的人类,依据已成的生产手段去变化自然,又生产出新的生产手段;这新的生产手段,又充用为往后的生产的要素。再生产是经常不辍的过程。在这个过程中,生产手段和人类,以及两者间的关系,在新的形态上把自身再生产出来。当作人类和生产手段的关系看,再生产是技术的行为,是物质事物的关系;当作人与人的关系看,再生产是社会关系,是生产关系。这两方面的关系,在再生产过程中,相互地再生产出来。

再生产的这两个对立方面所以形成为统一,就因为它们都是先行的生产的结果。特定生产手段与人类,是生产的诸要素,又是为实行新生产而被生产

出来的。由于人类与生产手段的联结，生产过程才能继续，新的生产形态才得
发生。但一切生产形态，不单是人与生产手段的关系，又是人类相互间的关
系。因而新的生产形态，同时是人类相互间的新关系，是新的社会形态。由劳
动手段所媒介的人与自然的关系，一旦发生变化，人类相互间的关系，也随而
发生变化。而由劳动手段所媒介的自然与人类的关系，成社会的原动力。所
谓由劳动手段所媒介的自然与人类的关系，即是人类与生产手段（劳动手段
与劳动对象）的结合。人类应用劳动手段作用于劳动对象时，就发生出生产
物质生活的能力，这就是生产力。这生产力是社会发展的原动力，它是从再生
产过程中发生发展的。

（五）生产力不能离开生产关系去考察

上面说过，在再生产过程中，人类本身和生产手段是一同变化的。但所谓
人类本身的变化（绝不只是人体器官的变化），显现于再生产过程中的人类相
互关系的变化之中。因为再生产过程，是技术的过程，同时是社会关系，是人
类相互间的关系。在再生产过程中，人类变化他们本身，同时又变化他们相互
间的关系。人类的这种关系，是当作生产力看的他们的活动的形态。参加于
生产的人类，当作一个生产力，结成相互关系——这就是生产关系。所以在生
产上出现为生产力的人类，形成生产关系。因而一定的再生产，是人类与生产
手段的一定技术关系的再生产，同时又是人类相互间的一定社会关系的再生
产；即是一定的生产力的再生产，同时是一定的生产关系的再生产。一定的再
生产，当作生产力与生产关系的统一显现出来。所以生产力决不能离开生产
关系去考察。

二、生产力的社会性

（一）生产力与生产诸力的意义

"生产力是社会发展的原动力"——从这个命题出发，我们来分析生产
力，指出生产力的社会性。先说明生产力与生产诸力的意义。

社会的生产力，是社会生活的生产及再生产过程中一切生产要素的总体，
即是人类应用劳动手段作用于劳动对象之时发生出来的生产物质生活的
能力。

所谓生产要素，概括地说来，即是劳动者、劳动手段与劳动对象。而劳动者、劳动手段与劳动对象，又称为生产力的诸要素。即是说，劳动者是生产力，劳动手段是生产力，劳动对象也是生产力，所以这些都被称为生产力的诸要素。不过这些生产力，如果个别地分散起来，它们只是可能的生产力，即是可供社会利用于生产的力。为要进行生产，这些个别的生产力必须结合起来，才能转化为现实的生产力。因此，我们把包括劳动者、劳动手段与劳动对象的统一体，特用社会的生产力或生产诸力的术语来表现它；把这个统一体中的劳动者、劳动手段、劳动对象各种要素，用生产力或生产力要素的术语来表现它们。所以我们说起社会的生产力或物质的生产诸力时，是指现实的生产力说的，即是指生产力的各种要素之统一说的。说起"生产力"之时，有时是指社会的生产力说的，有时是指各种个别的生产力说的。

此外，还有一个术语"劳动生产性"，也当在这里提出一下。劳动生产性，和社会的生产力有区别。这个区别就是：劳动生产性，是社会的生产力之分量的指标；社会的生产力，是劳动生产性之物质的表现。这一点是要加以注意的。

（二）生产的生产力的两个方面

社会的生产力是生产过程之物的要素与人的要素之统一，即是生产手段与人类劳动力之统一。这个统一，就它的内容说，是技术的过程，是技术的关系；就它的形式说，是社会的过程，是社会的关系。从技术的方面看，社会的生产力，是劳动者与生产手段之物质的内容，是物质事物之量的表现；劳动者与生产手段的相互关系，是物理的过程或化学的反应之表现。从社会的方面看，社会的生产力，是社会的人类及其所创造的生产手段之社会的内容，是社会生活之质的表现；两者的相互关系，是生产的过程或社会关系的形式。在特定历史的发展阶段上，单从技术方面观察的社会的生产力，只是抽象的，不是现实的。所以我们必须把社会的生产力之技术的方面与社会的方面统一起来，它才是现实的，才是具体的。这个统一，即是生产诸力之量与质的统一，是物质的一定分量及其社会形态的统一。这也和再生产过程是技术过程同时是社会过程的事实，同是一样的。

所以社会的生产力，不能还原于技术，也不能还原于人类自身的发达（即人类的劳动力、知识、技能、熟练的发达）。因为生产手段与活的劳动力之结合，是在社会的生产过程中显现的。在这个结合上，人类的劳动力，具有积极的作用。生产手段只是可能的生产力，同时也是死的劳动。这死的劳动，要依靠人类的劳动力才能发挥作用。生产手段，只有和生产过程中的劳动力结合起来，才成为发展劳动生产性的现实的要素，才成为现实的生产力。而生产力的发挥，必须在社会的生产过程之中，才有可能。所以生产力是一个社会的范畴，绝不是抽象的技术的范畴。

以下我们更进一步就各种个别的生产力，如劳动手段、劳动对象与劳动力，分别考察它们的社会性。

（三）劳动手段的社会性

劳动手段，是它的技术的方面与社会的方面之统一。劳动手段，一方面是自然物，是生产的要素；同时在另一方面，它是历史上被加工的自然物，是社会的再生产的要素。当作自然物看、当作生产的要素看，劳动手段，显现其技术的方面，是它的量的表现。当作历史上被加工的自然物看、当作社会的再生产的要素看，劳动手段显现其社会的方面，是它的质的表现。所以劳动手段，不单是物材，而是具有一定形态的物材。劳动手段，是社会的再生产的尺度，是它的量与质的统一。在技术家看来，石器与铁器，表示生产要素的优劣；在历史家看来，同一的器具，是具体的生产过程的指示器。所以说，"劳动手段，不单是人类劳动力的发展的测度器，并且是劳动所由实行的社会诸关系的指示器"。劳动手段的社会性，实是很明显的。

但劳动手段，虽是社会诸关系的指示器，却不是社会发展的原动力。因为劳动手段是归属于一定社会的一个可能的生产力，只有在特定社会中被人们利用于生产时，才能转化于现实的生产力。所以劳动手段的社会性，又必须在它与特定社会中的劳动者的关系上去考察，在它所归属的特定社会的构造上去考察。如果离开它的社会的方面而只考察其技术的方面时，它不能成为社会关系的指示器，也不能成为劳动力发展的测度器。例如机械在它与资本主义社会的关联上，它是资本主义生产的特征；但同一机械，在它与社会主义社会的关联上，它就带有社会主义的性质。所以机械的利用虽是资本主义的特征，而利用机械的处所不一定有资本主义；反之，在今日还未利用机械的处所，不一定没有资本主义。又如手工器具,在封建社会中,它是封建的社会关系的测度器;但同一的手工器具,在资本主义社会中,就带有资本主义的性质。并且这同一的手工器具,在各个私有的生产者手中被利用之时,对于劳动力的发展上,作用比较还小;但在集体地被利用之时,对于劳动力的发展上,作用就比较大,它的社会性也显然不同了。

(四)劳动对象的社会性

其次考察当作生产力看的劳动对象的社会性。生产诸力的根本属性,是它们的历史的起源,这就是它们通过劳动过程的事实。劳动对象,如前节所述,是分为天然存在的劳动对象与人工的劳动对象(即原料)两部分的。天然存在的劳动对象,固然也参加于生产,但它不是再生产的决定的要素,它充当生产力的作用是很小的。当作总体的过程看的生产,是自然物的变造,即是劳动对象的变化。生产的增加,即是转化于劳动生产物的劳动对象之变化及增加。当劳动对象出现为生产的结果,为历史上的要素时,它在生产上的意义就随着增大起来。所以在再生产过程中具有真实影响的东西,不是天然存在的劳动对象,不是最初供人们利用的劳动对象,而是有其历史的经过的劳动对象,是社会的劳动所产出的劳动对象(即原料)。只有这样的劳动对象,才能影响于社会生活与生产关系。只有这样的劳动对象,才具有积极的性质,才决定生产的前途,而与其他各种生产力共同指引生产的方向。

劳动对象之变化与增加,也具有其技术的方面与社会的方面。第一,劳动对象是一切劳动过程的一个必要的构成要素。所以劳动对象的属性,是促进社会的生产力发展的一个动因。但任意的劳动对象,只有在开始供技术的利用之时,才有这样的作用。这种作用,依据技术的应用之性质如何而变化。譬如加工对象,从石块移到金属之时,劳动的生产性就显著地向上,这是一例。这是劳动对象之技术的方面,又是它的量的方面。第二,劳动对象,是归属于社会的东西。在特定社会之中,它归属于特定社会集团所有,就显现出死的劳动支配活的劳动的现象;反之,当它归属于全社会所有,就显现出活的劳动支配死的劳动的现象。这是劳动对象依存于社会形态的证明。这是劳动对象之社会的方面,又是它的质的方面。劳动对象是上述两个方面的统一。在这个统一中,其技术的方面受社会的方面所规定,量的方面受质的方面所规定。因为劳动对象之变化及新的劳动对象之增加,完全依存于社会的性质。同一的劳动对象,在一种社会中很迅速地转化于现实的生产力,在另一社会中往往因特定集团的利害而被弃置于无用之地。这是劳动对象的社会性的重要意义。

(五)劳动力的社会性

再次考察当作生产力看的劳动力的社会性。"劳动力即劳动能力,是存在于人类的活的身体之中、于活的人格之中的、当人类生产某种使用价值时而发动它的、物理的及精神的诸能力之总体。"关于劳动力,也必须从其技术的方面与社会的方面去考察。参加于再生产过程的人类,从其技术的内容去看,与生产手段一样,同是物质的事物,同是筋肉、骨骼、神经等等的总体。所以现代社会中的技术家,每每把生产上的人类看作能力的一定量的表现。例如技术家在能够算出劳动者的能力之量时,就说工场有某种能力单位之类。所以现代社会的技术家,常把劳动者的劳动力和机器的能力一样看待,即是把劳动者看作活的机器。再则劳动力因其熟练、技巧及专门化的程度而显出其特征的。这些,都是劳动力的技术的内容。但是劳动力之技术的方面,只是抽象的,不是具体的。具体劳动力,寄存于特定社会的再生产过程中的劳动者的活的人格之中,具有其社会的方面即质的方面。先就个别的劳动者说,他的劳动力,是社会总劳动力中的一部分,他在特定的生产方法之下使用其劳动力。并且,劳动力不单是生理的能力之总体,又是精神的能力之总体。这些精神的能力,在劳动过程中,转化为智的支出,转化为智的劳动之支出。所以劳动过程,不单是生理的能力之支出,又是精神的能力之支出。劳动力的熟练、技巧及专门化的程度(智的支出),却不归着于劳动力之心理的或生理的特殊性,而是在社会之中学习得来的。个别劳动者的生产性,不及集合劳动者的生产性。所以现实的劳动力的总体,是不能当作能力单位的单纯总体考察的。集合的劳动力,造出劳动的特殊性。例如基于分工或协业的劳动组织,不但增大个别的生产力,并且造出一个成为集合劳动力的新的生产力。这是劳动力之社会的形式。

劳动力的质,表现于生产关系之中。前面说过,生产过程中的人们相互间的关系,是生产的关系。劳动力的质,是生产关系所构成的。生产关系,不单是技术过程中的劳动组织,其最主要的关系是特定社会中以生产手段之所有为中心的人们相互间的关系。所以劳动力的质,实际上是表现于后者的生产关系之中。所以说,劳动者为促进生产力的往前发展而实行的团结,也是一个生产力。劳动力的质,又因社会形态的不同而有差异。同一的劳动者,在这一社会中,不能充分地发挥其生产力作用,甚至不能变化为现实的生产力,但是另一社会中,却能尽量发挥其生产力的作用,而促进社会的生产力之发展。这是劳动之技术的内容依存于其社会的形式之实例。

具体的劳动力,是其质与量的统一,是其技术的内容与社会的形式之统一,即是特定的生产力与生产关系之统一。

(六)劳动力与生产手段之关系

生产力的社会性,上面已经概括地说明了。现在再就生产力的社会性,来说明劳动力与生产手段的关系。前面说过,生产力是劳动力与生产手段之统一,在这个统一中,生产手段,是"人类劳动力的尺度",是"活的劳动之物质的要素"。因为生产手段(劳动手段与原料),都是过去的劳动,而"这过去的劳动,只有当作物质的要素而与活的劳动相接触之时,才有意义"。人类的劳动力,是在一定社会形态之中存在的;劳动力之转化为劳动,为现实的生产力,也是在一定社会形态之中进行的。劳动力的总体,在劳动过程中,常出现为许多社会群的劳动,而构成这些社会群的人们,是在一定社会关系之中存在的。在非敌对的社会之中,社会全体都参加于生产,结成平等的相互关系。反之,在敌对的社会中,参加于生产过程的劳动力,常为一定生产阶级所代表;这生产阶级,从其利害上说,常与其对立的非生产阶级结成一定关系。

至于生产手段,原是劳动的创造物,是结晶于自然物之中的过去的劳动。这生产手段,也是在一定社会形态之中存在;生产手段之转化为现实的生产力,也是在一定社会形态之中实现的。在非敌对的社会中,参加于生产过程的生产手段,归属于全社会,供全社会所利用。反之,在敌对的社会中,生产手段常归属于特定阶级所占有,为非生产阶级所代表,这非生产阶级,从其利害上说,也必须与生产阶级结成一定的社会关系。

劳动力与生产手段之统一,是在一定社会形式之中显现的。这个统一(即社会的生产力),具有其技术的方面与社会的方面。就技术的方面说,生产手段转化为劳动力,因为生产手段中之劳动手段,本是人类生理器官之延长。就社会的方面说,劳动力又转化为生产手段。因为生产的阶级,是一切生产手段中之最大的生产力。决定各个历史阶段上的生产力之发展的东西,不单是技术的方面,并且是社会的方面。这社会的方面,是社会的劳动组织之性质(在敌对社会是阶级关系)。

劳动力与生产手段之统一,又是活的劳动与死的劳动之统一。在非敌对的社会中,劳动力支配生产手段,即活的劳动支配死的劳动;在敌对的社会中,生产手段支配劳动力,即死的劳动支配活的劳动。所以我们考察生产力的社会性,即是考察劳动力与生产手段相结合的社会性。这样的社会性,是理解社会发展的各个阶段的特殊性的关键。

三、生产力发展过程中技术与科学的作用

(一)技术对于生产力的发达的作用

依据上面的说明,我们已经知道,社会的生产力,并不被还原于技术。但在另一方面,技术对于社会的生产力的发展,却具有重要的作用,这是不容忽视的。因为社会的生产力,由种种复杂的事情所决定,即由一,劳动者熟练之平均程度,二,科学及其技术的应用之发达程度,三,生产过程之社会的组织,四,生产手段之规模与作用能力,以及五,自然条件所决定。这五项事情,如果暂时离开其特定的社会形态去考察之时,社会的生产力之发展,是依存于技术的。因此,我们先把技术的作用加以考察,然后再说明与技术有关系的科学的作用。

技术是人类对于自然的积极关系,是人类能动地变造自然物的关系,是劳动者所使用的一切劳动手段及其被使用的方法之体系。技术对于生产力的发展的作用很大。因为生产力的发展过程,包含着生产力的诸要素的发展。而生产力诸要素的发展,是在技术发展影响之下显现的。生产力发展的水准,由技术的水准所测定。所以说:"劳动手段,不单是人类劳动力发展的测度器,又是劳动所由实行的社会诸关系的指示器。"

技术的体系,具有其内在的发展法则。前一阶段的技术,是后一阶段技术的准备。例如工场手工业生产的技术,是由手工业的技术所准备的。手工业技术的发达,准备工场手工业的发达,后者的诸要素,潜伏于前者之中。其次,

机械工业的技术,是在工场手工业的技术发达到一定水准时开始发生的。工场手工业内部的细密的分工,以及各种操作的简单化,形成了把这些操作传达于机械的可能性,形成了使受着限制的人类劳动力得到自由的可能性。从此以后,近代的大工业发展起来,"造出了与它自身相适应的技术的基础,站定了自己的脚跟"。

生产力的诸要素的发达,依存于人类对自然的关系的合法则性——技术上的合法则性。这技术上的合法则性,是技术学和工艺学的研究对象。本来生产诸力的发展,是在这些要素上表现出来,但生产诸力却是更高级的运动形态,并不被还原于技术。生产诸力的发展,具有其特殊的质,而依从于社会的生产过程的合法则性。因为技术上的改良进步,不但是由技术的一定发达水准所实现,并且要由一定社会的生产诸关系所实现。所以我们必须注意技术发展的社会性。

(二)技术是历史的范畴

技术是社会生产力的一个动因。当研究技术之时,绝不可以忘记技术与特定社会经济条件的关系以及劳动者对于劳动手段的关系。从这一点看来,技术同是历史的范畴。技术之有意识的科学的应用,是不能在社会形态所造出的条件之外实现的。譬如机械工业的技术,不但与工场手工业的技术相结合,并且与现代社会的各种条件相结合。在这个时代,种种复杂的劳动形式已经创造出来,同时由社会必要劳动测定具体劳动的观念也发达起来,技术的过程也离开人手的直接作用而独立了。资本主义的经济矛盾,在其发展过程中,要求劳动手段之更大地完成,要求技术过程的最大的独立性。这是现代社会所以不断地改良技术的原因。可是进到帝国主义的阶段,技术的应用又采取不同的性质了。

技术是经济的特征,而经济是技术的条件,这两者是不可分离地结合着。各个特定的社会的生产过程,各有其一定的技术的基础。而这一定的技术的基础,是在特定社会形态中造成的。蒸汽制粉机是现代社会的特征,不是封建社会的特征,因为蒸汽制粉机,非在现代社会的经济组织之下不能产生。同样,计划的"全国的电化",是新社会的特征,不是现代社会的特征,因为计划的"全国的电化",非在新社会的经济组织之下不能产生。在技术由经济条件所决定的意义上,技术的基础,能成为社会关系的"指示器"。在社会的技术达到一定成熟的阶段时,为要成就更进一步的发达,就要求一定的社会形态。所以经济的发展,它自身也成为技术发展的原动力。

技术在经济的发展上所演的作用以及经济对于技术的发展所起的影响,在现代社会中表现得非常明了。例如资本主义发生以后,由于市场的扩大与商品的大量生产的必要,就诱起了产业革命。而产业革命是从技术上的大变革开始的。往后,更由于劳资的冲突与资本内部的自由竞争,就不断地促进技术的改良进步。直到现在,所谓产业合理化,都是资本主义的产物。可是现代社会中的技术的发展已受现社会制度所限制,同时又孕育了新社会制度之物质的技术的前提。

(三)科学对于生产力发展上的作用

综合上面的说明,得到下述的结论:经济的诸关系,只有在它与社会的技术密切地结合之时,并且只有在以技术的应用做媒介之时,才促进社会的生产力之发展。于是更进一步去说明科学对于生产力发展上所演的作用。科学对于社会生产力的发展,演着很大的作用。科学又称为"一般的生产力",它和直接参加于生产过程的生产诸力有区别。为要使科学成为社会生产力发展的强有力的要素,就必须使科学参加于生产过程而在技术上去应用它。所以科学的劳动上,具有为特定经济构造所规定的社会性。例如在商品生产者的社会之中,科学的劳动,只有在它参加于商品生产时,才成为生产的劳动。科学上的发明及其技术的应用,在现代社会中,只为生产手段所有者的利益而服役;反之,在新社会中,就为全社会的利益而服役了。科学上的发明,如果没有在技术上利用它的经济的必要,它对于社会生产力的发展就没有什么作用。例如火药和印刷术,虽然很早就被人发明,而在当时却没有产业上的意义。又如蒸汽机关在第17世纪末叶已被人发明,而在当时却没有引起产业革命。所以科学上的发明或发见,只有在它"与时间上的一般运动相一致"之时,才能影响于生产力的发展。

(四)科学与技术之关系

科学与技术两者的发展,有互相依存的关系,技术大部分依存于科学的状态,科学也依存于技术的状态。瓦特所发明的蒸汽机关,德布尔所发明的金线传电,拉姆潜所发明的煤制煤气,在生产技术上具有伟大的意义,这是一般人所知道的。在这种意义上,我们可以说,人类全部的历史,是从原始人的火的发现到近代人的蒸汽机关的制造的历史。科学上的发见的这种意义,即在它不直接供技术的应用之时,也是重要的。譬如迈尔等人所发见的能力不灭的法则,对于后来的技术的发达上,仍具有莫大的意义。

但是科学上的发见与科学的理论,不是科学家或发明家的智力所自由创造的,而是由于技术的必要与从来的技术状态所引起的。例如几何学,在土地所有的发展过程中,是由于测量平地的必要发生的。又如钟表,对于科学的发展,演着很大的作用,比例运动的理论都是依据钟表而建立的。又如制粉机,对于科学与技术的发展,具有同样的意义。摩擦说与数学的形式之研究,都依据制粉机的研究而发展。

基于以上所述,我们知道:技术的状态,是自然财富及自然力应用的条件,是经济斗争的有力武器,是科学的发展之实现,是人类的劳动作用于对象的前提。所以技术是人类劳动力发展上的各个历史阶段的测度器,又是往后的经济发展的前提。

(五)科学与技术的成果对于社会的关系

技术与科学的发展,能够促进社会生产力的发展,具有进步的意义。但科学与技术的成果在实际上被利用于生产过程之时,却因不同的经济构造而显现不同的社会的结果。例如近代生产过程的机器化,使得社会的生产力成就了空前的发展,但机器之资本主义的利用,却变为使资本增值的工具,变为使劳动苦痛的恶魔。反之,机器在新的经济构造下被全社会利用之时,就变为增进勤劳大众的幸福的工具了。所以科学和技术的成果,在现代社会中被利用于生产过程之时,使得无数的勤劳者的劳动从生产过程"游离"出来,必然陷于失业状态,引起贫困的增大和劳动条件的恶化。反之,科学和技术的成果,在未来社会中被利用于生产过程之时,就能缩短劳动日,造出良好的劳动条件,使劳动大众的生活向上。

所以当我们研究科学与技术对于生产力的发展的作用时,绝不可忽略科学与技术对于社会形态的关系。即是说,科学与科学之社会的利用,技术与技术之社会的应用,是互有区别的。生产力之技术的方面与社会的方面,其区别的关键,就在这种地方。

第三节　生产诸关系

一、生产诸关系之形成

（一）生产关系

分析了生产诸力之后,接着分析生产诸力的发展及作用的形式,即分析生产诸关系。生产诸关系,是人类在其生活资料之社会的生产过程中结成的社会的诸关系,即是一定的离他们意志独立的,适合于生产诸力的特定发展阶段的诸关系。

当分析生产诸关系之时,可以就生产的总过程的诸方面来分别说明。

生产的总过程,即是综合的生产过程。这综合的生产过程,可分为生产过程、分配过程、消费过程及交换过程四个方面;这四种过程,包摄于综合的生产过程中,形成为不可分立的统一。因之,生产诸关系,可分为生产关系、分配关系、消费关系及交换关系;这四种关系,包摄于生产诸关系中,形成为不可分离的统一。下面分别说明这四种关系。先说生产关系。

上述的生产关系,是上述的生产过程中人们相互间的关系。这生产过程,是社会的劳动的结合的过程,是社会的分工与协业的过程,任何社会,当生产社会生活资料时,都必须依据一定的生产方法,把社会各人员的劳动组织起来,实行分工与协业。所谓分工,广义地解释起来,可分为自然的分工、社会的分工、劳动的分工三种。自然的分工,即是性的分工。社会的分工,是农工商业各部门间的分工及各部门内部的分工。劳动的分工,是就制造一种生产物的劳动,依照其顺序与种类,分为许多种的劳动,使许多劳动者各担任一种劳动。自然的分工与社会的分工,是由无意识无计划的自然发展而来的。至于劳动的分工,是有意识的、有计划的分工,是在近代资本主义的产业出世以后才发达起来的。其次,所谓协业,是与单独劳动相对立的共同劳动,分为单纯协业与复杂协业两种。单纯协业,是许多劳动者共同参加于同一劳动。复杂协业,是多数劳动者分任共同劳动的一部分而完成一种事物,即是基于分工的协业。现代社会中的复杂协业,是基于劳动的分工的协业。分工与协业,在社会发展的过程中,各有其不同的性质与意义,但任何阶段上的社会,都必得依从于特定的生产方法,在劳动过程中,实行分工与协业,把社会人员的劳动结合起来,才能生产出生活资料。所以无论在任何社会中,人们必须依从于一定的生产方法,形成一定的劳动组织,结成一定的劳动关系。这些劳动关系,即是上述意义的生产关系。

具体地说来,在先阶级的社会中,人们根据平等的生产方法,依照极原始的分工与单纯的协业,共同采集自然物或猎取动物,以取得生活资料。其次,在奴隶制社会中,奴隶所有者依据奴隶制的生产方法,依照社会的分工与比较复杂的协业,把奴隶的劳动结合起来,监督奴隶从事农工业的生产。再次,在封建社会中,封建的领主们根据封建的生产方法,依照社会的分工与比较更复杂的协业,使农民和工人在自己领地中各从事农工业的生产。再次,在现代社会中,企业主根据资本制的生产方法,应用劳动的分工与最复杂的协业,把劳动者们集合于工场之内,使按部就班地分任一部分的劳动,而从事于商品的生产。这些社会形态中的种种性质不同的劳动关系,都是基本的生产关系。

(二)分配关系

其次,说明分配关系。分配关系,是社会的人员在分配过程中结成的相互间的关系。分配过程,可以分为三个方面去考察。

第一是生产手段的分配。人们当依据一定的分工与协业的方法而劳动之时,必须有生产手段——劳动手段与劳动对象的分配,方能进行劳动。再则这生产手段是属于社会公有或属于特定集团所有,也是一个问题。当生产手段归社会公有之时,劳动的人们是分受公有的生产手段,而为社会即为自己而劳动的。当生产手段归特定集团所有之时,劳动的人们,是使用所有者的生产手段而为所有者劳动的。但无论生产手段归属于社会或个人所有,而生产手段必须先行分配,人们方能在社会的劳动组织中去实行劳动。

第二是生产人员的分配。这生产人员之分配,是与劳动组织相关联的。生产的人员,必须依照特定的劳动组织而被分配于一定的位置方能进行劳动。

第三是生产物的分配。上述两种分配已经完毕,然后才能制造出生产物,分配给社会人员消费。这生产物的分配方法,依从于生产方法而实行。因为分配方法是生产方法的反面。两者是互为表里的。例如在先阶级社会中,生产是共同实行的,生产物的分配是平等的。又如在敌对社会中,生产是社会的,而生产物是个人领有的。这生产物的分配,依从于奴隶制的、封建的或现代的生产方法而异其形式。劳动的人们所分配的生产物,与其劳动力的再生产所必需的价值相当;生产手段所有者所占有的部分,与直接生产者所提供的剩余生产物或剩余价值相当。

适应于上述的分配过程而结成的人们间的相互关系,叫作分配关系。即是说,社会的人员,在生产手段的分配过程中、在生产人员(劳动力)的分配过程中,在生产物的分配过程中结成的种种社会关系,总称为分配关系。

(三)消费关系

再次,说明消费关系。消费关系,是社会人员在消费过程中结成的相互关系。消费过程,也可以分为三个方面去考察。第一是生产手段的消费过程。人们从事于生产,必须消费劳动手段与劳动对象,使它们转化为生产物。在生产手段公有的社会中,生产者消费公有的生产手段,为社会并为自己生产生产物。在生产手段私有的社会中,直接生产者依从于各种敌对的生产方法,消费他人所有的生产手段,为他人生产生产物。第二是劳动力的消费过程。生产手段的消费,伴随着劳动力的消费,因为没有劳动力的消费,生产手段不能转化于生产物。但这劳动力的消费,即是劳动力的使用——劳动。任何社会,都依从一定的生产方法而消费其劳动力。在非敌对的生产方法之下,劳动者为社会并为自己消费其劳动力;在敌对的生产方法之下,劳动者被逼迫着为他人的利益而消费其劳动力。第三是生产物的消费。这种消费,也是生产的消费。就生产手段一方面来说,这种消费,再生产出生产手段;就生产物的方面说来,这种消费,再生产出生产物;就劳动力方面说来,这种消费,再生产出劳动力。生产物的消费,也因社会形式的不同而异其性质。

适应于上述的消费过程而结成的人们相互间的社会关系,叫作消费关系。即是说,社会的人员,在劳动力的消费过程中、在生产手段的消费过程中、在生产物的消费过程中结成的种种社会关系,总称为消费关系。

(四)交换关系

最后,说明交换关系。交换关系,是社会人员在交换过程中结成的相互关系。交换过程,可以分两个方面去考察。第一是"在生产本身中发生的活动及能力之交换"。这种性质的交换,"直接地属于生产,并且在本质上构成生产",这是在前面所述生产过程中已经说明了的。第二是生产物的交换。这种交换,是商品的交换,是特定社会中分配生产物的形式。商品的交换之范围与形式,"由生产的发达与编制所决定"。因为交换以分工与财产为前提。在先社会的阶段中,经济只带有采集的性质,分工也只限于性的分工,人们还不知道贮藏物品,并且也没有多余物品供人们贮藏,因而也无所谓财产的存在。所以这时生活资料的分配,是直接实行的。往后进到氏族社会阶段,生产经济代采集经济而起,生产力比较发展,开始有了剩余生产物,而血族团体始有共同财产。并且,由于生产经济的专门化(即社会的分工)之发生,就引起了交换的开始。但这种交换,最初是团体间的交换,带有偶然的性质,往后由于私有财产的形成、分工的发展与阶级之发生,社会被推进到敌对的社会的各阶段,于是交换就由偶然的而变为扩大的,更变为一般的,最后采取货币的形态了。一般地说来,敌对的社会中,生产物的分配,经常地采取货币交换的形态。直到现代社会,生产物之采取商品的形态,已"不是例外的、单独的、偶然的,而是一般的",是多量的、是日常的。所以,现代社会,被称为商品=资本主义社会。因而在现代资本主义世界,全世界的人类,都不能不加入于这种交换过程。

适应于上述交换过程,而结成的人们相互间的关系,叫作交换关系。即是说,社会的人员在劳动的交换过程中、在生产物的交换过程中结成的种种社会关系,总称为交换关系。

(五)生产诸关系与生产关系

我们在前面所分别说明了的生产关系、分配关系、消费关系及交换关系之统一,叫作生产诸关系。

为什么把分配关系、消费关系及交换关系,叫作生产诸关系呢?这是因为生产是一个总过程,而生产、分配、消费与交换,是这个总过程的各个成分,"构成着一个统一体中的各种差别"。生产之与分配、消费及交换,都有密切的相互作用,但四者之中,演着主导作用而能统制其他诸要素的活动的东西,只有生产。下面分别说明生产与其他各要素的关系。

就生产与分配的关系来说，分配是生产的里面。因为生产手段与劳动力的分配，明明是属于生产的。其次，生产物的分配，"虽然不就是生产，但这种分配，确是完全依存于生产的一部分机能，所以它属于社会的综合的生产过程"。在另一方面，分配也影响于生产。"随着分配的变化，生产也起变化。例如，随着资本的集积，随着都市与田园间的人口分布的差异"，生产的规模也因而改变。但在生产与分配二者之间，生产仍演着主导作用。

其次说到生产与消费的关系。"生产，生产出消费的对象、消费的方法、消费的冲动。同样，消费，生产出生产者的本质"，"消费的欲望也决定生产"。但消费以生产为前提，没有生产，就没有消费；生产必须继续扩大，人们的消费才能随着扩大，这是很明白的。"过程常重新由生产开始"，由生产占诸主导作用，而消费绝不能有这样的作用。

再次，说到生产与交换的关系。"交换也是包含于生产之中的要素"。社会人员的勤劳的交换，直接地属于生产，这是显明的事情（例如认劳动力为物而作为买卖的对象，即劳动者出卖其劳动力于资本家）。还有，生产物的交换，也是一样，"它本身即是包含于生产之中的行为"。"至于商人间彼此的交换，在其组织上，也完全由生产所规定，它自身也是生产的活动。""所以，交换，在其一切要素上，显然是直接包含于生产之中，或由生产所规定。"

因为"生产的特定形态，规定消费、分配及交换的特定形态，并且规定这种种要素相互间的特定关系。所以分配、消费、交换之与生产，都称为生产的诸要素"，"构成着一个统一体的各个成分"，被统一于生产的总过程。

基于上述的说明，分配关系、消费关系、交换关系三者之与生产关系，所以总称为生产诸关系，其理由也就可以完全明白了。

上述意义的生产关系，是基本的生产关系或称为劳动关系。这是对于分配、消费与交换等的关系而说明的生产关系，也可说是狭义的生产关系。可是广义地解释起来，单数的生产关系，与复数的生产诸关系，又是同义语。在广义上，生产关系实在就是生产诸关系。例如对于生产力而说的生产关系，或是说起"生产关系总体"时的生产关系，或是对于其他社会关系而说的生产关系，这都是意指着广义的生产关系的。

二、生产诸关系的物质性与社会性

（一）生产诸关系的物质性

生产诸关系的意义，在前段已经解释过了，现在更进而说明生产诸关系的物质性与社会性。

生产诸关系的物质性是什么？关于这问题，有许多人常常误解了。例如机械论者们，把生产诸关系解释为"时间空间中的人（活的机械）的劳动的配列"，从物理学的见地去观察生产诸关系的物质性。这种见解的错误的根源，是由于把哲学上的物质的概念和物理学或自然科学上的物质的概念，看成同一的东西，因而把物质的社会现象还原于物理的或自然的现象。这是机械论的物质观。

"物质的唯一属性，是客观的实在的性质，是离开人们的意识而存在的性质。"生产诸关系的物质性，就在于这些关系离开人们的意识或意志而形成的这一事实之上。

关于生产诸关系离开人们的意识或意志而形成的这一事实，我们在这里分为三点，说明几句。

第一，先有生产诸关系，然后才有关于生产诸关系的意识。人生活于社会之中，为要取得生活资料而维持其生存，就不能不投入于社会的生产过程而容受一定的生产诸关系，这是与自己的意志或愿望无关的。例如就现代社会来说，人若是一个资本家，他必然利用资本，举办企业，雇用劳动者生产商品，以期取得利润，否则便不能成为资本家了。若是一个劳动者，他必然出卖其劳动力于他人，否则他便不能生活。若是一个地主，他必然把土地佃给农民耕种，收取地租；若是一个农民，他必然租种地主的土地，而以其剩余产物交给地主。至于其他不直接从事生产的一切人们，都必然要加入于交换关系，以取得生活资料。人们的这样加入于一定的生产诸关系，都是必然的，是离开自己的意志的。

第二，在商品生产的社会中，商品生产者们虽然都是有意识地从事于商品的生产，而这些生产商品的行为的总结果，却出乎他们的意料之外，而形成为一个必然。即是各个个人的自己的生产的行为虽是有意识的，而各个个人间的生产关系,却是离开他们的意识而独立的。

第三,社会的诸关系,复杂错综,不可名状,人们要想毫无遗漏地去把捉它们,那是不可能的。"在世界经济之中,各个生产者虽然意识到他在生产技术上曾经引起了种种变化,各商品所有者虽然意识到与他人互相交换生产物,但是生产者或商品所有者却没有意识到那些情形变化了"生产诸关系。现代世界经济中所发生的这些变化的总体,是极其分歧错综的现象,人们要想完全知道,那是绝对不可能的。"人们所能做到的事情,只是关于这些变动的法则,发见一个主要的根本原理,并阐明这些变动的客观的论理与历史的发展。"

概括起来,离开人类的意识或意志而独立形成的生产诸关系,是物质的社会现象。生产诸关系的物质性,就存在于这种地方。

生产诸关系的物质性,在某种意义上说,又是生产诸关系的必然性。生产诸关系的合法则性,是从这里产生的。生产诸关系的物质性、必然性与合法则性,在任何社会之中,都各自在特殊的形式上表现出来。在无计划的生产的社会中,生产诸关系的法则,盲目地作用于人们,支配着人们;反之,在有计划的生产的社会中,它被人们所意识,而服从于人们自身的统制之下。

(二)生产诸关系的社会性

其次,说明生产诸关系的社会性。所谓生产诸关系的社会性,就是说,生产诸关系是社会的生产过程中的人类间的关系,是一种社会关系。生产诸关系的社会性,与它们的物质性是互相关联的。因为社会关系是物质的关系与精神的关系之统一,而生产诸关系,即是物质的社会关系。所以生产诸关系的物质性,并不排除它们的社会性;同样,生产诸关系的社会性,并不排除它们的物质性。因而生产诸关系的社会性,绝不是精神的关系,这是要特别注意的。

生产诸关系的这种社会性,是决定社会的发展的客观的实在。要理解生产诸关系的本质,最重要的事情,就是要理解它们的这种社会性。

前节说过,生产诸力包含着技术的方面与社会的方面,而生产诸力的本质,是存在于社会的方面的。基于这一点,生产诸关系,同样包含着技术的方面与社会的方面,而生产诸关系的本质,也是在于社会的方面的。因此,生产诸关系可分为技术的生产关系与社会的生产关系两种。所谓技术的生产关系,即是各个种类的劳动的结合与分割,是人类间的劳动机能的分担,是劳动组织的关系,是生产过程中人与物的配列以及两者之自然的物理的相互作用。所谓社会的生产关系,即是人类间的生产手段的分割,是生产手段所有者对于无所有者的剥削关系,用法律的术语说来,即是财产关系。这两种生产关系,是不可分离地统一着。一定社会的生产关系,以一定技术的生产关系为前提。一定技术的生产关系,必须在一定社会的生产关系的影响之下,才能成立起来。这样的技术生产关系的特征,才能成为生产诸关系的测度器。但是在这两者的相互作用之中,能够成为主导作用的东西,只是社会的生产关系。只有社会的生产关系能够表现生产诸关系的本质,能够显示社会形态的特定阶段。至于技术的生产关系,虽与社会形态的特定阶段相结合,而社会形态的特定阶段的本质,却绝不存在于特定技术的生产关系之中。

就近代社会的生产诸关系举例来说明。例如近代(资本主义的)工场,确是现实的生产诸关系。近代的工场,是可以从技术的和社会的两方面去观察的。从技术的方面说,近代大规模的工场,包含着成千累万的人,各人都依从于一定秩序,被配置于一定场所,严格地实行一定种类的劳动。一切都好像钟表一样,布置得非常精密。这是基于劳动分工的协作,是劳动之科学的组织。这是近代工场之技术的生产关系。但是从社会的方面观察起来,近代工场,不单是为了要求成千累万的人实行有统制的协同作业,才举办的;并且这种协同作业,是由于资本所购买的集合的劳动力在"资本的命令"之下实行的。工场的目的,在于生产剩余价值,所以工场的基础,是建筑于生产手段从劳动力分离而被集中于企业者阶级这一事实之上。这是上述意义上的社会的生产关系。所以近代工场,确是现实的生产诸关系。而这现实的生产诸关系,是技术的生产关系与社会的生产关系两方面的统一。

所谓技术的生产关系与社会的生产关系之统一,是说明这两方面有不可分离的密切关联,不能抽取其一方面而舍去其另一方面,否则便都变为抽象的东西而不是具体的东西了。就上面的实例说,近代工场之社会的生产关系即资本与劳动的关系,是以近代之技术的生产关系为前提的。但是近代工场之技术的生产关系,是在近代社会的生产关系的影响之下,才能成立并发展起来。至于能够表现近代生产诸关系的本质的东西,是在资本与劳动的关系一方面,这是很明显的。这资本与劳动的关系,虽与技术的生产关系相关联,却不能用技术的生产关系去规定资本与劳动的关系。

因此，我们知道，所谓技术的生产关系与社会的生产关系之统一，是说两者互相结合、互相依存，但两者并不互相融合。即是说，两者的统一，并不是意指着两者的同一。这两者虽同是生产诸关系的成分，但两者互有区别，技术的生产关系并不就是社会的生产关系。因此，我们更可以知道，生产诸关系，并不还原于技术的生产关系。这与前面所说生产诸力不还原于技术的意思是相同的。同时，我们要加倍注意，生产诸关系的社会性，包含于社会的方面之中。只有社会的生产关系显示社会形态的本质，决定社会发展的特定阶段。如果把技术的生产关系和社会的生产关系混同起来，而把生产诸关系还原于技术关系，那就会要把技术关系作为生产关系一般，而一切社会形态就会变为抽象的一般的东西了。机械论者对于生产诸关系的谬见，就是从这种处所发生的。

三、生产关系与生产方法

（一）生产力与生产方法

现在更进一步去说明生产诸关系之历史的规定性。生产诸关系，是历史上一定的诸关系。生产诸关系不是永久的不变的诸关系，而是变化的、消灭的、生成的诸关系，是在各个历史阶段上有其特殊的质的诸关系。

各个历史阶段上的生产诸关系之特殊的质，由各个特殊的生产方法所规定。各个历史阶段上的生产方法，是各个阶段上的社会形态的质——最单纯的根本的规定性。所以说："物质生活的生产方法，规定社会的、政治的，及精神的生活过程一般。"而各个历史阶段上的生产诸关系之特殊的质，由其特殊的生产方法所规定。

生产方法适应于各个阶段上的生产诸力的状态而形成。前节说过，特定社会的生产诸力，是特定社会中的劳动力与生产手段相结合所发挥的制造物质资料的能力。而这劳动力与生产手段两者的结合，是依存于一定的方法的。劳动力与生产手段相结合的方法，就是生产方法。所以生产方法，是劳动力与生产手段之特殊的历史的结合方法，是特定社会的生产诸力之内的构造。一般地说来，生产方法，又是人类获得生活资料的方法，是他们的生产活动的形式，是他们使用生产诸力的形式。在这种意义上，生产方法本身，也是一个生产力。

生产方法,也具有其技术的方面与社会的方面。生产方法之技术的方面,是人的要素之劳动力与物的要素之生产手段相结合的方法,是两者互相结合的技术的方法,是人类怎样使用生产手段的方法。生产方法之社会的方面,是劳动力所有者与生产手段所有者相结合的方法,是决定两者的生产的社会关系的体制。技术的方面,是生产方法之量的表现;社会的方面,是它的质的表现。生产方法是技术的方法与人们结合的方法之统一,而生产方法的质,存在于劳动力所有者与生产手段所有者的结合之中。正因为这样,所以生产方法规定生产诸关系。

(二)生产方法是生产诸关系的基础

生产方法,是一切社会的生产诸关系的现实基础,即是说,生产诸关系是适应于生产方法而成立的。前段说过,生产以生产手段与劳动力的分配为前提。在生产手段公有的社会中,人人都从事于劳动(无论是肉体劳动或精神劳动),因而人人都是劳动者,都是生产手段所有者。这时,劳动力与生产手段相结合的方法,是平等的生产方法。基于这平等的生产方法,就成立了平等的生产诸关系。反之,在生产手段私有的社会中,劳动力与生产手段相分离,一方面是生产手段的所有者,他方面是被夺去生产手段而只成为劳动力的所有者。这时劳动力与生产手段结合的方法,是敌对的生产方法。基于敌对的生产方法而成立的生产诸关系,是敌对的生产诸关系。

例如现代社会的生产诸关系,是资本主义的生产诸关系。资本主义的生产诸关系,是适应于资本主义的生产方法而形成的。资本主义的生产方法,与其他生产方法比较起来,有两个特征。第一,它是把生产物当作商品生产出来的,而生产物的商品化,对于生产物是支配的决定的性质。首先劳动力出现为商品,劳动力所有者出现为劳动力的贩卖者,出现为自由劳动者。因而这种生产方法,以劳动一般出现为工钱劳动一事为前提。第二,资本主义生产方法的特征,就是:剩余价值的生产成为生产的直接目的和决定的动因。资本主义生产过程中生产手段与劳动力的结合方法,表现出生产手段与劳动力的分配形式。劳动力所有者所以与对方的生产手段相结合,是由于生产手段离开他们而被对方所独占并化为剥削手段。这是资本主义的生产方法之本质。基于这种生产方法而结成的劳动者与资本家的关系,是基本的资本主义的生产关系,其他一切生产诸关系，都是由这种基本的生产关系而形成的。

（三）生产关系之历史的形态

生产诸关系，是适应于生产诸力的发展阶段而变化的。因为生产诸力的发展过程中，包含着生产方法的变化。生产诸力由一个阶段发展到另一个阶段，生产方法也随着由一个阶段发展到另一个阶段。因而生产诸关系就适应于生产诸力的发展、适应于生产方法的发展而变化。所以"人类一旦获得新的生产诸力，随着就变化他们的生产方法。随着生产方法的变化，他们就变革一切的经济关系——只是特定生产方法之必然的关系"。这种变化，可用"生产诸力→生产方法→生产诸关系"一公式来表现它。

人类的历史，直到现在，经历了四种本质不同的生产诸关系的体系。而这四种生产诸关系的体系，是适应于四种本质不同的生产方法而形成的。就其发展的顺序说，可以要约如下：

第一是适应于原始社会的生产方法而形成的生产诸关系的体系。原始社会的生产方法是平等的，因而生产诸关系的体系，也是平等的。

第二是适应于奴隶制的生产方法而形成的生产诸关系的体系。奴隶制社会的生产方法，是奴隶的劳动力与主人的生产手段相结合的方法，奴隶本身是主人的所有物。这种生产方法，是历史上第一种敌对的生产方法，因而人们间生产诸关系的体系是历史上第一种敌对的体系。

第三是适应于封建的生产方法而形成的生产诸关系的体系。封建制的生产方法，是农奴的劳动力与领主的土地、职工徒弟的劳动力与店东的生产手段相结合的方法，其剥削的形态，主要地采取劳役地租、实物地租或货币地租等形态。这是历史上第二种敌对的生产方法。因而人们间的生产诸关系，是封建的生产诸关系，也就是历史上第二种敌对的体系。还有，成为封建的生产方法之变种而出现于历史舞台的，是所谓亚细亚的生产方法。这亚细亚的生产方法，本质上仍是封建的，不过附加几个特殊条件而已，所以这样形成的所谓亚细亚的生产诸关系，仍然是封建的体系。

第四是适应于资本制的生产方法而形成的生产诸关系的体系。资本制的生产方法是历史上最后的敌对的生产方法，因而资本制的生产诸关系，是历史上最后的敌对的体系。

还有,在目前世界中,有适应于所谓过渡期的生产方法而形成的生产诸关系的体系。这过渡期的生产方法,是社会主义的生产方法。这种生产方法是从资本主义社会到未来新社会的过渡期的生产方法,虽然仍旧含有敌对的性质,但因主要生产手段已移归社会共有,而变为社会主义的了。不过这种生产方法,因为还是过渡期中的东西,还不能称为未来新社会的生产方法。同样,适应于这种生产方法的生产诸关系,是社会主义的体系。

以上是生产方法与生产诸关系之历史的顺序。关于它们的具体的发展及其转变的说明,留在下章讨论。

(四)生产关系与阶级关系

上面说过,生产诸关系的本质,存在于它的社会方面。这便是说,本质的生产关系,是生产手段的分割的关系,是财产关系。这一层是理解生产关系的社会性与历史性的关键。当生产手段属于社会全体时,人们间的生产关系,是没有阶级性存在的。反之,当生产手段属于私人所有时,人们间的生产关系,是不平等的、是阶级的。所以在敌对的社会中,阶级关系(或剥削关系),是基本的生产关系。例如奴隶制社会中主人与奴隶间的关系,封建社会中领主与农民、店东与职工徒弟间的关系,现代社会中资本家与劳动者间的关系,都是基本的生产关系。其他一切经济关系,都依存于这种基本的生产关系。所以,要理解特定社会中的生产诸关系的性质时,首先要把捉住这种基本的生产关系。

第四节　生产力与生产关系的统一

一、生产力是生产关系运动的内容

(一)当作内容与形式的统一看的生产力与生产关系的统一

生产力的状态与生产关系的形态,是社会的经济构造之构成的要素。社会的经济构造,即是生产力与生产关系之对立的统一。

生产力与生产关系的这种统一,必须当作内容与形式的统一去理解。前面说过,生产力只有在特定社会形态之中,在特定生产关系的体系之中,才能存在。所谓生产力一般那种东西是不存在的,而存在的东西,常是由特定生产关系赋以形式的生产力。同时,生产关系,没有生产力,也不能存在。生产关系,是与生产力不可分离地结合着。所以生产力与生产关系,形成为一个统一。生产关系是生产力发展的形式,而生产力构成生产关系的内容。在形式与内容的这个统一中,生产力与生产关系,形成社会的生产过程,形成社会的经济构造。

形式(生产关系)与内容(生产力),是互相对立、互相矛盾的。形式与内容的矛盾,是社会发展的发条。两者的矛盾,并不排除两者的统一,而以两者的统一为前提。形式常是有内容的形式,离开一定的内容,形式便不存在。内容常是有一定形式的内容,离开一定的形式,内容不能存在,也没有发展。所以当考察形式与内容的对立时,必须知道内容是有一定形式的;而形式同时又包含于内容之中,并且对于内容又是外在物。内容与形式,互相渗透,却又互相排斥。

但是内容与形式的统一,并不转化为同一。形式与内容,互有差别,形式不还原于内容,内容也不还原于形式。在另一方面,两者又不能互相隔离。两者是存在于一个统一之中。

形式与内容,不单是互生作用,并且两者的相互作用之基础,是在于内容一方面的。形式由内容所规定,并适应于内容而成立;同时,形式也是内容的一部分。在这一点上,内容对于形式,具有优越性。

但形式对于内容,不单是一种外在物,它并且具有能动性。形式不单是内容之受动的外被,并且是内容之能动的外被。内容只有通过形式而发展,只有以形式为媒介而发展,并且这种发展,只限于在一定的具体的历史的时期。一旦超过这个限度,由形式所发展了的内容,就与那个形式不能两立而把它否定。只有基于内容本身的发展而发生的新形式,才形成它往后发展的条件。

以上是形式与内容的统一之一般的基础,只有在这个基础上,才能正确地理解生产力与生产关系之对立的统一。

生产关系的一定体系,一旦发生以后,它不单是生产力在其中运动的受动的外被,并且是生产力(内容)的运动的形式。所以特定生产关系,是在生产力的特定发展阶段上发生的;同时,生产力的发展,也只有通过生产关系的运动而实现。这是生产力的发展之内在的特殊的历史的发展法则。

（二）生产力是生产关系的内容

现在更进一步,详细考察生产力与生产关系的关系。上面说过,生产力与生产关系的统一,是内容与形式的统一。在这个统一中,具有规定的意义即所谓优越性的一方面,结局就是生产力。因此,先分析所谓生产力的优越性。

所谓生产力的优越性,就是说:1.生产力是生产关系的内容;2.生产关系适应于生产力而形成。这里分别加以说明。

基于前面的研究,我们是从生产过程及其社会形态的统一出发,来理解生产力与生产关系的相互作用的。我们在本章的第一节,首先把劳动过程当作一般的劳动过程与特定社会的劳动过程之统一考察过了。基于这点,在研究生产力和生产关系之时,也是把两者作为技术方面及其社会形态之统一去考察的。这种考察方法,就在于说明生产力是生产关系的内容。

一般的劳动过程和社会的劳动过程,形成为具体的统一的劳动过程。一般的劳动过程,离开了它的特殊社会形态,不能存在。所以在研究方法上,首先考察了劳动过程的一般性质,而这一般的性质,在一切历史上,是表现人类对于自然的积极作用的。例如农业劳动,无论是由原始人用木器石器去开挖的,或是由古代社会的奴隶用犁锄去耕种的,或是由封建社会的农民去耕种的,都各自具有其一般的特征。因此,这种劳动,成为一定具体的劳动种类——农业劳动。但是把同一的劳动过程当作特定社会的劳动过程而研究其特殊的特征之时,就发见这特殊的特征,只有在历史的一定发展阶段才能发生,它并且表现人类间的历史上特定的关系(在原始社会中,这关系是平等的;在奴隶制社会中,这关系是主人剥削奴隶的关系;在封建社会中,这关系是领主剥削农民的关系)。而这种特定的关系是适应于特定的生产方法而形成的。所以在一定的生产方法之中,就看出特定社会的生产关系之生产及再生产的过程。

劳动过程之一般的性质及其社会形态之统一,是理解社会形态由低级阶段进到高级阶段的关键,是区别"真的社会的"生产及其暂时敌对的形态之标准,是区别未来无阶级社会的生产力与基于劳动的榨取的社会的生产力之标准。

劳动过程的上述两方面之统一,显现于生产力与生产关系的统一之中。在这一点上,生产力是社会的生产全体的内容和基础。而生产关系,是这同一的生产过程之特殊的社会的形式。因而生产力是（三）生产关系的运动的内容。

（三）生产关系适应于生产力的发展

其次，特定生产关系，常是以生产力的特定发展水准为基础而发生——生产力的优越性，又在这一点显现出来。这就是说，生产关系必须适应于生产力的特定发展阶段。

人们是不能自由选择其生产力的。任何时代的人们，都"发见先行时代已经获得的生产力。这种生产力，对于这个时代能供作：新生产的材料。由于这种事实就发生人类历史的联络，形成人类的历史"。一定时代的人们，为要保存这已经获得的生产力，就不能不变革从前传下来的生产关系。例如，当原始社会的生产力发展到能够产出剩余生产物，能够产出私有财产而劳动力感到缺乏之时，就需要找寻劳动力，而奴隶与主人的最初的阶级分裂就出现于历史舞台。于是就适应于当时的生产力而变革从前的原始的生产关系，而形成新的奴隶制的生产关系了。后来，奴隶制社会的生产力发展到它的顶点而开始下降之时，奴隶制的生产关系，就不适应于当时的生产力，而由与它相适应的封建的生产关系所代替。封建的生产力发展到一定阶段时，封建的生产关系不与它相适应，通过斗争而转变为现代社会的生产关系。现代社会的生产力，已成就了空前的发展，而现代的生产关系不与它适应，也达到了成熟的境地，而将由与它相适应的新生产关系所代替。

因此，可以知道，生产力实是生产关系运动的内容。例如，封建的生产关系，以封建的生产力状态为内容，即以农奴在地主的土地上从事农业劳动的生产力为内容。又如，资本主义的生产关系，以资本主义的生产力状态为内容，即以工钱劳动者在工场中从事劳动的生产力为内容。社会主义的生产关系，以具有社会主义的质的生产力为内容。

生产力对于生产关系的优越性，具如上述。

二、生产关系是生产力发展的形式

（一）生产关系促进生产力的发展

生产力的优越性，并不是意指生产关系的受动性。生产关系，绝不是生产力之受动的反映。适应于特定生产力的状态而形成的生产关系,在其发展上,获得相对的独立性,获得它本身发展的相对独立的内在法则。生产力对于生产关系虽占居优位,而生产关系对于生产力却是本质的东西,具有能动的积极的作用。生产关系的这种能动性、积极性,存在于生产关系对生产力的矛盾之中。生产关系,在一定时期,能促进生产力的发展,给生产力以发展的余地;在另一时期,却成为保守的东西,障碍生产力的发展。所谓生产关系的能动性,就在这种地方。先就生产关系促进生产力发展的情形加以说明。

就资本主义的生产关系助长生产力发展的过程,举例来说。我们知道,资本主义生产方法的绝对法则,是剩余价值的生产。资本主义下的生产力的发展,就依从于这个法则。资本家为了增值资本的价值,不惜用一切手段,来促进社会的生产力之发展,造出自由竞争的社会形态之物质的基础。资本主义的生产方法的绝对法则,强制着支配着一切资本家,使他们不能不在自由竞争中去增值其投在产业企业中的资本。如果他们不能继续地扩大其资本,就会因竞争失败而崩溃。但是他们要想增值其资本,只有利用累进地积蓄一个方法。

资本家为要累进地积蓄其资本,只有设法发展生产力。资本主义生产的运动机构,正是强制资本家去发展生产力的东西。所以资本家扩大生产规模的动机,是占有剩余价值,是在增大的规模上占有剩余价值。我们知道,在采用了进步技术的企业一方面,个别价值比较市场价值低廉,其企业主能够得到超越利润。资本家为了追求这种超越利润,就设法改良技术,因而促使社会的生产力的发展。

资本主义的生产方法,不但驱使贪图剩余价值的资本家去扩大生产、改良生产技术,并且使资本家把改良技术扩大生产,奉为竞争的绝对法则。商品廉价,是自由竞争的重要武器,所以在这个条件之下,生产的改良与扩大,出现为各种企业的存在条件。资本家在生产事业的改良与扩大一方面,如果一旦落在他人之后,他就立即要受莫大威胁。并且,由于自由竞争,一部分的企业如果扩大起来,他部分的企业,为了自身的存在,也不得不随着扩大起来。因此,资本主义下的生产力,就通过资本主义生产关系的运动而大大地发展起来。

（二）生产关系也障碍生产力的发展

但是资本主义生产的扩大，就引起资本的有机构成的高度化。而资本的有机构成的高度化，又引起利润率降低的倾向，于是在资本主义的生产方法之下，生产力发展的矛盾性，就在表面上显露出来。这种矛盾，"完全概括地表明出来，就存于下述一点：即资本主义生产方法本身——暂时把价值及其所包含的剩余价值，与资本主义的生产借以实行的社会关系，搁着不提——包含着绝对的使生产力发展的一个倾向；同时，另一方面，又以保持已存的资本价值并尽可能地使它增值（即不断地促进价值的增值速度）为目的"。但是社会的生产力之无限发展的这种手段，与已存资本的价值增值的这种有限的目的，是不断地相矛盾的。"于是，资本主义的生产方法，变为使物质的生产力发展并造出与它相适应的世界市场的历史的手段，同时又变为这种历史的任务与适应于它的社会关系之间的矛盾。"这种矛盾，在恐慌期中，最明白显现出来。最近世界恐慌发生以来，无数的劳动者失业，无数的工场停业，这就是证明资本主义的生产关系不能合理地利用人类主要的生产力——勤劳大众的劳动力。对于生产手段，也是一样。许多技术上的发明，都不能供生产上的利用。作一句话说，资本主义的生产关系，已是"由生产力发展的形式，转化为它的桎梏"。

资本主义生产关系之"由生产力发展的形式"而转化为它的桎梏——这是生产关系的积极性、能动性的证明。

所以生产力对于生产关系虽具有优越性，而生产关系对于生产力却具有能动的作用。社会发展的起动力，即是生产力与生产关系之内的矛盾。

生产力本身的发展的原因，就存在于生产力与生产关系之内的矛盾中。生产力常在一定社会形式之中，受这形式所影响，在它与社会形式的矛盾中发展，这正与社会形式在它与生产力的矛盾中发展，是同样的。生产关系规定生产力的发展及其发展速度。因而生产力，在生产关系之中，具有其运动形式，具有其内在的固有的社会的发展法则。这就是说，生产力在各种社会的构造之中，依从于特殊的法则而发展。

（三）特定生产关系的能动性与特定生产方法的内容

历史上特定的生产关系的积极性，必须从特定生产方法的内容去考察，在敌对社会中，生产关系之助长或障碍生产力发展的作用，必须从敌对的生产方法之社会的方面即阶级的内容去考察。关于这一层，可就现代社会的实例去说明。

资本主义生产的最初的规模，是工场手工业。工场手工业的劳动的协业，是一个资本主义的生产关系。这种生产关系，是一个生产力。因为在工场手工业的劳动协业的形态之下，"创造出它自身在本质上是集合力的一种新生产力"。这就是说，生产方法，与人类的一定共同劳动的方法，是不可分离地结合着，而"共同活动的这种方法，它自身是一个生产力"。在这种意义上，新生的资本主义的生产关系，能助长生产力的发展。但这种生产关系，同时是阶级关系，这是我们在前面说过的。并且，工场手工业的协业，是在资本制的组织之下实行的，是资本家为了取得剩余价值而实行的。因而这种生产关系之助长生产力的发展，与阶级的内容有密切关系。当机器工业代替工场手工业而出现之时，还经过一番阶级的冲突，如劳动者破坏机器的运动，就是一个显著的实例。

所以在资本主义之下，生产力之通过生产关系而发展，包含着阶级冲突的过程。在初期时代，近代工场是榨取绝对剩余价值的生产关系。往后，由于劳动者的长期的经济的斗争，这榨取绝对剩余价值的关系，就变为榨取相对剩余价值的关系了。所谓相对剩余价值，是靠缩短必要劳动时间延长剩余劳动时间而得来的剩余价值。其唯一的方法，就是发展生产力，而提高劳动的生产性。最近，资本家所实行的所谓科学的管理法、所谓产业合理化，以及所采用的许多新生产技术，都是在对付劳动运动的过程中所获得的新的榨取手段。这些都是生产关系促进生产力发展之阶级的内容。

现在，资本主义下的生产力，已经发展到超过资本家所能利用的界限，而不能再向前发展了。这完全是因为受了资本主义的生产关系所障碍。而资本主义的生产关系，是资本剥削劳动的阶级关系。所以，只有依据资本主义的生产方法之阶级的内容，才能理解资本主义生产关系对于生产力发展的积极性，才能理解后来的新生产关系发展生产力的新内容及其发展的新条件，才能理解直接生产者阶级能担负这种新的使命。

三、生产力和生产关系的矛盾与经济构造的变革

（一）生产力与生产关系的矛盾是社会发展的原动力

生产力与生产关系的矛盾，是社会生产力的发展的最一般的法则，是社会的经济构造变革的最一般的法则。不过这最一般的法则，在各个具体的历史阶段上的社会中，显现出来，就带有各个阶段上的固有的特殊性。生产力与生产关系的矛盾，是一切历史的生产方法之推进的原理。这种矛盾，在一切社会的构造中，不论是在非敌对的社会或敌对的社会中，都是存在的。不过，在敌对的社会中，这种矛盾，带有颉颃的性质，而在非敌对的社会中，矛盾不至发展为颉颃。因为在非敌对的社会中，生产手段公有，一切劳动力的所有者同时都是生产手段的所有者，因而生产力与生产关系的本质中，绝不含有敌对性。但是生产力与生产关系的矛盾，却是存在的。例如，原始社会的生产关系虽不含有敌对性，但到了获得新的生产力而原来的生产关系不能与它相适应之时，这生产关系必然随着改编。这样的生产关系的改编，只要人们意识到它与生产力的矛盾，就可以实现，决不伴随着人与人之间的冲突，因为这时的生产关系，并不是财产关系，只要是能够促进生产力的发展，就可以随时改编，决不至有人出来反对。

又如，在未来的新社会中，生产力、生产方法与生产关系虽都是平等的，而生产力与生产关系的矛盾依然存在。例如制造生产物的工场，一旦获得了新的生产手段，或发见了使用生产手段的新方法之时，原来的劳动组织，当然不能与它相适合而非随着改编不可。并且，人们之间的生产关系是极其复杂的，一旦被人们所意识之时，要加以改编并不会发生什么阻力，即是说，并不含有一部分人去反对而另一部分人去拥护的事情。所以，生产力与生产关系的矛盾，正是社会发展的原动力。如果没有矛盾，那就没有发展了。

但是在敌对社会中，生产力与生产关系的矛盾，就发展为不可调和的冲突，引起特定敌对的经济构造的变革。在敌对社会中，这种矛盾，只是阶级间的矛盾的表现。非生产阶级，代表生产手段的旧的分配方法；生产阶级，代表社会的一切生产力。前者拥护着障碍生产力发展的旧生产关系，后者反抗旧

生产关系而促进生产力的发展。在特定生产方法及其物质前提的一定成熟阶段上,双方利害的矛盾,发展为双方的直接的冲突。冲突的结果,生产阶级为取得胜利,就变革旧生产关系而形成新生产关系,把从前的或新生的生产力,实行质的改造。于是特定经济构造就由低级阶段进到高级阶段。随着经济构造的变革,那庞大的上层建筑也或缓或急地随着变革。

（二）现代社会的生产力与生产关系的冲突

在敌对社会中,适应于生产力而形成的生产关系发展到一定程度,就由助长生产力发展的形式而转化为它的桎梏。这是前面说过的。所谓生产力与生产关系的冲突,就是生产关系障碍生产力发展的状态。这种冲突,是表现为阶级的冲突的。就现社会说,资本阶级拥护资本主义的生产关系,而劳动阶级却反抗这种生产关系以力谋生产力的发展。

资本主义的生产方法,包含着社会的生产与个人的占有之本质的矛盾。社会的生产,显现出资本主义的生产力;个人的占有,显现出资本主义的生产关系。生产力与生产关系的矛盾,即是社会的生产与个人的占有之矛盾。这种矛盾,发展起来,又变为冲突。这种冲突,首先表现为劳动与资本的冲突,其次表现为工场的有组织性与生产的无政府性的冲突,再次表现为占有的条件与剩余价值实现条件的冲突——即是恐慌。

生产力与生产关系的冲突,在恐慌的过程中,表现得特别地明了。恐慌显现得劳动力与生产手段以及一切生活资料,都是"过剩"的东西,连生产力本身也是过剩的东西。但"这种过剩,变为贫困与缺乏的源泉。"因为这种过剩,是妨碍生产手段与生活资料转化为资本的。而在资本主义的机构中,生产手段如不能化为资本,是不发生作用的。于是生产过程之物的要素与人的要素,就被资本主义方法所妨碍,而不能结合了,即是生产力的发展,陷于停顿状态了。于是生产关系,暴露了它自身成为生产力发展的障碍物,而生产力本身,却是强有力地向着解放的方向迈进。一系列的螺旋状运动的恐慌,使得代表生产力与生产关系双方的冲突尖锐化,而资本主义的经济构造就走上了崩溃的前途。

关于生产力与生产关系的冲突引起经济构造变革这个问题,须就其普遍性与特殊性加以正确地考察,以建立普遍与特殊的正确关系。

就一般的原则说来，生产力与生产关系的冲突，伴随着生产阶级与非生产阶级的冲突，必然地引起经济构造的转变。这种冲突，当旧的所有关系变为"桎梏"，而障碍生产力诸要素的发展时（即障碍生产之技术的可能性与劳动力之肉体的精神的能力之发展时），就勃发起来。从来的所有关系，既然障碍生产力的发展，同时生产阶级的生活水准，势必降低，以致不能生存下去。这时候，生产阶级，觉得到阶级的利害，而形成阶级意识，而担负起经济构造变革的任务了。生产者阶级能够担负这种任务的时候，必须是新的生产力在旧社会秩序不能完全供社会利用，不能有更进的发展的时候。换句话说，新经济构造的发生，必须是"物质的条件已在旧社会母胎内成熟"，"至少也必须在发生的过程中"。但是，障碍生产力发展的历史界限与生产阶级的阶级意识之成长，这两件事是不可分离的契机。生产阶级之能够形成为阶级，并且发展到能够担负改造经济构造的任务，这便是表明：解决这种任务的必要的客观物质条件，已经发生或正在发生了。所以当现代社会发展到障碍生产力发展的帝国主义时代，正是非生产阶段"不能照旧生活下去"而生产阶段"不愿照旧生活下去"的时代。这就是现代社会的经济构造已届转变的时代。

以上是经济构造转变的普遍法则。但是这个普遍法则在各个具体的经济构造中的表现，却采取特殊的形相。所以，当研究各个特殊阶段的经济构造时，必须抓住那历史发展的连锁中的最重要的特殊的各环，然后才能知道它们各个受着特殊的法则所支配。而这特殊的诸法则，又和前面所举的普遍法则是统一的。这样，特殊和普遍之间的正确的具体的关系便树立起来了。

就普遍性说来，由封建社会到现代社会，由现代社会到新社会，是循着一定程序而前进的。即是说，物质的条件如不具备，经济构造的变革是不能实现的。但是历史的发展的法则之普遍性，并不是把特殊的发展形相除外的，它反而是拿特殊的发展形相作前提。"一切国民都将到达于社会主义，这是一个必然。但是它并不是一切都精密地循着同一路线而到达于社会主义的"。这种必然性的实现，因为各个国民的经济的政治的种种特殊性，就会各自刻印着各自的特色。

本章已经说明了社会的经济构造——生产力与生产关系的统一——之一般的原理，在下章再说明经济构造之历史的状态。

第八章　经济构造之历史的形态

第一节　现代社会以前的各种社会的经济构造

一、先阶级社会的经济构造

（一）研究经济构造的历史形态的重要性

前章说明了社会的经济构造的一般发展法则,现在更进而说明这一般发展法则在人类全部历史的各个发展阶段上的社会中所显现的特殊的质、特殊的形态及特殊的发展法则,并阐明由低级形态到高级形态的特殊转变法则。

"社会的经济构造,是法律的政治的上层建筑在它上面树立,与一定社会的意识形态和它相适应的现实基础。"随着这个基础的变革,那庞大的上层建筑,也或缓或急地起变革。所以,一经理解了特定社会的经济构造的性质,就可以理解它的上层建筑的性质;一经理解了经济构造的形态由低向高的转变法则,就可以理解历史过程的统一。因此,人们使得到了从事社会的实践的根据。所以说:"人类的最高问题,在于理解一般根本路程上的经济的进化(社会的存在之进化)之客观的理论,而尽量显明地批判地使人类的社会意识和一切现代国家进步的社会集团的意识与它相适合。"

人们现在所生活着的现今世界中,已经发生了两种经济体系。一个是过渡期的经济体系,一个是资本主义的经济体系。这两个体系中,一方面的工农业的生产日趋发展,而另一方面的经济恐慌却日益增大。在前者一方面,文化落后,生产者的技术程度较低,生产手段也比较缺乏,而经济状态却是昂进,在经济战线上,已获得决定的成功;反之,在后者一方面,一切都比前者较优,而经济状态却是恐慌严重,在经济战线上迭遭失败。这是什么理由呢? 这个理由,无疑是由于两种经济体系的差异,是由于前者对于后者的优越性。所以科学的历史理论,必须阐明这两个经济体系的差异和对立;说明社会形态发展过程中的两者之历史的准备,两者的特殊性与原动力;说明前者必然起而代替后者的必然性。

社会的经济构造发展之历史的形态,可分为下列五个顺次发展的大阶段:

1. 原始社会的经济构造;

2. 奴隶制社会的经济构造;

3. 封建社会的经济构造;

4. 现代社会的经济构造;

5. 过渡期社会的经济构造。

以上五种经济构造的历史形态,是由低级向高级的社会之前进的阶段。由低级形态到高级形态的发展,造出历史过程的统一。

下面依次加以说明。

(二)先氏族社会的经济构造

原始社会,可以分为先氏族社会与氏族社会两大时代来说明。

人是社会的动物。人类社会之先驱,是一种动物群。在这种动物群之中,人类知道了制造器具。由于器具的使用与创造,人类的生活起了革命的变化,于是这种动物群就转化为人类社会了。人类社会的最古的形态,是"原始人群"。

"由动物界分化出来的人类,带着由动物进化而来的痕迹,踏进历史的领域。他们是半动物的状态,非常粗野,没有抵抗自然力的能力,也不觉到自己的力量,因而是像动物一样的贫弱。"这种原始群,用粗糙的石器和木器等把自己武装起来。因为技术的幼稚,还不能猎取较大的动物。他们的生活方法,主要地还是采集自然界所供给的现成的自然物。

由于生产诸力的幼稚,那样的原始人群的集团是不能扩大的,人数至多不过数十人。集团中没有指导者或指挥者,一切都由共同决定,人类之社会的本能,演着极大的作用。

随着时代的进行,石制器具比较复杂化,于是依着过去技术的经验,原始人也能猎取较大的动物了。由于狩猎的发生,由于生产诸力的稍见发展,原始人群,开始了性别与年龄别的分工。少壮的男性担任狩猎,老幼和妇女担任采集自然物及其他等工作。这样的分工,对于原始社会给以重大的影响。

由于技术成功的影响,狩猎变为主要的生活手段以后,原始人群就变为原始共产的人群,组织也比较以前紧密了。他们由漂泊生活,渐渐地转到定居生活;一个血族与别个血族之间的界限,也比较严格了。血族的集团在其狩猎的区域中,土地及其他自然物,属于集团公有。一集团中的人员,在其所属的地界内从事狩猎与采集,一旦越出界限,就会引起集团与集团之间的战斗。因而集团中的人员,与他所属的集团紧密地结合着,绝不能离开他的集团而生活。

原始共产的生产关系,与原始的生产力是相适应的。但是生产力与生产关系矛盾的萌芽,却已潜伏于当时的经济构造中,原始的生产方法的矛盾,是个人的生产与集团的占有之矛盾。因为原始人所使用的器具是原始的器具,人人都能独立制作。随着技术的复杂化,少壮者与妇女老幼者在生产方面的任务便分立起来,而主要的狩猎工作是由少壮的男性担负,社会生活也趋于复杂了。原始的采集生活者的器具,是能够自由制作、自由使用的。并且,狩猎器具是狩猎者随身携带的武器。这样的劳动手段的性质,是决定器具由个人使用的条件。在这种事实之下,就引起劳动器具之个人的私有,引起随身的服务用品之私有。由于狩猎器具的改善,有许多动物,是容易被个人的狩猎者所猎取的。于是个人的生产的可能性便增大起来,而占有却和从前一样,仍是集团的性质。譬如说,个人能够猎取动物,而所猎的动物,仍归属于其所属的集团公有。于是形成了个人的生产与集团的占有之矛盾。这种矛盾,是原始社会所共通的发展的原动力(不过,这种矛盾在原始社会中,不发展为冲突)。

先氏族社会以及后来的氏族社会,有一个共通的特征。这就是生产关系与血统关系有密切的联系。在这种社会中,婚姻关系与家族关系,是生产关系的侧面。因为"劳动越是不发达,劳动生产物的量以及社会的财富越是有限,社会制度越是受血统关系所支配"。这就是说,原始社会中劳动的社会化以及自然物占有的程度,还在幼稚的状态,血统关系在社会生活上演着莫大的作用,成为生产者间的关系的基本形态。所以人们"在其生活之社会的生产上"所成立的劳动关系,采取血统关系的形态而出现。

在性的分工还没有发生的原始群之中,两性的关系是乱婚。性的分工发生以后,狩猎的男子群与采集的女子群互相为而劳动①,互相交换其劳动生产

① 此句有排印错误。——编者注

物。在这种地盘之上,狩猎的男子群与采集的女子群发生经常的集体的结婚关系。再次,年龄区别的分工,长老者与幼弱者的分工,也各都分担一定的生产的劳动,与少壮的男女互相交换其劳动生产物。这样,原始人的结婚与家族关系,就是一个生产关系了。所以这种生产组织是"极其简单而透明"。"他们的生存条件,是生产力发展的低级阶段,是和这种生产力状态相适应的物质生活,创造过程中的人类的狭隘关系,同时又是人们相互间及人与自然间的狭隘关系。""个人与种族及共同体的结合是极其紧密的,恰与各个蜜蜂之与蜂窠相结合相同。"

由于生产力的比较发展,先氏族社会中个人的生产与集团的占有之矛盾,在结婚与家族的变迁上也反映了出来。随着经济的发展,血族群婚让位于半血族群婚,往后半血族群婚又让位于对偶婚。于是个人的生产与集体的占有之矛盾,最初表现为性别或年龄别之间的矛盾,往后又表现为家族的利害与集体的利害之矛盾。这种矛盾,由于农业与畜牧业之发生,更加发展起来,就引起了先氏族社会的崩坏,而氏族社会代兴了。

(三)氏族社会的经济构造

氏族社会,是原始社会的后期发展阶段。氏族社会的质,与先氏族社会的质,并没有飞跃的变化;两者的差异,只是同一的质的发展程度的差异。因为氏族社会的生产方法,与先氏族社会的生产方法,同是平等的生产方法,主要的生产手段(如土地及其自然物)都是属于集团公有的。所以两者的差异,只是生产力发展程度的差异,而不是生产力的质的差异。但是由于同质的生产力发展程度的差异,个人的生产与集体的占有之矛盾,就更加发展起来。这种矛盾的发展,即是意指着生产力的发展。由于氏族社会的生产力之发展,就产出比较复杂的社会组织——氏族组织。

由原始社会到氏族社会的推移,就劳动手段方面说,是旧石器时代到新石器时代的推移;就经济性质方面说,是采集与狩猎的经济到生产经济的推移;就生产关系的一个侧面之血统关系说,是集体婚家族到对偶婚家族的推移。在原始社会中,采集及狩猎的对象,都只是自然界所供给的天然的对象。就原始人说来,"土地也是他的劳动手段的武器库,正如它是他的本来的粮食仓一样"。原始的狩猎者及采集者的特征,就是占有现成的自然物和剿灭自然的资源。他们还没有发达到应用劳动力使自然物再生产出来的程度,即是说,还没有达到农业及畜牧的程度,即是没有进到生产经济的阶段。

自从新石器及金属器的出现,与劳动力的较高程度的发展,就引起农业与畜牧业的发生。农业是采集的复杂化的结果,畜牧是狩猎的复杂化的结果。于是农业与畜牧业就成为人类的主要的生活手段了。

农业是"某种程度上巩固地形成了的一切社会的最初生产形态。农业助长了定居的生活形态的强化,产生了生产过程的整齐的集团组织,所以能使各种人类的集团的社会组织有相当的坚固"。所以随着农业或畜牧业的出现,人类集团的社会组织逐渐严整,同时,人类的物质生活也比较确实可靠,并且有了剩余的生产物,而人口也逐渐繁殖起来。因此,人类集团内的种种分化以及集团间的分离与结合,也逐渐发展起来,社会的秩序,变为氏族的秩序了。

氏族社会发展的原动力,是个人的生产与集团的占有之矛盾。在生产力发展的低级阶段,生产的个人化,使这个矛盾得到解决,并促进氏族社会的生产力的发展。所以要理解氏族社会的发展过程,首先要把握住这种矛盾,从物质的诸关系来说明。

个人的生产与集团的占有的矛盾,在原始社会的后期,即已发生。这种矛盾,到了氏族社会,就越发循序发展了。因为农业出现以后,原始共产群,就定居于一定地方,形成为血族的农业共同体。由于生活资料比较确实地可以得到,人口自然地容易繁殖,更因生产技术的幼稚和单纯,共同体内部的分化,就成为不可避免的现象。在最初的时候,这种农业共同体的生产,是采取原始协业的形式。但基本的农耕器具,是归个人使用、归个人所有的。于是在这种协业形式中,就产出个别的个人的强化,产出生产的个人化的倾向,而引起原始协业的崩坏。例如,最初的农业共同体,土地是属于共有的,共同体的一切人员,都使用幼稚的农耕器具,共同从事于农业劳动。这样生产出来的农产物,虽归共同体所有,而这些农产物的分配,却不能不依着生产的个人化的倾向而实行,于是分配的个人化的倾向也形成了。这样说来,在最初的血族的农业共同体之中,主要生产手段的土地是共有的,生产的劳动采取原始协业形式,生产物也是共有的;但是在另一方面,劳动手段是私有的,原始协业中的劳动是个人的,分配之后的生产物是私有的。照这样,在生产的个人化的倾向中,就潜伏了私有财产的萌芽。

往后,由于生产力的进步,农业共同体的土地,就采取定期分配而由各种较小的血族单位(最后是氏族中的家族)去从事农业生产了。这时,土地虽归共有,而其他生产手段却采取私有的形式,这样得来的生产物的大部分(其一部分纳付共同体,作为公务人员的生活资料)也属于私有,于是私有财产开始形成了。

最后,共同体土地的定期分配,又渐渐变更,由定期分配而变为不定期分配,甚至于久久不分配了。于是伴随于其他的情形,私有财产便出现(这在畜牧业的氏族共同体中,也有约莫相同的程序)。所以生产过程的个人化,与私有财产的出现相联系。私有财产的出现,又助长生产力的发达,而加强生产过程的个人化。这样看来,生产的个人化,是私有财产的萌芽。

与生产的个人化及私有财产出现的程序相并行,还有一系列的其他事变。在人类文化的初期阶段上,独立的经济单位,不是个人,而是由共通的经济利益所团结的各种氏族共同体。各个共同体,因其地理的位置及其他特性,在其劳动生产物的性质上,表现相互间的差别。如农业氏族与畜牧氏族即是一例。这类共同体互相接触之时,自然地发生生产物的交换(即生产物转化为商品)。随着这些商业的交通之由偶然的而变为经常的,各种共同体在经济上就互相结合而失其独立了。于是交换引起各共同体间的社会的分工。第一次的社会的分工是农业与畜牧的分工,第二次是农业中的手工业的专门化。于是交换就由共同体间的交换而进到共同体内部诸个人间的交换了。于是商业也成为一种寄生的分业而出现了。生产的个人化与个人的家族的分工的萌芽,虽是交换的先驱,但交换对于原始的自然发生的分工之改造,对于原始协业的崩坏,却是强有力的因子。交换也助长了共同体的人员间财产上的私有制。生产的个人化的结果,出现了个别经济,而这种个别经济,又成为私的占有的源泉,造出了动产集中于各家族长手中的地盘。这时的财产的内容,首先是家畜、货币及奴隶。于是同一氏族内部各家族的财产上的差别,引起了原始社会的经济平等的破坏。最富足的、经济上最强有力的家族,渐渐地占据了共同体所处理的生产手段的大部分,而其他比较贫弱的家族,就被夺去了生产手段的利用权了。于是,个人的生产与集团的占有的矛盾,发展到了最高阶段,就转化为它的反对物,就是发生质的飞跃,而成为社会的生产与个人的占有之矛盾了。于是在氏族组织的废墟之上,形成了新的阶段。

(四)原始社会之崩坏

原始社会之真实的历史的=经济的基础,是主要的生产手段之共有。生产手段的这种共有,是由于劳动生产性的比较不发达,而个人不能离开血族团体而生存。在这种意义上,原始社会的生产方法,是共同的共有的劳动的原始形态。原始社会的组织,完全适应于这样的生产方法,当时还没有阶级贫富的区别,没有支配和隶属,没有政治组织,社会组织建立在原始德谟克拉西的原则之上。

如果人类的历史是 50 万年,那就至少有 49 万余年是属于原始社会。这便是说明现代的阶级不平等,只是历史的暂时的性质,而没有阶级的社会确实是存在过的。因而所谓原始人是"天生的"个人主义者,是孤独的生活者的主张,所谓原始人所私有的渔猎器具即是"资本"的主张,都完全是荒唐无稽之谈。

原始社会的遗物,依据民俗学及其他辅助的历史科学所证明,在最近的世界中,却还是存在的。例如德国的"玛尔克",俄国的"密尔",都存有这样制度的遗迹。狩猎生活之原始共产的痕迹,在今日的美洲、澳洲及西伯利亚的低级发展阶段上的未开化种族中,也还是保存着。又如氏族的生活的遗物,在今日高加索的少数民族间,在中央亚细亚的游牧民族间,也可以看到。这些遗物,与封建制度的遗物相联系,形成着氏族长老的权力的基础。多少还停顿在这种状态上的民族,将来如何才能移到新的经济构造的轨道,是须要考虑到那种经济的特殊性的。但这不单是历史上的问题,并且是实际政治上的问题。

促进原始社会的发展及其崩坏的根本原因,是劳动生产性的增大。在劳动生产性没有达到一定水准以前,劳动者除了维持自己的生活以外,没有剩余的时间。劳动者没有剩余时间,就没有剩余劳动。没有剩余劳动,就没有剩余生产物,因此就没有私有财产,没有奴隶所有者,没有封建领主,作一句话说,就是没有任何大所有者的阶级。由原始社会到阶级社会的转变,只有随着劳动生产性的发达,才有可能。

劳动生产性的增大,以劳动在一定社会条件之下实行的一事为根本前提。

为要使劳动者把剩余劳动支给他人。就必要有"外部的强制"。当农业与畜牧的最初的社会的分工发达起来以后,劳动生产性更加发展了。交换也随着逐渐发展起来了。由于这种种原因,除了维持生存所必要的生产物之外,剩余生产物也开始形成了。这剩余生产品,在氏族的长老或家族长的手中积蓄起来,就成为私有财产发展的源泉。私有财产与生产手段的原来的共有,是并行地存在着的。于是财产上的不平等就发展起来。随着私有财产的发展,就引起利用劳动力的可能性,以适合于个人的目的的要求。这种劳动力的供给者,是战争的俘虏及不能偿债的人们。于是在家内奴隶劳动的形态上,发生了社会的不平等。照这样,就造出了一个新社会条件,使得劳动者有过剩的时间,并强制他去从事剩余劳动了。同时,阶级的敌对关系的基础,也树立起来了。于是"重新形成了的社会诸阶级的冲突,把建筑在血统关系上的旧社会打破了"。新的财产关系,侵入于社会的共有制度之中,因而"由国家所表现的新社会",就是建筑在生产手段私有的生产关系之上的。这种新社会的基础,就是阶级的不平等,以及生产手段所有者对于生产阶级的支配。于是原始社会告终,而最初的阶级社会出现了。

二、奴隶制社会的经济构造

(一)阶级社会之共通的特性

现在来说明各种阶级社会的经济构造。

阶级社会的经济构造,可分为奴隶制的、封建的及现代的三个顺序的阶段。这三种阶级构造,虽各有其特殊的质,但它们之间,却存有下述几种共通的特性:

第一,这三种经济构造,都是敌对的形态,其基础都是诸阶级的敌对关系,支配阶级都形成为一个阶级,榨取隶属的生产阶级所提供的剩余劳动。这种阶级支配之经济的基础,是对于生产手段私有的种种形态,即是奴隶主的所有形态、封建的所有形态,及布尔乔亚的所有形态。

第二,这三种社会中,阶级支配都各由特殊的政治组织所维持,而这些特殊的政治组织,都采取国家的形态。这些国家形态,都各由与它们相适应的法律所巩固。

第三,这三种社会的共通特征,是都市与农村的对立。都市与农村的分立,是在社会的分业过程中发生的。由于社会的分业之发展,手工业便在都市发展起来,离开农业活动而独立了。这种分离,随着交换的发达,随着都市的商业中心地之形成,便愈加固定。都市到处指导农村。都市集中了权力、科学及艺术的成果。因而都市人口大众的文化水准高出于农村,而农村人口便停滞于落后的劳动形态,而安于"愚暗的农村生活"。"都市与农村的对立,只在私有财产制的内部才能存在。这是个人被隶属于分业及强制的一定活动一事实之最露骨的表现。"这种现象,在非敌对社会中是不存在的。

第四,阶级社会的全部历史,是由肉体劳动与精神劳动之分离与对立所贯串的。由于剩余生产物的存在,精神的劳动,便离开物质的生产而独立,变为支配阶级及其附属者"思想家们"的特权了。精神劳动与肉体劳动的分工,在非敌对社会中也是存在。但这种分工,并不是意味着两者的截然分离。在非敌对社会中,从事肉体劳动的人也从事精神劳动,即是任何人都能兼做肉体劳动与精神劳动。

指出了阶级社会的共通特性之后,再进而分别考察各个敌对的经济构造。关于这些阶级社会的考察,包含着历史的理论与社会的实践之统一。即是说,研究这些阶级社会时,并不是单纯地纯粹地把它们作"历史的"考察,另一方面还含有社会的实践的意义。因为那些先资本主义的经济构造,是与现代社会相结合,为要改造现代社会,就必须理解这种结合的复杂性,才能够决定具体的改造方案。先资本主义的经济构造的遗物,在现代社会中所占的比重怎样？它对于社会的转变有怎样的意义？它对于殖民地反帝国主义运动有怎样的意义？这些都是关于社会的实践一方面的事情。所以,人们都应站在这种见地去考察敌对的经济构造的问题。

(二)奴隶制的经济构造之发生及发展

奴隶制的经济构造,是从先阶级社会的母胎中直接发展起来的最古的生产形态,它的萌芽孕育于氏族社会的家内奴隶制之中。最古的阶级的生产关系,是奴隶所有者与奴隶的关系。古代希腊,罗马及中国(殷代),遗留了奴隶制生产关系的典型。奴隶制之手工业的技术,是极其幼稚的,所以需要支出多大的劳动力。这些劳动力的供给者,是战争时的俘虏,是没有偿债能力的债务者,是被掠夺被贩卖的异族人。这些人们都被迫而为奴隶,被当作商品买卖。由于奴隶的买卖,造出了廉价的劳动力的广大市场。奴隶被主人看作只能说话的工具,他们被剥夺了一切权利,完全变为主人的所有物——这是奴隶制生产体系的特殊性。奴隶完全依从于主人的命令,从事种种生产的劳动;奴隶所有者,完全从生产的劳动解放出来,专从事于政治、科学及艺术等"精神的"活动。

所以在生产力的一定发展阶段上发生了的奴隶制生产关系,决定了生产力的往后的发展。劳动力被集中于奴隶所有者手中的结果,经营的能力增大起来,生产的范围也扩张了。因此,劳动生产性增大起来,剩余生产物就越发地积蓄起来了。所以在古代世界中,奴隶制度发展到一定阶段时,一方面因为具备了取得廉价的剩余劳动的条件,一方面又助长了分工之更进的发达与劳动之更进的分化。于是交换显著地发达起来,商业资本就出现。造出了贩卖农产物于其他诸国的有利的条件。这一切事情,增大了奴隶所有者的所有,引起了奴隶数的增加。因此,在农村方面,小农的土地被剥夺,而为大土地所有者所吞并。在都市方面,自由的手工业者也次第减少了。于是农业与都市手工业,被集中于大奴隶所有者手中。他们利用多数奴隶的强制的劳动,在其庄园中与手工业作坊中,实行生产。这样,奴隶制社会的生产力,就成就了很大的发展。于是古代世界的物质基础发达起来,而在这物质基础之上,成就了精神文化的莫大的发展(如古希腊的哲学、艺术与科学,如罗马的罗马法等)。在这种广大的物质的及精神的文化的发展中,就显出了古代奴隶制之进步的历史的任务。

(三)奴隶制的经济构造之崩溃

奴隶制社会的生产力之发达,只是在其量的方面表现出来,而其质的方面,因为仍是无代价的奴隶劳动,并没有发生变化。商品生产的发展,"并不曾变化奴隶所有者的经济之一般的构造"。因为古代世界中商业的作用,仍"归结于奴隶经济",至多也是"只把那以直接生活资料的生产为目的的家长制奴隶制度,转化为以剩余价值的生产为目的的家长制奴隶制度"而已。所以奴隶所有制度,在其自然的发展上,没有推移到更高级生产方法的可能性。

就古代世界的情形来说,奴隶制经济的生产力,一旦发展到它的顶点,就开始呈现崩溃的倾向。因为奴隶的劳动形态与奴隶的低级的生产能力,塞住了生产技术的进步,而奴隶所有者和自由民,又不直接参与生产。这是障碍生产力发展的奴隶制生产关系之根本的内在的矛盾。这种矛盾发展起来,就至于演出奴隶的叛乱。然而奴隶不是更高级的生产方法的担负者,不能指导生产力对于障碍物(生产关系)的反抗。于是生产方法之必然的变革,就采取另一种转变法则(即"斗争的两阶级并倒")而推移到封建的形态了。

奴隶制度,不单是历史的研究之对象。奴隶制的遗物,在现今世界中,仍有一部分保存着。虽然奴隶制度已经公然"禁止",虽然所谓文明人在"道德上"否定这个制度,可是在事实上,仍然在或隐或现的形态中继续存在。现今非洲及其他各国,还有几百万的奴隶。许多殖民地国家的"自由的"土著人民,被陷于奴隶状态,为帝国主义的强制者担负许多劳动义务。这种奴隶制之事实上的存在,对于帝国主义者,是有经济上的利益的。帝国主义者把殖民地人民当作奴隶来榨取,在生产技术极幼稚的处所,就利用他们从事奴隶的劳动。所以殖民地民族为要脱离帝国主义的羁绊,就必须认识这种若隐若现的奴隶制度,认识帝国主义者把殖民地人民当作榨取的事实——这是殖民地民族解放运动的紧急的任务。

三、封建社会的经济构造

(一)封建的生产关系之根本特征

历史上继承奴隶制的经济构造而起的,是封建的经济构造。封建社会与奴隶制社会不同。封建"社会的基本的分裂,是农奴所有者=地主与为农奴的农民"。在奴隶制社会中。"奴隶所有者,把奴隶看作财产,法律也固执这种偏见,把奴隶看作完全属于奴隶所有者所有的物品"。但是,在封建社会中,"对于为农奴的农民阶级的压迫和隶属虽旧存在,而为农奴所有者的地主,却不算是当作物品看的农民的所有者,他们只有对农民要求劳动的权利,强制农民履行一定的义务"。

封建的经济,对于奴隶制的经济,是比较进步的历史形态。因为奴隶制经济是一种没有出路的经济,当发展到一定阶段时,就必然地转变到封建的经济。关于这种转变,可以把古罗马的历史事实,作为范例来说明。古代罗马的末期,主要的生产手段的土地,已为贵族的大地主所兼并,小所有者的平民已经没落,而变为靠国库赡养的寄生者,那不堪虐待和剥削的奴隶们,又因不断的背叛而横受主人所毒杀。结果,奴隶制的经济,因为奴隶的劳动力的缺乏,因为奴隶劳动阻碍了技术之进步,便大大地崩溃下去。在这种情形之下,就发生了农奴制度。大土地所有者把所有的领地,分发于所谓"科劳士"(Colonus)去耕种。这种"科劳士",就是负债的小所有者及奴隶;他们对于领主担负义务的劳动并缴纳现物地租。这种制度,到3世纪中叶,已推行于罗马全境。往后,地主的政府,为抑制"科劳士"规避纳租等义务,禁止他们迁移他处或放弃耕地,使他们变成农奴。这种制度,不但适用于农民,并且对于都市的居民也同样适用。所以奴隶制度在这种过程中,已经转变为封建的农奴制度了。同时,要注意的,普及于中世纪欧洲各地的封建制度,在日尔曼人侵入罗马以前已经普遍地存在着,并不是日尔曼人用政治力量创造出来的,日尔曼人不过在这种制度之下,把所占领的罗马土地实行封建的分割而已。

封建的经济构造之特征,可分作如下的概括的说明:

第一,一切的土地,几全为封建领主所占领,形成大土地所有。

第二,直接生产者的农民,在人格上隶属于封建领主。他们从领主领受土地及其他生产手段,经营农业,向地主缴纳地租,终身被束缚于领主的土地之上,成为土地的附属物。

第三,农业经济,主要的是自然经济。农民的生活资料,大部分是自己的产业;领主的生活的大部分,也是由农民缴纳自然物去供给(有由领主自己的耕地上供给的)。但其他的生活资料,仍不能不仰给于外部,所以商业仍是存在的。

第四,农民所耕种的面积,是小块的土地。农民在小块的土地上,应用低级的、停滞的农耕技术,独立地经营小规模的农业。农民在人格上虽隶属于领主,而这种小经营,却归农民所有。这是所谓"大土地所有与小生产的结合"。

第五,领主的土地,大部分分发给农民,领主自己通常留存小部分的土地,用农民的义务劳动经营农业;所得的收入,用以赡养自己的家族及武士家臣之类。

第六,农民是半解放的奴隶,除对领主缴纳地租及履行一定义务劳动以外,其余的劳动时间,是从事于家内手工业。所以,在封建制之下,农业的家内手工业是互相结合的。

第七,农民对于地主所担负的主要义务,是缴纳劳役地租与现物地租。此外,农民还得要缴纳各种苛捐杂税,其名额任凭领主决定。

第八,地主的人物,最大的是国王,以下是公侯伯子男卿大夫等,等级非常复杂。其名称在欧洲与亚洲各不相同。大概地主的等级,与其所有土地的大小相适应。封建政治的等级制度,与地主的等级制度相适应。

第九,封建领主,对于农民厉行超经济的强制。"这种强制的形态与程度,从农奴状态起到农民权利的身份限制为止,能有许多复杂的种类。"

总起来说,在封建的剥削上演着重要作用的东西,是农民被束缚于土地,是人身的隶属关系,是直接的支配与隶属的关系及所谓超经济的强制。这是基本的封建的生产关系、阶级关系。

(二)封建的手工业、商业与商业资本

封建的生产关系之特征,不能离开封建的特殊阶级关系去考察。地主对农民的剥削,表现于种种地租形态——劳役地租、现物地租、货币地租——之中。同时,与封建的土地所有者适应的东西,又有"都市的集团的所有及封建的手工业组织"。

封建的手工业,是从农民经济分离出来的。当生产者把用自己的原料造成的生产物出卖于消费者之时,他便成为手工业者。这种手工业者,大都团聚于城市之中。封建的城市,是在领主的统治之下形成的,城市的所在地,大都是交通便利的地方。都市的居民,与农村的农民一样,最初也是在人格上隶属于领主的人们,领主向这种都市的居民,课征种种的税收。城市居民,多半是手工业者和商人,他们手中有货币,领主常常仰赖他们的经济上的援助。因而城市的居民能够向领主取得种种的特权,可以免除封建的义务,而建筑城堡以自卫(并且,有些城市变成领主的居住地)。这是城市居民优越于农民的地方。

随着城市经济的发展,城市的居民,发生了阶级的分化。城市的富裕的手工业者与商人,为了自身的商业的利益与特权,形成了所谓行会的组织。手工业的行会的宗旨,是规定关于同业的种种生产的规则(如生产物的生产与贩

卖,生产物的品质与分量,价格的决定等,均有一定的规则)。对外保护本业的利益,对内厉行一定的秩序。关于客师的待遇以及徒弟的习艺的规则等项都有严格的限制,同业者均须确实遵守,不得违背。于是城市中的店东与客师徒弟之间,成为一种严重的等级关系。城市手工业的店东与商人的富裕阶层,是布尔乔亚的前身,而客师及徒弟等,又是普罗列达里亚的前身(但是先布尔乔亚与先普罗列达里亚,并不就是现代社会的布尔乔亚与普罗列达里亚,这是要特别注意的)。

手工业的技术,建立在手工劳动之上;劳动手段是简单的器具,变化是很缓慢的。所以这种生产,是"以劳动者的生产手段私有为基础的小规模的经营",并且这种经营规模,必然是狭小的。

手工业的生产,当然是商品的生产(单纯商品的生产)。在这种商品生产之中,生产者"使用自己所有的、大部分由他自造的原料,使用自己的劳动手段,用自己的或家属人员的手的劳动去造出商品"。"所以那商品当然是最初起就完全归他所有。虽然有时借助于他人的劳力,而在通例上,这也无关重要,大都除了给工钱以外,还用别种东西去补偿,行会的徒弟和客师,不是为着食费或工钱而劳动的,而是为了要学成一个职工才去劳动的。"这些,是封建的手工业生产的特征。

其次说到封建时代的商业。前面说过,封建的农业经济,是自然经济,大部分的生活资料,是由农民自己供给的。农民劳动的生产物,只在"除了满足自家的要求和缴纳于领主的贡物外还有剩余之时,他们才生产了商品。当这种剩余生产物被投进于社会的交换而提供为出卖品之时,它就变为商品了。至于都市的手工业者,从最初起就不能不为交换而生产"这是上面刚才说过的。还有,领主们从领地之内的人民剥削得来的剩余生产物,除了供自己的消费的部分以外,多余的部分,不能不拿出交给商人,向商人换取货币或其他商品,以满足他们的欲望。所以领主们也是把生产物当作商品出卖的人们。由于这种种情形,封建时代的商品交换也是盛行的,虽然市场的范围是比较狭小。

由于商品交换的盛行,商业资本就与封建的诸关系相融合了。商业资本与其双生兄弟高利贷资本,在封建的秩序之下,成为一种寄生虫,附着于封建的生产方法,吸取封建的生产方法的膏血,使得封建的再生产陷于萎缩和惨淡的境地。所以这两种资本,在封建社会中,只演着消极的剥削的作用,而腐蚀封建的生产方法。

随着商业资本的发展,封建的障壁与市场的孤立就被打破,使封建领主的领地经济趋向于崩溃的途径,使农民经济商品化的程度加深。于是引起土地变成买卖的对象,引起农民阶级的富农层与贫农层的分化。同时,在城市经济方面,商业资本的发展,在封建的秩序下,使得城市富裕阶层的势力增高,而能够与封建贵族相颉颃。所以在增大的经济的商品性质上,封建政治之地方的分权消失,发生出统一的中央集权的国家,即土地所有者独裁的国家。这是商业与商业资本对于封建的构造所演的作用,它本身并不曾造出特定的生产方法。

（三）农奴制与封建制的同一

以上说明了封建的经济构造的一般特征,现在再进而检讨所谓农奴制度的意义。

关于封建制与农奴制是不是同一的经济构造的问题,在讨论社会的经济构造的许多学者中,曾有一种异论。这种异论,主张封建制与农奴制是截然不同的两种经济构造,而各有其截然不同的生产方法。这种异论的根据是这样的:"在封建制之下,农民占有生产的基本手段和基本农具的使用权。农民在自己的经济上,生产必要生产物与剩余生产物。农民把这些剩余生产物的大部分,用现物地租的形式缴纳于封建领主。在农奴制之下,以徭役的生产为基础,在这种徭役的生产下面,农民只是徭役经济的附属物。在封建制度及农奴制之下,有不同的生产方法及生产关系"(以上是俄人杜布洛夫斯基的见解)。依照这种见解说来,封建制的特征是土地所有者榨取现物地租,农奴制的特征是榨取劳役地租,因而把现物地租和劳役地租的形态看作区别封建制与农奴制的特征,并主张两者是截然不同的经济构造。这种见解,是大错而特错了。

劳役地租,现物地租与货币地租,是封建的基本的生产关系=剥削关系之表现形式。这三种地租,都是封建的地租形态,表现出封建的经济构造的发展的阶段。这些地租形态的发展,适应于封建时代的生产力的发展状态而变化。一般地说来,在封建时代的初期阶段,农民的劳动生产性比较幼稚,土地所有

321

者,为实行有效的剥削,不能不利用超经济的强制力,使农民紧密地隶属于地主,主要地强制农民提供剩余劳动,使在自己经营的土地上从事种种的劳动。所以在这个时期,土地所有者,主要是向农民榨取劳役地租。往后,农民劳动的生产性比较进步,农民独立经营农业的能力比较充分,因而土地所有者对于农民榨取现物地租也比较确实可靠。所以,这时的土地所有者,主要地向农民榨取现物地租了。这是表示出封建的生产力显然地进了一步。最后进到封建时代的后期,商品=货币经济发展起来,农业经济趋向于商品化,而土地所有者又迫于货币的需要,于是在货币地租的形态上向农民榨取地租了。

从封建的生产力的发展状态说来,劳役地租、现物地租与货币地租,形成为封建的经济构造的三个阶段。但是这三种地租形态,也不是完全截然各别地形成为一个阶段。因为在劳役地租成为主要的剥削形态的时期,农民的剩余生产物,仍然是被土地所有者所剥削的。其次,在现物地租成为主要的剥削形态时,劳役地租也并不是完全没有。最后在货币地租时期,现物地租与劳役地租也是遗留着。如果严格地拿一种地租作为封建经济各个阶段的特征,要以封建的生产力发展的状态为前提。在这种前提之下,土地所有者所榨取的主要的地租的形态,能够区别封建经济内部的各个发展阶段。

从上面的说明看来,那种把农奴制看成与封建制截然不同的经济构造的主张,固然是重大的错误,并且把榨取劳役地租的制度看作农奴制的主张,也是一种错误。农奴制本身就是封建制。封建制的特征(在前面已经说明),对于农奴制是完全适合的。就农奴制的这种制度说,农奴所有者就是封建的地主,他们有向农民要求劳动的权利,强制农民履行一定的义务。"这所谓要求农民劳动和强制农民履行义务",主要是向农民榨取劳役地租和现物地租。所以那种主张把榨取劳役地租作为农奴制的基本标志一层,显然是错误的。从生产方法和生产关系看来,封建制和农奴制并没有区别。农奴制实是封建的生产关系之特征。

(四)变相的封建的生产方法——"亚细亚的生产方法"

在叙述封建的经济构造时,还有一个在最近聚讼纷纭的问题,也应当提出来加以解释。这就是关于所谓"亚细亚的生产方法"的问题。

我们在前面列举的生产方法之历史的发展的顺序时,曾经列举了原始的、奴隶制的、封建的、现代的及过渡期的生产方法五种,而把"亚细亚的生产方法"叫作变相的封建的生产方法。为什么把"亚细亚的生产方法"叫作变相的封建的生产方法呢? 这是这里所要说明的问题。

在七十余年以来,关于原始社会的历史研究还没有发达的时候,科学的社会学的创始者,曾经把"亚细亚的生产方法"当作由原始社会到奴隶制社会的过渡阶段假定过。但是到了现在,关于原始社会的历史的真相,已经有了科学的说明,从前的那种假定已经失却必要了。并且这位创始者是把"亚细亚的生产方法"当作敌对的生产方法来说明的。所以就创始者的这个假定的说明看来,"亚细亚的生产方法",首先是敌对的生产方法。

其次,所谓"亚细亚的生产方法"之敌对的性质,依据科学的社会学创始者之古典的文献考察起来,更依据现今的许多先进的学者的共同研究考察起来,这是与封建社会及封建国家相结合的。"亚细亚的生产方法",在其本质上,与封建的生产方法,并没有根本的区别。所不同的地方,就是亚细亚诸国的几个特殊经济条件。即是说,所谓"亚细亚的生产方法",就是附加几个特殊经济条件的封建的生产方法。

所谓特殊的经济条件,就亚细亚诸国说来,有下述几种:第一,对于土地的统治权,集中于最大的土地所有者国王之手。第二,关于农业方面的水利灌溉等社会的事业,是由国家组织的。第三,土地所有者的国家,干涉人民的经济生活。第四,土地所有者的国家,向农民征取的租税,与封建地租有同一的经济的内容。第五,亚细亚诸国,是土地所有者的独裁国家。以上这些条件,都是亚细亚的特殊经济条件。这些条件,明明是与封建社会及封建国家相关联的。但就基本的生产关系说来,亚细亚的生产方法,只是封建的生产方法之特殊的形相,即是封建的生产方法的变种。因而主张"亚细亚的生产方法"是与封建的生产方法截然不同的生产方法的异论,实是一种错误的见解。

(五)封建的经济构造之崩溃

随着商品生产与商品流通的发展,商业资本就发展为资本的典型的形态,使封建的生产方法发生解体的作用。它助长封建领主们增高对于农民的剥削。因为农产物转化为商品,而农民的现物贡纳和剩余劳动的大小,就不专受封建领主的消费所限制。在另一方面,有贸易来供给奢侈品,封建领主的消费,在质的方面也提高了。于是封建的土地关系渐渐解体,农民的富裕阶层,就能够利用货币赎回封建的义务而取得土地;至于贫苦的阶层,就因封建的剥削的加重而丧失土地,丧失经营农业的能力。这些被夺去土地的农民,即是自由劳动者的前身。

在城市方面,商业资本,逐渐支配着手工业者,并且也使都市手工业解体,手工业的行会的组织,就陷入于崩溃的过程。这封建的行会关系解体与农民的土地收夺,就是自由劳动者发生的历史。

封建时代末期发展了的商业资本与高利贷资本,是资本的原始蓄积的两个形态。这种原始蓄积的方法,是由商业和欺骗得来的很大的商业利润,是用重利盘剥农民手工业者及地主得来的利息,是由掠夺殖民地人民得来的金银财宝。因此,封建社会的末期,布尔乔亚手中,蓄积了大宗的货币。

在上面各种条件之下,"当作货币看的货币",开始转变为"当作资本看的货币"。"这种新的资本,首先当作货币,当作由一定过程转化为资本的货币,登上市场——商品市场、劳动市场、金融市场——的舞台"。于是资本家因握有足够使用相当数目劳动者的资本,就能够占有劳动者的剩余劳动了。从这个时候起,原始蓄积形态上的资本的所有者,就从生产的参与转而从事于生产,集合分散着的生产手段,用工钱雇用较多的劳动者,在一个手工业的工场中,使他们从事于商品的生产;他们自己就脱离肉体劳动,而以资本的代表人资格,专尽指导者管理者的机能。资本家的这种机能,不单是从社会的劳动过程的性质发生的机能,并且是社会的劳动过程的剥削的机能。这种剥削的机能,就是从工钱劳动者榨取剩余价值。这样,资本主义的生产方法,就在封建社会母胎中发生,并成为封建的生产方法的后继者。

随着资本主义的生产方法之形成,封建的农村关系也适应于它而变化。封建的领主或者转变为近代的地主,或者转变为近代兼做农业资本家的地主。封建的农民的富裕层,转变为近代的农业资本家;贫苦层转变为近代的劳动者。

于是封建的经济构造为现代的经济构造所代替,更伴随着布尔乔亚的革命而完全转变为现代布尔乔亚社会了。

封建制度的研究,不单在理解资本主义的发展过程上有极重要的意义,并且对于现代社会改造以及落后国家的状态的理解,也是非常重要的。落后国家所存留着的封建关系的诸形态,常与帝国主义榨取殖民地的新形态杂然并存,并为后者所利用。土著的封建势力与外来的帝国主义之间的政治的经济的联系,是使农民大众停顿于奴隶状态的基础。所以殖民地或半殖民地的解放运动的原理,必须反映出殖民地或半殖民地的这种实际的状态,才能向着新社会的方向迈进。

第二节　资本主义的经济体系

一、资本主义的成立及发展的过程

（一）工场手工业时期

资本主义的经济构造,和从前的社会经济构造比较起来,是最复杂的构造。阶级社会的一切矛盾,例如生产力与生产关系的矛盾、阶级的对立、国家与法律的上层建筑之发达、都市与农村的对立、精神劳动与肉体劳动的分离等,在资本主义之下,都完成了最高的发展。

关于资本主义经济构造的叙述,应当分为下列三项:1. 资本主义的成立及发展的过程;2. 资本主义的内在矛盾及其发展倾向;3. 资本主义的最后阶段——帝国主义。现在先说明第一项。

资本主义生产与剩余价值占有的最初形态,是工场手工业。成为工场手工业及资本主义生产一般之历史的论理的出发点的东西,是劳动的协业。劳动的协业,即是在同一资本家指导之下,生产同种商品的相当数目的劳动者在同一房屋中同时操作的有计划的劳动。协业在资本主义条件之下,比较同类的劳动者个别地操作的场合,却提供相对的剩余价值。

由协业造出的相对剩余价值,在其一切的形态上,是社会的劳动之社会的生产的结果。但在资本主义之下,这种结果,变成了为一般的劳动而结合劳动者的资本的所有物。资本主义生产方法之矛盾的性质,在这个原始阶段上即已显现;一方面,资本家组织着并指挥着利于创造使用价值的劳动过程;另一方面,劳动过程,同时又是决定剩余劳动的实行及其结果的占有的资本的增值过程。

由于分业，工场手工业便从协业发展起来。

"基于分业的协业，在工场手工业中，就造出那最古典的姿态。当作资本主义的生产过程的特征的形态看，它是专在16世纪中叶到18世纪最后三分之一时期间继续了的固有的工场手工业中显现的。"

工场手工业，是依着二重的方法发生的。其一，制造同一产物时依次操作的种种色色的劳动者，在资本家的指挥之下，结合于一个工作场中，共同劳动。例如马车的制造，即是一例。其二，从前由一个手工工人制造的商品的生产，被分割为部分的作业，各个劳动者，只把这些作业中的一部分作为专门。

由于专门化的理由，就发展了工钱多少不同的劳动者的等级制度。在长期间专做某一部分工作的劳动者，固然提高了劳动者的技能，但他越发失掉了独立性，转变为这种工作的奴隶。因为他只能做这一部分的工作，同时就丧失了做别部分工作的能力。这样，他除了自己的专门以外，对于别部分的工作，就变为非熟练劳动者。因而他的劳动力的价值也降低了。工场手工业，把个别的劳动者结合起来，牺牲劳动者的独立能力，借以发展劳动之社会的生产力。手工业的劳动，是工场手工业的基础。

工场手工业之技术的性质，引起资本的最低范围之增大。

"各个资本家手中的资本的最低范围之增大，或社会的生活资料及生产手段向着资本的转化之增大，是由工场手工业的技术性质发生的一个法则。"

但是"工场手工业，不能在其全部范围中抓住社会的生产，也不能从根本上变革它。它当作经济上的产物耸立于都市手工业与农村的家内工业的广泛的基础之上。它自身的狭隘的技术的基础，在一定的发展阶段上，弄到与它自身所造出的生产的欲求相矛盾"。

这种矛盾，往后在最高阶段上再被生产出来，由于机械的出现而被解决了。

（二）机械的大工业

在工场手工业之下，劳动过程被分解为极单纯的部分的作业一件事，造出了作业机代替人类劳动的技术的可能性。要造一个机械去实行一切种类的手工业者的工作，当然是困难的。可是到了工场手工业把劳动过程放在极简单的作业上编制之时，到了部分的劳动者用同一器具继续实行同一机械的作业时，就已经显示了把器具的操纵委诸机械的可能性。在这种意义上，工场手工业，是机械的生产与大工业之历史的前提。

但机械的大工业，其直接的技术的基础，是与工场手工业联结着。因为机械本身，是由工场手工业的方法生产的。新发明的机械，也是由于工场手工业时期中所养成的多数熟练机械工人的存在，才能把它制造出来。直到 19 世纪最初十年间，能用机械制造机械之时，大工业才开始发见它的技术基础，站住了自己的脚跟。

于是工场手工业的时期，就为产业资本主义时期所代替了。

（三）机械之资本主义的使用与劳动者阶级

"在工场手工业方面，社会劳动过程之编制，是纯粹主观的，是部分的劳动者之结合；在机械体制方面，大工业却具有着劳动者把它当作完成了的物质的生产条件发见的完全客观的生产机构。"

生产过程中劳动者的任务，由于这种结果，在根本上起了变化。

"在工场手工业及手工业方面，劳动者是使用工具的；在工场方面，劳动者却伺候机械。在那一方面，劳动器具的运用，是由他而起的；在这一方面，他要追随于它的运动。在工场手工业方面，死的机械，离劳动者而独立存在，而在工场方面劳动者当作活的附属品，而合并于它。"

机械的移入，引起劳动者阶级之急速的增大。资本之使用机械，是为了要缩少生产费，当然不是为了要减少劳动者的劳动和苦痛的。由于机械的采用，熟练的男子劳动者，大批地被解雇，而更另用廉价的妇女与儿童的劳动者去代替他们，并且劳动时间也无限制地延长了。这是为了要更巧妙地利用高价的机械并免除道德的消耗的缘故。于是资本提高了劳动的强度，并能在一定时间内榨取较多的劳动量。其次，机械更大量地"解放"了劳动者，使成为产业预备军，创造了相对的过剩人口，结果，工钱就低落了。

机械的使用，在一切发达了的国家中，有些生产部门，非常地产出劳动者的过剩。使工钱低落到劳动力的价值以下，劳动日被延长起来。这些事实，由资本的见地看来，觉得如再使用比这种状态更多的机械，那是不可能的。因此，一般的机械之资本主义的使用，是有一定的界限的。

机械之资本主义的使用，不但不减少劳动时间，改良劳动者地位，反而使劳动者及其家属的全部的光阴转化为替资本家增值资本的劳动时间,并使劳动大众陷于最深刻的贫困。因此,在产业资本主义初期时代,发生了劳动者反对机械的骚扰,发生了劳动者与手工业者破坏机械与工场的运动。往后,劳动者知识的发展,能够辨别机械与机械之资本主义的使用方法,不向着死的劳动手段斗争,而向着机械之资本主义使用方法斗争了。

(四)当作生产关系看的资本,占居支配地位

采取商业资本或高利贷资本的形式而存在于一切先资本主义的阶级社会中的资本,随着机械体制的移入,结局转变为产业资本(产业资本,是分为货币资本,生产资本,及商业资本的诸形态的。从前的旧形态上的资本,就转变为这些新形态的资本的全部或一部,而发挥其相当的机能)。

产业资本,对于其他一切形态的资本及先资本主义生产关系的遗物,是占居支配地位的。其最重要的动因,可分为下列七项:

1. 一切生产物都采取商品形态。资本主义生产方法支配着的社会的财富,显现为商品的庞大集积。

2. 劳动力变为商品。自由工钱劳动者的剩余劳动之占有,成为榨取之决定的形态。被占有的剩余劳动即剩余价值,在表面上采取利润的形态。

3. 独占化了的布尔乔亚的生产手段,变成了具有提供利润的自己增值其价值的那种奇怪能力的资本。资本是适应于一定历史的社会构成的生产关系;它以创造利润为前提,而这种利润之创造,表现得好像是由于生产手段的自然性质而来的。

4. 产业资本的平均利润率,对于其他各种资本的利润分配,是决定的东西。其他各种资本的机能,隶属于产业资本的循环。

5. 商业资本,采取商业的=商品的资本的形态,而在流通界又代表产业资本的地位去完成产业资本通过流通界的机能,因此能把产业资本的流通期间缩短。商业资本的利润之大小,由产业资本的平均利润之大小所限制。

6. 高利贷资本出现为产业资本的补充物,以取得利息或平均利润为满足。

7. 由土地独占而得的收入,转化为近代地租。先资本主义的地租,转化为以资本主义关系为基础的土地私有的实现形态,即转化为资本主义的货币地租。资本主义的货币地租,只是剩余价值的一部分;这一部分,是由资本主义的生产方法所规定的。地价本身,带有利率的机能,一般是由平均利润率决定的。

先资本主义的生产方法还被保存着的一切遗物,都隶属于产业资本。从前的奴隶制,变为资本主义的奴隶制。封建制的遗物即农民对于地主的隶属,变为资本主义的剥削的激化的源泉。手工业者与小商人,在形式上虽是独立的,而在其生活上,不但完全依存于产业资本,并且不断地陷于普罗列达里亚的水准。科学不能不为资本服役。资本关系,变为全人类社会关系的支配形态。

二、资本主义的内在矛盾及其发展倾向

(一)资本主义的基本矛盾

"资本,只能当作运动的东西去把握,不能当作静止的东西去把握"。当作价值的资本的增值,是在产业资本的运动中显现的,在 C—W…P…W—G 的循环中显现的。但随着资本的发展,同时决定其发展倾向并引导到不可避免地没落的许多矛盾,也发展起来。

构成资本主义社会制度的基本矛盾的东西,是生产的社会性质与占有的个人形式之间的矛盾。

先说明这种矛盾的内容。

资本主义的生产,是社会的生产。其理由如下:

1.生产手段,是只有靠全体社会才能使用的社会的生产手段;

2.生产过程本身,表示着由各个有计划的被组织了的许多社会的行为。

然而占有,是在布尔乔亚独占生产手段一事的基础上实行的。在生产手段归直接生产者所私有的社会构成中,上述的矛盾是没有的。生产物归谁占有,在这里并不成问题。生产物的占有,是以自己的劳动为基础的。至于资本主义,它虽然使劳动者脱离生产手段而把生产手段转化为社会的东西,而生产物的私人占有的形式,却依旧保存着。生产手段的所有者即资本家,把那些不由他自己的劳动所生产而由他人的劳动所生产的生产物,据为己有。

所以在今日,社会的造成出来的生产物,不归属于实际运动生产机关并实际造出那生产物的人们所领有,而为资本家所领有了。生产机关及生产,在本

质上虽已经是社会的,但它仍旧被放置于以个人的私有财产为前提,因而各个人运售其所有的生产物于市场的那种领有形式之下。生产方法虽然废除这种领有形式的前提,却仍旧被放置于那种形式之下。这种矛盾,即是在新生产方法上加添了资本家的性质的东西。现时的一切反目冲突的萌芽,就已经孕育于它的当中。这种新生产方法,对于一切重要的生产部门,对于一切在经济上占重要的各国,越发取得了支配权,随着个人生产被驱逐而变成微弱的残余,社会的生产与资本家的领有的冲突,就不得不明了地显现出来。

(二)普罗列达里亚与布尔乔亚的对立

"最初的资本家,如前所述,发见了已经存在的工钱劳动的形式。但那种工钱劳动,是例外的、补助的、一时的东西。农村的劳动者有时虽也做雇工,而他们自己总还有几亩土地,还能维持拮据的生活,又如在同业组合的制度之下,今日做帮工的人,明日还可以进到店东的地位。但生产机关一经社会化,一经集中于资本家之手,上述的事实就变化了。个人的小生产者之生产机关及生产物,渐渐变得没有价值,他们不能不在资本家之下做工钱劳动者。以前是例外的补充的工钱劳动,如今却变为全生产界的通例,变为基本形态了。以前是副业的东西,如今变为劳动者的专一的活动了。一时的工钱劳动者,变为终身的工钱劳动者了。又,这种终身工钱劳动者之数,由于与上述事实同时发生的封建制度的崩溃、诸侯的家臣的解体,以及农民之被逐出于田庄等事实,更增加到了可惊的程度。于是一方面的集中于资本家之手的生产机关,与另一方面的除自己的劳动力以外别无长物的生产者,这两者之间是完全分离了。社会的生产与资本家的领有之矛盾,就显现为普罗列达里亚与布尔乔亚的对立了。"

这种对立,愈加带有激化的倾向。资本的集积与集中发展的结果,资本家之数越是相对地减少,而劳动者之数却越是相对地增加。资本主义的生产,把无数的劳动者团结起来,终至于造出了自己的掘墓人。

(三)工场的有计划组织与生产的无政府状态

社会全体的生产的无政府状态,是以商品生产为基础的生产方法之特征。但是只有资本主义的生产方法,由于把一切生产物和劳动力都转化为商品,才达到了社会生产的无计划性的最高阶段。因此,生产的社会性质与占有的个人形式之矛盾,就表现为各个工场中计划的生产组织与社会全体生产的无政府状态之对立。

资本要完结由商品形态到货币形态的过程,才能实现它在生产过程中占有的剩余价值。可是只有依靠一般等价的货币,才能测定资本主义生产的目的能否达到,才能测定资本能否自行增值。只有依靠商品市场的流通、依靠货币的援助,资本家才能知道他所投出的商品是否包含着社会的必要劳动时间,才能知道全部生产者投出于市场的商品总量中的所占的部分是否与社会的需要相适合。

每个资本家,依照自己经验,都知道除了好景气的时候,供给有超过需要的倾向。他不知道这现象的原因。他和他的俗流经济学者,都不能理解这种现象是从资本主义生产方法的本质而来的,也不能知道资本的蓄积与相对的过剩生产是一致的。他只努力卖出自己的商品,增值自己的资本。资本主义生产方法之内的关联,采取外的强制的竞争法则之形态。竞争引导到资本的集积。竞争驱使着资本家不断地减低商品的生产费。竞争要求生产技术之不断地革命。近代大工业之技术的基础虽是革命的,而在一切从来的生产方法之上,基础实是保守的。

技术的变革,要求投出于各种生产的资本之增加,要求资本的集积。集积是在两个基本的形态上完成的,即是由蓄积和集中完成的。

竞争促使资本的蓄积与集中。在这个过程中,社会的生产之无政府状态,越发地、露骨地表现出来。"可是资本家的生产方法增大了这社会的生产之无政府状态的那种主要手段,却是无政府状态的正反对。即这种主要手段,在各种生产场中,越发使生产变为社会的组织化了。"

大工业与世界市场的开拓,把这类战争弄成世界的,同时,还添加了前代未闻的猛烈性。在各个资本家之间,在产业与产业、国家与国家之间,自然的或人工的生产条件的便宜,都是决定各自的存在的东西。一次跌翻了的人,就无假借地被排斥。这便是把达尔文式个体的生存竞争从自然界移到人类社会而使其激烈化的东西。动物的自然状态,好像是人类发达的绝顶似的,社会的生产与资本家的领有之矛盾,如今完全成为各个工场中的生产组织与全社会中生产的无政府状态之对立,显现出来了。

（四）都市与农村的对立

"由商品交换所媒介了的一切发达了的分业之基础,是都市与农村的分离。可以说,社会的全部经济史,被包括在这种对立的运动中。"资本主义的生产方法,"与合理的农业,不能并立"。第一,它把农业从一切工业的活动中解放出来,在都市中形成资本主义组织的独立产业部门,借以造出自己的商品的国内市场。其结果,农民一方面为土地的耕种所限制,并且变为"农村生活的愚笨"的俘虏。第二,农民中发生了分化。一部分农民失掉土地而被农村所驱逐;他部分农民转化为农业商品的生产者,而受他部分所剥削。

都市资本,用种种方法剥削农民。都市与农村、产业资本与农业间的交换,不是等价交换。地主所剥削的地租,用之于都市;抵押的利息,也流入于都市;国家所收的租税,也消费于都市。这样,农村成了都市的营养地。

"在资本家的生产方法之下,结集于大都会的人口,愈占优势,因此,一方面,社会之历史的动力蓄积起来;他方面,人类和土地的代谢机能,即人类作为衣食资料而消费的土地成分复归于土地的机能,遂被破坏,于是永久维持土地的肥沃所必要的自然条件,也被破坏了。并且都会劳动者身体的健康,和农村劳动者精神的生活,也破坏了。但上述原有的形成了的代谢状态一被破坏,同时代谢机能,又必成为社会的生产之统制的法则,而在适合于人类的完全发展的形态上,不得不有组织地恢复起来。"

（五）恐慌的必然性

生产的社会性质与占有的个人形式之矛盾,又表现为占有的条件与剩余价值实现条件之矛盾。

由于社会的生产之无政府状态,劳动者之直接地榨取与占有了的剩余价值实现的条件,是不一致的。

劳动生产性的增进——这是资本蓄积不可避免的结果——引起剩余价值率的不断的增进,使社会的生产物中属于劳动者的部分日益减少。直接榨取的条件,随着资本的自己发展,对于资本愈益有利。

但是在生产过程中被占有的剩余价值之实现条件,由于同一原因,对于资本也越是不利。因为被占有的剩余价值,是受社会的消费力所限制的。在商品经济中,资本所注意的消费力是有支付能力的消费力,是以分配的对立关系为基础的消费能力。劳动者的购买能力,是随着劳动生产性的发展而日益降低的。由于提高榨取的目的,把劳动者的工钱降低下去,资本就把所占有的剩余价值量的增大的实现条件,变为复杂。

所以蓄积过程,与不断的相对的过剩生产相一致。

社会的被限制了的生产力,大众的普罗化的地位,不能不把那与蓄积相一致的不断的相对的过剩生产提高到周期的激烈的不平衡,提高到过剩生产恐慌。

所以生产的社会性质与占有的个人形式之矛盾,就在周期的反复的经济恐慌中暴露出来。

"从1825年的恐慌起,开始了近代生活之定期的循环。"

"经济的冲突,达到顶点,即生产方法背叛交换方法,生产力反抗它自己所由发生了的生产方法。"

在资本主义社会史上,循环追逐循环。但这一联的循环,在其质的方面,不是一种类的单位之单纯的总和。资本主义的生产方法,不是圆运动的,而是螺旋运动的。各个恐慌,把从来独立着的无数资本主义企业消灭下去,把残存着的东西结合起来。于是自由竞争就转化为独占。

不可避免的信用恐慌,即各个现实的恐慌,加强了大银行的地位,助长了产业资本与银行资本的融合。

各个恐慌,使得资本家们在世界市场中追求新的贩卖市场,为保障贩卖市场,就实行征服他国。

一联的恐慌,是产业资本主义到帝国主义的转化的阶段。

三、帝国主义

(一)生产的集积与独占

产业资本主义,在20世纪开始,进到了帝国主义的阶段。帝国主义是产业资本主义的继续,是资本主义的新阶段,绝不是与资本主义不同的生产方法。资本主义的一切矛盾,在帝国主义之下,依然是以更激化的形态存续着。

帝国主义是独占的资本主义。独占——托拉斯、卡迭尔、新迪加、孔瑾恩等等,是从自由竞争发生的;由它所引起的竞争的作用,达到极高的阶段,各部门的自由竞争,转化为特定的部门的一企业(或一企业群)的独占的支配。在19世纪60年代开始发生了的独占,一到20世纪,就变成了一切经济生活的基础。

产业资本主义的自由竞争期,转化为金融资本的独占。但独占并不排除自由竞争,并且与自由竞争一同存在(卡迭尔与局外者的竞争,卡迭尔内部的竞争等等)。它的结果,就发生了一系列的特别重大而深刻的矛盾、轧轹与冲突,从前由于减低价格而实行的竞争,如今由独占来作有计划地利用,借以达到其破坏局外者的目的,即是最初减低价格,等到取得胜利之后,又来抬高价格,与减低价格的竞争相并行,暴力的竞争方法(如妨碍原料的输运、拒绝购买等等)就获得了特殊意义。

独占意味着生产社会化的大进步。差不多全世界材料的源泉,都被结合起来了。数千里之间的运输,都变为有组织的东西。从采取原料起到预备消费的生产物之提供为止,生产物制造的全部过程,都是有计划地被组织着。

然而这种社会化,并不是"组织化的资本主义";独占的形成,并不能排除恐慌。因为私的占有,仍然存在。生产的社会性质越是强有力地展开出来,社会的生产与私的占有之间的矛盾,就越是激烈。这种激烈化的最重要的动因如下。

独占的资本主义,是把关于生产手段的事实上的支配集中于少数资本家团的手中,这就是所谓财阀政治(如美国经济生活的主权者只握在48人的手中)。一方面,生产组织的计划性,不仅限于各个工场,并且推行于工场制度与贩卖组织;另一方面,社会全体的生产无政府状态,却是更形发展。这两者间的冲突,越发激烈,因为无计划性,在全体上仍然保存着。

独占牺牲未组织的资本家、牺牲农民,攘夺总利润中的大部分。未组织的资本家,是由于把工钱减低到劳动力价值以下而增加其利润的。所以未经独占化的资本之平均利润率就急速地低落。社会的消费力,由于这些动因,受到人工的限制。于是消费的界限的缩小与生产的无限制的扩大之间的矛盾,也激化起来,所以在独占的资本主义之下,周期的过剩生产恐慌,不但不能避免,而且所谓繁荣期的继续也有缩短的倾向。恐慌的周期,随着蓄积的进行而缩短,并且在大规模上爆发出来。

（二）银行的新作用与金融资本

随着产业上的独占之形成,而银行资本的集积与威力就同时发展。几个最大的银行,在世界各处开设分店,成立大动脉的系统,由此掌握全世界的货币资本的支配权。社会的货币资本之独占,向着一切工业及商业的企业的公司关系之侵入,定期重演的信用恐慌中的银行的地位——这些事情,把银行转化为资本主义社会的事实上的主权者。大银行利用这种支配力,集中银行的资本,激励独占的形成,把独占的利润一部分作为"创业利润"预先占有。

对于受大银行融通资金的企业的统制,是在大银行与产业企业的指导者之个人的联合形态上实现的。生产资本的相当的部分,早已不是以直接榨取劳动者为目的而经营的资本家的财产,而是"匿名资本",是各个"不能知道的人们"的资本。这些"不能知道的人们",是处理着大银行的人,是利用大银行形成独占以吞没全人口的人。银行资本与产业资本相融合,形成金融资本。

（三）资本之输出

独占资本的特征,是资本之输出。资本之输出,在产业资本之下,是为了助长商品的贩卖,为了在落后民族占有较高的利润率。但在帝国主义之下,资本的输出,却变成布尔乔亚世界各个国家间的关系之本质的特殊形态。这种独占资本的主权者,与国家机构相融合,并且支配着国家的经济政策,凭借保护关税,自行确保其较高的价格。独占资本用倾销的价格把过剩的生产投到世界市场,使国内市场不发生过剩的供给。因此,要把由独占利润蓄积而成的巨额资本,投资于国内,就变得非常困难。所以有好些个发达了的国家的资本主义,就显现得"太过于成熟了"。资本在国内已缺乏投资的可能性。所以资本不能不向着外国、向着落后国家投资。在这种落后国家,土地容易得到,工钱低廉,并且原料也贱,因而所得的利润也很多。于是落后国家,就屈服于独占资本权力之下。这种落后国家,大都是保存着封建的剥削方法(许多是奴隶制),这种剥削方法,在其资本主义的利用之下,使得土著人口不能忍受。独占资本,为要确保其在落后国家所投的资本,就不能不使落后国家服从其政治的统治,转化为殖民地。就是形式上有政治的"自由的"国家,也被陷入于金融资本的事实上的支配之下。

（四）国际的独占与世界分割

都市与农村的对立，取得国际的意义。先进资本主义国家，变成榨取数亿殖民地农民人口——"世界农村"的"世界都市"。

更进而形成更高发展阶段的东西，是互相分割全世界市场的国际的独占。为着世界市场的销路而实行的国民的独占之斗争，逼着资本家不能不缔结国际的协定。世界市场的分割，必然是"依靠资本"、"依靠力量"而行的。但经济的政治的领域中不平衡的发展，急速地变更独占者之间的势力关系。所以国际的独占是没有永久性的。因此财阀政治，为着投出资本、取得原料和输出商品，就努力在地理的意义上去设定所谓"势力范围"。但是资本主义发展的不平衡性，使得国际帝国主义者对于世界的分割与再分割，就由和平而转到战争——帝国主义战争。布尔乔亚世界，事实上已为帝国主义者所分割。所以为世界的再分割而实行的战争，在帝国主义时代，是不能避免的。不平衡的发展，是资本主义的一般法则。构成这一般法则的东西，是生产的无政府状态与资本主义固有的不断的技术革命。在各个个别资本的种种力量之下，产生出各个企业的飞跃之发展的可能性。技术上的发明，引起一系列的新产业部门之飞跃的发展，技术的进步，成为变化散处各地的原料的重要性的原因，并且造出国内各地方的飞跃的发展之基础（他方面，为资本服役的自然科学的任务，是造出种种把现有原料在工业上利用的条件，它越发广泛地解决这种任务）。

在帝国主义之下，不平衡的发展，更趋于尖锐化，强力具有决定的意义。战争以及他国领土的隶属化。牺牲他国以助长本国之飞跃的发展。不平衡的发展，决定着冲破帝国主义战线的脆弱的一环（例如俄国）的可能性。它也决定一国的社会主义胜利的可能性。资本主义的颓废，是帝国主义之本质的特征。生产力，一般地在资本之下，绝不能得到完全的发展。

（五）生产力与生产关系冲突的尖锐化

"资本不是对于所使用的劳动支付（报酬）的，而且是对于所使用的劳动力的价值支付（报酬）的，所以就资本说来，机械的使用，由机械的价值与机械所代替的劳动力价值之差额所限制。"

采用新机械之时，如果所减省的工钱超过新机械的价格，资本才能使用这新机械,并且这新机械会提高劳动的生产力。

"在这种情形,资本主义的生产方法,陷入于一种新的矛盾。其历史的任务,是在于不顾虑劳动的生产性,而使它循等比级数前进而展开出来。资本主义的生产方法,和在这种情形的一样,一到障碍生产性的展开时,它就不忠实于这种任务了。因此,资本主义的生产方法,只是重新证明它老衰下去而苟延残喘。"

产业资本主义,在全体上是助长生产力的发展的,而独占资本主义却阻碍这种发展。只因为竞争与独占一同存在,所以技术的进步,在任何情形都不停滞。但这种技术的进步,因各种产业部门和各个国家的情形不同,表现得非常地不平衡,而技术的发展的现阶段上之事实的进步与可能的进步,其差异越是增大。

资本主义的颓废,在别的方面也是有的。股份公司的形成,把资本的所有及其对于生产过程的指导机能,截然分划,指导的机能是由使用人实行的。所以,布尔乔亚,当作生产要素看,是多余的,这是由事实本身所指示的。他们的任务,只限于消费他们所分受的利润。此外,蓄积的机能是由股份公司实行的。布尔乔亚的大部分,转化为怠惰的金利生活者。由国债制度而来的,特别是由外国投资及殖民地剥削而来的,帝国主义诸国布尔乔亚的收入,大大地把金利生活者阶层增加了。布尔乔亚转化为不劳而食的寄生虫阶级。

劳动者阶级上层的收买,是帝国主义本质的特性之一。各个产业部门或落后国家产业的超越的独占利润,给资本家以一种可能性,去收买劳动者的某一阶层,作为自己的爪牙。帝国主义有分裂劳动者阶级为"上层"与"普罗下层"的倾向。帝国主义,把在国内外获得的独占利润的残滓,收买这个"上层"——特别是改良主义的劳动指导者。布尔乔亚收买这个"上层"的必要,第一是由于各帝国主义者间相互的斗争发生的。这种斗争,使得他们不能不去唤起劳动阶级的一部分对于"祖国"的注意,借以保障布尔乔亚的胜利。第二是由于急速发展着的集中而发生的。集中的结果,使得那些与私产有关系的"中间层"(小布尔乔亚、商人、手工业者及农民),在数量上减少下去,而转变为普罗列达里亚。所以财阀政治,为对付普罗大众起见,不能不收买这个"上层",作为自己的爪牙。

"帝国主义,是独占与金融资本的支配成立、资本输出取得显著意义、国际托拉斯分划世界开始,并且最大的资本主义诸国所实行的地球上全领土的分划完竣的那样阶段上的资本主义。"

帝国主义是资本主义最高阶段,同时是最后的阶段。它在大规模上提高生产力的发展,并且因此以终结资本主义之历史的使命。它彻底地促进生产之一般的社会化,同时证明布尔乔亚已成为寄生虫的无用的长物,他们已被驱逐于生产过程之外。

帝国主义越发在大规模上发展着布尔乔亚的颓败及崩溃的要素,并诱导到新的变革。

"所以,帝国主义是垂死的资本主义。它是资本主义发展的最后阶段。"

第三节　社会主义的经济体系

一、过渡期经济的特征

(一)过渡期经济的一般特征

过渡期经济,既不是资本主义,也不是完全的社会主义。在这种经济中,存在着许多不同的形态的生产关系(由旧社会经济构成中遗留下来的及在新政治机构下重新发生的),即在这种经济中,存在着资本主义与社会主义的"诸要素、小部分、小片"。革命初期的苏联经济,存在着下列各种经济形态的要素:

1. 家长制的、自然的农民经济;

2. 小商品生产——即自己买卖生产品的农业经济;

3. 私人经营的资本主义——主要的是小工业者、小商人以及农村中的富农;

4. 国家资本主义——即在国家监督之下的特许业、租赁业、合办公司等;

5. 社会主义——国营企业和合作企业。

在革命初期的苏联,这些不同形态的社会经济制度相互交错地存续着,其范围广大而复杂。过渡期经济状态的特殊性,就在这种地方。

我们知道,在各种社会中都存有前一时期的经济残余。例如在资本主义社会中保有封建社会和奴隶社会的残余,不过这后面两种社会和资本主义社会是同一形态,即它们都以生产手段私有为基础。但过渡期经济却完全不然。在过渡期中,旧的经济形态(资本主义的,小商品生产的、家族经济的)以生产手段的私有为基础,而新的社会主义经济形态以生产手段的公有为基础,这就是过渡期经济的多样性的特点。

在过渡期经济中,不仅有上述种种经济要素同时混合存在,而且在资本主义要素与社会主义要素之间,必然要发生不断的激烈的斗争。

"在理论上,在资本主义与社会主义之间,无疑地存在着一定的过渡期,这个时代,必然兼有两种社会经济制度的特征或属性。这个过渡期,是垂死的资本主义与新生的社会主义的斗争时期,换句话说,即是被打败而未消灭的资本主义与新发生而未巩固的社会主义的斗争时代。"

伊里奇曾经指示出过渡期经济的发展之特征的三个根本的经济形态及三个根本的阶级力量。

"这三个新的社会经济形态,是资本主义、小商品生产及社会主义。三个根本的势力,是布尔乔亚、小布尔乔亚(农民也在内)及普罗列达里亚。普罗列达里亚专政的俄国的经济,是社会主义地结合起来的——在全国的、统一的规模上——劳动的初步组织与在小商品生产的基础之上复活起来的资本主义的斗争。"过渡期的几个阶段中的小商品生产的存在,是决定资本主义与社会主义的斗争的形态与条件的最重要的契机。

过渡期经济的特殊性,不仅是在这种经济中存在着经济制度的种种形态及相互的斗争,并且在于这些经济制度的相互关系在过渡期的种种阶段中发生变化一点。换句话说,过渡期经济的特殊性,在经济构造的改革过程中,在克服并驱逐其他各种经济制度的过程中,展开了最高度的生产方法的建设,即社会主义的发展。作一句话说,过渡期经济的最大特征,是社会主义要素对于资本主义要素的克服。

在普罗列达里亚获得政权以前,任何社会主义的生产关系都不存在,在革命的变革过程中,"社会主义的经济构成的要素、小片、部分",才发生出来。这就是普罗列达里亚革命的特殊性。俄国的普罗列达里亚,利用创设的权力去消灭资本主义的生产关系,根本改造小商品关系的秩序,"组织社会主义的生产","建设新的社会主义经济"。在这种变革中,必然地引起尖锐的斗争,同时解决了"谁战胜谁"的问题。

所以,过渡期绝不是"平和的进化"、现存秩序的"固定"、"市民的平和",而是新形态的普罗列达里亚的斗争的继续。同时,过渡期也就是社会主义的发展、建设和生成的时代。社会主义制度,渐渐征服其他一切的经济制度,然而这件事必须要普罗列达里亚在社会主义建设的种种阶段上,对于代表各种经济制度的根本的阶级势力,设定种种相互关系,才有可能。因此,在过渡期中,就出现了异于资本主义的完全新的斗争形态。在过渡期中,普罗列达里亚对于以前的榨取阶级及勤劳大众的态度,和以前是完全不同。这种特有的斗争形态,就是普罗列达里亚与中农大众的同盟,是普罗列达里亚对于广泛的勤劳大众之系统的指导的影响。现在获得特别重要意义的新社会主义规律的创造与涵养,也是这种新的斗争的形态。在激烈的斗争过程中,苏维埃经济的多样性被肃清了。

(二)过渡期经济的根本法则

关于过渡期经济的运动法则,有普列奥布拉仁斯基的社会主义原始蓄积法则与布哈林的劳动支出法则这两种错误的见解。

普列奥布拉仁斯基以为"国家经济内的经济生活的一切根本过程,都依从于社会主义原始蓄积的法则"。据普氏的意见,无论资本主义或社会主义,它们的发展,都要从"原始蓄积"开始,并且这种"蓄积",无论在资本主义之下,或在社会主义之下,必然是由于榨取小农民生产的物质资源而完成的。普氏以为这个命题对于落后的农民国家具有特别重要的意义。他说:"转变为社会主义的生产组织的国家,经济上越落后,越是小布尔乔亚的或农民的,社会主义的蓄积,越要依存于先社会主义的经济形态的榨取。"

这种理论之方法论的谬误的根源,在于它的机械论的与形而上学的性质。据普氏的见解,过渡期的经济,是在两个法则——价值法则与社会主义的蓄积法则——之上构成的。这两个法则,代表着两个经济体系——"社会主义体系"与"私经济的商品体系"(主要是农民生产)。普氏使社会主义的蓄积法则与"价值法则"抽象地对立起来,以为前者由于对后者的斗争,而"变化并部分地废除后者"。他以为在社会主义体系与私经济的商品体系之间,"不能存有长期的均衡,因为一个体系必然要蚕食他一体系"。

普氏这种见解混同了中农经济之特征的"私经济的商品"生产及单纯商品生产与资本主义的商品生产,抹杀了两者本质的区别。他忽视普罗列达里亚与中农的同盟,忽视社会主义之通过协同组合而影响农民经济发展的可能性,所以他想求"均衡",使"被蚕食的农民商品生产"与蚕食它的"社会主义体系"抽象地对立起来。他使"社会主义的体系"与"私经济的商品经济"及两个"法则"完全孤立起来,因而分裂了经济的现实的统一性。

关于过渡期经济的根本法则的问题,布哈林采取了与普氏不同的立场。布哈林以为"劳动支出的法则",是过渡期经济的根本法则。"劳动支出的法则",在商品=资本主义社会穿过价值法则之物神的外衣而显现,在过渡期经济,脱去了"价值的"外衣而显现。即在过渡期经济,随着社会主义原理的胜利,发生了"劳动支出的法则"与其价值的"外衣"的合体过程,"劳动支出的法则",脱去了物化的神秘性,而变为过渡期经济发展之特征的"单纯的"劳动支出的法则。换句话说,布哈林以为这个法则的物质内容是不变的,只是它所表现的历史形态,随着社会构成的变动而不同。

在布哈林看来,"单纯的"劳动支出的法则与穿上"价值法则"之外衣的同法则的差异,只在于后者的劳动比例是自然发生的、自动地确立的,而前者是有意识地确立的。所以,他认为过渡期的经济,是资本主义与社会主义的均衡。

布哈林的这种"法则",和普列奥布拉仁斯基的"法则"一样,不能说明过渡期经济的本质。劳动支出的法则,是空虚的超历史的抽象,完全不能说明过渡期的现实的、可变的规律性。他忘记了社会的劳动分配的比例是由于社会关系的性质及一定阶级的支配之如何而变化的。在资本主义之下,社会劳动的分配比例,由于资本主义的生产和分配关系而决定,在社会主义制度之下,社会劳动的分配比例,完全带有不同的性质。布哈林从某种一般的超历史的前提出发,不能正确地理解过渡期经济的统一性。

然则对于过渡期经济的根本运动法则之正确的解决,究竟怎样呢?

社会主义是人们建设起来的东西,不是自然发生的东西。资本主义的生产关系,在封建社会的胎内,已经自然地生长并成熟了,但是,在资本主义社会里面,只造出了社会主义的物质前提,而社会主义的生产关系,在资本主义社会中既未发生也未成熟。因为社会主义的生产关系,是有计划的、有组织的生产关系。从它发生的瞬间起,就是要在普罗列达里亚有意识地实现的经济政策的推动之下才能向前发展。

新经济政策的主要内容,是社会主义建设的过程,即是社会主义生产关系的发展过程或社会主义的社会化的过程。这种社会主义的社会化,是由三个重要方向——社会主义部分的扩大再生产、小商品生产之社会主义的改造及资本主义要素的限制和消灭——来实现的。

这样,由上面三个方向来实现的社会主义社会化的法则,就是过渡期经济的根本运动法则。这个法则的内容,是过渡期全部经济的根本法则,不仅是社会主义部分的根本法则。如果没有这个法则,就不能建设社会主义,也就不会有过渡期经济。

社会主义社会化的法则,是通过新经济政策的计划而实现的。苏俄国家的经济计划,是实现社会主义社会化的法则的形式。在这种意义上,计划就是过渡期经济的根本运动法则。

资本主义社会的发展法则,是以一种盲目的必然性和自然性而活动。例如反映商品生产者社会关系的价值法则,是在生产者背后发生作用,而成为一种盲目的必然性,因而体现价值的东西反而支配了价值的创造者。

苏维埃过渡期经济,却完全不然。在过渡期经济中,绝没有独立于人类意志和工作以外的自然的发展法则。苏俄国家,是依据劳动大众所了解的预定计划,去指导生产方向工业化和集体化的道路发展,应用新的技术,分配劳动力于国民经济的各部门、分配劳动成果,以及准备新的干部人才等等。在这里是以一种理智的集团意志去完成一切的。所以苏俄的经济计划,是苏维埃经济发展的基础,是苏维埃经济的生产关系之必要的一个因素。

苏俄的政治机构,与其政治或政治斗争密切地结合着。因为这种政治机构,不仅是政治的组织,同时是国家的经济机构,是直接推动巨大的生产手段的经济机构。

当作政治组织的普罗列达里亚政权,是解决普罗列达里亚革命的经济任务的基础。而经济问题之解决,即苏联社会主义建设的经济组织任务的解决,因而又扩大并加强普罗列达里亚政权的基础。所以政治一方面是经济的一种表现，同时又是推动经济的推动力。这就是过渡期的政治和经济的相互关系之辩证法的理解。

（三）资本主义经济的范畴不适用于过渡期经济

资本主义的范畴，是资本主义经济所固有的东西，自然不能适用于过渡期经济。现在就过渡经济中的几种重要的范畴，加以简单的说明。

首先说明商品和货币。苏俄"国营的生产，即与农民粮食相交换的社会主义工场的生产品，绝不是资本主义的意义上的商品"。苏联的商品与货币，与资本主义的商品和货币，尽了完全不同的作用。

苏联的商业和货币的根本特征在于：它们不是体现商品＝资本主义经济运动之盲目的法则——价值法则，不是统治人们的力量，而是新政治机构之下的社会主义建设的工具。

新政治形态下的商业，是发展社会主义工业的工具，是为社会主义蓄积而动员内在的资源的手段，是计算苏联劳动大众的消费和需要以及刺激新商品之生产的手段。苏联的商业，是克服资本主义成分的工农团结的工具之一。

苏联的货币，在建设社会主义的过程中，也尽了极重要的作用。它首先是计算社会劳动的工具。在苏联社会劳动的计算，采取了货币的形式，然而这是有计划的计算，所以它不是盲目的价值法则的表现形态，而是计划领导的工具。

当作社会主义建设的工具的苏联货币之主要机能，在于"卢布管理"。即利用货币去控制工业计划之执行，供给企业以资源，实现对商品流通之管理，使供给的事业合理化。利用它作为联络并指导小商品生产的手段，作为社会主义地改造小商品生产的手段，作为发展并巩固集体农场的手段，作为实现社会主义工业化而重分资源于各部门的手段。

苏联的商品货币形态之存在，是由于社会主义生产关系本质中发生出来的。只有在高度社会主义社会的条件之下，才能消除货币的必需性，才能直接以生产品交换，实行分配，直接以劳动时间计算。

其次，资本主义社会的基本范畴——资本和剩余价值，在过渡期是否存在？自然在过渡期经济中，有资本主义的分子（富农、耐普曼）和小商品生产存在,所以在资本主义的经济要素中,即在富农经济、个人工场及国家资本主义的企业中,存在着资本主义的生产关系,劳动力被榨取,因而有资本和剩余价值。但是,我们要知道,这些企业中劳动者的资本主义的榨取,由于普罗列达里亚的国家,通过租税工资的取缔、劳动日的缩短等等,而受了种种的限制。并且随着集体化的普及与富农的肃清,这种榨取必然消灭。

在单纯的商品经济要素中,生产手段属于生产者所有,他们的劳动力不是商品。所以在这种经营中,资本主义的生产关系不存在,因而没有资本和剩余价值。

在社会主义的企业中,资本和剩余价值当然更不能存在了。国营企业(国营工业和国营农业),是彻底的社会主义形态的企业,在这里,生产手段不是资本家私有,而是属于国家,属于劳动者阶级全体。劳动者与生产手段既不分离,劳动力便不是商品,劳动者没有把劳动力卖给资本家。所以在国家企业中,没有两个阶级,没有榨取,只有新的社会主义的生产关系——这不是种种阶级间的生产关系,是同一阶级内部的生产关系。至于集体农业,虽不是彻底的社会主义的企业,而它的生产关系也带着社会主义的性质了。

所以,在国营企业或集体农业中,资本主义的生产关系是不存在的,因而不能适用资本和剩余价值的范畴。

根据上面的说明,在苏联的社会主义企业中,劳动力已经不是商品,那么,苏联的工资,本质上根本与资本主义的不同。工资的水准,不是由劳动力的价值去决定,而是由别的因素去决定。

苏联的工资,以适应于劳动之质和量的分配的社会主义原则为基础。它首先是体现着个人消费的基金与社会主义蓄积的基金间的关系,它不外是劳动阶级因满足个人需要而领得的社会劳动证券。

工资的主要的水准,是根据两种因素决定的:一方面,必须保证社会主义建设之应有的速度,于最短期间,在经济=技术关系上,"赶上并超过"最先进的资本主义国家;他方面,必须有系统地提高劳动阶级的生活水准。这一点,与在资本主义之下,工资盲目地被价值法则所规定的事实,是根本不同的。

(四)过渡期的扩大再生产的意义

苏联过渡期经济的再生产过程,与资本主义的再生产根本不同。我们知道,资本主义的再生产,是资本主义生产关系的再生产,它渐次再生产出奴使工资劳动者及保证资本家之榨取作用的条件。扩大再生产的结果,增大了资本对于劳动的统治权力,使小生产者破产,使劳动阶级更加穷困了。

苏联的扩大再生产,是社会主义生产关系的扩大再生产,它足以消灭剥削的一切原因,提高劳动者的生产力及劳动者物质的和文化的生活水准。

社会主义关系的扩大再生产,首先表现出苏联经济中社会主义部分的绝对的与相对的增加和巩固。譬如社会主义的工业在全工业中的比重,在1926—1927年为97.7%,在1933年为99.93%。由此看来,可以知道因为第一个五年计划成功的结果,使"社会主义的经济体系,在苏联工业中,已经成为唯一的独占的体系了"。

在农业方面,因为小农经营之大批的集体化与国营农场的增大,农村经济的社会主义成分,到1934年年初,已占全部耕地的84.5%,而农村中个人的农业经济,已"降为次要的地位了"。

所以社会主义关系的再生产,变化了苏联经济中的成分,现在,国家资本主义与私人资本主义的成分已经没有了,小商品生产的成分,已降居次要的地位了,而"社会主义的成分,在苏联全部国民经济中,是统治的与唯一领导的力量"。

社会主义关系的扩大再生产,不仅根本上改变了各种经济体系的关系,而且根本改变了各部门的关系。即创设了许多新的工业部门,如纺织机器厂、汽车工厂、耕种机器厂、化学工业及飞机制造厂等,这都是旧俄时代所不知道的东西。

社会主义生产关系之伟大的增长,是在提高生产力的基础之上来完成的。而苏联工业发展的速度所以能超出于资本主义的发展速度,正在于社会主义经济的优点及社会主义的蓄积与资本主义有根本上的差异。

我们知道,在苏联社会主义的经济中,生产手段不是和劳动者相对立,而是全体的公有物。这一点可以说明劳动者对于劳动的关系和在资本主义社会中原则上是不同的。所以,大众劳动的活跃、社会主义的竞赛与突击队等等,给社会主义的蓄积造成新的资源,促进生产力之空前地发展,这是在资本主义生产方法之下梦想不到的事情。

同时,苏联经济是有计划的经济,政府自觉地使它走上社会主义关系的扩大再生产的路线。而且苏联经济没有生产社会性与私的占有之间的矛盾,所以在它的增长与发展上,不会发生生产过剩的经济恐慌。所有这些优点,给予苏联以飞跃发展的可能性。

二、过渡期经济的发展

(一)战时共产主义

关于过渡期经济及其发展,不能抽象地、"普遍地"去考察,必须顾虑到社会主义经济体系发展中的各个阶段,不能忽视种种经济制度相互关系的变化,须顾虑到社会主义建设各阶段的生产力的状态。以下试就苏联过渡期经济的发展,加以简单分析。

十月革命以来,苏联便走上了社会主义发展的道路。从普罗列达里亚获得政权之日起,就宣布把一切有全国意义的企业,如大工业、银行、铁路、航业、矿山等等,收归国有。无条件地没收地主、皇室、教会的私有地,由国家分给农民耕种,严禁私人间的土地贷借及雇佣劳动的耕作。这就是所谓战时共产主义时代。

这时代的苏俄国家的经济政策的任务,必然地只限于社会主义工业的主力之强化及重要生产力的劳动阶级之维持。战时共产主义,表面上是社会主义的、集中化的、计划的生产与分配之整然的制度,实际上,这个制度的全体,是顺应内乱之必要的新政治形态。

但当时,一方面由于不断的内乱和外患,他方面由于新政权尚未臻于巩固,所以,虽然严重地适用社会主义的原则,把大产业和土地收归国有,但是并未能促进生产力的增大。尤其农民的怠耕。在农业国的俄国,尤其革命后的俄国,正困处于资本主义各国的经济封锁之中,再加以农民的怠耕,那真是致命伤了。

所以,"在小农国中,由于普罗列达里亚国家直接的命令来共产主义地统制生产物之国家的生产和国家的分配"的企图失败了。"在俄国实现社会主义的前提条件,尚未具备,苏维埃政府过去所采的战时共产主义政策,是应付难关的非常手段,现在非退一步先把实现社会主义的前提条件造出来不可了。"于是在内乱停止后,就放弃了直接的社会主义的攻击方法,而采取了创造实现社会主义的前提条件的途径。

（二）新经济政策时代——复兴期

苏俄国家,首先要保证谷物、原料、燃料的运输和工业的发展,因而要用断然的应急手段,促进农业的发达。

于是苏联政府,就施行现物税,代替谷物征收制,允许商品交换的一定的自由——这是数百万小商品生产者经济发展的必要手段。

但是,中农经济发达的自由,是资本主义发达的自由,"交换的自由,是商业的自由,是资本主义的自由"。所以苏俄政府当征收现物税,允许商业的自由时,第一要限制资本主义的成长,第二要准备把农业加以社会主义的改造。

所以"新经济政策,是普罗列达里亚国家的特殊的政策,这个政策,是在普罗列达里亚国家掌握支配的地位之下,允许资本主义的存在;是资本主义要素与社会主义要素的斗争,是资本主义要素的减少与社会主义要素的作用的增长,是社会主义要素对于资本主义要素的胜利"。

新经济政策之基本的决定的任务,是要在社会主义经济与农民经济之间设定联合——主要的是联合中农。

国营商业、合作社及小信用制度,是结合小农经济与社会主义的大工业的经济纽带。它给予普罗列达里亚以指导中农使他们脱离耐普曼影响的可能性。普罗列达里亚利用合作社相当地克服了农民经济的分散性、无政府性、无组织性。在新政治形态之下,农民合作社,是结合农民经济与社会主义经济的结合体。

复兴期的本质,是基于社会主义诸关系之发展的工业的复兴,是基于商品关系之发展的农业的复兴。这就是充分地表现着复兴期经济的二重性。所以驱逐和限制资本主义要素的政策,是同时与资本主义要素并存的,因为那时根本消灭资本主义的充分的经济基础,尚未存在。

在社会主义要素的质与量的生长发展之下,在加强对于中农的联合之下,允许普罗列达里亚去开始攻击都市和农村的资本主义的分子。

大工业的复兴,尤其是重工业的生长与电气化的发达,是这种攻击的准备条件。农业上技术变革的基础之创设,决定了农民经济之大量的社会主义改造之实在的可能性。

（三）第一个五年计划——改造期

复兴期经济的成功,造出了变更国民经济的技术的基础。于是在第十五次党大会上,提出了集团经营化的口号,指示出国民经济发展的五年计划的根本原则。改造期的新任务是:社会主义的工业化,由农业国向生产生产手段的工业国的转化,国民经济全体的改造及社会主义经济基础的建设。

但是,社会主义的工业化,紧密地依存于原料资源的增大及农业的发展。因为"无论到什么时候,即无论经过多长期间,决不能使苏维埃的权力与社会主义的建设立脚于两个不同的基础——结合起来的最大的社会主义的工业与分散的落后的小商品的农民经济——之上。必须有系统地坚决地将农业树立在新的技术基础之上、于大生产产生的基础之上,使它接近于社会主义工业"。

但是,农业上技术的变革,必然需要农民经济的社会关系之经济的变革,而后者的变革,只在农民经济的改造之下才有可能。

所以,社会主义的工业化,必然地要求农村关系的变革——分散的小农民生产向大集团的农业形态的转化。于是通过农业的集体化,而生出普罗列达里亚与农民结合的新的生产形态。

农业技术的改造,在数百万小农经营的集体化的过程中实现了。技术的改造,在农村中,扫荡了资本主义的要素,消灭了资本主义的主要基础——个人的小农经营。

在改造期中,所谓"谁战胜谁"的问题,在农村已得到根本的解决了。社会主义的诸关系,变成了全国民经济的支配关系。

三、苏联经济的现阶段

（一）社会主义经济基础的建设之完成

上面说过,过渡期是社会主义的生长、发展的时期,我们不能认为它是和社会主义时代绝对隔离的时代。从过渡期的开始,社会主义经济形态的生长和发展就开始了。在上述五种经济制度中,社会主义的制度,是处在主导的形态。社会主义的这种主导作用,影响于新经济政策的一切生产关系,而给予它的生产力以新的社会主义的质。新的社会主义的构成,在它的发展上,经过了几个阶段,这些阶段,反映着社会主义的制度在激烈的阶级斗争之下逐渐驱逐了其他一切制度的过程。只有在经济基础的建设成功以后,才能保证社会主义的胜利。

所谓社会主义经济的本质或经济基础,不外是使农业和社会主义的工业结合为一个全体的经济,使农业服从社会主义的工业的指导,基于农业和工业的生产物之直接的交换而设定都市与农村的关系,断绝或排除资本和阶级所由发生的道路,造出消灭阶级的生产和分配的条件。

这种社会主义的经济基础,在第一个五年计划完成后,已经建设起来了。第一个五年计划的成功,造出了"完成国民经济全体的改造的根本基础",造成了社会主义的大机械工业的基础,引起农业上根本的变革,使苏联变为一个"基于集体农场与国营农场的展开及机械技术之广泛应用的世界中最大的农业国"。第一个五年计划的社会主义胜利的建设,彻底断绝了农村中资本主义的根源,肃清资本主义的要素,完全地消灭了阶级。

所以,现在苏联,已经达到了社会主义建设的转向点,扬弃了新经济政策的最初阶段,克服了社会主义的改造的困难与敌对阶级的抵抗,脱离了旧意义的过渡期,走入了社会主义的时代。

苏联由过渡期转向到社会主义时代,是在坚忍斗争的过程中完成的。在工业方面,最后地驱逐了资本主义的残存物,以空前的速度赶上资本主义国家,将农业国转化为工业国,完成了社会主义形态对于小商品生产形态以及资本主义形态占居优势的工业化。在农业方面,由于集体农场的成功,肃清了富农分子。小农经营之社会主义的改造,空前地提高了农业生产力。国营农场与集体农场的建设之显著的成功、农业的机械化、农业设施的计划与实际的指导,以及谷物畜产等问题的解决等等,证明了农业与社会主义的工业逐渐结合为一个全体的经济,农业愈加依从于社会主义工业之计划的指导了。苏维埃商业的组织,及勤劳大众物质的、文化的生活水准的向上,显示着社会主义经济基础的建设已经完成,阶级消灭的经济前提已经造出了。

(二)社会主义经济建设的前提条件

根据上面的说明,现在苏联已经完成了社会主义经济基础的建设工作,而走上了社会主义建设的途程。在这个社会主义建设的工作上，必须从下面几个前提出发。

1. 生产的机械化与国民经济技术的改造。劳动过程的机械化，对于社会主义的建设，是新的决定的力量。没有它就不能维持生产的速度与新的生产规模。这里所说的技术的改造，并不是现存的社会主义的国营企业借用先进的资本主义的技术，而是要创造在经济上＝技术上结合工业与农业的新的社会主义形态。即要求新产业部门与社会主义国家之完全的技术独立。按照地域有计划地分配生产力，在社会主义条件之下，创造新形态的技术，并且使资本主义的最进步的技术与社会主义的劳动组织结合起来。

2. 失业的消灭。由于农民经济之社会主义的改造，而停止了农村的分化过程及农民的流入都市，因而消灭了利用劳动市场以"自然放任地"取得劳动力的可能性。利用集体农场的契约及劳动组合的动员，代替市场上劳动力的买卖，树立召集劳动力的社会主义的新组织。

3. 劳动支付的变化。在社会主义的条件之下，劳动者没有创造出剩余价值，而是生产出失去从来敌对形态的社会主义的生产物。劳动力已不是商品。劳动者的工资，不依存于资本主义的价值法则，而依存于社会主义建设之一般的成功。但是，在社会主义经济体系中，劳动的支付，也并不是不分劳动的性质和资格而一律"平等"的。

4. 生产过程的正确地组织、企业中劳动力之正当地分配以及各劳动者对于自己应做的劳动严格地负责。在社会主义的条件之下，劳动者对于劳动质和量要切实负责，从劳动阶级本身中养成社会主义发展上所必要的生产上＝技术上的人才，全面地利用旧技术的知识和经验于社会主义建设的事业中，把社会主义的劳动组织，置于科学的基础之上。

5. 社会主义生产基础之长足地发展与社会主义对于其他经济制度残存物之完全地胜利。这是要以社会主义的生产力与生产关系的扩大再生产作前提的。社会主义的再生产，只在社会主义的蓄积存在时才有可能。所以在社会主义经济体系之下，必须加强经济计算的原理，消灭放浪经营，为减低原价而斗争，动员工业内的资源，保持严格的节约制度，以保证社会主义的蓄积和再生产。

（三）第二个五年计划的任务

第一个五年计划之社会主义建设的成功，准备了苏联社会主义今后强大发展的基础，于是更树立了第二个五年计划，以争取社会主义经济之最后的胜利。

第二个五年计划的根本任务，第一，在于即后的肃清资本主义要素与阶级一般，完全地消灭产生阶级差异与榨取的原因，克服经济上及人类意识上资本主义的残滓，将国内全体勤劳人口转化为无阶级的社会主义社会之意识的能动的建设者。第二，提高劳动者及参加集体农场的大众的生活水准。第三，完成工业、运输及农业之技术的改造。

第一个五年计划的完成，即社会主义经济的基础工事的完竣，最后地扫除了阶级榨取的经济基础，然而这只是完全的社会主义改造的开始，只是保证了在都市和农村中社会主义经济最后的前进的胜利，而经济上及劳动者意识上资本主义一切残滓之最后的肃清，必须以彻底地废除生产手段的私有为前提。这种私有之最终的废除，只有在社会主义新技术基础及技术改造的展开之下才有可能。所以第二个五年计划之根本地决定的经济的任务，就是要在国民经济的各部门造出最新的技术基础。实现了这个任务，才能保证苏联经济在技术方面脱离资本主义世界而独立。

技术的改造，是勤劳者意识中资本主义残滓之决定地肃清与他们文化水准之决定的向上的必要条件。但同时，如果大众的文化没有提高，国民教育没有普及，经济干部未能学得必要的技术，新的普罗列达里亚的技术人才未能养成，以及各种民族经济上文化上的落后状态未能扫除，那么，技术改造的任务，便不能完成。所以技术改造与文化革命之辩证法的相互作用，才能保证苏联全体勤劳者转化为有意识的能动的社会主义建设者。

（四）社会主义经济的将来

社会主义在它的发展上可以分为两个阶段，即低级的社会主义阶段与高级的社会主义阶段。现在苏联便是走上了低级的社会主义阶段。低级的社会主义社会，是刚从资本主义社会脱化出来，实际上，在新组织中还遗留着旧社会的残存物。所以在这个阶段中，无论在经济上、在道德上、在精神上、在其他一切关系上，都还没有脱除旧社会的熏染，因此，生产机关虽然国有，阶级的区别与阶级的榨取虽然消灭,但在分配上,还只能实行"各尽所能,各取所值"的原则。

在这种社会里,一切人都成为社会的劳动者而劳动,各人都是按照他提供于社会的劳动而从社会领受一定的报酬。在这种场合之下,自然要发生许多不公平的事情。因为把劳动当作尺度使用,这就于不知不觉之中,把不平等的个人的天分和劳动能力,认作"自然的特权"了。

然而这些弊害,在低级的社会主义社会中,是不可避免的现象。只有"在社会主义的高级形态中,在由于人类受制于分工的原则而造成奴役人类的隶属消灭之后,精神劳动和肉体劳动的对立废除之后,在劳动不仅为维持生活的手段而成为第一个生活要求之后,在生产力随着各个人全面的发展一同增加而社会财富的一切源泉都十分流出了之后,到了这个时候,社会才能完全克服了布尔乔亚权利的狭隘的界限,而在旗帜上写着:各尽所能,各取所需"。

第 四 篇

社会的政治建筑

第九章　阶　级

第一节　科学的阶级观

一、阶级的概念

（一）当作生产力与生产关系的矛盾的表现看的阶级对立

在研究了社会的经济构造以后,我们就更进一层去研究政治的上层建筑了。

一切政治现象,都是阶级现象。所以,为要理解政治的上层建筑,必先理解阶级的全部理论。

基于前篇的研究,我们知道,社会发展的自己运动的源泉,是生产力与生产关系的矛盾。这是社会发展的一般法则。但是生产力与生产关系的矛盾,因具体的历史发展阶段的特殊性,表现出各种不同的形态。大体上说来,这个矛盾,在人类社会的全部历史中,有非敌对的矛盾与敌对的矛盾两种不同的表现。在表现为非敌对的矛盾的阶段上,社会是无阶级的;在表现为敌对的矛盾的阶段上,社会是有阶级的。所以,当生产力与生产关系的矛盾发展为敌对的矛盾时,社会就分裂为阶级,而阶级的矛盾或对立,就成为社会自己发展的特别的内的矛盾,因而分裂为阶级以后的社会,就成为阶级矛盾的历史了。从分裂为阶级之时开始,社会就运动于阶级的矛盾之中;特定的生产方法,由于内的矛盾而转变为进步的新的生产方法,而这种转变,是通过阶级的拮抗而实现的。所以阶级拮抗,是阶级社会发展的原动力。

生产关系,在一切社会关系之中,是根本的决定的东西,所以阶级关系,浸透于一切社会关系。尤其是政治关系,完全是由阶级关系产生出来的,阶级关系在政治关系上的表现,即是支配与被支配的关系。经济上的榨取阶级,是政治上的治者阶级,而被榨取的阶级(如奴隶与农奴),在政治上是绝无权利的被治阶级,这是很显然的历史的事实。又如现代资本主义社会中,劳动阶级,在表面上好像与资产阶级享受同等的政治上的权利,但实际上一切政治上的支配权完全属于资产阶级的政党或金融贵族的集团,这也是很显然的事实。表面上虽然没有法律上的特权或身份上的差别,而国家的一切政事,完全由经济上的权威者发号施令。但是在另一方面,被榨取的阶级的运动,也集中于政治的权力。奴隶制社会中奴隶的暴动,封建社会中农民的暴动,在其本质上都是政治斗争。现代社会中普罗列达里亚的运动,其中心的目标也是夺取政治权力,并且也都组织政党,从事于这个目的的运动。

所以,一切阶级矛盾都是政治斗争,阶级的社会,即是政治的社会的。阶级是什么? 这可以由下述一个古典的定义来说明。

(二)阶级的定义

"阶级是由于人们在历史的特定社会生产体系中所处的地位,由于他们对于生产手段的关系(其大部分经法律制定并赋以形式),由于他们在社会的劳动组织中的任务,由于他们依怎样方法并在什么程度去领受社会财富中所能处理的部分等,而互相区别的人类的大集团。阶级是人类的大集团,是由于他们在特定社会经济制度中的地位的差别,而其一方能独占他方的劳动的人类集团"。

就上述定义,分为五项来考察,即:

1.在历史的特定社会生产体系中所处的地位;

2.对于生产手段的关系(其大部分经法律规定并赋以形式);

3.在社会的劳动组织中的任务;

4.依怎样方法并在什么程度去领受社会财富中所能处理的部分;

5.由于在特定社会经济制度中的地位的差别而其一方能独占他方的劳动。

以上五项,是规定阶级的必然的标志。这五项标志,是不可分离地结合着。但这五项标志之中,前三项,是基本的、主要的、指导的、第一义的标志。"阶级间的差异之根本特征,是社会生产中的阶级的地位,因而是对于生产手段的阶级关系"。至于其他二项,虽是必然的,却是第二义的,不能单独地成为阶级差别的基础。

科学的阶级观,是由历史主义所贯串的。阶级绝不是永久不变的范畴,阶级只是在社会的一定历史的发展阶段上才发生的。并且,阶级的发生,既是一定历史的发展阶段上必然的产物,必然不是由于外在的原因,如政治的强权与军事的征服等,而是起源于社会本身之内的发展,起源于经济的发展。

科学的阶级观,把阶级社会的经济构造——历史上特定社会的生产体系,一定社会经济制度中社会集团所占的差别地位,作为阶级差别的基础。随着生产方法的变动,生产关系的体系也起变化;即是说,随着新的敌对的社会构造之发生,那种和这构造密切结合而又随同它一同消灭的新的主要阶级就发生出来。社会的生产体系中各阶级的地位,首先表现于特定社会的生产手段的这种阶级关系之中。换句话说,这种阶级的地位,由各阶级间的生产手段分配的差别所规定;而在经济上占居支配地位的阶级,是生产手段的所有者;其他的阶级,或完全脱离生产手段(如劳动者阶级),或成为单纯的工具而附着于生产手段(如奴隶或农奴)。

可是,生产手段有无的差别,不单是各阶级间的财产上的差别。人们间不同的生产手段的分配,同时是人们在一定生产关系之下的配列。各阶级对于生产手段不同的关系,是由特定生产方法发生的。因此,它产生了各阶级在社会的劳动组织中的不同的任务。生产方法,规定各阶级间生产手段不同的分配,规定由这种分配发生的各阶级在生产过程中不同的任务(如劳动者的直接的劳动和资本家的命令权等等)。劳动组织中各阶级的任务,又固定着生产手段的特定分配形态。

在现代社会中,资本主义的生产方法,预定着资本家占有劳动者的剩余劳动,同时又伴随着资本家对于企业的命令,资本家把关于生产管理的命令的机能委托特别雇员(经理技师等)去实行。在这种情形,资本家所以成为资本的所有者,并不是因为他直接或间接去管理产业;反之,资本家之所以成为产业的指导者,是因为他是生产手段的所有者。所以"产业上的最高权是资本的属性,这与封建时代的军事上及裁判上的最高权是土地所有的属性,正是相同"。

历史上特定经济构造中各阶级不同的地位,他们对于生产手段的关系以及在社会的劳动组织中的任务,产生出一方独占他方的劳动的可能性,规定阶级的剥削及这种剥削的历史形态。各种历史形态中独占生产手段的支配阶级,靠剥削被压迫阶级来生活,因而攫取社会财富中的大部分。

以上是社会阶级的最重要的基本的标志。但是除了这些标志以外,还有补足的标志。这些补足的标志,必须拿来和那些基本的标志(生产体系中的阶级地位,对于生产手段的关系及其在劳动组织中的作用)关联起来,才能正确地理解它。所谓补足的标志,首先是政治的标志。这就是用政治权力制定财产上的差别,并赋以形式,借法律的力量来保障它。这个政治的标志是必须考虑到的,否则就容易转落到"经济主义"的立场。

还有,取得收入的方法,以及领受社会财富中所能处理的部分,是由特定的生产与分配方法所规定的。如果单只采取收入的源泉以及收入的多少两个标志,就不能正确地理解阶级这个概念,并且容易混淆基本的阶级差别。但是把这些补足的标志拿来和上述基本的标志一同考察之时,补足的标志,在规定阶级的概念上,也有同样的意义。这些补足的标志,指出阶级间的根本差别是采取何种形态显现的:即指出阶级的根本差别,在阶级间的社会财富之分配方法,以及社会的生产物之消费领域中是怎样显现的。所以阶级的补足的标志,说明生产物之差别的分配,把生产手段不平等的分配再生产出来,并且加强这种不平等的程度。

然而阶级的榨取,引起阶级冲突。在各种敌对的生产方法之中,总是实行着为自己的利害而起的阶级冲突。支配阶级,势必要维持要保障自己的独占的地位。而经济上政治上被压迫的阶级,却与前者的利害不相容。总是想打破特定榨取形态,随着要废除那种生产关系的总体,而代以新生产关系。这种阶级的矛盾,不是在特定生产方法的范围之中所能解决的,因为这种生产方法,是建立在特定阶级的榨取形态之上的。这阶级的矛盾之解决,只有废除旧生产方法及旧阶级的生产关系,而代以新生产方法及新生产关系,才有可能。

以上是科学的阶级观的要点。

科学的阶级观,有下述三个最主要的特殊性。

第一,科学的阶级观是由历史主义所贯串的。阶级及阶级社会之存在,与历史上特定的生产形态相结合。阶级是在历史上变化并推移的范畴。阶级社会不是永久存在的东西。阶级是在社会的生产之一定发展阶段上才发生的，随着无阶级分裂的社会制度之成立而消灭。

第二,社会分裂为阶级的根据(即基本的阶级标志)是横在生产方法本身之中,必须就其在历史的特定社会生产体系中所处地位的差异去说明。各阶级对于生产手段的关系及其所负的任务,虽受各阶级间生产手段分配上的差别与特定阶级的剥削形态所规定,但另一方面却又使生产手段分配上的差别与特定阶级的剥削形态更趋巩固。这些,是社会阶级的基本标志;经济上、政治上及意识形态上的标志之总体,都是从这里发生的。

第三,阶级的榨取与阶级利害的对立,必然引起阶级的冲突。这阶级的冲突,是历史的发展之起动力。一切阶级的社会,都建筑在两个主要的阶级对立之上。这两个主要阶级之中,一个是被榨取的阶级,一个是榨取阶级。两者在经济上政治上及意识形态上,实行着种种的斗争。

(三)关于阶级的错误观点之辨正

旧来社会科学家,对于阶级的概念,有种种错误的见解。第一种错误的见解,根本否认现代社会的阶级的差异,说现代"民主主义"制度是以平等为原则,根本上无所谓阶级的不平等;因此把一切阶级的不平等,都归属于过去的历史的现象。这种见解,或用人种的斗争的主张,或用政治强力的主张(例如把阶级看作单是奴隶制度或封建制度的特征),或用过去历史上身份之法律的区别,去说明一切阶级的不平等。这种见解的错误,是很明显的。人类的斗争和政治的强力,不能成为阶级分裂的原因,并且单只采取政治的标志去说阶级的差别而切离其与经济的联系,这是单用第二义的标志去区别阶级的错误。

至于法律上的身份关系,虽然和经济上的阶级关系相适应,但阶级关系决定身份关系,而身份关系不能决定阶级关系。身份的成立,发源于阶级关系。因为独占生产手段的阶级对于无所有者的阶级,必须在法律上设定不同的身份,以巩固其榨取的方法。并且这种身份关系,因其在生产关系上有无需要为断,不必与阶级关系相适应。例如在奴隶制或封建制的社会中,奴隶所有者或土地所有者,为要强制奴隶或农奴供其剥削不能不设定与权威关系相同的身份关系,以统治奴隶或农奴。到了现代社会,资本阶级对于劳动阶级的榨取,已无利用超经济的强制之必要,因而法律上身份的区别也失其必要。所以身份与阶级的差异,完全是历史的性质。身份是拥护一定阶级的榨取之法的组织,阶级却是直接由这种阶级的榨取之社会的机能而演成的自然的组织;身份以适合特殊阶级利益为法律的特权,而阶级不是法律的特权所能维持,乃是生产关系与剥削关系所形成所维持的。所以法律上的身份关系,在现代社会中,虽由于生产关系的性质而失其必要,可是阶级的对立却是仍旧。由此可知,法律上的身份区别之存在与否,不能成为否定阶级差异的根据。

第二种错误的见解,虽不否认阶级的存在,却是采用第二义的、表面的,或补足的阶级标志之一,来说明阶级的差别,并说明阶级的差别与对立是一切社会所通有的,是万古长存的。

例如,有人这样说,人类的禀赋有"自然的差别",因而在"生存竞争"中就有优胜劣败的差别,因此特定社会的差别是必然发生的;这种差别,结局可从"社会有机体"中人类各集团的机能之自然的差别去说明。这种主张,是把"生存竞争,优胜劣败"的生物学的法则移用于社会,想证明社会的阶级分裂实是自然的法则。人类禀赋上的自然的差别,在任何时代原是不可避免的事情,但这种差别决不能成为阶级分裂的根据。在生产手段属社会公有的社会中,个人禀赋的优劣或强弱,在社会上所表现的差别,只是在其所担任的工作上的差别,这种差别,根本上就不是一个集团独占他一集团的劳动的差别,即不是阶级的差别。

又如,有人这样说,阶级的差别,是由职业的区别而发生的,任何社会都有分业,有分业便有职业上的区别,因而任何社会都有阶级的差别。这种主张,是故意采用暧昧的标志去粉饰阶级间的根本矛盾的。职业之分类,与分业有密切关系。关于分业,在第三篇之中,已经详细地说过。分业原是社会的劳动组织的一个方面,因而职业上的区别,可说是各个人在社会的劳动组织中的任务上的区别。但是社会劳动组织中的任务上的区别,还不能单独地成立为阶级分裂的根据。例如现在的机器工人和纺织工,建筑工程师与建筑工人,银行业者与制造业者的区别,绝不是资本家与劳动者的区别。至于属于一种企业中的经理人与工人之间的职业上的区别,如果就其技术的生产关系方面说,还不是阶级的区别。两者之所以能成为阶级的区别,其根源还是存在于生产方法之中,存在于生产关系之社会的方面。即是说,这种职业上的区别之所以成为划分社会阶级的标准,是与"人们在特定生产体系中所处的地位"及"对于生产手段的关系"两个基本标志相关联的。这两个基本标志如不存在,人们在社会的劳动组织中的任务的差别,绝不能构成阶级的差别。

又如有人主张阶级的差别由各个人收入的多少而定,因而现代社会的阶级是千差万别的。这种主张,是用生产物的分配一个标志(即前段所列的第四项)划分社会的阶级的。前面说过,这个标志是补足的标志,它与上述的基本的标志(即前段所列的第一第二两项)有不可分离的关系,不能单独地划分社会的阶级。譬如用土地、资本和工资劳动作为三大系统观察现代社会的阶级时,说地主之所得是地租,资本家的所得是利润,劳动者的所得是工钱。这好像是用收入方法和收入量来区分阶级的。但这种生产物的分配的前提,在资本主义的生产方法中,地租以土地所有权为前提,利润与利息以资本剥削劳动为前提,工资以劳动力的商品化为前提。这就是说,生产物的分配,以生产手段的分配与生产体系中的位置为前提。

此外还有单用"政治的强力"或"法律上的特征",作为区分阶级的标准的主张,其错误的根源,是在于专用补足的标志说明阶级的差别,后面有机会时再作批判。

社会上既然有了阶级的分裂,各阶级的利害必然不能调和,而至于引起阶级的冲突。这种对立物的斗争,是阶级社会发展的起动力,是由现代到未来社会的转变的根本要素。这一点,在否认社会有阶级分裂的人们看来,当然是否认阶级冲突的。但在上述各种对于阶级没有正确理解的人们说来,他们虽然事实上承认阶级的存在,而在另一方面却承认阶级的利害可以调和,而否认阶级冲突的必然性。这是与上述科学的阶级观相矛盾的。

二、阶级的发生及其发展

(一)阶级的发生

原始时代,社会的生产力极其幼稚。这种幼稚的劳动生产性,在其与自然环境和社会环境的斗争上,只能得到极贫弱的酬报。因为社会的生产全体处在这样的状态,所以产出人对人的剥削的经济基础还不存在。因而原始社会中,任何的阶级都不存在。

如我们所知,人类所以能脱离动物的境界,是由于劳动及劳动手段的生产。随着劳动手段的分化,同一社会的各种人员之间,就发生了分业。在原始共同体及家族之中,这种分业,是建筑在"纯粹的生理的地盘"之上的。家族及氏族的内部的男女老幼,都各有其不同的体力、经济与劳动技能,因而在劳动过程中,各个分任不同的工作。这种最初形态的分业,完全依据于自然的原因即生理的原因。但各种共同体是各自在不同的自然条件之下生活的。他们的生活形态和生产物的性质都各不相同。这种自然发生的各共同体间的差异,包含着社会的分业的可能性。各共同团体及各种族相互间的接触,在许多情形,常带有武力袭击的性质。不过武力的袭击,不一定能生效果。这种袭击,或以败北而告终,或以妥协而结束。于是一方面的掠夺不能发生,而萌芽的交换形态就发生了。

这样由分业而引起的交换,最初是在共同体相互之间,即在一种族和别种族相接触的境界上发生的。这些共同体间的交换,建立了他们相互间的联络和统一。于是社会的分业,最初是在各个共同体的生产部门之间发生的,往后又在互相统一的生产部门之间发生了。照这样,就发生了以生产被交换的剩余生产物为目的的事实,而剩余劳动变成了有利的条件。所以私有财产那东西,就随着交换的发生而被确立了。

同时,在共同体本身之中,社会的分业也发生了。因为共同体中有一定的共同事务(如争议的裁判,个人跋扈行为的禁压,河川沼泽的管理等等)存在,而这些共同事务,必须在全社会的监督之下,委托一部分个人去处理。而这一部分个人为完成其职务起见,又必须设有一定的权力。随着生产力的增大,各个共同体之间,就发生了共同的或抗争的利害关系,因而以这种利害关系为中心的共同体,就被造成一个较大的全体。于是一种新的分业就成为必要,因而保障共同的利益,调剂抗争的利益的机关就自然地发生了。于是站在公共机关的人们,因为由偶然变为世袭的缘故,因为需要增大的缘故,便渐渐地特殊化而成为特殊阶级。他们由社会的公仆转变为社会的主人,但社会的分业,在生产手段私有出现以后,才带有阶级的性质。

社会的机能之分化过程,与剩余劳动及私有财产的发达过程,两者互相补充,互相结合,产出了阶级社会。

分业是阶级发生的基础。单只有分业,还不能发生阶级,例如古代印度的共同体,分业虽已发生,而阶级还不存在。后来因为剩余劳动和生产手段的私有已经出现,商品经济的萌芽已经发生,劳动力已取得市场价值时,这时候才开始出现了人对人剥削的经济基础,这时候,被委托实行社会的机能之一集团,才开始独占其他社会人员的劳动。于是社会便分裂为不同的阶级。

(二)奴隶制社会的阶级

奴隶制度,是人对人剥削的最初期的形态。家长制的自然经济,是奴隶制经济的低级形态。生产力的主要要素,仍然是人类的物理力的支出。随着劳动生产性的发达,剩余生产物的出现,就有了可以维持较多劳动力的生活资料,又有可以使用这些劳动力的工具了。而这种过剩的劳动力的来源,便是战争。战争所得的俘虏,在以前是被屠杀或烹食的,到这时便被当作生产的奴隶了。所以奴隶制度就是这样形成的。这奴隶制度,引起了农业与工业之更进步的分业。古代(例如希腊时代)之以历史条件下的阶级对立为基础的社会的进步,就是在这种奴隶制度之下成就的。

奴隶制度是生产力发达之必然的结果,是在历史上特定的阶段发生的。在一定历史的阶段上,奴隶制度的实施,是经济的进步之必然的前提,甚至对于为奴隶的人们也都是进步的。因为在种族斗争的从前的阶段上,战败的人们横被屠杀,如今他们的生命却被保存了。当经济还是主要地停顿在自然经济的时期,榨取奴隶的可能性,还受那种经济的需要所限制。因为那种生产的特性,对于剩余劳动的需要不是无限制的。但是,往后随着生产力的发达,而许多民族都发生经常的交换关系时,使用奴隶劳动的主要目的就变为取得交换价值了。于是奴隶制社会的生产力大见进步,而奴隶的劳动被剥削的程度也更加强烈了。

奴隶制度,在一定的时期,虽然促进了生产力的发达,但往后却变为生产力发达的桎梏。例如罗马帝国之所以灭亡,是由于奴隶劳动已达到最高的发展形态而不能促进生产力的更进的发展。奴隶制已经失掉了它存在的本来的条件。奴隶对于奴隶所有者虽然起过多少次的叛乱,可是因为不能代表新的进步的生产方法,也不能指导社会的生产之改造。同时,奴隶所有者的阶级,也不能并且不愿改造社会。因此,斗争着的两阶级,因野蛮民族的侵入而终于共同倒坏了。

(三)封建社会的阶级

代替奴隶制经济而起的,是封建制度。封建社会,建立在封建地主对于农民的阶级的榨取之上。封建制度下阶级的榨取的形态,随着生产力的发达而变化而发展。最初的榨取形态是劳役地租。往后生产力发达起来,地主榨取现物地租比较榨取劳役地租更为有利。所以"现物地租,以直接生产者的较高级的文化水准为前提,因而是以他们的劳动及社会一般之较高级的发展阶段为前提"。

在劳役地租之下,农民受地主的监视人的直接强制而劳动;在现物地租之下,农民受法律所制定的一定社会关系的强制而劳动。这时候,农民为地主而实行的劳动,和为自己而实行的劳动,在时间与空间上都没有区别。农民的劳动时间,包含着必要劳动(为自己实行的)和剩余劳动(为地主实行的)两部分。在这种新的榨取形态之下,农民和他的家族,除了生产必要生产物与剩余生产物以外,还可以有多余的东西存留着。于是农民们有了积蓄的可能性,而形成为农民阶级内部分化的前提条件。富农与贫农的分化,就是这样发生的。

往后,更因为商品及货币流通的发达,使封建的自然经济趋于崩溃,而现物地租转变为货币地租了。封建的形态把一切可能性都发展了。于是封建形态的内部,产生出新的资本主义的榨取形态,富农榨取雇农的形态。地主也由自然经济而转变到资本主义的耕作了。

封建诸关系的特殊性,是政治的国家权力与各领主所行的直接的经济的强制之结合。领主也是政治上的权力者。包摄了政治上法律上及身份上的一切等级制度的封建社会组织,完全从上述特殊性发生。

阶级对立与阶级冲突,在封建制度之下,主要的是农民对地主的斗争。农民因为陷在绝望的境地,常常起来反抗地主。农奴的农民之基本大众,因为到处分散的缘故,所以农民的暴动,常带有地方的性质。因此,土地所有者的阶级能够利用这种弱点把农民暴动镇压下去。并且农民的反抗运动,缺乏明了的目的,所以容易为其他的阶级所利用,而不能得到胜利。

第二节　现代社会的各阶级

一、现代社会的主要阶级及其历史的发展

（一）两个主要阶级的发生

前面研究奴隶制社会与封建社会时,已经说明了:奴隶所有者与奴隶是奴隶制社会的主要阶级,地主与农民是封建社会的主要阶级;这两者的阶级的相互关系和剩余劳动占有的形式,规定着奴隶制经济与封建的经济。这里所说的主要阶级,就是说:这种阶级的存在,由特定生产方法所规定;这种阶级社会的生产关系的特性,由这种阶级关系所规定。

就资本主义社会说,无产阶级与资产阶级,是主要阶级。这两个阶级如不存在,生产过程中的他们的结合以及后者对前者的剥削如不存在,资本主义的生产方法是不能想象的。

资本主义社会的主要阶级,是在封建社会的母胎中发达起来的。以农业为基础的封建制度,其内部发生了手工业的生产。封建制内部行会的手工业之发达,同时引起了商业及商业资本的发达。集合一定数目的雇佣劳动者在一个工场中劳动的资本家,造出了协业的资本主义的形态。这资本主义的协业形态,发展为农业经济和独立手工业生产的对立物了。

这样,封建制度的母胎中,产生了雇佣劳动者阶级与资本家阶级。资本主义,主要的是在都市发达起来的。随着大工业的发达,这两个主要阶级就成长起来了。资产阶级,逐渐争取经济的地位,同时又驱逐封建的支配阶级。资产阶级在其发展过程中,不但实行经济的征服,并且还实行政治的征服。资产阶级,在其最初的发展阶段上,出现为被贵族所压迫的特别身份,主要集中于都市之中。随着行会式的手工业之发达,自由的手工业者们(如意大利和法国),造出都市的自治的共同体。这种权利,或是依据于对封建诸侯的斗争,或是依据于对领主纳贡的代价,才得到的。在工场手工业生产时代,资产阶级与贵族及僧侣有别,成为“第三身份”即所谓“布尔乔亚”。工场手工业的生产越是发达,这第三身份也越是成长,而布尔乔亚与普罗列达里亚也越是分化了。

最后,大工业发达起来,布尔乔亚反抗封建贵族,推翻了他们的权势。资本主义的生产力之发达以及与它相适应的资本主义的诸关系,就与封建的生产关系、封建的特权、封建的国家相冲突。结果,布尔乔亚就掌握了国家权力,使适应于资本主义经济。

(二)两个主要阶级的发展

布尔乔亚掌握权力以后,就以普罗列达里亚为压迫的对象。所以布尔乔亚只改组旧的国家机关,使适应于自己的利益。布尔乔亚的思想家,常常把布尔乔亚的革命描写为争取自由、平等、博爱的斗争。但实际上布尔乔亚只曾努力废除妨害他们的支配的封建特权,破坏一切封建的及家长的诸关系。他们所承认的特权,只有一个,这是所有者的特权。布尔乔亚虽曾努力废除封建的特权而宣言了"平等",但布尔乔亚的平等,却是事实上的不平等,有产者与无产者,榨取者与被榨取者,布尔乔亚与普罗列达里亚的阶级,仍旧是存在着。布尔乔亚曾努力废除阻害工商业发达的一切封建的轨道而宣言了"自由"。但布尔乔亚的自由,却只是财产上的自由,而对于雇佣劳动者却是不自由。

布尔乔亚,借助劳动者与农民的力量,推翻了封建领主的支配,把自己一阶级的利害宣言为社会全体的利害,把布尔乔亚的德谟克拉西宣言为全体国民的民主政治。但实际上,现代的国家只是布尔乔亚的国家。

可是在布尔乔亚的社会中,两个主要阶级间的矛盾却大大地发展起来了。普罗列达里亚在其与布尔乔亚的斗争中,通过了种种发展阶段。

普罗列达里亚,在资本主义的初期虽已存在,但当时还是"自在的阶级",还没有达到能够自己觉察他们自身是与对方对立的一个特别的独立阶级。即是说,他们还没有阶级意识,还没有转变为"自为的阶级"。

普罗列达里亚对于布尔乔亚的斗争,在最初期的阶段即已开始。最初,他们是个别地和资本家相冲突,其次是一工场全体的劳动者,一产业部门或一地方的地方劳动者参加这斗争。当然,在这初期的阶段上,他们的对象,不是资本主义的生产方法本身,而是它的外的表现。所谓破坏机器,烧毁工场等的运动,就属于这个时期。这时他们的目的,是在于回复到过去手工业者的地位。他们还没有理解资本主义的生产方法之阶级的本质。

但是,随着产业的发达,普罗列达里亚的力量也成长起来了。大产业集中了成千累万的劳动者。集团劳动的训练,在劳动者之间,造出阶级的纽带。他们就意识到自己是与资本的利害完全相反的社会集团。加以铁路邮电等交通机关的发达,更加速了他们联合的方法。在斗争的过程中,他们由"自在的阶级"转变为"自为的阶级"了。随着资本主义的世界经济之成立与发展,普罗列达里亚之国际的团结也随着成立并发展了。同时,劳动者各种组织(如劳动组合与党)也一样地发展起来,国际规模上的劳动阶级的统一出现了。

二、现代社会中的过渡阶级

(一)大地主

在现实上,单只两个主要阶级存在的"纯粹"抽象的社会,是不曾有过的。例如,在封建制之下,不单是地主和农民两阶级存在,此外还有手工业者、商业资本家和知识分子。

同样,在现代社会之中,也不单是资本家与劳动者两阶级存在,同时还有农民、地主,都市小布尔乔亚,知识分子及浮浪无产者。以下分别考察这各个社会集团,说明他们在资本主义下的作用。先说大地主。

地主,在封建制度之下,是支配的阶级。他们各人的品位与意义,是按照所有土地的大小而估评的。到了资本主义时代,在地主成为封建的残余而存在的处所,地主在其成为土地所有者的范围内,还具有社会的意义。他们在现代社会中所以还被重视,就因为他们是收取资本主义地租的土地所有者。从前一部分贵族,到了资本主义时代,不能不把自己的土地,作为工场的地址或佃租地,贷给他人使用,而收取地租来生活。有些地主,自己变为资本家。所以在资本主义之下,大地主虽被当作一个阶级维持着,却越发失掉独立的意义,变为资本家化的地主了。

地主所以还能维持为一个阶级,是因为他们的特殊利害所决定的。工场主或农业资本家,不能不把剩余价值的一部分,作为地租缴给地主,在这一点,他们是与地主相对立的。这是两个榨取者阶级之间的矛盾。榨取者阶级内部的各种政党,就是这种矛盾的表现。

但大地主与资本家之间的一切矛盾,在现代社会的界限中,早已不是根本的决定的矛盾。资本家与地主,都以维持现有的生产方法为利益。他们之间虽有某种程度的不一致,而在维持现制度一为却是一致。所以每逢普罗列达里亚的运动高涨时,两个阶级却总是站在同一的立场。

资本主义越是发达,地主与资本家的结合也越是巩固。从来的地主之中,也有自行组织产业企业的,也有做资本家企业的股东的,即地主同样是资本家。另一方面,资本家从没落了的地主买进许多土地,兼充地主。

所以地主在资本主义之下,是逐渐失掉特殊阶级的意义的过渡阶级。

(二)小所有者阶级,农民的分化

过渡阶级,除大地主以外,还有小所有者阶级,即小农、中农及手工业者。此外,农村中布尔乔亚上层,从其地位看来,构成为特别的集团——农民布尔乔亚(剥削他人劳动的农民)。

小所有者阶级,是相当多数的阶级,其人数在资本主义的特定发展阶段上,甚至超过普罗列达里亚。他们都有生产手段(不论是一片土地,或小的机器,或其他别的生产工具)。在资本主义之下,这些小生产者,是为贩卖而生产的,所以他们和资本主义生产方法的存在,有密切的关系。但他们虽然和布尔乔亚相似,而本质上却不相同。因为资本家单靠从劳动者的劳动取得剩余价值而生活,并且使他的生产继续发展,而小生产者却不能不和他的家属一同劳动。

资本主义,在工业和农业方面,都采用提高劳动生产的新技术。但小生产者(手工业者及农民),都使用幼稚的劳动手段,技术非常落后,因此他们不能不加强他们的劳动。

资本主义的竞争,给小生产者以重大的压迫,使他们内部发生经济的分化,他们的大部分没落下去,只有一小部分转变为资本家。

农民,在封建社会中,本是基本的被剥削阶级,但到了资本主义时代,在社会的构成上,他们已不是单一的阶级了。农民阶级的分化,在封建社会后期即已开始,到了资本主义时代,这种分化就更加迅速而普遍。曾经是单一阶级的农民,现在却分化为对立的两极。一极是农业劳动者与贫农,另一极是富农。而介在这个中间的阶层是中农。

农业劳动者,是专靠出卖劳动力而维持生活的人们(季节工、日工、杂役、建筑工)。

贫农是半无产者,他们的生活,一部分靠工钱劳动的收入来维持,一部分靠耕作一小块土地(自己的或佃租的)的收获物来维持。他们虽有极可怜的一点小财产,而在其阶级的利害上,却与农业劳动者相一致,同样反对榨取者。

富农普通都是雇用多少工钱劳动者以经营农业的资本家式的企业家,并经营商业的农业。他们是农业布尔乔亚,也可以叫作平民地主,和那些不经营农业而专靠收取地租生活的大地主不同。

中农是不雇用他人的劳动力而恰恰可以满足家属及经营的必要的农业者。他们之中,一小部分经营自然经济,大部分经营单纯商品经济(把自己劳动生产物一部分出卖于市场)。中农之中,也不断地起分化,有的没落为贫农或雇农,有的转化为富农。中农具有两种性格,即一方面是所有者,是商人;另一方面是勤劳者,是生产者。在其为所有者为商人的性格上,他们与布尔乔亚相接近;在其为勤劳者为生产者的性格上,他们因受资本主义所压迫,并担负租税及其他义务,又与贫农及雇农相接近。所以中农是中间的动摇不定的分子。

至于都市小所有者阶级,主要的是手工业者。他们是封建时代遗留下来的阶级。到了资本主义的时代,也发生分化,一部分没落为劳动者,也有极少数转变为资本家。他们固执于私有财产,却又害怕变为劳动者。他们的生活水准有时不如劳动者,而劳动条件却是比较地恶劣。恐慌、战争、高利贷及其他资本主义的压迫,不断地袭击他们。同时,却使他们复活起来,变为大产业的补助的手段。这一切是都市小所有者的极端激烈的动摇性的基础。所谓极左派和极右派的思想家,都是从小所有者的这种动摇性产生出来的。

(三)智识分子——及其他社会集团

还有一个过渡的阶级,这是智识分子。智识分子,不是独立的、特别的社会阶级。智识分子,从其所属的阶级关系说来,绝不是一样的。

技师、技术家、农政学者、医士等,都是智识分子,他们在各种生产体系中的地位和阶级的任务,有种种的不同。智识分子的一切集团之一般特征,是他们所实行的"精神劳动","精神的生产"。但这一般的特征,并不是说明智识分子是同属于一阶级的集团。他们在社会的生产体系中,并不占有一定的地位。资本主义,使精神劳动与肉体劳动的对立,特别显著地发展起来。在资本主义之下,劳动者得不到发达智力的机能,终生不能不从事筋肉的劳动,但在另一方面,资本主义却又造出专做精神劳动的特别人们的集团。

所以,智识分子,在社会的分业体系中,不占有严格区别的一定地位,而是只站在精神劳动与筋肉劳动的对立的一极。这种特殊状态,决定着当作社会集团看的智识分子的特殊性。

智识分子对于生产手段的关系,究竟怎样呢?他们的大部分是没有生产手段的。例如所谓技术家即与生产过程有直接关系的智识分子,在资本主义社会中,与劳动者站在同样的地位。但智识分子(技术家)在资本主义生产体系中的任务,与劳动者的任务,根本上却是对立的。劳动者是造出剩余价值的直接生产者,而技师与技术家却是生产上的指导者。技师与管理人的生产指导的机能,和他们强制并监视劳动者的机能是打成一片的。资本家委托技师或管理人代表自己去实行监视的机能。在这种情形,智识分子是与劳动者相对立。技术家一方面与劳动者对立,一方面又与劳动者一致的这种特别地位,就是说明他们并不是特别的单一的阶级。

智识分子的各种不同的地位,在"领受社会财富的部分的方法及其量的大小"一点,也决定他们的各层的特殊性。

下级智识分子的一部分,是受资本所剥削的。这部分智识分子,为资本创造剩余价值,例如资本家医院的护士、医士、新闻托拉斯的记者、私立学校的教员之类。这种智识分子所领受的薪给,虽比劳动者的工钱较高,而领受社会财富的部分的方法,在其经济的本质上,却与劳动者相同。他们的薪给的源泉,是精神上或肉体上的劳动力的贩卖。其他高级的(薪给较多的)智识分子,虽也一样没有生产手段,但在生产上,在社会生活上占居指导地位,受资本家所委托而代行资本的机能。因而高级智识分子,不但领受薪给,而且还分沾剩余价值的余沥。所以资本家在种种社会事业上,直接或间接支给智识分子以高级薪给。

智识分子之中,还有所谓自由职业者(例如个人经营的医士、律师、文学家、艺术家等)的集团。这些人,在社会的生产上是手工业者。他们自己担任一个作业,从顾主领受一定的报酬。在资本主义之下,这个集团,占有与小所有者相似的地位。因而他们也和小所有者一样地发生分化。他们中有的扩张自己的营业(或雇用医生和药剂师,自己开设医院;或创设公证事务所或出版业),而变为资本家式的事业家;有的不能不出卖自己的劳动力。

这是资本主义社会中智识分子特有的状态,这是他们所以不能构成独立的特别的阶级的原因。

其次,就智识分子的政治的立场,简单地说明一下。

智识分子"不是独立的经济的阶级,因而也不是什么独立的政治的势力"。但阶级社会中的智识分子,却不是阶级以外的或非阶级的集团。阶级社会中的智识分子,在政治的立场并不是超阶级的。他们在政治上的立场,恰与在经济上的立场相适应。他们在社会的生产上占有怎样的地位,在生产过程或社会的生活上演着怎样的任务,和什么阶级相结合——这几点,是他们在政治上加入于那一阶级的条件。

智识分子的运命,与他们所服务的阶级的运命相联系。从这一点说来,智识分子可以区分为布尔乔亚的智识分子、小所有者的智识分子与社会主义的智识分子三大类。布尔乔亚的智识分子,与布尔乔亚相结合,为他们服役。但他们中也有一部分人理解了历史发展的路线而转化为社会主义的智识分子,不过这是例外。其次,小所有者的智识分子,与小所有者相结合,为他们服务。他们的阶级的本性是二重的性质,常常动摇不定。再次,社会主义的智识分子,与普罗列达里亚相结合,为他们服役。这种智识分子,在资本主义之下,直接由劳动者阶级出身的,却是极少数,并且也有被对方所收买的事情。

除了以上的阶级或集团之外,资本主义社会中,还有一个社会集团。这个集团,从其经济的地位说,也不是独立的阶级。例如阶级落伍分子,即所谓浮浪无产者(乞丐、犯罪者、娼妓、流氓等等),就是这种社会集团。这些分子失掉了生产手段,不能不在生产生活之外去寻觅生活,而离开了劳动关系。这些分子,是资本主义经济的必然的产物。这些分子在政治上大都是反动的势力。

(四)过渡期社会的诸阶级

在说明了资本主义社会的诸阶级以后,还有说明过渡期社会的阶级状况的必要。这里特就苏联的诸阶级加以分析。

苏联从1917年十月革命以后,到国民经济的复兴期为止,这时代中的阶级关系,可分为以下四项:1. 无产阶级;2. 中农;3. 贫农(农村半无产者);4. 残余的布尔乔亚、耐布曼、豪农。

苏联在成立的当初，并不曾消灭旧时代的阶级，而旧时代的阶级仍能残留着。但阶级间的相互关系，却与旧时代完全相反。苏联是过渡期的国家，普罗列达里亚专政的根本的任务，是建设社会主义，绝灭一切人对人的剥削，因而扬弃普罗列达里亚自身。

在苏联，普罗列达里亚是第一的主要阶级，他们与贫农相提携，指导中农，对资本主义要素（残余的布尔乔亚、耐布曼、农业布尔乔亚即豪农），作继续的斗争。所以，阶级的拮抗，只存在于普罗列达里亚加贫农与资本主义要素之间，并不存在于他们与中农之间。

中农这一阶层，在农业已经高度资本主义化的国家，分化为少数农业布尔乔亚与多数农村普罗列达里亚及半普罗列达里亚（其生活一部分靠自己经营农业，一部分靠从事于农业劳动的收入）。但在苏联，中农是在普罗列达里亚的次位（数字上占第一位）的主要阶级。中农在苏联所以成为主要阶级的原因，第一是由于俄国的农业，在十月革命以前，含有农奴制的遗物，资本主义的发展是低级的，所以阶级的分化很迟缓；第二，在十月革命以后，苏维埃制度又抑制农民的分化，所以中农并不消灭，反而成为主要的阶级。直到农业集体化的时代，中农仍是农村的台柱。中农的富裕的部分化为豪农，其贫困部分化为半无产者的倾向，固然是不能完全避免的，但苏维埃制度，却尽可能地阻止这种分化的倾向，一面使中农自动地加入集体农场，提携他们，指导他们；一面又依据贫农，制止豪农，杜绝中农的豪农化的影响，并进行对于豪农的清算。同时，又力图农业技术的发展，使集体农场脱离手工农业的境界而进到机械化、电气化的领域，成为社会主义的农业。

苏联自从实行第一次五年计划以后，农业的集体化，进行得非常迅速而顺利，同时又励行对于豪农的清算，使阶级关系发生了重大的变动。第一，集体农场的农民，已不是小生产者的中农或贫农，而是已经变质的新的农民，是社会主义社会的构成分子了。所以集体农场的农民，已经不单是普罗列达里亚的提携者，而是苏联的农村的台柱了。至于豪农的清算，随着第一个五年计划的完成，差不多已经终结。

农业的社会主义化的过程，要通过工业的社会主义化才能实现。随着普罗列达里亚的比重的增大,都市的资本主义要素逐渐肃清。从 1930 年以来,已经进到社会主义时代,社会主义经济构造的基础工事已经完成了。在第二个五年计划的进行过程中,苏维埃制度,更进而励行对于资本主义要素一般的清算,造出都市与农村的新的融合的前提,促进技术的发展,促进勤劳大众的幸福与文化的向上,使普罗列达里亚的力量更趋于发展。

以上是苏联的阶级关系的略图。

三、现代社会中的阶级颉颃

(一)经济斗争

创造历史的是人类,解决矛盾的也是人类。生产力与生产关系间的矛盾,是由人类所解决的人类间的矛盾。所谓"生产关系变为生产力发展的桎梏";这便是说:社会的某一阶级代表旧生产关系,妨害新生产关系的发生,使已经发展起来的生产力不能往上发展。但其他社会的阶级,因为是直接的生产者,是生产力的一部分,就站在反抗旧生产关系的立场,结局破坏这旧生产关系以及和它相适应的政治制度。所以阶级社会中生产力与生产关系的矛盾,表现于阶级的矛盾之中。换句话说,阶级斗争,是生产力与生产关系的矛盾之历史的过渡的表现。

阶级颉颃,在现代已经历了两种形式:最初是资产阶级对于封建领主的斗争,其目的只在变更榨取的形式,变更封建的生产方法为资本主义的生产方法。其次是劳动阶级对于资产阶级的斗争,其目的在绝灭一切的榨取的可能性,变更敌对的生产方法为非敌对的生产方法。

这里来说劳动阶级所实行的阶级颉颃。这有下述三种形态,即经济的、政治的及理论的形态。这三个形态的枢纽是政治的形态。这因为"政治是经济之集中的表现"。

先说经济的形态。劳动者的这种斗争,是为了取得贩卖劳动力的有利条件而对企业家实行的集团的斗争,是为了改良劳动及劳动条件而实行的斗争。可是劳动条件,因生产部门的差别而不同,所以经济斗争,通常是依照职业的区别而实行的。最初是在一工场内的个别工作地点,其次在工场的规模上,往后才在职业的规模上实行。所以经济的斗争,是在国家的特定制度的范围内,要求生活及劳动条件的改良。因此,劳动者对于资本家的国家,要求经济的改良,如要求废除童工劳动,承认劳动组合及罢工自由等条件。这一切要求,并不能消灭资本主义的生产方法,只是在这种制度的范围内设定能够劳动的条件,保障所已得的条件,并助长这种斗争的发展。

(二)政治斗争

政治斗争,是以国家权力为中心而实行的斗争。但为权利而行的斗争,不是目的,只是建设新经济秩序、新劳动条件,及新生产方法的手段。所以这种斗争的根柢,是为建立新生产方法而实行的。因而政治斗争,是经济斗争(即为新经济而实行的)之集中的表现。

在经济斗争中,劳动阶级组成了各种职业的部队和许多职业的集合体。在政治斗争中,阶级便组成一个团体。阶级的这种全体性的表现,是政党。党直接地指导政治斗争。党是斗争的司令部。

阶级是在斗争的过程中组成的。在这过程中,劳动阶级由"自在的阶级"转变为"自为的阶级"。资本的支配,造出了这些大众的地位的同一性、利害的同一性。这些大众,在对于资本的关系上,变成一个阶级。但在这时还是"自在的阶级"。随着斗争的发展,他们就有了阶级意识,觉悟到自己的利害的共通性,明白自己的历史的任务及其解决方法,而转变为真正的阶级即"自为的阶级"了。这种意识,是在他们的政党中集中并发展的。

从上面看来,劳动阶级,由萌芽的斗争发展起来,进到阶级全体的斗争,进到政治斗争;同时他们在这种过程中,组织起来,发展起来,成熟起来,而担负起把社会推进到前方的使命。所以"阶级是在阶级颉颃的地盘生长的"。助长这阶级的成熟的,是阶级政党。所以,政治斗争是比经济斗争更高级的斗争形态。在政治斗争上,劳动者提出整个阶级的要求。在为这些要求而实行的斗争中,指导阶级的已不是劳动组合(阶级统一的萌芽),而是党(阶级统一的最高形态)。

简括起来,经济斗争隶属于政治斗争,为一部分利益的斗争隶属于为全体利益的斗争,为目前利益的斗争隶属于为永久利益的斗争。于是,发生了指导阶级的全部组织的党的必要,一切劳动组合运动,合作组合运动以及文化运动,都由党所指导。

（三）理论斗争

理论斗争,隶属于政治斗争的目的,并解决政治斗争的任务。所谓理论的党派性,是在这一点发生的。在最初的阶段上,劳动运动与社会主义(理论),是个别的存在。但在当时,劳动运动是自然发生的,社会主义是空想的。

科学的社会主义,是在它与劳动运动的统一上生长并发展的。科学的社会主义,是劳动运动的灯塔;往后,这科学的社会主义,又因劳动运动的数十年的经验而发展为帝国主义时代的科学的社会主义了。理论的任务,是给予斗争的真正的标语。这种标语,是在详细地研究了这斗争的种种形态之后产生的。理论探求斗争的来踪去迹及其一般的性质,一般的目的,而以消灭一切压迫与剥削为目的。

理论是斗争的精神的武器,党只有用进步的正确的理论武装起来,才能指导劳动阶级,使劳动阶级得到解放。

以上三种形态,是不可分离地结合着,并且是互相隶属的。理论与实践的真正统一的意义,正在这一点。

第十章 国　家

第一节　国家的理论

一、科学的国家观

（一）当作社会发展产物看的国家

敌对的社会,建筑在阶级的生产关系之上。在一切敌对的社会中,生产手段所有者,总是占有直接生产者的剩余生产物。各种敌对社会的形态的区别,就包含在这种占有形态的差异之中。

但是,在这些敌对的社会中,少数生产手段所有者为什么能够榨取多数直接生产者呢? 多数者为什么忍受少数者的榨取呢? 多数者为什么在其斗争中不能驱逐少数者呢? 这完全是由于少数生产手段所有者的有组织、有权力,由于他们集中了强力手段,而成为支配阶级的缘故。这种在支配阶级手中的强力手段,即是国家。所以阶级的社会是政治的社会,即是有国家的社会。国家是在社会分裂为阶级以后才出现的东西,是在社会发展过程中,由社会本身发生出来的东西。

"国家绝不是由外部强制于社会的权力。同样,它也不像黑格尔所主张,是'伦理的观念之现实'、'理性的影像及现实'。它不过是一定发展阶段上的社会的产物。它是这个社会陷于不可解决的自相矛盾、分裂为不可融合的对立、而又无力排除这个对立的一种宣告。然而为使这个对立、经济利害相反的两阶级,不把自身和社会消灭于无益的斗争之中,那防止轧轹、保持于'秩序'的界限以内、表面上超出社会之上的权力,就成为必要。这种从社会发生,却又超出社会之上而离社会愈远的权力,即是国家。"(恩格斯)

所以,国家是社会分裂为阶级以后才发生的。阶级分裂,是国家成立的根本条件。当社会分裂为阶级时,阶级间必然因利害关系而引起阶级冲突。阶级冲突发生以后,无生产手段的阶级,势必侵犯生产手段的独占,因而有破坏社会已成秩序的危险。于是在这种斗争中,那独占着生产手段的少数特殊阶级,为维持并扩张经济的剥削的可能性起见,不能不利用特殊势力,设法保持自己的地位,而其当作镇压多数无生产手段者的阶级的最有力的武器,即是国家。

所以,国家是从社会本身产生出来的东西,它与社会是不同的。国家秩序,是用权力把阶级社会的秩序铸入于国法的组织之中的东西。社会秩序,比较国家秩序,早已存在,并且是根本的东西。但是国家一旦发生以后,就逐渐离社会而独立,而自然的社会秩序就处于强制的秩序之下了。

国家权力的独立化的过程,不但在社会最初分裂为阶级的过程中显现出来,并且在其他的阶级社会中、在现代的社会中,也显现得非常明了;不但在君主国中可以看出,并且在民主国中也可以看出。关于这一层,恩格斯在1891年曾就北美合众国举例说明。他说:

"从来国家的主要特征,究竟存在于什么地方呢?社会为处理其共同的利益,最初由单纯的分业,创造了自己的机关。但以国家权利为顶点的机关,随着时间的进行,就变成服役于他们自身的特殊利益,由社会的仆婢变成站在社会之上的主人了。这种事实,不但在世袭君主国可以看到,并且在民主共和国也可看到。如在北美,'政治家'形成为国民之中的一个分离了的、势力的部门。这里有两个大政党,轮流地掌握政权。这些政党本身,又是由下述一类人支配的,他们以政治为职业,在联邦或各州立法会议争夺议席,或为自己政党的煽动,借谋生活,本党胜利之后,就取得官职做报酬。美国人在过去30年以来,虽然要想怎样地免掉这种难堪的桎梏,可是他们却仍是深深地堕入于腐败的泥沼之中,这是一般人所知道的。国家权力原是被规定为社会的单纯的工具,却对于社会而独立,这种理由,在合众国很可以看出来。这里没有王朝,没有贵族,除了警戒印第安人的少数军人外,也没有常备军,可是有两个由政治的骗子组成的大集团,他们交替地执掌国家权力,为着最腐败的目的,用最腐败的手段肆行榨取。政治家的这两个卡迭尔,名义上是为国民服役,事实上确对国民实行支配和掠夺,而国民对于它们却是无可奈何。"

上面一段话，是指 19 世纪末叶的美国说的，可是到了现在，美国已放弃自由主义的传统，成为最强大的帝国主义国家，在政治上最露骨地表现着金融资本的经济的利害，最积极地表现着近代国家是金融资本家的国家了。

国家权力，从社会发生，又超出于社会之上，由社会的仆婢而变为社会的主人。可是所谓社会的主人，却对于特殊的阶级服务，而与大众的利益是对立的。

（二）当作社会上层建筑看的国家

成为社会发展的产物而出现的国家，是阶级社会之政治的上层建筑，国家的基础，是社会的经济构造，即是生产关系的总体。这些生产关系，在一定发展阶段上，是当作阶级的诸关系而存在的。所以国家的内容，是阶级间的诸关系。这共阶级关系的性质，在于下述诸点。这些关系，第一是阶级拮顽的诸关系；第二是到达于阶级矛盾的非和解性的诸关系；第三是榨取的诸关系。所以特定的阶级，以榨取为目的，利用国家权力，镇压被榨取者的阶级。所以成为国家的基础的生产诸关系，即是不能和解的诸阶级间之政治的关系。

社会是一个发展过程。社会的发展，由于生产力与生产关系的矛盾。在阶级社会中，生产力与生产关系的矛盾，出现为阶级的矛盾。所以阶级社会变革的原动力，是阶级矛盾。随着生产力的发展，就引起生产关系的变动，引起阶级关系的变动。由于经济基础的变动，那包括国家形态的巨大的上层建筑，也就发生变化。因为拥护新生产力的阶级，要求改造于自己不利的旧生产关系，以促进生产力的发展；在另一方面，以旧生产关系为有利的阶级，却妨碍新生产关系的发生，妨碍新生产力的发展。于是利害相反的两个阶级，演出阶级拮顽。这种斗争，结局是政治斗争，其目标是夺取政权。由历史上看来，任何被支配阶级，为实现其经济利益以得到解放，总是爆发革命，推翻支配阶级的权势，握掌国家的权力，自己爬上支配阶级的地位，以建立与新生产关系相适应的新国家。随着社会的阶级关系的改编，而国家的支配者与被支配者的关系，也因而改编了。所以国家的或政治的变革，只有依据社会的或经济的变革去说明。

"一切政治的上层建筑（在阶级未完全消灭的期间，在无阶级社会未经创造的期间，是不可避免的），结局总服役于生产，结局由当时社会的生产关系所决定。"所以，"从直接生产者榨取无代价的剩余劳动的特殊经济形态，规定支配及隶属的关系。这种关系，虽然直接地从生产成长起来，而其自身又决定地反作用于生产。可是由生产关系本身发生的经济的共同体的全形态，以及与它同时的特殊政治的形态，都建立在这种支配及隶属的关系之上。全社会构造，因而主权对隶属关系的政治形态，要而言之，各种场合的特殊国家形态的最深奥的秘密，及其隐藏着的根柢，我们常在生产条件所有者对直接生产者的直接关系——这关系的形态，在任何场合，都与劳动的种类及方法，社会的生产力之一定发达阶段相适应——中发见出来。"(《资本论》)

阶级的社会，在其各个发展阶段上，显现出各种特殊的生产关系的体系，因而就产出与它相适应的各种特殊的政治的上层建筑。这政治的上层建筑，结局虽服役于生产并受生产所规定，但它在自己的基础上绝不是受动的、静止的东西。它是积极的能动的力。它为支配阶级的利益，极力地影响于经济过程。例如战胜以后的战胜者阶级所决定的宪法及其他法制等，都是对他们的利益有积极影响的东西。又如资本之原始的蓄积的时代，支配阶级利用国家权力，在国内对农民的土地实行大规模的收夺，在国外以武力夺取殖民地，残杀异种民族，掠取其金银财宝。这可以看出国家对于资本的原始蓄积，是非常伟大的工具。

"国家权力对于经济的发展的反作用，可以分为三种：第一，它能进到同一的方向。在那种场合，进行比较迅速。第二，它能作用于反对的方向。在那种场合，它如果是在今日的大国家中，是不能长久继续的。第三，它也可以遮断经济发展的一定方向，向它指定另一种方向。在这种场合，结局归着于前两种场合中的一种。但在第二及第三的场合，政治权力给经济发展以大障碍，引起能力及物质的大浪费，这是很明白的。上述三者之外，还有经济资源的掠夺及毁灭的场合。在这种场合，由于事情的如何，过去曾经有过引起经济上的地方的及国民的发展的全灭的事情。"(恩格斯)

(三)当作阶级统治机关看的国家

社会分裂为阶级的结果，阶级的轧轹，能使他们自身和社会陷入灭亡的危机。国家即是为着排除这种危机而造出的机关。这种事实，在另一方面看来，国家实是阶级冲突不可调和的结果，并不是阶级调和的机关。就历史上说来，防止社会灭亡的手段,不是阶级的互相调和,而是一阶级对于他阶级的镇压。过去社会的平和,是建筑在阶级的支配之上的。这种镇压,必要有特殊的镇压力。这种镇压力即是国家。国家是一阶级统治其他阶级的机关。

"国家是因为抑制阶级对立而发生的东西,它同时又是在这些阶级斗争当中发生的东西,所以它通常是最有力的、经济上的支配阶级的国家。这样的阶级,由于国家变为政治上的支配阶级,因而得到对于被压迫阶级实行抑压和榨取的新手段。所以,古代国家,首先是奴隶所有者抑压奴隶的国家;又,封建国家,是贵族抑压农奴及隶农的机关;近代代议制国家,是资本榨取工钱劳动的工具。"(恩格斯)

历史上的各时代的特殊阶级,都自行创造适合于那个时代的国家权力形态。例如,奴隶所有者的国家,在不同的时期或不同的国家中,或者采取共和国的形态,或者采取专制国的形态。但是,"虽然有这些差异,而奴隶所有时代的国家,仍是奴隶所有者的国家"。形态的差异,在封建经济的资本主义化过程中转化为布尔乔亚君主制的封建国家中,也是存在的。但这些国家形态,无论是怎么样的东西,不管它是身份的或绝对的君主制,或是议会主义的君主制,或是议会主义的民主制,或是法西斯的协同国家,但国家依然是阶级支配的工具,是少数榨取者的独裁形态。这因为各种国家形态,只是表现榨取形态的变化,而榨取的本身仍是不变。所以从前的各种革命的变革,只是各种榨取者阶级改造了当作榨取工具看的国家的形态罢了(唯有过渡期的国家,才算绝灭榨取的工具)。

历史上一切的国家,都是阶级统治的机关。这种机关,是由从事于支配的人们的集团组成的。属于这个集团中的人们,有的是专门从事于支配的,有的是大部分从事于支配的,有的是主要地从事于支配的。自从国家出现以后,人类便分裂为支配的专门家与被支配的人们了。"在许多历史的国家中,给予国民的各种权利,以财产为等差,这是露骨地表明着国家是所有者阶级防卫无所有者阶级的组织。例如雅典人与罗马人按财产以分类,例如中世的封建国家按土地所有以区别政治的权力,例如近代代议制国家的限制选举。但财产的差别之政治的承认,并不是本质的东西。反之,它却表示国家发展的低级阶段。最高国家形态的民主共和国⋯⋯公然不知道有所谓财产的差别。在这种国家中,财富之运用它的权力,是间接的,却是更确实的。即,一方面是直接的官僚腐败的形式,其典型的样本是美国。另一方面,是政府与交易所联合的形式。……美国和法兰西共和国都是显著的例子。"(恩格斯)现代帝国主义国家的支配者,只是极少数的金融贵族了。

国家绝不是超阶级的东西。如恩格斯所说:"在某种时期,也有例外的事情,如互相斗争的两阶级保持均势的结果,国家权力,成为外观上的调停人,暂时对于两者获得某种程度的独立性。例如 17、18 世纪的绝对主权,使贵族与市民阶级互相保持均势;又如第一及第二波那巴尔特政府,使普罗列达里亚为布尔乔亚竞争,使布尔乔亚与普罗列达里亚竞争,坐收渔人之利。支配者与被支配者共同出现于喜剧的最近的演剧,是最近俾士麦式国民的新德意志帝国。在那里,资本家与劳动者互相保持均势,又为了普鲁士的农村贵族而同样操纵。"像上述那些特殊的例子,好像说明国家是超阶级的,但是实际上并不是超阶级的。这样的国家,仍是受社会经济发展的特殊性所规定的。在绝对王权的时代,布尔乔亚刚从被支配的身份抬头起来,羽毛尚未丰满,所以不能不暂时在绝对王权之下与贵族分庭抗礼,但等到势力强大之时,就破坏这个均势,破坏绝对王权了。至于波那巴尔特的法国及俾士麦时代的德国,也和这种情形相似,表明着普罗列达里亚的无力。实际上,这一类的国家仍不是超阶级的。绝对王权的国家,不是强烈地反映贵族的要求么? 波那巴尔特法国与俾士麦时代的德国,不是强烈地拥护着布尔乔亚及农村贵族的利益么?

(四)当作公权力的组织看的国家

一个阶级为要统治别的阶级,必须有一定的强制装置,即物理的暴力的装置。这种强制装置,即是公权力。这公权力的组织,是国家的一个特征。国家的公权力的内容,是赤裸裸的武力,即是军队、警察、宪兵、法庭、监狱一类的东西。在社会没有分裂为阶级以前,即是在氏族社会的时代,当与社会外部相战斗之时,全人民都是武装着。这是人民的自动的武装组织。但是进到了阶级的社会,人民自动的武装组织,已经成为不可能的事情,人民武装变为阶级武装了。权力的独立化的真实背景,就在于武装性质的阶级化。古代雅典共和国的"民主主义国民军,是贵族的公权力,用以压迫奴隶的"。中世封建国家的武士军队,是封建领主的公权力,用以压迫农奴的。近代布尔乔亚国家的海陆军,是布尔乔亚的公权力,用以压迫普罗列达里亚与农民的。

这种公权力,随着阶级对立的激化及国家对立的激化而愈益增大。恩格斯在1890年这样写着:"国家内部的阶级对立越是激化,互相毗连的国家越是增大,并且人口越是增加,公权力就越趋强大。例如就今日的欧洲来看,由于阶级斗争及征服战争,公权力已是非常庞大,甚至要吞灭全社会及国家。"

1890年以来,资本主义已发展为帝国主义,国家的公权力之武力的性质,越发增大,各国军备竞争愈益激烈,及到1914年最初的世界战争爆发以后,有许多国家确实地被那些强大的公权力吞灭掉了。20世纪20年代以后,直到现在,帝国主义列强无限制地扩张海陆空军,用空前的大规模实行武力比赛。预料最近要爆发的第二次世界大战,又必有许多资本主义社会与布尔乔亚国家,被那些庞大的公权力吞灭的。

公权力的本身,是随着社会经济的发展而发展的。同时,构成公权力的武力本身,也是随着社会的生产力的发展而发展的。例如,战术、战略、枪炮、飞机、军舰、军粮、军事组织等等,一切都依据于经济条件,随着经济条件的变化而变化。

掌握公权力的人的机关,是官吏。官吏享有特权,站在社会之上,与民众相隔绝。官吏的任务,在于行使公权力,实行阶级的支配。官吏的上层,与支配阶级有密切的联系。官吏的组织及机能,在布尔乔亚国家,特别强烈。官吏具有无上的权威,表示其神圣不可侵犯,并利用"特别法"强使人民尊敬他们。"文明国家中最低级的警吏,具有比氏族社会的一切机关的总合还要大的'权威'。但文明时代最有势力的王侯及最伟大的政治家或将军,也许要羡慕最微弱的氏族长所得到的自发的无可争的尊敬。"(恩格斯)

近代的国家,官吏的队伍越发增多。政府的各种机关的增加以及军队的无限制的扩张,使得官吏的数目也无限制地增加起来了。

有了公权力的机关,必须有维持公权力的物质手段。"为维持这个公权力,就有国民负担的必要——租税。"国家向人民征取租税的方法以及租税的种类、分量等,都受社会经济发展的特殊性所规定。近代国家的公权力机关特别庞大,财政上的支出也达到空前的巨额,单靠向人民征取租税是不够的。于是政府大举借款,并发行公债。而借款与公债的担负,仍是直接地或间接地转嫁于民众。在财政的收入与支出方面，官吏的中饱以及其对于人民的剥削等营私舞弊之事，又是一切国家的通病。

"在亚细亚的专制国家中，一切人民都是国家的奴隶。在经济上，国家的企业榨取私人的企业，征收大宗的贡物和租税。在法律上，个人的权利被蔑视，对于征收贡物与租税的行政机关的任何无理行为，都不能不俯首忍受。"就这一方面的现象说来，国家的本身，也是榨取的机关。

基于前面各段的说明，我们可以知道，国家是一个阶级支配其他阶级的机关，是一个阶级巩固其榨取形态的工具。从前的许多政治革命，只不过完成了当作榨取工具看的支配机关而已。至于过渡期的国家，性质完全不同。这是建筑在社会主义经济基础之上的国家。它虽然也是强有力的阶级统治的机关，却已不是榨取的工具，反而是绝灭榨取的工具，并且是消灭阶级一般的工具。

二、超越的国家观的批判

（一）布尔乔亚的超越的国家观之批判

科学的国家观，在其本质上，是阶级的国家观。反之，布尔乔亚的国家理论，在其本质上，是超阶级的国家观，即所谓超越的国家观。

布尔乔亚的最初的国家学说，是绝对主义的国家观。那刚从封建社会抬头起来的布尔乔亚，势力还很微弱，他们不能不仰仗于封建君主，使国家脱离教会而独立，使王权升高到教会权力以上，并把当时分立的封建诸侯的领土并合起来，建立一个统一的强有力的国家。这样的国家，比较中世纪的神权的国家，是能够适合于当时布尔乔亚的要求的。初期资本主义时代的政治思想家，如马凯维利，首先主张国家离教会而独立，并为当时君主筹划统一封建领土的统治的策略，这是绝对主义国家观的端绪。其次，宗教改革派的路得和加尔文，也提倡这样的政治学说，并且在事实上做了使国家脱离天主教的改革运动。再次，布丹主张"国家是由多数家族及其共通的所有物组成，而依最高权力和理性所支配的团体"。他主张君主国体是最好的国体，"臣民遵从君主的法则，君主遵从自然法则。这样，臣民的本来的自由与财产就得到保护"。这样的主张，正是反映16世纪法国布尔乔亚的要求，而期望法国那样世袭的国王变为保护其自由与财产的国王。浩布思说："国家是由一社会中各人相互间的契约而集结他们的意志为一体的一个人格,这个人格为了社会的秩序与和平得自由行使社会中一切的权力。"他所说的国家人格,即是旧学说中"绝对化、机械化的君主人格"。像这类主张绝对君主制的国家学说,把国家看作是全民的国家,是一个人格,而这人格的化身即是君主。法国国王路易十四所说的"朕即国家",实是绝对主义国家观的具体化。

随着资本主义的发展,布尔乔亚的势力日益增长,已经可以单独地执掌政权了。从此,绝对主义的国家渐趋崩溃,而代表革命的布尔乔亚的国家观出现了。这就是所谓德谟克拉西的国家观。这种国家观,以卢梭的《民约论》为代表。《民约论》的主旨,是从假定观念的社会契约出发,解决下述的问题。他说:"想要发见这样一种社会形式,'一方面得由社会全体的势力以保障全体人员的生命及财产,同时在另一方面,团体各人员一面与其他人们相结合,却仍服从于自己,并得如从前一样享有自由',这件事是个人和社会的关系上的根本问题,我所要论述的民约论,正是想解决这种难问题的。"所以《民约论》中所主张的国家的构成,是由人民互相同意缔结契约而来的。所谓国家权力,即是在人民的直接政治之中发见的普遍意志,因此他主张主权在于人民的主义,主张一切立法权力属于人民。"任何政府机关的制定,只是实行真正立法机关种种立法命令的途径。"这便是说,立法权属于全体人民,执行权由全体人民委托于政府。在他看来,只有这样的国家才是理想的国家,才能保障人民的生命、财产与自由。

卢梭的这种国家观,是所谓全民政治的学说,是完成了的所谓超越的国家论。在这种纯粹观念的构成的国家论之中,一切阶级的对立及斗争的本质都完全解消了。

布尔乔亚国家观的最高阶段,是黑格尔的国家观。黑格尔否认由孤立的个人缔结契约组成国家的社会契约说,另行建立了理想主义的国家观。他认定历史必须通过家族、市民社会及国家这三个顺次发展的阶段,而这三个阶段都是世界理性或伦理观念的显现。所以他的国家观,由单一家族出发。他认为这种单一家族,是伦理观念的最初的表现,这家族人员的意识,由爱的精神贯串着。单一家族发展起来,就发生分化,产出多数家族,于是由多数家族,形成社会。社会是家族的反对物,是伦理观念的较高级的表现的阶段。在市民社会中,各个人的意识,由利己心所支配,各人各自追求自己的幸福,因而各人的行动互相反拨。但各人的意欲及行为,由一般的意欲及行为所媒介,各人就变为一般的关系的连锁的一个肢体,因而由"我欲的集结"发生一般的规定(即社会规范)。所以市民社会,是社会的各种欲求的形态,是"万人对于万人的利害的战场"。这市民社会,虽是伦理观念的表现的较高阶段,却是道德形态的反对物。至于国家,却是另一种东西,是以一般的合理的意思为基础而建立的宪法组织,是一个结合;国家以个人的"我意、意见及任意表明的同意"为基础。然而国家的建设中,单只一般的意思还不充分,这个意思,其本身必须是合理的东西(即善良的东西)。所以,他把国家定义为"道德的全体、自由的实现"。因此,他认为国家的目的,在维持一般的利害(其实质是特别的利害),即认定把个人利害包括于其特殊性保护之下的所谓一般利害——国家利害。而这个目的,要靠结合自由与必然于其中的法律制度的实行,才能达到。这法律制度,是在全体上造成宪法的"发展了实现了的合理法"。只有这样的国家,才是最高的道德,是伦理观念表现的最高阶段。

黑格尔所论的国家,是哲学上的国家,不是理想上的现实国家。哲学上的国家是完成了的国家,历史上的国家,不是完成了的国家。所以他在所著的《法律哲学》之中,这样说:"国家是存在的,其基础是当作自己的意思实现了的理解之力,即是世界中的神的过程。在观念到国家时,不可浮现特别的国家,特别的制度,反而要观察这实际的神的本身。"这话的意思,是表明他所说的国家,是理想上的国家,不是历史上的国家,因为在历史上的国家中"国家的观念还被隐蔽着"。

黑格尔的国家观的要点,约如上述。他的国家观虽然是很神秘的东西,但是他所说的哲学上的国家,实际上只是暗射着当时德国布尔乔亚所要求的普鲁士立宪君主国(说明见第二篇第二章)。而阶级观念,却在所谓伦理观念及一般意思之中完全消解了。

以上各种国家观,是布尔乔亚国家理论之典型。现在的布尔乔亚政治学者们,虽然也有各种不同的流派,但就其国家学说的实际内容看来,不过就当时布尔乔亚的利害,加上新的注释,反刍了上述各种布尔乔亚的典型的国家观。譬如现代法西斯主义的国家观，即是黑格尔的国家观的新妆，即是一例。

关于布尔乔亚的国家观的总批判，大约可分为以下三点：第一，这些国家观，都是超阶级的，即是把国家看作是超出阶级之上的无偏无党的全民的国家。第二，这些国家观，根本上不能辨别国家与社会的差异，把国家看作社会，并与社会同是万古长存的东西（黑格尔虽然指明市民社会与国家的区别，却仍然没有分别社会与国家的界限）。第三，这些国家观，都以观念论为基础，完全站在布尔乔亚利害的立场，在主观的假想上说明国家的构成，并没有客观的科学的根据。

（二）关于科学的国家观的曲解之批判

布尔乔亚的超阶级的国家观，在社会民主主义者方面，发生很强烈的影响。社会民主主义者，对于国家问题的见解，完全堕入布尔乔亚的立场。布尔乔亚学者，固守着国家之超阶级的作用，力说国家是一般国民防卫的工具。社会民主主义者普列哈诺夫说明国家的原理时，却转到了这样的观点。他主张国家对内是阶级统治的工具，对外是一般国民防卫的工具。这就是说，国家对内是阶级的，对外是超阶级的。这种主张，变成了第二国际在帝国主义战争时主张普罗列达里亚为祖国而参战的理论根据。这种理论，完全曲解了科学的国家观。在科学的国家观说来，国家原是阶级统治的工具，国家权力原是特定阶级的权力，其在对外的防卫上，也是当作特定阶级的权力而发挥其作用的。特定阶级的国家在其对外的防卫上，或者保障自己的榨取的工具，或者与敌方的榨取者争夺榨取的领域。在所谓国际斗争上，国家所得的胜利，总是属于支配者的阶级，这是历史的通例。所以国家在对外的防卫上，也是阶级的。普列哈诺夫的上述的见解，与社会排外主义的见解相一致。

其次，社会民主主义者的布尔乔亚国家的利用论或议会主义，也明明是一种曲解。柏伦斯泰因、考茨基、古诺等，都属于这一派。柏伦斯泰因用伦理的社会主义代替科学的社会主义，主张普罗列达里亚应利用布尔乔亚国会谋社会的渐进的平和的改良，以实现社会主义。这完全是社会改良主义的主张。古诺说国家是"合理的有机体"，这已经是回到黑格尔的国家观。至于考茨基，也承认国家是国民的防卫的工具，支持了普罗列达里亚应为祖国的防卫而参加帝国主义战争的见解。考茨基并且否定"国家是阶级支配机关"的根本命题,反对普罗列达里亚的狄克推多,而主张社会主义应与布尔乔亚的民主主义相结合。他主张要实现社会主义,应利用布尔乔亚的国家机关,不能另创新的国家机关。所以当苏维埃的新国家建立之时,他曾做过猛烈的反对,说是不合乎民主主义(其实是布尔乔亚的民主主义)。这完全是机会主义的见解。

再次,布尔乔亚的超阶级的国家观,与无政府主义者的国家观,也有许多共通之点。无政府主义者,主张一切的国家权力(连社会主义国家也在其内),都是对于社会全体的强力装置。所以国家权力,是与社会全体相敌对的。国家是附着于国民的身体上的寄生虫,吸取国民的膏血。国家是政客官僚弄权的处所。官僚的安宁幸福,便成了国家活动的目的,国家是历史的偶然性,并不是社会发展过程中的必然的产物。所以民众应当毁坏这种官僚的组织,扫荡一切国家的施设,立即建立共同体的无国家的共同生活——以上是无政府主义者的国家观。无政府主义者的这种理论,完全是小布尔乔亚的性质。因为小布尔乔亚,在资本主义之下,反抗大资本及其政治组织,而其自身又微弱无力,不能组织独立的政治组织。所以,他们只能怀抱立即消灭国家的空想。历史唯物论也是主张破坏现成的旧国家机关的,但是和无政府主义不同的地方,是主张普罗列达里亚革命时必须利用国家机关,以铲除旧制度及反动势力,建设社会主义,充分发展生产力,以期由阶级的消灭而使国家走到自然死的途径。普罗列达里亚的国家权力之利用,"这是对于实践上的极重要的事项"。

上述无政府主义与布尔乔亚的超阶级的国家观,在布哈林的国家理论之中,也有不少的影响。布哈林虽然也承认国家是在阶级矛盾的非和解性的基础上生长起来的东西,可是他又主张这种非和解性是诱致社会的均势的破坏的东西。于是,在他看来,国家变成束紧一切斗争着的阶级的"甲壳",演着不许这些阶级再有分裂的作用的"甲壳"了。所以,他说国家是"均势的附加的条件"。布哈林这种把国家看作束紧阶级关系的甲壳的理论,显然地杂有无政府主义和布尔乔亚的超阶级的国家观的成分。这明明是曲解。

关于科学的国家观的另一种曲解,是托洛兹基的国家论。托洛兹基的国家论,简直是观念论的。他的国家论的本质,可归着于下面几句话。即,国家之发生与发展,并不是不可调和的阶级冲突的产物,而是对于比较强大的邻近国家的国民自卫的必要的结果。他主张国家本身是站在社会之上的自足的组织。这种超阶级的国家论,在他所著的《一九○五年》一书中,展开了出来。他也和普列哈诺夫一样,接受了地理史观的见解。他说明俄国专制政治的发达,除了地理环境的影响以外,还受了另一种外力——俄国与他国的外交关系——的影响。西欧的比较发达的社会关系与国家关系,"压迫了"俄罗斯的社会生活。他说,"在比较的贫弱的发达着的国际贸易之下,国家间的军事关系,演着规定的作用。欧洲的社会影响,首先是以军事技术为媒介而显现的"。在他看来,俄罗斯的国家,是在俄罗斯和欧洲先进诸国的斗争过程之中创成的。他还说,俄国为了自求富强,不能不兴办新式工业,而举办新式工业的资力,不但单向农民征集,并且还向支配阶级征集。即国家"以制定的特权阶级为牺牲而生活,因此使他穷困了。否则是不会迟迟发达的"。这样说来,国家是防止外国侵入的某种外在的阶级的国防力,是一样地榨取支配阶级与被支配阶级的东西了。所以他说:"国家是愈益急速地变为站在社会之上的自足的组织体。"他认为这样的国家观,不但适合于俄罗斯的国家,并且"这种见解,在某种程度上,也通用于其他一切欧洲的国家"。

托洛兹基的上述的国家观,也是超阶级的,是观念论的,是主观主义的,它与科学的国家观全无关系。

第二节　国家之起源及其发展

一、国家之起源

(一)无国家社会的氏族组织

国家是社会发展过程中必然的产物,是社会分裂为阶级以后的阶级冲突不可调和的结果。在阶级没有发生以前的人类社会,是无阶级的社会,即是无国家的社会。依据许多关于远古的人类社会之研究(如莫尔甘的《古代社会》,恩格斯的《家族、私有财产与国家之起源》,以及其他各种的著作),我们知道,无国家的社会存在了很长久的年月(假定人类社会存在了 50 万年,无国家社会就存在了 49 万余年)。我们在前面已把原始社会分别为前氏族社会与氏族社会,在前氏族社会的时代,人类过着漂泊无常的采集经济的生活,这时绝不能有处理共同事务的经常的组织。往后由于生产力的发展,逐渐地从采集经济移到生产经济,从漂泊生活移到定居生活,于是由于社会生活上的需要,逐渐地形成了处理生产上的共同事务的经常的组织。这种组织,就是氏族的组织。

按照氏族组织发达的顺序说来,最初为母系氏族,往后转变为父系氏族。氏族的构成人员,同出于一个血统(至少也必相信其同属于一个血统),建立一定的图腾,作为标志,表示他们的血统和其他氏族的血统有分别。氏族禁止族内通婚,主要的生产手段(如土地等),归全体所公有。氏族设有氏族会议与族长。氏族会议由壮年男女组成,族长由氏族会议选举。氏族内部一切生产上、宗教上以及公共安宁的保障上的共同事务,都由氏族会议与族长处理。

氏族与氏族间的联合,其初级是宗族(有的氏族组织缺乏这一级)。宗族由多数氏族构成,设置宗族会议及宗族长,处理所属氏族间的社会的及宗教的共同事务。宗族会议由氏族长或氏族代表组织,宗族长由宗族会议选举。

氏族组织的更高的一级,是种族。种族由多数宗族或直接由氏族组成。种族设种族会议及种族长,处理各宗族或各氏族的共同事务。种族会议由各氏族长组成,种族长由种族会议选举。种族有一定的土地,有共通的语言,有特殊的宗教仪式,有武装的自卫组织,担任攻守的军事行动,对于与其他种族的宣战媾和或其他经济的关系,都由种族会议规定,交由种族长执行。

氏族组织的最高一级,是种族联合。种族联合,由各个血统相接近的多数种族组合而成。种族联合,设置联合会议与多头执政,处理各种族间的共同事务。联合会议由所属种族中的各氏族长组成,选出执政。这样的种族联合,是氏族社会发展的最高的阶段,这已经具备民族的形式,历史上所记述的古代国家建立以前的民族,就是这种种族联合。

氏族制度,虽然很单纯而幼稚,却可算是一种可惊的组织。社会上没有阶级的分裂,没有贫富的区别,财产归家族共有,土地归氏族公有,男性与女性平等,老弱残废都归氏族赡养。在这里,只有武装的自治组织,没有军队、宪兵、警察、监狱、法庭等的强力装置;只有原始民主主义的公共会议和公选的酋长,并没有国王、贵族、官吏等统治者的集团。像这样的无国家的社会状态,是现代一切国民、一切民族在其发展上都已经历过的阶段。这种社会生活的痕迹,在现存的许多野蛮人的社会中都充分明了地残留着。

（二）氏族组织之崩溃与国家之发生

在氏族组织中，没有什么阶级或身份、权利和义务的区别。就它的机能说，对内是处理种族内部的事务，对外是保护种族的存在。后来由于畜牧、农业及家内手工业等生产部门的生产的增加，便发生了添加新劳动力的需要。而供给这种新劳动力的，便是战争，即是把在战争时所得的俘虏，充作奴隶使用。于是社会便开始分裂为主人与奴隶的阶级，即榨取者与被榨取者。随着时间的进行，家族中也起了革命的变化，即父权代替母权，父系氏族也代替母系氏族而出现了。

一切的文化民族，都经过了英雄时代的。这样的时代，即是"铁剑的时代"，"又是铁犁、铁釜的时代"。从这时以后，生产力更加往前发展，手工业从农业分化出来，而生产物的商品化，也就从这时开始，于是土地的公有制，开始崩溃，而土地开始变为私产了。于是除了自由人与奴隶的差别之外，又发生了贫富的差别。

社会状态的这种变化，使氏族组织发生了变化。各种族的联合，逐渐把个别的种族的领域融合于民族全领域。由于事实上的需要，军帅、民会、评议会等，便成为民族社会的机关。由于民族间的财富的区别，使得各民族间，发生了掠夺战争。掠夺战争，能提高最高军帅及部将等的权力。于是身份或地位的观念发生，最高军帅等的后任，向例虽由同一家族选出，但到父权制成立以后，就逐渐由选举制变为世袭制。所谓世袭贵族，就是在这种基础上成立的。于是各种氏族组织的机关的作用变更，从前处理种族自身的事务的组织，这时变为掠夺邻族的组织，从前发表公共意思的机关，这时变为压迫族内人民的机关了。这完全是社会中发生了私有财产上的区别，主人与奴隶的区别的结果。

社会进化到这个境地，就踏入了文明时代。文明由新的分业而成，这新的分业，即是商业。商业发达，货币出现。于是息借成立，土地所有权及抵押也都盛行起来。这种新的经济现象发生的必然的结果，使得财富迅速地集聚于少数人方面，而贫困集聚于多数人的方面。贫人负债而不能偿还，不能不沦为奴隶。于是奴隶的人数日益增加，而强制的奴隶劳动制度就成立了。

从此，氏族组织，开始走上崩溃的道路。因为氏族组织，以种族的人员团聚于同一地域而生活一事为前提。但这个前提,到这时已经消失了。由于经济上的变化,这时各氏族、各种族互相交错,自由人、奴隶和异族之人,互相杂处。个人与个人的社会关系,已经变化,氏族团体的人员,除了岁时腊社举行宗教祭祀以外,已经不能像从前那样集合起来,处理他们自己的共同事务了。他们的财产关系、职业状态,已经发生变化,社会的编制也随着起了变化。各个人发生了和从前相反的新需要与新利益,这新需要与新利益,是从前血统关系的氏族组织所不能满足的。贫富阶级的区别,扯断了血统关系的纽带;利害关系的冲突,削弱了亲属关系的情谊。于是,氏族组织的团结力,松懈下去;各个人的自谋私利的团结力,紧张起来。各个人的地位悬殊,利益的冲突日益加大,所以氏族组织,决不能拉拢他们,因为社会已经显然地分裂为自由人与奴隶、有产者与无产者互相对立的社会了。这种对立的倾向,不但不能融合,反而是逐渐扩大的。像这样的社会,要想继续维持其存在,只有两个途径:即,只有任凭这些阶级互相继续着公然的斗争;否则就要有第三权力超出于斗争的阶级之上,镇压这公然的斗争,把阶级斗争固定于经济的领域,即所谓合法的形态。在这两个途径中,社会自己必然要拣择一个走。于是氏族组织消灭,国家代之而生。

(三)国家发生的几个实例

国家的发生,并不像布尔乔亚学者所说的那样,是氏族组织的延长,也不是家族的扩大,也不是最高的社会。国家是在氏族组织崩溃之后重新发生的东西,是在氏族组织的废墟之上建立起来的东西。关于这方面的理论,是从现实的历史的事实抽离出来的,这里可以举出两个历史上的国家发生的实例来说明。(参看《家族、私有财产及国家之起源》)

第一个实例,是古希腊时代的雅典国家的发生。雅典在英雄时代,阿替喀四种族,由 12 宗族 360 氏族组织而成。四种族的联合,已具有小民族的形式,一切公共事务,都是由议会、民会及军帅处理,还存留着氏族制度的痕迹。往后由于财富的差别、阶级的分化,当时的氏族组织开始发生破绽,就发生了变革的必要。据口碑所传,提西欧做了阿替喀王之后,首先废止各种族的行政与议会及地方团体,把一切种族的行政事宜,都交与雅典议会处理,在雅典设置中央政府,并制定法律行使支配。同时,提西欧又依据职业的标准,把四种族的人员分为贵族、农民与工人三个阶级。于是旧日的氏族组织的精神已经大大地改变了。往后由于海洋贸易的发达，土地的买卖和抵押都流行起来；由于债务的关系，自由人也多有降为奴隶的。社会的编制大生变化，特权阶级，为了支配日益变化的经济关系，要求新的统治机关。这种新统治机关，就是国家。在梭伦时代以前，雅典人已把四种族划分为四十八区，这是以土地区分人民的国家的特征。往后，在公元前594年，梭伦的宪法改革，规定雅典议会议员，由各种族各选一百人组织，又按照财产的多少，把四种族的人员划为四个阶级。到公元前509年，克里斯特尼把古时氏族制度完全废除，划分阿替喀全境为一百个自治的地方行政区，每区设立行政机关，每区各选议员一百名，组织雅典议会，雅典国家的政府，就是由这个议会和一般民会组织而成的。这是雅典国家成立与氏族制度消灭的实例。

第二个实例，是罗马国家的发生。古代罗马民族，最初由三个种族结合而成，每一种族分为十个苛列（即宗族），每一苛列分为十个氏族。这种氏族组织，与古代阿替喀的相像，公共的事务，是由各氏族长组成的元老院及民会（即苛列会议）议决处理的。但当时罗马民族中已经产生一种种族或家族的贵族，氏族长或元老院议员，依照惯例，是由氏族内部的同一氏族选举出来的，所以特定的家族已经取得特别的权威，于是产生了所谓元老院的家族。这种家族人员，叫作贵族，垄断着做元老院议员的权利及其他一切职务。

后来，真正罗马人之外，又产生了被征服者及移住民的阶级。这个阶级，没有参与行政的权利。往后，罗马的势力，因为征服了拉丁人的地方和附近的区域，就逐渐扩大起来，那些被征服者和移住民，都变成罗马的人民，不过不归属于老罗马的种类或氏族，也不能享有特权。他们是自由人，可以私有土地，并负担纳税当兵的义务，只是不能做官，不能参加于苛列会议，也不能分受老罗马人征服得来的土地。他们原是不能享受公权的被支配阶级，即所谓平民阶级。平民阶级人数，逐渐增多，他们的教育和军事知识也逐渐进步，于是由于利害的关系，就和老罗马人的贵族斗争起来，因而平民阶级的权利，也逐渐伸张了。平民与贵族的斗争的结果，到了公元前570年，塞维斯王出来撤除贵族与平民的差别，废除旧日的氏族组织，另就服军役的全体人民，按照财产的多少，分为六个阶级，又依照各阶级服兵役的人数，编成百人队。同时，又废除旧日的苛列会议,另外创置百人队为人民会议,把有财产的各阶级的公民,均容纳在这个会议中。由此更进一步,罗马国家,又把旧日三种族的分割法完全破坏,另外裂为四个租税区域,各区都有政治的支配权,同时又成为军事上的募兵区域。到了这个阶段,罗马旧日氏族制度就完全消灭,重新创成了以土地的区划与财产的差别为基础的国家。这时的公权力,是服兵役的公民所组成的军队,不仅用以支配奴隶阶级,并用以支配免除纳税与当兵的义务的无产的人民。这是罗马国家成立与氏族制度消灭的实例。

二、奴隶制社会的国家与封建国家

(一)奴隶所有者的国家

历史上最初出现的阶级社会,是奴隶所有者与奴隶对立的社会,所以建筑在这种对立之上的历史上最初的国家,是奴隶所有者的国家。"奴隶所有者的国家,是奴隶所有者掌握着支配一切奴隶的权力与可能性的一种装置。"

在奴隶制的社会中,"奴隶是彻底的被剥削者",是"自己的劳动力也不能自有的完全的无所有者",甚至是"自己的身体也不能自有的完全的无所有者"。正因为"奴隶是完全的无所有者,是彻底的被剥削者",所以他们被主人看作是仅能说话的牲口,能够说话的工具,即看作是一个生产手段。例如古代希腊和罗马的社会中,这样的奴隶们,在操着完全的生杀予夺之权的主人们的鞭笞之下,被强制着从事于农业、手工业、商业及其他一切生产上的劳动,并且还为主人执行种种下贱的劳役。至于他们的生活,却仰着主人的恩赐,维持着动物一般的存在。可是在奴隶制的社会中,奴隶一阶级的人数,占居绝对的多数。就古代雅典的事实来说,"最盛时期的雅典的全部自由民,合计妇女与儿童,约有9万人,此外却有36万人的男女奴隶和4.5万人的无权被护民——外国人及被解放者。所以每一个成年的男市民,至少有18个奴隶和2个无权被护民"。这样多数的奴隶,大部分都是被强迫着做生产上的劳动的。再次,古代罗马,也是奴隶们占居绝对的多数。罗马的贵族以至平民,也和雅典自由民一样,强制奴隶做种种生产的劳动的。不过,罗马的奴隶,也有很多在贵族的邸宅服役,罗马贵族们常常利用战争,征夺邻近民族的领土,俘虏别地人民为奴隶,一方面使这些奴隶耕种掠夺得来的土地,又用奴隶在种种享乐的场所

（如演技场,浴场之类）服役。罗马统治者对外战争的目的,就在于俘虏敌人为奴隶,所以罗马人的文明,比较希腊更是直接的奴隶文明。奴隶阶级的人数,既然占居绝对的大多数,奴隶所有者阶级为要强制社会的绝对的大多数为自己阶级作组织的劳动,如果没有一定的常设的强力装置,那是绝对不可能的。这种最初的常设的强力装置,就是奴隶所有者的国家。就那个时代说,"社会和国家,比较现在,都是很小,在那里存在过的联络装置,和现在的比较,也是贫弱的。这是因为当时还没有像现在这样的交通手段。因此,山林河海在当时是很大的障碍物(现在却不算一回事)。所以国家的形成,是在偏狭的地理的境界中显现的。技术上贫弱的国家的装置,对于具有较狭的境界与有限的机能的国家,是够用的"。换句话说,奴隶所有者的国家的强力装置,和现在的比较起来,虽是很幼稚很贫弱的东西,但在强制奴隶做有组织的劳动这一点上,却是充分合用的。

奴隶所有者的"国家的形态,异常复杂。在奴隶制时代,当时最进步最文化的文明国的许多国家中,例如在古代的希腊与罗马(这两者完全建立在奴隶制度基础之上),我们已经看到种种的国家形态。当时已经发生了君主制与共和制,贵族主义与民主主义的差异。当作一个人的支配看的君主制,与不依据选举、不存有任何权力的共和制;当作比较很少的少数者的支配看的贵族主义,与当作人民支配看的民主主义(民主主义,由希腊语直译起来,是人民支配的意思)——这种差异,在奴隶制时代已经发生了。但是,虽然有这些差异,而奴隶制时代的国家,仍是奴隶所有者的国家;不论它是君主制,或是贵族主义,或是民主主义的共和制,都完全是相同的"。

我们就希腊和罗马的历史来看,固然也有君主国与民主国之间的斗争。例如,希腊时代,一方面有贵族主义国家的同盟,即伯罗奔尼撒同盟,以拥护贵族的主权为任务,其领袖是斯巴达。另一方面,有民主主义国家的同盟,以拥护民主主义为任务,其领袖是雅典。这两者之间,曾经演过多年的战争。但这种斗争,只是踏在奴隶身上的支配者集团中相互间的斗争。所谓民主主义,也是与奴隶阶级无缘的。"基本的事情,就是奴隶不当作人看待,不但是不当作市民看待,并且还不当作人看待。罗马法把奴隶当作物看待。不要说起保护人身的其他法律,就是关于杀人的法律,对于奴隶也不适用,那专是保护认为有完全权利的市民的奴隶所有者的东西,就是造出的君主制,那也是奴隶所有者的君主制。共和制虽然发生,那也是奴隶所有者的共和制。在那种共和制之中,奴隶所有者虽享受一切权利,而奴隶在法律上仍是物。因此,对于奴隶所施的一切暴行,固不消说,就是杀掉奴隶,也不算犯罪。"

"奴隶所有者的共和制,从其内部组织说,有贵族的共和制与民主主义的共和制。在贵族的共和制一方面,只少数特权者参与于选举;在民主主义与共和制一方面,一切人都参加。但这里所说的一切人,都只是一切奴隶所有者,是奴隶以外的一切人。我们必要从这种基本的状态着眼。因为,这种状态,使我们最深刻地理解国家的问题,明白地显示国家的本质。"

所以,"国家是一阶级压迫另一阶级的机关,是一阶级使其余被压迫阶级服从的机关。机关的形态,能有种种。即如,在奴隶所有者的国家,有贵族的共和制与民主主义的共和制。事实上,政府的形态虽极其复杂,而事物的本质却完全相同。即,奴隶没有什么权利,只成为被压迫阶级,不被当作人类看待"。

(二)封建国家

当奴隶制的经济构造崩溃,封建的经济构造起而代替之时,奴隶所有者的国家就转变封建领主的国家。封建国家,是封建领主阶级压迫农民阶级的机关。封建的农民,是半解放的奴隶。"在奴隶制度的社会中,奴隶们一般地完全没有权利,奴隶不被当作人类看待,但在封建社会中,农民一般地被束缚于土地。"农民之被束缚于土地之上,这是农奴制或隶属制的主要特征。领主把所属的农民束缚于土地之上,使农民们耕种土地,强制他们缴纳种种封建的地租。封建地租,是领主对于农民的赤裸裸的榨取形态,领主所以能够对农民实行这样的赤裸裸的榨取,是需要某种超经济的补助的强制。这种超经济的强制,就是农民对于领主的政治的=法律的服从。所以,"在封建制度之下,农民被夺去了自由,在某种形态上成为土地的附属品而被束缚于土地。地主或领主,是土地之法律上的所有者,因而在某种程度上,又是被束缚于土地上的农民之法律上的所有者"。

封建社会,在其最初的时代,农民占居大多数。至于"都市人口的发展,却是很贫弱的"。都市人口,原来也和农村人口一样,同是农奴的身份。往后因为从事于工商业,经济势力渐渐增高,才渐渐地用财力向领主赎取封建的农奴的义务,取得了种种的特许权,成为封建国家的市民(即现代布尔乔亚的前身),但他们仍然是被压迫的身份(即所谓第三身份)。

"领主为要维持其支配,维持权力,就必须有一个把庞大的人们总括于他的统御之下的,使他们服从于一定的法律和规则的装置。这一切法律,即是在农奴之上维持地主权力的东西。"所以封建领主们,利用自身独占的地位,造出了便于实行封建的榨取的国家权力,即封建国家。在封建国家中,"阶级支配的本质仍旧继续存在,因为社会依然是建筑在阶级对立之上的。领主享有完全的权利,农民完全没有权利"。封建国家的权力,和领主们所实行的直接的经济强制,是一致的。领主是土地所有者,同时又是政治上的权力者。

封建领主们之中,等级非常复杂。领主们等级的高下,与他们的土地所有的大小相适应。一般地说来,小领主服从于大领主,大领主服从于更大的领主(如中国封建时代的天子以及公侯伯子男卿等间的隶属关系之类)。各个大小的领主,所有着他的土地及附属于其土地上的人民(即中国人所说的"私土子民")。他设置一定的强力装置,如一定数目的家臣、武士、扈从、法庭、牢狱之类,对于领内的人民,完全操有生杀予夺之权。许多领主们共戴一个大领主为国王,国王设置一个中央集权的公权力的机关,形成为封建的国家的机构。国王是最大的领主,对于他所辖的各领主之间,有一定的支配与服从的关系。封建国家对于各个人民的支配与服从的关系,是间接的,不是直接的。国家对于各个人民所实行的统治,要通过领主所辖的机关才能实现。因为封建社会中的人们的生活,都分别地被封锁于封建的区域经济之中(在都市方面,被封锁于特许团体如同业公会之中),所以封建国家中的人民,不是当作个人而与国家相结合的,而是通过他所出生的经济地位而与国家相结合的,即是通过所隶属的领主的区域经济(在都市中是同业公会)而与国家相结合的。一个区域中的个人和另一区域中的个人,不能有自由的交通。个人是处在与其他社会的构成部分相分离的封锁的关系之中的。所以封建时代的人民经济生活的要素(如财产与劳动方法等),采取身份和特许团体的形式,被提高为国家生活的要素。这是封建国家的一个特殊性。

封建社会的最主要的特征,是农奴制或隶属制,因而建筑在封建社会之上的封建国家,常是封建领主的国家。基于各种特殊的封建关系,封建国家的形态也能有各种差异。"那种区别的特征,虽然不怎样显著,却也有君主制,也有民主制。"属于君主制的封建国家,是封建的中央集权的专制主义。属于共和制的封建国家,是由许多领主共同推戴一个强大的领主做国王,在一些特定的条件之下,组成一个国家,也可说是地方分权的封建国家。但无论有这样的差别,"而被看作支配者的人们,常只是封建领主。农奴是从一切政治的权利除外的"。

由于封建社会发展的特殊性上的差异,在历史上出现了变相的封建社会。变相的封建社会的诸特征,在第三篇之中已经说明过了。所以建筑在变相的封建社会之上的国家,和纯粹典型的封建国家,也有稍微不同的特征。例如所谓亚细亚的专制主义的封建国家,就属于这一种范畴。在亚细亚的封建国家中,国王是最大的土地所有者(即所谓"普天之下,莫非王土"之意),他集中了土地的统治权,人民向国王租种土地,缴纳种种封建的地租或租税。人民的经济生活,直接受国家所干涉(人民所有的财物,领主们可以任意征取)。这样的国家,是土地所有者独裁的国家。国王的权力最高无上,由他设官分职,派遣于国内各地,执掌着所谓"兵、刑、钱、谷"等任务,对人民实行统治与剥削。被统治被剥削的人民,仍旧是农奴的身份,完全没有权利。例如中国自秦汉以迄满清的国家,就属于这种变相的封建国家(我把周代的社会称为封建社会,把由秦迄清之间的社会称为变相的封建社会)。

农奴是半解放的奴隶,在农奴制之下,"农奴能够把自己的时间的一部分,用在自己的土地之上。即,那种土地,在某种程度上属于他们自身"。他们除了向领主缴纳各种地租以外,其余的时间,自己可利用来为自己生产,农业之暇还可以从事于手工业,发展自己的生产。所以,"在交换和商业关系的发展的可能性增大的场合,农奴制越发地崩溃下去,农奴解放的范围也越发地发展起来,封建社会,比较奴隶制社会,总是复杂些"。封建社会中,存有商工业发展的诸要素。由于商工业的发展,就必然地趋向于资本主义的途径,引起布尔乔亚的抬头,因而酝酿着布尔乔亚的革命。

封建社会中的阶级的对立与冲突,主要是在农民与地主之间显现的。当农民阶级受了地主阶级过度的压迫和剥削之时,必然地蜂踊起来实行大规模的暴动。所以历史上各种封建的国家中,农民暴动和农民战争,不时地勃发起来。但封建时代的农民们,由于封建的生产方法,都是四面八方分散地隔离着,所以农民的暴动,多带有地方的性质。一个地方的农民暴动发生,往往不能得到他地方的农民支持。正因各地方的农民缺乏了联络,支配阶级很容易地把这种地方性的农民暴动镇压下去。还有,农民在封建社会之下,不能创造出新的生产方法,所以农民的运动也不能有新的政治的目的。他们只希望能够取得土地耕种,他们的运动原是为了过度的封建的压迫和剥削而起的。他们只要能够得到土地,能够减轻各种封建的负担,就算达到了目的。所以,历史上各种封建国家的农民的运动,常常受地主阶级所利用。如中国历史上封建的新统治者代替旧统治者而起之时,多是利用这种农民运动而起的。封建时代末期的农民运动,又往往受布尔乔亚所利用,这是近代的普遍的现象。

第三节　近代国家

一、由绝对主义国家到近代国家的转变过程

(一)近代国家之先驱——绝对主义国家

历史上代替封建国家而起的国家形态,是近代国家。近代国家,是布尔乔亚国家,是资本主义社会的上层建筑。所以近代国家发生发展的过程,与资本主义发生发展的过程相适应,与布尔乔亚本身的发生发展相适应。所以,"布尔乔亚的发达的各阶段,也伴随了与它相适应的政治的进步"。

布尔乔亚的前身,是封建时代的都市的市民。他们最初还是农奴的身份,是无权利的身份,即所谓第三身份。后来,商品经济逐渐发展,他们的经济势力逐渐增大,就开始向封建领主要求政治的权力了。他们起初要求都市的自治,向领主买取自治权,自己组织武力,成为自治的组织,不过,他们还不能脱离领主而独立,他们还得担负纳税的义务。

随着商品＝货币经济的发展,有许多地方的都市(如 15 世纪意大利各都市)的商业布尔乔亚,就利用自己的势力,组成了商人共和国(如威尼斯与蒲劳伦斯两共和国)。他们自己选举代表,组织政府,统治其他一切贫穷的市民。

往后,进到工场手工业的时代,由于货币经济飞快地发展,商品市场急剧

地扩大,与资本原始的蓄积,封建的区域经济就迅速崩溃而过渡到国民经济了。随着由封建的区域经济过渡到国民经济,封建的地方分权政治也过渡到封建的中央集权政治。这封建的中央集权政治,是由封建国家到近代国家的过渡期的政治形态。

封建国家,原是僧侣与封建领主统治工商业者与农民的国家,但随着商品经济的发展,布尔乔亚就由被支配阶级中抬头起来,仗着经济的势力,变为王权的支柱,而与封建领主相对抗。于是集中的国家政权,随商业资本的膨胀而加强。因为初期布尔乔亚的利益,大受腐败的封建制度所损伤。第一,一国之中有许多封建领主,彼疆此界,封建的剥削重重,商业交通大感困难;第二,各城市的特许权之存在,妨碍商业资本的势力的自由出入。所以,初期布尔乔亚,为了免除国内封建的剥削和关税的障壁,为了打破特许城市的特权,为了保护国际贸易,为了掠夺殖民地并攫取边界商业的霸权,就只有拥护国王,统一国土,加强中央政权的力量,才能达到上述诸目的。这样由封建经济到资本主义经济过渡期的中央集权的国家政权,是依靠官僚机关和海陆军队而成立的,所以这时期的政权形式是君主专制的政权或绝对主义的政权。

绝对主义的政权,是王权勾结布尔乔亚以抑制封建领主的政权。王权之所以勾结布尔乔亚,是由于财政的政治的必要。因为巨额的财政的支出,是仰赖于赋税、商税、财政借款及其他国家收入,而这些收入,大部分都靠布尔乔亚去供给。还有王权要抑制封建领主的权势,也不能不维持新兴布尔乔亚,实行有利于商品经济发展的各种政策。

"绝对主义,即离开各支配阶级的国家权力之独立,国家权力不是直接阶级支配的工具,反而好像成为超越诸党派诸阶级的独立存在的国家形态——这只有在社会生活中具有权威的各个阶级互相均势,因而谁都无力夺取国家权力之时,才形成起来的。在这种情形之下,国家权力,能够使现存各阶级互相阻挠,并命令他们休战,停止政治斗争,使他们为自己服役。"

(二)绝对主义国家之历史的使命

绝对主义国家形态,以土地贵族与资产阶级的均势为其根本的存立条件,它本身是由一个封建的大地主——国王实行绝对的支配的。所以绝对主义国家,与封建国家有两个根本的差异:

第一个根本的差异点——布尔乔亚，一般在封建国家之下，是被支配的商人身份，即所谓第三身份，而服从于贵族政权的支配的；及到绝对主义政权之下，他们对于国家权力，才取得与贵族均势的地位。

第二个根本的差异点——就是国家机关之中央集权的统一性。封建制为其生产方法的特性所限制，所以本质上常是地方分权的；因而构成国家机关的本质的官吏和军队，也是地方分权的。至于绝对主义王政，却实现了中央集权的国家。

第一个差异点——贵族与布尔乔亚之政治的均势，建筑在双方的经济的均势之上。这种经济的均势，即是从前支配封建社会的贵族的生产力——小农的生产方法——之逐渐衰减，与布尔乔亚的生产力——最初的工场手工业的生产方法——之急剧成长。本来，贵族与布尔乔亚的对立，在布尔乔亚的高利贷资本与商业资本之蓄积过程中，早已准备了破坏封建经济的前提，往后随着工场手工业的发生，两个阶级的冲突，就不能采取一种政治的表现了。

如同中世纪末叶以来的英、法等国，国内对于封建领主的斗争，挂续了数百年之久。在这个斗争中，商业资产阶级支持国王，国王终于压服了封建领主，成立了中央集权的统一国家。于是与金力相对峙的封建国家，就由受金力所支配的国家来代替了。于是市民就得与贵族僧侣相并立，通过等级会议而参与王政了。资产阶级，由于绝对君主的保护政策，越发扩大了自己的经济的势力，而贵族对于国家权力也就逐渐失势了。但是资产阶级还没有发展到自行夺取国家权力的地步，所以绝对主义政权独自地发展起来，而达到完成的阶段。

第二个差异点——中央集权的国家机关之成立，在其基础上，也表示初期资本主义在经济上统一国内各地方的事实。

中央集权的执行权力，是在封建组织崩溃之后发生的。"土地所有者及都市之支配的特权，转化为国家权力的相当的许多属性；封建的贵人转化为食俸的官吏；相对抗的各种中世的绝对权的杂货账，转化为由一个国家权力所规制的略图。这种国家权力的工作，是工场式地被分工被集中的。"作一句话说，本来是孤立的地方分权的封建的一切东西，都被转化为一个大统一的执行权力而残存着。

但这个统一的执行权力之物质的基础,不在封建的农业之上,而是在资本主义的工商业之上。即是说,绝对主义国家,只有助长资本主义的发展,才能维持自己的权力。所以绝对主义国家之历史的使命,我们可以作如下的概括:

绝对主义国家之历史的使命,在于保育尚未发展到独立夺取政权地步的资产阶级,使发展到更高的阶段。在消极方面,绝对主义为维持强有力的国家机关,不能不助长资本主义的发展,因而就不能不在一定限度内扫除旧封建的障碍物。在积极的方面,为了同一的目的,就是利用强大的国家权力,厉行殖民政策、国债制度、近代的租税制度,以及保护制度等,在温室中助长由封建的生产方法到资本主义生产方法的转化过程。

于是绝对主义政权,不断地破坏自身的生存的条件,以至于不能不转化为它的反对物。

(三)发展了的布尔乔亚的利益与绝对主义国家之矛盾

新兴资产阶级,在绝对主义王政之下,成就了莫大的发展。因为在绝对主义王权的立场说来,"国家越是富强,统治者也越是富强"。国家最重要的任务,是图谋其臣民之物质的福利,这恰如养羊人为要剪取羊毛而图谋羊群的繁殖一样。所以绝对主义的国王,为要在充实国家财政的名义下自肥私囊,就施行了许多便利于工商业发展的政策和制度,而新兴资产阶级也因此增大了自己的利益。

国王图谋资产阶级利益的施设,就其主要点来说,第一是以武力为资产阶级后盾,尽量争夺海外殖民地,使资产阶级从殖民地掠夺了大宗的金银财物和奴隶。第二是实行奖励对于贸易和援助航海业发展的政策,使资产阶级取得许多国际贸易上的特殊利益。第三是实行独占制度和公债制度,使资产阶级从国王承受商品专卖权和供给政府借款权,因而得到不少的利益。第四是援助工场手工业的发展,使资产阶级得以免除行会制的限制而自由地榨取工人。第五是帮助资产阶级性的贵族,打破封建的土地关系,掠夺农民的土地。在这些新政策新制度之下,新兴资产阶级的经济势力,就不断地膨胀起来了。

然而绝对主义的王权,却沿着另一方向发展,而达到登峰造极的地位,遂至于和发展了的资产阶级相冲突了。绝对主义国家,原是半封建的国家。它虽然在相当的范围内扫除了妨害工商业发展的封建的障碍物,而它的本身仍然带有浓厚的封建的形式和内容。在国王之下,有庞大的中央和地方官僚机构与常备军。官僚机构中执掌大权的大臣,大都是封建残余的贵族及僧侣。王权越是绝对的,一切立法行政就完全操诸国王及贵族僧侣之手,而资产阶级的要求就可以完全不顾,因此,那有资产阶级参加的国会(如英国),和三级会议(如法国),也停止召集了。绝对主义发展到这种地步,资产阶级就完全被剥夺了参与政权的机会。

再就国王与贵族的经济的势力来说,国王本身原是最大的封建的所有者,其收入的主要源泉,是无数的王领的财产;国内多数的贵族及僧侣也由于封建的权利,私有其土地。国王和贵族及僧侣利用国家权力,不断地扩张其私人财富的源泉;所实行的独断的经济政策,是为了要增加国库与私库的收入。依这种倾向发展下去,国家就变为国王个人的财产了。所以路易十四在他的回忆录中这样写着:"国土以内的一切,皆为国王所有;国库的财产,皆为掌管国库的人所独占"。这种事实,当然不是发展了的资产阶级所能忍受的。

王权越是绝对的,资产阶级与王权的冲突也越是绝对的。发展了的资产阶级所以不能不起来反抗绝对王政,是因为封建的残余阻碍了资本主义的发展。这些封建的残余,都统括于绝对主义王权之中,发展了的资产阶级为要促使资本主义的自由发展,不能不廓清封建残余,推倒绝对王权,自己起来掌握政权。所以绝对主义政权,是未经发展到可以夺取政权地步的资产阶级所渴望其实现的。但现在资产阶级羽毛丰满了,他们已经有能力爬上统治阶级地位了,于是绝对主义国家也即于崩溃了。

二、近代国家构成的原理

近代布尔乔亚国家,是由绝对主义国家转变来的。这种转变,通过了布尔乔亚革命。

(一)布尔乔亚革命

布尔乔亚革命,与普罗列达里亚革命,具有不同的特征。在布尔乔亚革命一方面,经济的变革,先行于政治的变革(新阶级夺取政权)。换句话说,不单资本主义的要素已在封建的母胎中孕成,并且资本主义的经济构造也已经生长了。这资本主义的经济构造,在政治的变革实现以前,已经克服了封建的经济构造。那政治的变革,只是把资本主义生产关系所产出的经济的胜利,加以确实地保障,并使它更趋于完成。"这种政治的变革,以封建主义的残余为问题。政治,在这里,是与经济相适应地显现着"。至于普罗列达里亚革命,在政治的变革以前,并不存有社会主义的生产关系;这个革命虽然也必须有某种客观的经济的前提条件,但这种条件,只是产生社会主义生产关系的条件,却不就是社会主义生产关系。这一点,表现了普罗列达里亚革命与布尔乔亚革命的差别。

　　布尔乔亚革命,不是布尔乔亚一个阶级单独地实行的。参加这个革命的诸阶级,除了布尔乔亚以外,主要的是与布尔乔亚同时出生的普罗列达里亚,以及因旧制度解体而分化出来的农民(还有手工业者)。布尔乔亚的目的,是推翻封建残余,爬上统治阶级的地位,顺利地发展资本主义。普罗列达里亚和农民的目的,是脱离封建的农奴制,取得生产手段及生活条件,并得以参加于政权。这三个阶级企图革命的对象,都是封建制度,所以当布尔乔亚以革命相号召的时候,他们就自然而然地成立了革命的联合战线。于是布尔乔亚就在这联合战线中,利用自己的优势,僭取了领导者的地位,对封建的残余势力,作顽强的有效的阶级战争。

　　就上述革命的联合战线分析起来,其中革命性最坚强的是普罗列达里亚与农民,最退缩的是布尔乔亚,这是最近数百年间各种布尔乔亚革命之历史的事实。在布尔乔亚革命的一切革命势力之中,最动摇、最怯懦而又容易妥协的,是布尔乔亚。"甚至在典型的布尔乔亚革命——法国大革命——中,布尔乔亚最初就不曾采取决定的态度。反而是妥协的,并且不久就放弃了革命。甲可宾党员的小布尔乔亚独裁,反而更深入地把革命推进了"。至于勤劳大众,一开始就是很勇敢的,打破"巴士梯"监狱的是他们,在巴黎演巷战而热烈牺牲的也是他们。布尔乔亚不但不援助这种勇敢的革命势力,反而和封建势力相妥协,不惜出卖革命而毒杀革命民众了。其次,布尔乔亚革命的不彻底性,是不曾完全清算农奴制的生产关系。这是因为封建的土地关系已经逐渐地转变为资本主义的土地关系,所以布尔乔亚不愿对土地领有做革命的清算,预防农民侵犯他们的土地所有权。基于上述各种理由,布尔乔亚在革命的进行中,只注意于障碍资本主义生产方法发展的封建残余之铲除,只注意于把自己升为支配阶级的政权之夺取,至于普罗列达里亚与农民之政治的要求,他们是一概不能容纳,并且认为是敌视自己而断然利用权力去实行压迫的。所以布尔乔亚,在革命爆发的瞬间,就开始转变革命的方向了。

一切布尔乔亚革命的胜利,都归属于布尔乔亚。就法国大革命的经过来说,当1789年7月14日的革命爆发以后,布尔乔亚的国民会议,就准备好了新的社会原则,宣布《人权及公民的宣言》,实行改造国家制度;后来又制定宪法,依据所谓"自动的市民与受动的市民"的差别,实行以财产划分等级的选举制,建立了近代布尔乔亚国家的雏形。于是布尔乔亚自居于"自动的市民"之列,爬上了支配阶级的地位,他们的革命已经成功了。但是工农群众,仍旧得不到土地和生活条件,仍旧得不到政治权利,他们是完全被布尔乔亚所出卖了。工农群众革命的目的未能达到,他们不能不继续进行,所以演出了1792年的第二期革命。布尔乔亚与工农群众的革命联合战线,起了分化,布尔乔亚开始反革命了。布尔乔亚利用自己阶级的势力,勾结封建的势力,压服了革命的群众,再三地宣布了"私有财产神圣不可侵犯"的原则,赤裸裸表明了国家是布尔乔亚的国家了。于是从来布尔乔亚及其代辩者(启蒙学派)所梦想的理性的王国出现了。个人的支配欲与剥削欲,变成了布尔乔亚全体的原则和理论,变成了布尔乔亚国家的法律及制度;革命的观念充满了国民的精神,现实的货币充满了布尔乔亚的腰袋。

布尔乔亚的革命,可以借用下面几句话,作一概括。

"1648年与1789年的革命,不是英国与法国的革命,而是欧洲式的革命。它不是对于旧来政治制度的一定社会阶级的胜利,它是欧洲新社会的(即新生活关系的)政治制度的宣言。布尔乔亚在这些革命中,得到了胜利,而布尔乔亚的胜利,在当时是新社会制度的胜利,是布尔乔亚的所有对于封建的所有的胜利、国民主义对于地方主义的胜利、地主的土地支配对于土地的地主支配的胜利、启蒙对于迷信的胜利、家族对于家臣的胜利、产业对于英雄的愚行的胜利、布尔乔亚法律对于中世法律的胜利。"

(二)布尔乔亚的民主主义

近代国家,是根据所谓民主主义创立起来的。而民主主义的根本原则,即是所谓"自由"与"平等"。这"自由"与"平等"两原则,在近代国家宪法中当作人民的基本权利具体规定了的东西,就是所谓法律上的平等,与言论、著作、出版、集会、结社、信仰、身体、居住、迁徙等的自由,以及参与政治的各种权利之类。

布尔乔亚依据这些形式上的平等和自由的原则,实行社会的改造,"一切市民都立在平等的地位,废除了奴隶所有者与奴隶的从前的分裂,在法律面前,一切人都平等;不论个人有怎样的资本——或者有土地那种私有财产,或者除自己的筋力以外一无所有,全无关系,一切人在法律面前都平等。法律用同一方法保护一切人们,保护财产"。这就是说,法律对于无所有者保护财产所有者。这就是平等的形式中的内容。布尔乔亚根据这种意义上的平等,宣称资本主义社会已不是阶级的社会。实际上,布尔乔亚国家,只是撤废了从来的奴隶制社会与封建社会中的身份上的差别。在奴隶制与封建制的社会中,诸阶级的差别,固定于身份的差别之中,国家为这些阶级设定了特别的法律上的地位。所以这两种社会中的诸阶级,出现为各种特别的身份。奴隶所有者的国家与封建国家,所以把阶级的差别规定为法律上的身份的差别的理由,是由于实行超经济的剥削。但是进到资本主义社会,这种超经济的剥削已转变为经济的剥削,因而用法律设定身份的差别的必然性也消失了。于是阶级便不采取身份的差别了。"社会之阶级的差别——不论在奴隶社会、在封建社会、在布尔乔亚社会,都是共通的。不过在最初两种社会中,阶级——身份存在着;而在后一种社会中,无身份的诸阶级存在着。"所以法律面前的平等,决不能掩蔽布尔乔亚社会的阶级的差别。

其次,布尔乔亚国家所揭举的自由,原是布尔乔亚国家对封建制度斗争的标语。在布尔乔亚说来,自由即是废除封建制度的意思。布尔乔亚国家所提出的自由,比较过去人民在封建国家之下毫无自由,这确是一个大进步。但就实际上说,"自由这东西,是所有着某种东西的人们的自由"。这就是以私有财产为基础的自由,即是财产上的自由。布尔乔亚的"国家宣称:保障人们的完全的私有财产,对于这样的私有财产,给以一切的保护和助力。国家许可一切商人、一切工业家、一切工场主,都有这样的财产权。站在私有财产之上的,站在资本权力之上的,站在一切无所有的劳动者与勤劳的农民大众的剥削之上的这种社会,鼓吹以自由为基础的那种支配,实行对农奴制的斗争,宣言财产为自由,并夸称国家已不是阶级国家。但国家在表面上虽好像是自由,却仍然是帮助布尔乔亚压迫贫农与劳动者阶级的一个机关"。

所以布尔乔亚国家所揭举的自由和平等,是在私有财产的基础之上成立的东西。离开了私有财产,便没有自由和平等。因而所谓全体国民的自由,全体人民的平等,就变成布尔乔亚一阶级的自由和平等了。法国大革命当时的无所有者阶级,为了争取自由和平等,曾经支出了很多的牺牲的代价,而得到的结果却只是无裨于实际的好听的名辞,所以他们为了要争取实际的自由和平等,就不断地向前奋斗。可是当时他们的斗争,终于被布尔乔亚镇压下去了。布尔乔亚的国会,在所谓《人权及公民宣言》中,早已在自由和平等两个原则之下,添上了财产既得权之确认的原则。往后,1791年的宪法,规定了财产的等级的选举制。1793年3月,布尔乔亚国会,又议决了私产制神圣不可侵犯的议案,凡是企图颠覆私产制的人都处死刑。同年8月10日,国会又颁布新宪法,重新宣言私产制的神圣不可侵犯。这些事实,就是表明布尔乔亚国家对国民所约定的自由和平等,是以私有财产为基础。凡属侵犯财产的一切自由和平等,国家是用权力去禁止的。事实上,不但侵犯财产的自由与平等的行为要受国家压迫,并且主张这样的自由和平等的言论和著作,也要受国家压迫。

上述意义的自由和平等,是近代民主主义的根本原则,而近代国家就是根据这样的民主主义组织起来的。

三、近代国家机关的构造

(一)近代国家的国家机关与政府形态

布尔乔亚国家的政治原则,是所谓三权分立。这就是把国家权力的作用,分为立法、行政、司法三部门,立法权由议会行使,行政权由中央的及地方的行政机关行使,司法权由各级法庭行使,各机关各自独立,不相侵犯。但国家权力本身是统一的东西,所谓三权分立,只是一种拟制,事实上却是相反。

布尔乔亚国家权力的根本特征,是中央集权。但这所谓中央集权的本质,就是以行政权为中心而把立法权与司法权集中起来的东西。近代国家的权力的发达的历史事实,就表现这一过程。布尔乔亚首先掌握议会权力,再把权力的中心放在行政权之上,借以保障其支配的地位。

法国布尔乔亚革命以后所建立的国民议会,在与封建势力相斗争之时,固然是有力的武器,但要压服其他的诸阶级而确立自己的政治的支配,那还是不充分的。布尔乔亚在其多年的政治斗争的经验中,知道了要确立自己阶级的支配,就必须掌握中央集权的行政机关。所以布尔乔亚内部互相斗争的各派,总要抢夺这巨大的行政机关,才能取得胜利。所以一旦掌握了行政机关,就等于掌握了国家权力。"国民在议会之中,把自己的一般的意思提高为法律。但这件事,就是意指着国民把支配阶级的法律作为自己的一般的意思。国民在行政权力之前,抛弃其独自的意思,而屈服于外部权威的力量的命令。"这就是说,近代国家权力中的行政权,事实上优越于立法权。

所以布尔乔亚革命,首先破坏封建国家机关,完成议会的权力,达到目的之后,再完成行政权力。这是布尔乔亚国家权力由议会权力推移于行政权力的倾向。布尔乔亚国家机关的特征,就在于中央集权。布尔乔亚集中了人口,集中了生产手段,"其必然的结果,是政治上的中央集权。于是具有各不相同的利害、法律、政府、税制的独立的诸地方,差不多只是单纯地联合的诸地方,就被团结为具有一个政府、一个法典、一个全国的阶级利益、一个国境和一个税关的一个国民了"。这样集权的国家权力,拥有着"一切的机关——常备军、警察、官僚、僧侣、法官等,即依照一个有组织的阶层的分工的计划而造成的机关"。这些机关,是由现代社会内部的矛盾产生的东西,是布尔乔亚用以镇压别的阶级的强力。

近代"国家权力的集中化,是由资本的集中发生的历史的结果。资本的集中,推进劳动阶级的团结,和这一样,国家权力的集中,对于劳动阶级的政治力的结成,也有很大的效果"。

其次,再说到近代国家的政府形态。政府形态与国家形态不同。"政府形态,由统治的形式所区别。因而在同一布尔乔亚国家,能够有不同的政府形态。在布尔乔亚国家,有立宪君主国与民主共和国两种政府形态。但两者并不是本质上不同的东西,而只是同样的国家形态之下的两种统治形式。不过,民主共和国,是布尔乔亚国家最极限的政府形态。在民主共和国方面,布尔乔亚独裁最彻底地实行着,因而阶级对立也最深刻而鲜明。在这种政府形态之下,法律的政治的平等最强。但法律的政治的平等愈强,社会的不平等的事实也越是明白地为人所认识。在最彻底的民主共和国的美国,布尔乔亚的阶级独裁最是强烈,对于劳动阶级的压迫也最是残酷。"

在近代国家的历史中,"也有互相斗争的阶级均势的场合,国家权力装作站在阶级之外而超越于阶级的那种外观的场合。但在实质上,它却代表着某一个阶级。这是波那巴尔特主义"。欧洲 17 与 18 世纪的绝对君主国家,带有这样的性质。这种国家,是布尔乔亚与封建贵族均势的国家,是封建贵族已失其统治国民的能力而布尔乔亚还没有取得那种能力的场合的唯一政治形态。其次,拿破仑一世与二世的统治形态,俾士麦的统治形态,以及克伦斯基的政治,都是波那巴尔特主义的。这种统治形态,"是布尔乔亚已失其统治国民的能力而普罗列达里亚还没有取得那种能力的场合的唯一政治形态"。但这种政治形态只是暂时的,是有条件的。

(二)议会制与普通选举

近代布尔乔亚国家,在宪法之下,采取以议会为中心的政治形式,而站立在所谓反映国民的总意的拟制之上。布尔乔亚民主主义,宣称国民有主权,议会就是它的代表。实际上,议会是各阶级的领导者所组成的诸政党(最初是布尔乔亚内部的各党派,往后是布尔乔亚政党与普罗列达里亚政党)的斗争场所,是政治的阶级斗争的重要的战场。但是,布尔乔亚国家的主权,并不在议会方面,议会也不是代表国民的总意的机关。

如前面所述,布尔乔亚国家权力的重心,在布尔乔亚革命的过程中,已经由议会移到行政机关。"就那些以议会主义统治的任何一国家来看——从美国到瑞士——本来的'国家的政府的'工作都是在各部、内阁、参谋本部的衙门中实行的。议会只是饶舌的场所。"所以,行政机关的大官们,不管议会的议员们如何地唇枪舌战,议出了什么议案,而他们却是另一样的行使其统治的权力。

布尔乔亚国家权力的重心,虽然早已由立法机关移到了行政机关,而在近代国家的初期发展时代,布尔乔亚却是牢牢地把持着议会,对勤劳大众采取闭关主义。布尔乔亚厉行着以财产划分等级的选举制,大多数无财产的得不到选举的资格,不能踏入议会的门内。所以,一般勤劳大众,利用民主主义的原则,实行争取参政权的政治斗争。这样的政治斗争,一直经过了数十年之久,布尔乔亚总是千方百计地不肯放松,甚至演过大屠杀的暴举(如英国布尔乔亚在 19 世纪初期对于宪章运动的劳动者的大屠杀)。随着普罗列达里亚的势力成长,而布尔乔亚感受了威胁之时,布尔乔亚国家,才逐渐地把议会的大门对勤劳者开放。这还是最近几十年来的事情。所以布尔乔亚国家的普通选举制度,还是普罗列达里亚长期的艰苦斗争所得到的结果。

"民主主义的共和制及普通选举权,比较封建的秩序,是很大的进步。"在从前的奴隶制和封建的秩序之下,除了特权阶级以外,奴隶与农民绝对没有参加政治的权利,他们也不能组织代表自己利益的政党,也不能明白理解他们自己应向着什么目标去努力。他们只是直觉地举行暴动或内乱,而结果终于被支配阶级所玩弄、所压服。但在近代国家的秩序之下,普罗列达里亚多年奋斗的结果,得到了普通选举权。他们也有参与于布尔乔亚国家政权的机会,也能选派自己的代表到议会,宣布自己阶级的政见,与布尔乔亚代表相拮抗了。在他们还没有成熟到自己解放的程度以前,他们也曾认定现存社会秩序是唯一可能的东西,在政治上,是布尔乔亚的尾巴,是极左翼。但是议会主义,对于普罗列达里亚,在政治上启发他们、教育他们,直到他们成熟到自己解放的程度时,就知道组成独立的自己的政党,选出自己的代表,到议会中实行政治的斗争了。所以议会主义,能够成为普罗列达里亚自谋解放的政治斗争的工具。因而"普通选举权,是劳动阶级的成熟的测度器"。

"布尔乔亚共和国、议会、普通选举权——这一切,从社会之世界的发展的观点来说,是一个巨大的进步。人类已经到达于资本主义了。资本主义,由于都市文化的庇荫,使得被压抑的普罗列达里亚自觉,使得国际的劳动运动发生,使得在有意识地指导大众斗争的社会主义诸政党中团结的数百万劳动者发生。如果没有议会主义,没有普通选举权,劳动者阶级的这种发展,将是不可能的。"

普罗列达里亚解放的问题,不是可以靠投票去解决的,而是要靠一切形态的斗争去解决的。议会行动,就是斗争手段的一种。不过全部议会行动,都是无条件地隶属于劳动运动的一般利益。即是说,议会行动的目的,是在于通过选举战争及议会中诸政党间的斗争,启发大众,以期实现飞跃的变化。所以,处在议会制之下的普罗列达里亚,常是参加议会,从事于政治的斗争。而处在封建势力依然存在的秩序之下的普罗列达里亚,往往为取得民主主义的秩序而斗争。但议会行动,只是普罗列达里亚解放的一个手段,而不是目的,所以排斥议会行动的主张,固然犯了极左翼的幼稚病,就是以议会主义为目的的社会民主主义的主张,也是机会主义的。

议会制和普通选举制,在上述的意义上固然是巨大的进步,而国家之阶级的支配的本质,依然是不变的。布尔乔亚学者们,宣称实行议会制和普通选举制的国家已是自由的国家,已是代表一切人民的利益的国家(即全民的国家)了。这种话完全是布尔乔亚的自由的偏见或欺骗。实际上,布尔乔亚国家权力的重心,早已由议会移到了行政机关,议会的大开放只是形式上的所谓政治的平等,对于布尔乔亚的独裁,没有多大的影响。在资本制存在着的范围内,无论是怎样的民主主义的国家,仍是布尔乔亚支配普罗列达里亚的机关。

四、布尔乔亚国家的法西斯化

(一)布尔乔亚国家与法西斯主义

布尔乔亚国家,进到了帝国主义时代,发生了特征的变化,这就是它的法西斯化。我们已经知道,帝国主义是垂死的资本主义,是资本主义的最后阶段,是世界革命的前夜。在这个最后的阶段上,产业资本与银行资本相融合,形成为金融资本,引起了金融寡头政治的支配。金融资本家,不断地把信用授给国家机关,把自己的部下送到国家机关去,他们收买议员和大官,操纵一国的舆论,又所有着国家所必要的军事工业和交通工业。他们操纵着一国的政权,变成了一国的事实上的主人。所以这个时代的金融寡头政治的支配,越发是变成难堪的东西。帝国主义的国家权力,变成金融资本主义的寡头政治之集中化的力量的表现,变成这个寡头政治的独裁之表现。

布尔乔亚国家之转变为金融寡头政治的支配机关,从19世纪末叶起,已经明白地具体地表现了出来,可是到1914—1918年的第一次世界大战以后,这种倾向越发地向前演进,而表现为法西斯主义了。

第一次世界战争以后,世界的普罗列达里亚革命运动与被压迫民族的革命运动到处勃发起来,并且苏维埃俄罗斯建立了与资本主义相反的新体制。

于是整个世界,划分为社会主义战线与资本主义战线相对立的舞台了。资本主义的体制,在资本主义的一般的危机之下,就不能不为自己的活路而斗争。资本主义为了另寻活路,不能不适应于资本主义的一般危机,探求新的政治手段。资本主义为要克服危机的新政治手段,在国内政策的领域中,是法西斯主义,在对外政策(当作最集中的政治手段看的)的领域,是准备战争重分殖民地。

所以我们分析法西斯主义时,必须指出两个规定近代国家的法西斯化的客观的因素。

第一,世界革命,在金融资本的统治之下成熟了。帝国主义者想用战争解决帝国主义诸矛盾的尝试也失败了。战争的结果,引起了资本主义的一切的矛盾、对立及不均衡的异常激化,引起世界重要部分的领土的穷困化,引起资本一般的社会基础的崩颓。

大战以后的资本主义经济中,只显现了量的变化。急速的技术的发展,一方面引起劳动生产性的增大,他方面引起资本主义独占之急速的成长,因此使得资本主义的生产方法之经济的矛盾不断地激化了。这种量的变化,以急剧的速度而显现,战后资本主义虽然有过部分的稳定,可是不久这种稳定又迅速地消失了。由于资本主义独占的成长,就引起了资本主义社会的上层建筑之迅速的变化。社会的诸对立,随着生产力与生产关系的冲突,而大见发展,这是在劳动者、农民、小市民以及殖民地人民大众的空前的贫困之中,在垂死的帝国主义间的激化的竞争中,具体地表现出来的。于是资本主义经济之量的发展,由于经济的矛盾与社会的对立之相互作用,把资本主义社会的对立,提高到新的阶段。社会的对立,首先是阶级对立,是把经济之量的变化转变为质的变化之动力,是促进社会转变的杠杆。

帝国主义在战后期所经历的过程,是资本主义之一般的危机的过程。资本主义的这一般的危机,同时是资本主义的政治的上层建筑的危机的客观因素之一。所以为自己的生存而战争的资本主义,为自己的活路而拼命的布尔乔亚,企图把民主主义国家变成法西斯主义国家,并推行法西斯运动,对革命者阶级,组织防御的阵线。

第二,独占的发展,虽然在政治的上层建筑中直接地引起了变化,但这种变化,是由布尔乔亚内部的改组的过程发生的。独占的发展,在世界战争以后,愈益加强了金融资本的霸权。金融资本与国家机构,形成更紧密的融合,改变了布尔乔亚内部各集团间的从前的相互关系,变更了布尔乔亚国家之政治的外貌。这种紧密的融合,就是说:独占资本依据高度的集中性与经济的命令权,使国家机构直接地独占地隶属于自己,驱逐了未组织的资本集团对于国家机构的影响。独占的大布尔乔亚,由于增大的资本的独占,实行国家机构的独占,实行对国家机构的一切命令权的独占。所以金融资本与国家机构的紧密的融合,促进独占的大布尔乔亚的独裁,引起了资本主义的政治的上层建筑的移动。

独占资本与国家机构的融合,使国家的经济(即战时形成的国家资本主义)商业化,使私人资本主义经济政治化。因而国家的全部经济政策,比较以前得到更为统一的特征,而这种特征,是由金融资本的完全的霸权所授予的。在从前,布尔乔亚的未组织的大部分,常以国家为媒介,利用卡迭尔禁止法或托拉斯禁止法案,对金融资本的势力作有效的斗争,但到现在,国家对于独占的发展已经公认了。现在,国家所实行的资本集中政策、金融政策、租税政策、价格政策及一切对外政策,都完全由独占资本所厘定了。

独占资本与国家机构之紧密地融合,对于战后时代资本主义的独占的发展的一切形相,虽已成为共通的特征,但其根本的意义,就是说明阶级对立的激化与帝国主义竞争的激化。这种客观的因素,使得资本主义的政治的上层建筑发生重要的变化——法西斯化。在法西斯的统治之下,金融资本与国家机构的融合,提升到更高的阶段。

(二)法西斯主义形态的两个方面

法西斯主义,是在帝国主义的战后阶段陷入于一般危机的资本主义的政治的上层建筑。法西斯主义,是为对抗日益成长的普罗列达里亚革命而实行预防的组织,并为确保其统治的社会基础,想借以克服一般危机的资本主义的政治上层建筑之最近的形态。

法西斯主义的发展虽然是不均衡(由于资本主义发展的不均衡而起),但法西斯主义,却是在种种形态、种种速度上成长着的资本主义国家的一般现象。法西斯主义的发生,第一是受资本主义的一般危机所规定,第二是与金融资本及国家机构的融合相联系，并且与这个融合的内部的、经济的、社会的前提条件相联系。所以我们要更进一步，在下述两种形态上去认识法西斯主义。

第一种是压迫普罗列达里亚的法西斯状态。独占的布尔乔亚，由于独占着国家机构的一切支配地位，使布尔乔亚国家法西斯化了。国家的法西斯化过程，第一步用法西斯的统治形态去补足布尔乔亚民主主义的形态，第二步是树立法西斯的独裁。这种法西斯的独裁，完全是对普罗列达里亚实行的。独占的布尔乔亚，不但利用国家权力，并且利用法西斯的各种组织，企图破坏普罗列达里亚的团结。在法西斯主义国家中，劳动者的运动，是被认为不合法而要绝对加以摧毁的。另一方面，提出"阶级协力"的标语，使劳动者的组织隶属于法西斯的国家机构，宣称国家是代表劳动阶级的利益的。所以法西斯主义国家，一方面是金融资本与国家机构的融合的完成，是金融资本对于全社会经济生活之完全的支配；他方面，又是法西斯运动的指导的干部及党与国家机构的融合。

第二种是建立金融资本独裁的社会基础之法西斯的形态，这就是法西斯主义运动。金融资本独裁的社会基础，主要的是小布尔乔亚大众，以及劳动贵族和社会法西斯主义者。小布尔乔亚大众，在资本主义的一般危机之下，陷入于没落的命运。他们或者感受了某种假装反资本主义而其实拥护资本主义的恶宣传，或者迷信了社会的帝国主义的幻想，自以为借助于所谓"强力的、超阶级的公正的国家"，把自己阶级从没落的穷困化的状态中挽救出来。他们以为在这样的国家，金融资本的独裁能够保护他们，并且在阶级协力之下，经过他们的斡旋，可以促进帝国主义的繁荣，使他们取得特别的地位。小布尔乔亚这种意德沃罗基的迷妄及其反动的空想的幻想，在他们的阶级的急剧没落的情势之下，使得他们容易受独占的布尔乔亚所利用，而变为国家法西斯化的社会基础，变为法西斯国家的台柱。这便是法西斯主义运动的作用及其社会的意义。法西斯主义运动，虽然是由金融资本授予了特权的小布尔乔亚所直接指导的，但这些小布尔乔亚的指导者，在自己集团利益一点上，是与布尔乔亚密切地结合着，所以他们能够变成法西斯主义国家的台柱。

实际上，小布尔乔亚的法西斯主义运动，虽是为金融资本独裁确保其社会基础的一种形态，但小布尔乔亚大众与金融资本之间的对立，仍是深刻的矛盾。

此外,社会民主主义者的法西斯化,与金融资本独裁之法西斯形态的发展相适应,因为他们原是在布尔乔亚民主主义之下培养出来的,所以与布尔乔亚民主主义国家的法西斯化有密切的联系。他们代表着劳动贵族,想借助改良主义的劳动组合的机构,管理普罗列达里亚,实行所谓阶级协力的社会法西斯的方法,用民主主义的宣传或"左党的"权谋,分散普罗列达里亚,使与布尔乔亚的法西斯的方法相调和,与布尔乔亚相妥协。

社会法西斯主义之阶级的根据,是劳动贵族的官僚层。他们的目的,是要维持自己的特权的形态,所以他们不能不拥护资本主义。

(三)从民主主义到法西斯主义独裁

布尔乔亚民主主义,在其最古典的形态上,适合于产业资本时代布尔乔亚的利益,在其后的衰微形态上,却只适合于金融寡头的布尔乔亚上层的利益了。布尔乔亚民主主义,是在自由主义的布尔乔亚与封建制度、绝对君主制的斗争过程中发生出来的,所以它在历史上,最初是进步的。这时的布尔乔亚民主主义的议会,是布尔乔亚对封建阶级的战场,是布尔乔亚诸分派的利害对立的调解处。但是随着资本主义的发展,布尔乔亚民主主义,便逐渐丧失其进步的特征而转变为它的反对物了。当资本主义的帝国主义阶段,由于帝国主义战争转化为资本主义的一般危机时,而和这相适应的民主主义的危机也发生了。这不仅是民主主义的部分的危机,而是全部的穷极的危机,结局是资本主义一般的政治的危机。这种政治的上层建筑的危机,是在布尔乔亚国家的法西斯化的过程中显现的。这种特征的政治的上层建筑的危机,即布尔乔亚民主主义的危机,是在资本主义一般的危机的基础上生长起来的资本主义之政治的危机。

资本主义一般的危机,引起资本主义的政治上层建筑的新形态(即法西斯形态)。政治的上层建筑的新形态,主要的是资本主义一般的危机的产物,是金融资本的普遍增大的独占的榨取方法的产物,也是金融资本与国家机构的融合的产物。

对于经济的诸矛盾之纯政治的克服手段之优越,在资本主义的场合,是当世界战争时才开始得到决定的权威的。这种政治的优越,原来是意味着经济与政治的相互作用之促进的,如今是决定地扩张于经济的社会的诸矛盾的领域了。政治的克服手段之全面的优越,正是表示着矛盾的正当解决的方法之缺乏,表明着生产力与生产关系的冲突的激化,表明着资本主义的生产关系要专靠纯政治手段去维持。布尔乔亚要借助纯政治的方法,想在资本主义的倾向上去克服资本主义的一般的危机。

在资本主义一般的危机之下,布尔乔亚要想照从前那样用自由主义的压抑的方法去对付普罗列达里亚,已经是很不充分,如今不能不利用强力的及欺骗的政治的方法了。布尔乔亚民主主义的议会,现在已经成为金融资本掩护独裁的工具,成为其他布尔乔亚诸分派的交易所了。金融资本,利用议会的机构做掩护,实行其可能的布尔乔亚的改良,实行一些在表面上好像是让步的政策,并且利用种种收买的方法,在政治生活的表面上,把阶级对立的激化做种种歪曲的反映。那些改良政策,很能够感动小布尔乔亚上层及劳动贵族,使得他们接受金融资本的指导,而想在那些政策中寻求自身的出路。那些改良政策,并且还能够诱惑那些在改良主义者领导之下的许多勤劳大众,影响到他们的政治的行动。小布尔乔亚及劳动贵族的政党(在狭义上,社会民主党也是这样的政党),就根据大布尔乔亚的这种方针,依靠改良主义的方法,想在客观上完成其所谓克服阶级对立的激化的任务。在这种场合,小布尔乔亚的民主主义,对于大布尔乔亚实行议会主义的斗争,而大布尔乔亚,对于小布尔乔亚民主主义拥护者,为议会主义的外貌的斗争,保持自由主义的态度。对于普罗列达里亚的斗争,却利用收买的方法,代替改良的方法,而在表面上却装出改良方法的外貌。

所以布尔乔亚民主主义,在帝国主义阶段上,在提高了榨取的金融资本的独裁之下,是像上述那样起作用的。而保障金融资本的独裁的基础,是大布尔乔亚与小布尔乔亚特权阶级及少数劳动贵族之法西斯同盟。这种法西斯的同盟,是补充议会制度的不足的东西。因为布尔乔亚国家的政治生活的重心,早已移到了议会之外,决定的产业部门(制铁、电气及化学等产业)的大独占集团,以及和他们融合着的银行集团,由于他们与国家机构的融合,把国家行政权的全机构(财政、警察、军事、外交)集中在自己的手中,在议会之外直接地实现自己的目的。他们通过所谓经济会议,通过由他们所派充政府大员,通过一般的国家机构的各部门,实现他们自己的目的。他们为了达成这种目的,还有成为国家的一部分的大党阀与大组织的全机构。此外,还有他们与其他法西斯团体所组成的法西斯的同盟。大布尔乔亚借助这种议会以外的所谓"阶级的协力",实行其帝国主义的政策。这所谓阶级的协力的组织,就是所谓职业或身份之代表制的组织,所以法西斯主义者宣称他们的国家是"阶级协力"的新国家形态(如德国法西斯主义者所宣传的)。

总结起来说,法西斯主义是帝国主义阶段上的资本主义的政治的上层建筑,这是布尔乔亚统治普罗列达里亚的新的政治形态。法西斯主义,对内是用强力的欺骗的方法,压迫革命的普罗列达里亚,用改良的收买的方法,网罗小布尔乔亚及劳动贵族做金融资本独裁的台柱;对外是准备帝国主义战争,重新分割世界的殖民地,以求资本主义的出路。这是布尔乔亚想要在资本主义的立场克服资本主义的一般危机的政治的方法。可是法西斯主义,不但不能克服资本主义的一般危机,反而促进危机的成长,不但不能缓和经济的社会的诸矛盾,反而使这些矛盾更趋于激化。在法西斯统治之下的普罗列达里亚,不但不被压服,反而因他们的日益加甚的贫穷化,而再接再厉地为自身解放运动而迈进,为促进社会的飞跃而斗争。并且动摇不定的小布尔乔亚大众,由于大布尔乔亚的改良政策的诱惑与民主主义的幻想,虽然暂时地做着金融资本独裁的台柱,可是他们自身没落的命运,绝不能因法西斯主义运动而得救,直到他们从现实中觉醒过来时,就会转向到普罗列达里亚的领导之下。法西斯主义能够在事实上使小布尔乔亚不没落么? 金融资本为取得殖民地而爆发的战争,能够为资本主义求得出路么? 不是适得其反?

资本主义危机之资本主义的克服的途径,必然引导到资本主义之唯一的政治的活路——在国内政策的领域,向到法西斯主义,在对外政策的领域,向到帝国主义战争。这样的活路,无疑地正是资本主义本身的死路。

第四节 过渡期的国家

一、过渡期国家的本质——普罗列达里亚专政

(一)过渡期国家的特征

本节的研究,完全根据苏俄共产党人的著作作客观的说明,我自己并不夹

杂主观的见解。

所谓过渡期国家,是俄国社会革命以后所建立的苏维埃的国家。大家知道,苏俄的国家是普罗列达里亚专政的国家。如俄国共产党所说,"所谓普罗列达里亚革命的专政,是普罗列达里亚用强力获得以镇压布尔乔亚而不受任何法律拘束的权力"。

所以普罗列达里亚专政的概念,就是国家的概念。这种专政的意义,就是为镇压布尔乔亚的反抗而组织的不能同任何人分权的普罗列达里亚的政治的支配。

普罗列达里亚专政之主要的根本的标志,就是共产党的指导。如果没有党的指导,普罗列达里亚就不能解决自己负担的任何任务,并且普罗列达里亚专政本身,便不能保全,不能巩固。所以在普罗列达里亚专政时代,党扮演了普罗列达里亚国家的指导者的角色,它指导普罗列达里亚专政之下的大众组织的活动,去解决普罗列达里亚革命所负担的复杂的任务。

但是,党在普罗列达里亚专政的体制内所实现的指导,并不是党的专政。普罗列达里亚专政,绝不是党的专政;党的指导,是完全基于普罗列达里亚与其前卫之间的相互信赖,是通过普罗列达里亚专政下的大众组织的全体制的媒介而实现的。

根据上面的说明,我们知道,过渡期国家,是勤劳大众在它的指导之下去镇压布尔乔亚的反抗及建设社会主义经济的普罗列达里亚的统治。所以这个国家,要镇压旧榨取者的反抗。"但是,在这里,统治机关,已经是人口的多数者,而不是像在奴隶制、农奴制及资本主义制之下的少数者了。当人民的多数者自己去统治自己的压迫者时,为统治而组织的'特别力量',已经不必要了。在这种意义上,国家的消灭便开始了。多数者本身,直接管理国事,以代替握有特权的少数者的特殊制度。并且国家政权的机能之执行,愈变成全人民的事业,而这种权力的必要,就越发减少。"

所以,普罗列达里亚专政下的过渡期的国家,是最后的一种国家形态,在它的发展过程中,造出了消灭榨取、消灭阶级一般因而消灭自己本身的条件。因此,过渡期的国家,已经不是旧意义的国家,即不是当作阶级榨取的工具与少数者压迫多数者的手段的意义上的旧国家了,它是国家的新形态,是"由国家到无国家的过渡形态"。过渡期国家最深刻的本质,就在这里。在这种意义上,过渡期国家,又叫作"半国家"。

照这样看来,普罗列达里亚专政,实际上就是普罗列达里亚的民主主义。这是社会上勤劳的多数者的民主主义,是对于少数者的专政,是对于旧榨取者的专政。这是普罗列达里亚民主主义与布尔乔亚民主主义根本不同的地方,也就是过渡期国家的主要特征。

(二)苏维埃政权的民主性

在普罗列达里亚专政之下,立于大众之上而与大众分离的特别的统治机关,已经不必要了,国家的统治,由勤劳大众本身通过普罗列达里亚专政的体制而实现了。所以普罗列达里亚专政,本质上是与勤劳大众紧密结合的一种统治。普罗列达里亚政权的发展,就是吸引勤劳大众广泛地、完全地参加国家权力机能之执行的过程,就是勤劳大众多方面的再教育与政治的、经济的、文化的向上的过程。在普罗列达里亚专政之下,普罗列达里亚能指导"以前完全立于政治生活之外的"勤劳阶级去参加政治生活。在这种意义上的专政,就是保证勤劳大众集会出版及人格等自由的普罗列达里亚的民主主义。

但是,普罗列达里亚民主主义的自由或平等,如共产党所说,绝不是形式的=抽象的东西,实际上含有具体的阶级的内容。过渡期国家的阶级斗争,是为消灭阶级而实行的斗争,即为实现实际平等而实行的斗争。只要阶级与阶级斗争存在着,就不能有平等,要想实现真正的平等,就必须消灭阶级。在过渡期国家中,普罗列达里亚与农民,出现为异质的阶级,所以"在由资本主义到社会主义的过渡时代,两者之间,不能有平等"。这种阶级的区别,到现在还存在,只有随着阶级一般的消灭才被清算。1935年苏联宪法的改革,表示这种不平等已在消灭过程中,表示普罗列达里亚民主主义的一大进展。

近年来苏联社会主义建设之全面的大胜利,资本主义分子最后的肃清,以及小生产的农民之转变为社会主义的积极建设者,所有这些变动,就促成了1935年宪法的改革。

例如关于选举权与被选举权方面的改革,主要地可分为两点:第一是以前工人和农民在选举权和被选举权上的差别的消灭,即是实行工农平等选举制;第二是扩大选举权和被选举权到更广大的民众,即恢复了大部分过去被褫夺公权的异己分子的选举权。就这一点看来,足以表示普罗列达里亚民主主义的向前发展了。

普罗列达里亚专政,在它的发展的一定时期中,具有一定的特殊性,这种特殊性,要求在这专政的体制内,向着一定的一般的方向,去变更自己阵营的编制及种种组织的活动的形态和方法。

譬如在保证普罗列达里亚专政的直接斗争时期,即在内战时期,专政的强力方面的意义特别增大。因为"事态一涉及战争,一切事情必须从属于战争的利害,国内生活的各方面,都要从属于战争"。

所以,这时战斗上的任务,远过于建设的及教育的任务。因而一切普罗列达里亚的组织,是集中主力去保证战争上的胜利,是要求各种活动部门的军队式的敏速的行动、战斗上的命令之积极的执行、活动方法的军队化、民主主义方法的缩小及一定的组织的中央集权等。

(三)社会主义建设期的苏维埃政权

但是,到了社会主义的建设时期,这些组织形态和活动方法,已经不适当了。这时普罗列达里亚专政之最本质的方面,是经济建设,是为解决普罗列达里亚革命所提出的经济任务的斗争。不过在这个时期,专政之强力方面,仍然是必要的。

广泛的社会主义建设的实行,产出了加强普罗列达里亚的积极性组织性及训练性的新方法、对于都市及农村的布尔乔亚斗争的新形态、普罗列达里亚联合中农的新形态、对于官僚主义斗争的新形态以及联合资本主义世界的勤劳大众的新形态。勤劳大众之物质的文化的水准的向上、普罗列达里亚的强化及党的指导的强化,引起了大众组织之活动性的强化、普罗列达里亚民主主义的成长及社会主义建设事业上大众积极性的增大。

到了社会主义的改造时期,在普罗列达里亚面前,提出了新的任务、新的活动方法及新的生产活动的形态——社会主义的竞赛、突击队活动、经济计算等等。

在这个时期,广泛的勤劳农民大众,一步一步地由合作社的最低阶段进入较高的阶段,进入建设中的社会主义的体制之中。社会主义工业的强化、国营农场的增大、普罗列达里亚指导作用的增大、合作社社会性的发展、对于资本主义分子的活泼的斗争与攻击,所有这些事实,吸引着广泛的农民大众去参加农村社会主义之直接的建设。

普罗列达里亚专政、普罗列达里亚民主主义,是这样发展起来强大起来的。但是,普罗列达里亚专政愈强化,普罗列达里亚愈发展,将来——社会主义最后的胜利与完全的社会主义社会建设之后——的国家消灭的条件,也就越发准备好了。

二、普罗列达里亚专政的任务

(一)镇压布尔乔亚的反抗

依据苏俄共产党人的见解,普罗列达里亚专政的任务,大概可以归纳为下列三点。第一个任务,是镇压布尔乔亚的反抗。

如苏俄共产党所说,由资本主义社会到社会主义社会的推移,是被压迫阶级长期奋斗的历史过程,绝不是一刹那就可以突然实现的事情。首先需要普罗列达里亚国家,尤其需要普罗列达里亚专政,去镇压布尔乔亚的反抗,因为布尔乔亚即使在丧失政权之后,也绝不会和和平平地受着统治,所以普罗列达里亚专政的第一个历史的任务,就是要"击破布尔乔亚的反抗,恐吓反动家,用武装的民众权力,镇压布尔乔亚和敌人的阴谋"。

布尔乔亚虽然失去了政治上的支配权,而受人统治,但是,在过渡期中,他们并没有被完全消灭,所以仍然是基本的阶级,是普罗列达里亚的主要敌人。普罗列达里亚的胜利,同时加强了榨取者的抵抗,而且社会主义的建设愈成功,他们的抵抗也愈加猛烈。

旧榨取者,虽然失掉了自己的统治地位,但仍然具有许多实际的特权,如属于布尔乔亚的货币、"昨天榨取来的残余物"、绝大的组织经验、政治经验、布尔乔亚文明的力量以及布尔乔亚知识分子对于旧榨取者的拥护等等。旧知识分子,在普罗列达里亚为保证专政而斗争的时代,尤其在布尔乔亚企图再起的时代,常常拥护布尔乔亚,他们或者采取公开斗争的形式,或者实行怠工,或者参加阴谋和反革命的活动,以企图推翻普罗列达里亚专政。如 1930 年的"产业党"和"劳动农民党"事件、1934 年的基洛夫案以及最近西伯利亚铁路的间谍案等等,都是旧知识分子反革命的阴谋的表现。

在资本主义的潜势力之中最有重要意义的，是小生产者的习惯。因为"制度是可以一举破坏的，而习惯绝不是一举可以破坏的"。所以，要消灭布尔乔亚，必须要"消灭产生资本主义的小生产"。

布尔乔亚不但依据于内部的各种力量，而且有国际的结合，即依据于世界布尔乔亚的势力。如国际帝国主义的武力、布尔乔亚的报纸、教会的影响以及国际社会民主主义的煽动等等，都是反对普罗列达里亚专政国家的力量。

普罗列达里亚国家，在这种内外敌人的夹攻之中，一方面要利用国家政权，组织武装的抗敌机关，决定地无容赦地镇压布尔乔亚的抵抗；同时把握住各国普罗列达里亚与被压迫的勤劳大众，以争取社会主义的世界的胜利。

所以，过渡期是"垂死的资本主义与生长的社会主义之间"的斗争时期，是都市与农村的普罗列达里亚与布尔乔亚之间的不能调和的斗争时期。所以"普罗列达里亚专政，就是掌握政权的普罗列达里亚对于被打败而未消灭的不断抵抗的布尔乔亚的阶级斗争"。

（二）领导农民大众走上社会主义的道路

如俄国共产党所说，普罗列达里亚专政的第二个历史的任务，是领导非普罗列达里亚的农民大众建设社会主义。这一点对于农民占人口最多数的俄国更为重要。

"普罗列达里亚专政，是借助于国家政权的普罗列达里亚的阶级斗争。并且基于长期的经验和许多的实例，使非普罗列达里亚的勤劳大众知道拥护普罗列达里亚专政比拥护布尔乔亚专政，对于自己更为有利，知道没有第三条路可走，这件事就是这阶级斗争的任务之一。"

所以，普罗列达里亚专政不仅是镇压布尔乔亚的反抗的手段，而且是领导非普罗列达里亚的农民大众参加社会主义建设之工作的手段。但是，普罗列达里亚专政的这两个方向、两个任务，是不能严格区别而是互相依存的。假若普罗列达里亚对于布尔乔亚不实行断然的斗争和镇压，就不能吸引住多数的勤劳的被榨取者，牺牲榨取者以实现他们经济的必要，同他们去建设社会主义。他方面，假若普罗列达里亚不能和农民大众结成同盟，不能指导他们，就不能解决克服布尔乔亚的反抗的任务和积极地建设社会主义的任务。

但是，普罗列达里亚与农民联盟的形式和内容，并不是一成不变的。随着建设社会主义的斗争的种种发展阶段,而在普罗列达里亚与农民间的状态和相互关系上,引起重大的变化。并且因而在普罗列达里亚对于农民的领导方法上以及对于农民种种集团的态度上,也不能不发生变化。

在种种农民集团中,贫农和农村半普罗列达里亚的阶级地位,使他们和普罗列达里亚紧密地结合着,使他们转变为社会主义革命的普罗列达里亚之忠实的同盟者、农村的最巩固的支柱。中农,从他们的阶级地位看来,必然地动摇于布尔乔亚与普罗列达里亚之间,他们在过渡期中,是站在中间的地位。所以普罗列达里亚对于中农的指导方法和态度,就不能不有相当的变化。富农,是普罗列达里亚革命和专政的不可和解的敌人,所以普罗列达里亚必须坚决地和富农斗争,去肃清富农,才能取得社会主义最后的胜利。

在社会主义革命的最初期的时代,普罗列达里亚认为在对于布尔乔亚的斗争中,中农不是自己的同盟者,但是,决不许富农去支配中农,而使中农中立化。这就是说虽然中农不能积极地援助普罗列达里亚革命,至少要做到使他们不会妨碍革命的工作。

固然,在普罗列达里亚与中农这两个阶级之间,存在着矛盾,因此在某一点上存在着斗争,然而这是一种可以克服的矛盾。所以在新的条件之下,普罗列达里亚与中农的相互关系,就发生了变化。中农中立化的政策,在 1918 年以后被废弃,而于 1919 年提出了巩固中农同盟的口号。普罗列达里亚,在社会主义之成功的建设过程中,克服了存在于普罗列达里亚与中农之间的矛盾和分裂的可能性。普罗列达里亚对于都市和农村的布尔乔亚的斗争,就是为了领导广泛的农民大众参加社会主义建设事业的斗争。在这个斗争过程中,农民的基本大众,已经从破灭与落后的状态,转到物质的文化的水准向上的途径。普罗列达里亚将中农引导到建设中的社会主义的体制之内了。

随着农业集体化的成功,普罗列达里亚的党,对于农民的种种集团,提出新的口号——即在集体化的基础上肃清富农的口号与将集体农场场员转化为农村中普罗列达里亚之主要的最巩固的支柱。

普罗列达里亚,必须和农民的基本大众共同建设社会主义,指导他们的社会主义的改造,使他们转化为社会主义建设的最巩固的支柱。

（三）消灭榨取与阶级差别以建设社会主义

如俄国共产党所说,普罗列达里亚专政的第三个历史的任务,也是最基本的任务,就是经过专政来造成消灭阶级及消灭国家的一切必要的条件,以建设完全的社会主义社会。这个任务是要经过激烈的阶级斗争来完成的。

第一个五年计划成功后,苏联已经完成了社会主义经济基础的建设,进入社会主义时代,然而决不能说各阶级已被肃清,普罗列达里亚的阶级斗争已经停止了。在第二个五年计划成功后,"最后地清算资本主义要素与阶级一般、完全消灭生出阶级差别与榨取的一切原因"。

"要想完全地消灭阶级,就不仅要消灭榨取者——地主和资本家,不仅要废除榨取者的私有财产,而且必须废除对于生产手段的一切私有,消灭都市和农村的差别,消灭肉体劳动与精神劳动的人们之间的差别。这是一种需要长久岁月的事业。要想完成这种事业,必须促进生产力巨大的发展,克服小生产残余的抵抗,克服与小生产残余相结合的习惯及可怕的传统的力量。"

所以当苏联进入社会主义时代,当前的最重要的任务就是:第一,农民之社会主义的改造、富农的清算与都市和农村的差别之消灭;第二,普罗列达里亚的生产的＝技术的人才之养成及因此准备肉体劳动与精神劳动的对立之消灭;第三,普罗列达里亚的社会主义新规律之养成。

第二个五年计划实施以来,苏联当局努力斗争的结果,到现在建设社会主义的任务,已有相当的成就。据最近关于苏联新宪法的斯大林报告,第一,工业的发展,"已超过战前 7 倍有余","资本主义已完全由工业领域内驱逐净尽"。第二,"农业中之富农已肃清,使用落伍的中世纪技术的小农经营,仅占一无足轻重之地位",现在供给集体农场使用的曳引机已达 31.6 万架,共有570 万匹马力,连国营农场合计在内,共有曳引机 40 万架,马力达 5.8 亿匹。第三,"商业中的商人及投机者已完全扫除,全部贸易,现在已入于国家合作社及集体农场之手,新的苏维埃商业已经形成,并且发育为一无投机者与资本家的商业"。第四,在各民族之间,由于剥削阶级的废除、普罗列达里亚之掌握政权以及各苏维埃民族文化之高度发展,使苏联各民族间互相猜疑之情绪,业已消尽,而形成现在有组织真正平等的多数民族的社会主义国家。

这样,"工业领域中,资本阶层已不存在,农业领域中,富农阶层业经扫除,商业领域中,商人及投机者亦已绝迹。于是一切剥削阶级均已清算干净,仅普罗列达里亚、农民阶层与知识分子仍然存在"。

但是,普罗列达里亚,因生产工具之公有及剥削者的消灭,已成为"全新的工人阶级"。农民阶层,因地主高利贷者的消灭,已成为全新的农民、成为"人类历史上前所未有的农民了"。最后,知识分子,不再为地主资产阶级服役,而且80%—90%,都是勤劳大众的子弟,他们"与工农同心协力去建设新的无阶级的社会主义社会了"。

三、过渡期国家制度的特征

(一)苏联宪法的特征

如俄国共产党所说,苏联宪法,是推翻资本主义走入社会主义的标志,它具有不同于各资本主义国家宪法的特质。关于它的特质,可以概括为下列几个重要之点。

第一,普罗列达里亚专政。苏俄宪法规定:"俄罗斯社会主义苏维埃联邦共和国宪法,在此过渡期之主要目的,为完全废止资本制度与人类相互间之榨取及由阶级对立之结果所形成之国家制度,以达到社会主义的确立之故,特别加强工人及贫农之权力,创建普罗列达里亚专政的苏维埃政权形式。"这显然与布尔乔亚民主主义,即实际上的布尔乔亚专政,是完全相反的。

第二,私有制度的废除。在资本主义国家的宪法中,最重要的一条便是宣布任何人的私有财产权的神圣不可侵犯。而苏联宪法,首先就宣布"废除个人的私有权,一切土地、森林、矿产、银行、铁路、水道、农具模范农场以及工厂、制造所等,完全收为国有"。苏联的一切重要经济政策,其目的就在彻底铲除私有制度,借此以消灭一切的阶级差别而建立一完全无阶级的社会主义社会。

第三,选举制度的民主化。如前面所述,苏联的民主主义,是对于最大多数人的民主主义,关于这一点,在选举制度上明白地表现出来。苏联宪法规定:除劳工阶级的敌人,一概剥夺选举权外,"凡属下列俄罗斯社会主义苏维埃联邦共和国的公民,至选举日年满十八岁者,不分性别、宗教信仰、种族、民族、住址等等,均享有苏维埃的选举权和被选举权:(一)凡从事生产劳动或公益事业以谋生者,及担任家务以保证前者得以从事生产劳动者;(二)红军兵士和官长;(三)属于上述两类之公民而丧失劳动能力者"。

由此可见,苏联的选举,对于工农劳苦群众是毫无限制的选举,并且自1935年2月宪法改革以后,大部分过去被剥夺公民权的阶级异己分子的选举权,已经恢复了。

第四,外国人的权利。苏联宪法规定:"为促进万国劳动者的团结,对生活于俄国领土内的外国劳动者农民,给以与俄罗斯共和国公民相等的一切政治上的权利。"所以在苏俄境内的外国人,得享有选举权与被选举权。这种和资本主义国家宪法绝不相同的规定,更是代表苏联宪法的最大特色之一。

随着苏联社会主义建设事业的成功,以及经济政治社会各方面的生活情况的变动,不能不反映到苏联的宪法上,而赋予新的特点。据最近(1936年11月)第八届苏维埃联邦大会开幕时,关于制定苏联新宪法的斯大林报告,新宪法具有下列各种特点:第一,新宪法是总结已行之路,即总结已获之收获的记录与立法。第二,新宪法之主要基础,系由下列社会主义原则所构成,即土地、森林、工场、生产手段的社会公有,榨取及榨取阶级的废除,失业之废除等。第三,社会为两个友好阶级即工人与农民所组成,而宪法则在使勤劳大众所需要的有利于他们的社会秩序更加巩固。第四,新宪法的出发之前提,为一切国家民族均有同等之权利,即一切国家民族,不论其现在或以往之地位,不论强弱,在社会经济政治文化各种生活领域中,必须享有同等权利。第五,在新宪法的民主主义之下,决定每一公民在社会中之地位的,既非资产或种族,亦非性别或官位,而是个人的能力与劳动。最后,新宪法尚有一其他特点。即布尔乔亚国家的宪法,通常只将形式上的权利给予国民,而不顾及行使权利的条件或方法。新宪法不仅宣布国民权利平等,而更以法律保障之。所以新宪法中的民主主义,绝非"普遍的"与"常人所承认的"一般的民主主义,而是社会主义的民主主义。

(二)过渡期国家机构的特征

如俄国共产党所说,普罗列达里亚革命后,必须破坏布尔乔亚的旧国家与国家机关,而代之以新的能够完成普罗列达里亚的历史任务的国家机关,这样的国家机关,就是苏维埃。

苏维埃的第一个特点,就是立法与行政两种机能的统一。如上所述,布尔乔亚国家的政治原则,是所谓三权分立。但是布尔乔亚国家权力的重心,在布尔乔亚革命的过程中,已经由议会移到行政机关,而议会只变成一个饶舌的场所了。所以,无论议会的议员们如何唇枪舌战,议出了什么议题,而行政机关的人们,却是另一样行使其统治的权力。

苏维埃的政权机构,却完全不然。它不是"加于社会之上而与社会脱离的一种力量",而是真正代表劳动者社会全体利益而与社会相符合的权力机构。它和布尔乔亚国家的议会主要不同之点,即在于它是统一立法与行政两种机能的劳动者自治的大众的组织。它随时遇到问题,随时就提出讨论而予以决定,决定之后就立即执行。

苏维埃的第二个特点,是官僚主义的消灭。如上所述,布尔乔亚国家机构,是超乎社会之上而与社会脱离的少数人把持的压迫力量,所以在那种国家里,必然形成与民众脱离甚至与民众对立的官僚体系。而苏维埃是普罗列达里亚国家组织之最合目的的最完全的形态,它本身中具有克服官僚主义的一切前提条件和可能性。苏维埃的代表,是由人民直接选出,并且可以任意罢免,他们与大众紧密地结合着,代表大众真实的根本的利益,他们对于自己的行动,完全向自己的选举者负责。所有勤劳大众,都要参加管理国家的事业,基于自己的经验,变成立法者、执行者及武装自卫的国民。所以"苏维埃权力,是使大众急速学习管理国家及组织全国规模的生产的机关"。这样的普罗列达里亚民主主义的组织,彻底破坏了官僚主义的基础。

苏维埃的第三个特点,是废除常备军制而代之以全体人民的武装。在布尔乔亚国家中,常备军是统治阶级用以镇压被压迫大众的一种特殊的武装力量,也就是与整个劳动者社会相对抗的特殊力量。普罗列达里亚革命,必须要毁灭这种武装力量,而创设人民的武装组织,即工农红军。这是按照阶级原则而组成的,它是代表着普罗列达里亚的武装力量——即与勤劳大众紧密团结的力量、抵抗国际资本主义干涉的力量、镇压布尔乔亚反抗的力量及防卫社会主义建设的力量。

四、国家死灭的过程

(一)过渡期国家死灭的前提条件

前面已经说过,国家是一定发展阶段上的社会的产物,是阶级矛盾之不能调和的产物。换句话说,它是社会分裂为阶级以后才发生的。阶级分裂是国家成立的根本条件。所以它发生以后,绝不是万古不朽的金身,失了社会的根据,它就要死灭的。

"当经济发展到了某个阶段时,当经济的发展自然使社会分裂为阶级时,国家就因为这个分裂而成为必要了。现在,正在快步地走近一个生产发展的新阶段,在这个新阶段上,那种阶级不仅没有再存在的必要,而且成为生产的直接障碍了。阶级在将来之必归消灭,正和它在过去之发生一样是不可避免的事情。阶级一经消灭,国家也必然地随之而消亡了。在一切生产者自由平等地结合的基础之上来重新组织生产的时候,社会便要把整个的国家机关掷到最适宜于它的地方去——就是要把它抛到古物陈列馆中去,与那纺车、黄铜斧一类的古董一块陈列起来。"

"普罗列达里亚取得政权之后,首先就把生产工具收归国有。但是,因为这一个动作,它便消灭了普罗列达里亚本身,消灭了一切阶级的差别和阶级间的矛盾,同时连国家也消灭了。"

"等到国家真正变成社会的代表的时候,它本身就成为废物了。一旦社会上没有压迫阶级,一旦阶级的统治和由现代无政府的生产所造成的个人的生存竞争,以及由这种竞争所产生的冲突和极端的矛盾,完全消灭之时,从那时起便没有压迫,便不需要一种特殊的压迫力量——国家了。当国家真正代表全体社会的时候,它以社会的名义取得生产工具的所有权,便是它的第一个行动,同时也便是它本身最后的一个独立行动。国家权力对于社会关系的干涉,完全不需要了,而国家权力本身也将自行永眠了。这时,物品的管理机关和生产过程的指导机关,便代替了治人的政府,国家并不是被'废除',而是自行'死灭'的。"

这里要特别注意的一点,就是这个自己死灭的国家,是所谓过渡期的国家。

总之,国家的死灭,是一种历史发展的必然,但是要在下列几个前提具备时,它才能自趋于死灭。第一,社会主义劳动习惯的创造;第二,强制机关的废除;第三,世界革命胜利后海陆军的消灭。

(二)国家死灭过程的两个阶段

如上所述,普罗列达里亚专政的过渡期国家,在它的发展过程中,造出了自己本身消灭的条件。因为在过渡期国家中,生产机关的国有,既然实现,那么私有生产机关者与没有生产机关者的区别,也就要随之消灭,即阶级区别随之消灭。阶级区别既然消灭,无产阶级本身也就当然没有了。国家既然是阶级社会的产物,社会没有阶级,必然就没有国家了。不过国家并不是突然死灭,它是由渐变到飞跃,而趋于死灭的。

在社会主义低级形态的社会中,生产机关虽然国有,私有生产机关和没有生产机关的阶级区别虽然消灭,但在分配上却只能实行"各尽所能,各取所值"的原则。在这种"不作工不得食"和"等量劳动获得等量生产品"的原则之下,仍然存在着许多不平等的事情。并且当这个新社会刚从资本主义社会脱化出来之后,事实上绝不能脱尽旧社会的熏习,人们也绝不会知道去为社会劳动而不需要任何法规的督责。所以在这个阶段中,一种国家的形式,还是必需的,但是它已经在转变的途中了。

在社会主义高级形态的社会中,人们经过了过渡期国家的长期训练之后,已经惯于遵守社会秩序,即社会生活的基本原则,同时他们的生产力又发展甚大,而劳动本身变成了第一个生活要求,于是,这时便可以实行"各尽所能,各取所需"的原则了。

因此,在社会主义低级阶段,国家的形式,还是必要的,不过这个国家的形式,不是官僚的政府,由特殊武装队伍来执行国家的政权,而是民众的政府,由民众自己的武装来执行国家权力的。到了社会主义的高级阶段,便实现了"各尽所能,各取所需"的原则,就完全没有何等强制权力的必要,没有任何形式的国家权力之必要,这时国家就变成了物品的管理机关和生产过程的指导机关了。

第 五 篇

社会的意识形态

第十一章　意识形态的一般概念

第一节　当作上部构造看的意识形态

一、意识形态的形成

（一）个人意识与社会意识

"人类在其生活之社会的生产上，加入于一定的、必然的、离其意志而独立的诸关系，即适应于物质生产力的一定发展阶段的生产诸关系。这些生产关系的总体，形成社会之经济的构造，是法律的政治的上部构造在它上面树立与一定社会的意识形态和它相适应的现实基础。"这就是说，人们在社会之中，必须向自然界作能动的斗争，才能取得生活资料，以维持自身的生存。而在对自然作能动的斗争之时，人们相互间必须结成种种关系，才能取得生活资料。而社会意识，就是这些相互关系即社会关系的产物。所以，社会意识，并不是由于各自独立的有意识的个人开始了独立的意识作用才发生的，而是由于人们在其物质的生产过程中结成了经常的社会关系才发生的。人与人的关系，只在人类社会中才有可能；这种关系，是把人们的意识当作他们的社会意识产生的。

社会意识，没有任何独立的形而上学的本体，它只存在于各个人的头脑之中，并不是存在于集合心理的特殊领域的东西。然而社会意识也不是个人意识之简单的集合。一方面，社会意识通过个人意识而存在；他方面，个人意识常常只有当作社会意识才能显现。各人的感情和表象，虽然带着个人的色彩，具有个人的力量，但他们所感觉所意识的事实本身，却常常是社会的，只是在社会上才有可能。所以，"人类的本质，不是各个人所固有的抽象物。实际上，人类的本质，是社会关系的总体"。

然则社会意识与个人意识,是不是同一现象呢? 这两个是同一又不是同一。个人意识的内容,常常是社会的,在这种意义上,两者的概念是同一的。但社会意识是非常复杂非常多样的。首先它可以分化为各种社会阶级的观念、表象和情绪。"在不同的发展阶段,在不同的国民阶层里,即使有一种同样的知觉,也可以引起完全不同的思想过程。"其次,即使是同一阶级的代表,在一个阶级意识的界限内,对于现实的某一方面,也可以有种种不同的体验或知觉。譬如在法国大革命时代,政治家罗伯斯比尔与艺术家达渥特,虽是生活在同一时代,都是布尔乔亚阶级利害的表现者,但是他们的表象或感情,却各有其独特的方向,而互不相同。这就是普遍与个别的关联、社会意识与个人意识的相互关系之辩证法的理解。

(二)社会心理与社会意识

我们通常所说社会意识或意识形态,是具有特殊的形态的东西。而普列哈诺夫却以为意识形态是以一定的"社会心理"作基础而形成的。在他看来,社会心理不外是支配着当时代的人们的情绪或表象,在这种情绪和表象之上,就形成了特定的意识形态。普列哈诺夫首先是把社会心理的概念相当地生物学化了,并且是自然主义地去思维;第二,他非辩证法地理解心理与意识形态的交互关系。因此,在两者之间,划定深的隔关,而不能理解两者的相互推移和发展。

布哈林认为由社会心理到意识形态的推移,纯粹是机械的、量的推移。他说:"社会心理,是某种社会、阶级、职业等集团所有的无系统的或系统不完全的感情、思想或情绪。""社会心理,是意识形态的泉源。我们可以把社会心理比作一杯盐水,而意识形态就是这杯盐水的结晶。""意识形态的特点,在于它的要素即思想、感情、感觉和影像等等,具有比较充分的系统性。……意识形态就拿那些无系统或系统不完全的东西来系统化。意识形态,是社会心理的结晶体。"于是两者的差异,就在于系统化的程度如何了。

布哈林的构想,把一切问题都机械地单纯化,即把意识形态转化为有组织的社会心理的结晶体。而不理解社会心理与意识形态的统一,即理念在意识形态的各种领域中之支配的指导的作用。

根据上述的理论,布哈林以为普罗列达里亚在斗争的初期,只有"社会心理"，后来才达到"意识形态"的水准。这是错误的。实际上，当普罗列达里亚在经济的和政治的奋斗中尚未明确认知自己的阶级观念时，他们漠然的希望和感情以及对于现存压迫的反抗，已经孕育着新意识形态的萌芽。在普罗列达里亚运动的自然成长性之中，包含着意识性的形态。

在普罗列达里亚作成自己独特的意识形态即世界观以前，首先存在着一定的心理状态，即存在着普罗列达里亚意识形态的低级发展阶段。然而这种普罗列达里亚的心理，并不是不具任何形态的心理，只不过这个阶段的普罗列达里亚的阶级意识是矛盾的，易受布尔乔亚意识形态的影响而已。所以，在普罗列达里亚由"自在阶级"转化为"自为阶级"的过程中，必然充满了支配的布尔乔亚意识形态与新生的普罗列达里亚意识形态之内在的矛盾。

总之，所谓意识形态，是社会意识的形式，形式与内容有着辩证法的相互关联，即不具形式的任何社会心理是没有的；同样，没有内容的社会心理的形式即意识形态也是不存在的。换句话说，社会心理，不是像布哈林所说，当作一种混沌的不具形式的"心理状态"而与其结晶体或"系统化"的意识形态并立存在的东西。形式对于内容并不是外在的东西，也不是当作结晶体而从内容榨取出来的，它组成内容本身之内在的构造，而与内容是不能分离的。

二、社会意识与社会的存在

（一）社会的存在离社会意识而独立

"社会的存在规定社会意识"，这是历史唯物论的根本论纲。这句话的意思，就是说：人类生活在社会之中，第一件重要的事情，是取得物质的生活资料来维持自身的存在。所以人们在从事政治生活及其他各种精神生活之前，必须先满足衣食住等项的需要。这些生活资料的生产，以及一个时代的经济发展的阶段，就形成了社会的基础。其他国家机关、法律见解、艺术及宗教表象等，都是在这个基础之上发展起来的上层建筑。这些上层建筑物，都是要受那个基础所规定、所说明。即是"物质生活的生产方法，规定政治的、社会的及精神的一般生活过程。不是人类的意识规定他们的存在，反之，他们社会的存在规定他们的意识。……随着经济基础的变动，而庞大的上层建筑全体，也或慢或急地发生变革"。

现在为了便于了解起见,对于以上这个根本论纲,在下面加以比较详细的说明,以探求社会意识与社会的存在之相互关联。

当我们说明这个根本论纲时,首先要说明离社会意识独立的社会的存在。

人本是一个意识体,社会本是由意识体的个人结合而成的,在这一点上,表示了社会的发达史与自然的发达史不同的所在。"在自然界一方面,若把人类对于自然界的反作用撇开不说,凡是互相发生作用的东西,总是无意识的纯盲目的原因,在这些原因的交互作用之中,显现着一般的法则。在自然界里发生出来的一切事变之中,无论是出现于表面上的无数外观的偶然事情,无论是证明那种偶然事情的内在的法则性之终极结果,总没有成为一个被意想到的意识的目的显现出来的。反之,在社会的历史中,行动者都是具有意识的人类,他用反省或热情去行动,并向着一定目的去活动。凡是未经意识到的意图和未经意想到的目标的事情,总是没有的。不过,像这样的差别,对于历史的研究,尤其对于各个时代和事变之历史的研究,虽是重要的东西,但历史过程为内在的一般法则所支配的一件事实,却一点也不生变化。因为这种情形,常违反各个人在意识上所想到的目标,而在表面上,大致是由偶然支配着。人们所意想到的东西,很少实现,在大多数的情形,如不是意想到的多数目的互相交错和反拨,便是那些目的本来就不能实现,或者实现的手段不充分。照这样,社会领域中无数的个人意志和个人行为的冲突,便显出一个和支配无意识的自然界的状态完全类似的状态。行为的目的虽是曾经意想到的东西,而那种行为在实际上发生的结果,却是未经意想到的东西,或者起初好像与意料的目的一致,而结局却与意料的结果完全不同。照这样,历史上的事变,大体上好像常由偶然支配着。然而就是在表面上起作用的时候,而这种偶然仍受它内部隐藏着的法则所支配。所以归结起来,仍在于发见这个法则。"

例如现代的社会中,人们在生产上和交换上的一切活动,都是有意识的。假定这里有一个纺纱业的企业家,为了要收得比其他同业者更多的利益起见,他就首先采用最新发明的纺纱机器。在这种时候,他早就意识到来用这种新机器时,可以提高劳动的生产力,可以节省棉纱的生产费,可以引起纺纱技术上的变化,可以收到经济上的特殊的利益。可是他一经采用这种新机器之后,就立即刺激别的同业者也同样地采用这种新机器。于是纱价低落下来,就引起了产业上的大变化。于是,小企业的崩溃、资本的集中、资本的有机构成的变化、劳动者的失业、工资的低落、利润率的降低——这一系列的事变,就陆续实现出来,构成了"事变的一种客观的必然的连锁"。因此,企业家与企业家、企业家与劳动者之间的诸关系,即人人相互结合的社会关系——社会的存在,就逐渐地必然地通过一切的交错和反拨而发生变化。这些变化,可说是最初利用新机器的人们所不曾意识到的,而且也不能意识到。这便是说,社会的存在是离开社会意识而独立存在的。人们在社会中虽然有意识地作种种生产的事实,而这些事实,却成立了事变的一个客观的必然的连锁,一个发展的连锁,因而隐藏着一定的社会的法则。

（二）社会意识依存于社会的存在

所谓社会意识依存于社会的存在,就是说社会的存在是根本的东西,社会意识是派生的东西。因为意识是存在的反映,没有存在就没有意识;同样,社会意识是社会存在的反映,没有社会的存在,就没有社会意识。

人们在社会之中,必须从事社会的劳动,在这种社会劳动的基础之上,言语才发达起来。由于言语的发达,人们才能作概念的思维和抽象的思维,即人们才具有抽象思维的能力、诸概念构成的能力,因而才能认识事物之间的相互关联。这就是说人们因社会劳动所结成的经常的社会关系,产出了言语和意识的那种在社会生活上不可缺乏的属性。言语和意识,同是很古的。"言语是对于别的人们而存在的实践的东西。""言语和意识相等,都是由于与他人相交际的欲求而发生的。""我对于我的环境的关系,是我的意识。在某种关系存在的地方,这关系是为我而存在的。动物不与别物发生关系。在动物一方面,它与周围的东西的关系,是不当作关系而存在的。"从周围的环境分出自己的这种能力,也就是"意识的人们"与"本能的人们"即野蛮人之间的根本差异。

所以,意识是在人类社会实践的劳动活动的过程中发生的。由本能到社会意识的那种人类心理的发达,与由动物的本能的形态到社会生产的那种劳动的发达是相适应的。

"观念的、表象的、意识的生产,首先直接织入于人们的物质活动与物质交通之中。人们的表象、思维和精神的交通,在这里当作他们物质的实践之直接的流出而显现"。这就是社会意识与社会存在的统一。

由此可知社会存在实是根本的东西,而社会意识是反映社会存在的东西,是从社会存在派生出来的东西。即所谓"观念的东西,不过是被移植被翻译于人类头脑之中的物质"。

现在,我们可以就科学举例,以证明社会意识对于社会存在的依存性。譬如天文学的发生,是由于旅行时需要判别方向,农事耕作上需要确定时日,以及精确地划分时间等。物理学直接与物质生产技术和军事技术有联系。化学的发生,是由于工业生产,特别是矿山的发达。矿物学是由于生产中要利用矿物并因生产的需要而来考究这些矿物才发生的。数学好像是与实际相距最远的科学,然而它也是由于量地、量容积、计数以及精确地划分时间等等必要而发生和发展的。甚至艺术,也同样是社会生活的产物,也和科学一样,是在劳动生产力的一定程度之下发展起来的。社会科学,也完全与自然科学一样,同是由于实际生活的必要产生出来的,我们可以不必多说了。

所谓社会意识依存于社会存在,还有一层意思,这就是说,社会的存在是第一性的东西,社会意识是第二性的东西。即是说,先有社会的存在,后有社会意识。社会意识,是由于自然环境(即人与物的关系)与社会环境(即人与人的关系)发生出来的。在最原始的时代,人类完全受自然力所支配,所以这时人类对于周围环境的意识,如万物有灵论、原始的宗教的意识等,就是人类关于"一般地生活于一个社会中的事实的意识的端绪"。单从这一点说来,我们也可以知道是先有社会存在而后有社会意识的了。

再就现代社会举例来说,譬如资本主义的社会关系,自从 16 世纪以来即已逐渐发展,但是生活于现代社会中的人们,仍多不能意识到这种社会关系。如同 19 世纪初期的空想主义者们,虽然开始意识到这种社会关系,可是还不能理解它。又如 19 世纪初期的劳动大众,虽然意识到这种社会关系于自身不利,却也还未能取得集团的社会意识。可知一定社会关系必在成熟以后,然后才能发生出与它相适应的社会意识,然后人们才能理解它。

(三)社会意识是社会存在的反映

如上所述,既然社会的存在是根本的第一次的东西,而社会意识是派生的第二次的东西,我们就必须从根本的第一次的东西去说明其派生的第二次的东西,而不能从派生的第二次的东西去说明根本的第一次的东西。即是说,必须从社会的存在说明社会意识,而不能从社会意识去说明社会的存在,这是自明的道理。

可是社会的存在是离开社会意识而独立的东西,我们的社会意识何由认识社会的存在呢? 即是说,社会的存在,何由转变为我们的社会意识的内容呢?

我们认识外界事物是凭借感觉的。我们生活于社会之中,一切社会的事实,随时随地都通过我们的感官,而反映于我们的社会意识,转变为经验的事实。我们就把这经验的事实作为思维的材料,以认识社会的存在。在这种处所,表现着社会的存在与社会意识的统一。不过社会意识之反映社会的存在,是一个过程。因为社会的存在,是比较它所显现的那样更为丰富、更为生动、更为复杂,我们的社会意识,绝不能无条件地、完全地、正确地、一次地把社会的存在都摄取出来。所以社会意识虽能反映出社会的存在,而这种反映,至多也只是近似于正确的反映。

社会的存在与社会意识是不断地发展的。在人类的历史上,社会的存在,经历了原始的、古代的、封建的、现代的各个顺次的发展阶段,因而与之相适应的,就有原始的社会意识、古代的社会意识、封建的社会意识、现代的社会意识。社会意识的发展,依存于社会的存在的发展。所以社会的存在是一个发展的过程,因而反映前者的社会意识,也是一个发展的过程,"是历史的、一时的、无常的产物"。"我们是在生产力的增大、社会关系的推移、概念的形成等不断的运动过程中生活着。"

(四)社会意识对于社会的存在之作用

如上所述,社会意识依存于社会的存在,也就是说,上层建筑依存于经济基础,但是,社会意识或上层建筑,也可以影响于社会的存在即经济基础。换句话说,社会的存在规定社会意识,而社会意识,也影响于社会的存在,这就是两者辩证法的统一。

"上层建筑的各种契机,影响于历史斗争的进行,并且常常规定着斗争的形态,即……政治诸形态……法律诸形态,以及这些现实的斗争在各个参加者头脑中的反映,即政治的、法律的、哲学的理论和宗教的见解。"

"政治、法律、哲学、宗教、文学、艺术的发展，基于经济的发展。但它们是互相影响，并且影响于经济基础。"这就是社会意识的上层建筑之能动的作用。

我们知道，人类之社会的存在，是他们的现实的生活过程，而这种现实的生活过程，是由于他们的实践的活动构成的。所以"社会生活，在其本质上是实践的"。

社会的存在，是一个变动的过程，而社会的存在之变动，也由于人类的实践的活动所引起，即是说，社会的存在不断地由人类的实践所变化。随着社会生活的形成，便产生出反映社会生活的意识，而这种意识，也随着人类的实践的活动而变化。因为人类在劳动过程中，为要用"能够适于自身生活的形态去占有自然的材料，他就把那些属于自身肉体的种种自然力，如腕、脚、头、手等，放在运动状态中。他由于这种运动，作用于在他外部的自然，并且变化它；同时又变化自己的本性"。所以社会意识，是社会的存在的产物，随着实践的社会生活的变化而变化，并不是固定的东西。因而人们就不用固定的社会意识去说明社会的存在之进化。

社会的存在到人类意识上的反映，也是实践的。因为被反映的对象，不是抽象的、静止的、生物学上的人类，而是现实的活动的人类，即是"在社会中生产着的诸个人"。因而人类不但是感性的对象，并且是感性的活动，即实践。人们生活于社会之中，为生活而斗争，同时又认识了社会生活的真相。所以反映社会的存在的那种意识，也是实践的。所以说，"人类的思维是否容受对象的真理的问题，不是理论上的问题，而是实践上的问题"。

人类的意识，如果近似地正确地反映了离开意识而独立的自然过程和自然法则，人类便能脱离自然力的支配而转向于自由；同样，人类集团的社会意识，如果近似地正确地反映了离开意识而独立的社会过程和社会法则，人类便能脱离社会力的支配而转向于自由。"在人类的实践中所显现的对于自然的支配，是自然现象和过程在人类头脑中的客观地正确地反映的结果"；同样，在人类的实践中所显现的对于社会的改造，是社会现象和过程在人类头脑中的客观地正确地反映的结果。在这种意义上，近似地正确地反映了社会的存在的那种社会意识，就给社会的存在以反作用，而变革社会的存在。发展中的社会的存在,不断地作用于社会意识,而这种发展中的社会意识,也不断地影响于社会的存在。两者之间的作用与反作用,也是促进社会发展的动力。然而社会的存在,仍是根本的第一次的东西。

第二节　意识形态的一般特性

一、意识形态的相对的独立性

(一)意识形态的相对的独立性

我们上面说过,在人类的历史上,社会经济形态,经历了原始的、古代的、封建的、现代的各个顺次的发展阶段,因而就有与之相适应的各发展阶段的意识形态。但是,我们在历史上,一方面看到社会经济的发展史,而另一方面又看到意识形态的发展史。这两者在表面上,好像各自有其独立发展的过程,意识形态的发展,好像并不依存于社会经济之发展似的。然而我们如果依据科学的方法,深入地考察两者的实质关系,就知道意识形态的发展,仍是依存于社会的存在之发展。所谓意识形态的发展之独立性,也只是相对的东西。

意识形态之相对独立的发展,起源于精神劳动与物质劳动的分工。"分工从物质劳动与精神劳动之分割开始的瞬间起,才开始现实地成为分割。从这一瞬间起,意识就能够现实地思维,并且即不思维现实地东西,也能现实地思维某种事情。从这一瞬间起,意识开始从世界解放自己,有转而形成纯粹理学、神学、哲学、道德等等的可能"。这就是说,意识形态之相对地独立的发展,是从精神劳动与物质劳动之分离的时候开始的。

所谓意识形态的相对的独立性,还有一层意思。例如哲学体系或哲学上流派的变化和发展,最后由经济基础的发达水准所规定,同时,又为哲学本身发展所到达的水准以及该国该时代政治上和其他意识形态的特殊性所规定。一切意识形态一旦发生以后,便获得一定的相对的独立性,而这种独立性,穷其究竟也是由经济的发达才能说明的。

所以,这里所说的相对地独立发展的意思,就是说,意识形态虽适应于社会的经济构造,但一定的社会经济构造发展到另一种较高的阶段时,那从前与它相适应的意识形态,不能即时随而改变。就是说,社会经济虽然更新了,而旧的意识形态仍是残留着,同时又有新意识形态起来和它相对立。从这一点说,意识形态显现得是不与社会经济同时变革,而是独立地发展的。但是这种意识形态,到了与现存的社会经济发生冲突时,结局仍由新意识形态所克服,从前的旧意识形态就转变为遗物了。所以说"随着经济基础的改更,而全部无数的上层建筑,也要或迟或速地变革了"。

(二)阶级社会中意识形态的歪曲性

如上所述,在阶级社会中,由于精神劳动与肉体劳动的分离,意识形态便取得相对的独立性,这一事实,必至引起这样的结果,即:阶级社会的意识形态,在这社会的思想家的意识之中,转化为完全独立的本体。

譬如布尔乔亚为民主主义胜利而行的斗争,是由于布尔乔亚本身经济发达的利害之要求,但这种斗争,在被布尔乔亚所利用的劳动大众的意识中,却当作为政治道德等最高"理想"的斗争而反映出来。这种意识形态的独立的幻想,是因为人们为某种政治理想而斗争的真正的动力被隐蔽的缘故而发生的。

在阶级社会中,尤其在资本主义社会中,精神劳动与肉体劳动的分离,扩大到最大范围。一方面造出了数百万的从事肉体劳动的普罗列达里亚,另一方面又造出意识劳动的许多部门,并且使它们渐渐分化,而形成"纯粹"思想家或所谓知识阶级。在资本主义社会之下,这种思想的劳动,形式上渐渐从它的物质基础分离了。于是,思想家们就以为自身的理念和意识形态的思想过程,不依存于任何阶级势力或任何社会生活现象,反之,社会生活却从属于自己,因而把阶级的观念,归之于人类一般的性质。而事实上,支配阶级的意识形态的阶级任务,也就在于歪曲这种思想发生的真正意义,而把阶级的东西看作人类共通的东西。

但是,所谓意识形态的思维的歪曲之性质本身,在某种意义上,正是反映着阶级的现实性之矛盾的性质。阶级的现实性,在资本主义社会,特别复杂特别矛盾,这矛盾性的必然的属性,是歪曲的意识。其最明显的实例,就是商品拜物教。

"在宗教世界的幻境中,人类头脑的产物,好像是一个和人类相互结着关系而其本身具有生命的独立的本体。在商品世界中,人类手造的生产物,其情形也是一样。我们把这叫作拜物教。这种拜物教，当劳动生产物一当作商品而被生产时，便成为劳动生产物固有的东西，因而它和一切商品生产是不能分离的。"

这样看来，商品拜物教，一方面和宗教的幻想一样，是人类意识中实在的诸关系之歪曲；另一方面，这种歪曲，又是和商品生产不能分离的属性。所以，意识的拜物教的形态，是不能和资本主义生产的性质相分离的。

总之，在精神劳动与肉体劳动的分离的基础之上，发生了思维的独立性的表象，即发生了和人类物质社会的劳动活动无关的观念的独立发展之表象。但是，社会的意识形态，是在人类劳动过程中发生的，所以，这种表象，是虚伪的、歪曲的表象。

二、意识形态的阶级性

（一）意识形态的阶级性是阶级社会的反映

如上所述，既然社会的存在规定社会意识，所以在阶级社会中，一切意识形态便都带有阶级的性质。"在各种所有形态之上，在社会的存在条件之上，树立着种种特殊的感情、幻想、概念、世界观等全体上层建筑。各种阶级，都是基于自己的物质条件，并适应着社会关系，去创造和形成这些东西。"

阶级社会——古代的、封建的、现代的——的意识形态的分析，可以证明各种社会形态的世界观之根本特征，是支配阶级之阶级的产物。"一定时代的支配的思想，常常是支配阶级的思想。""在贵族的支配时代，是名誉或忠义等等概念在支配着；在布尔乔亚的支配时代，是自由平等的概念在支配着。"

现在，我们可以举道德为例来说明。"人们自觉地或不自觉地，从自身阶级地位所处的实际条件中，即是说，从他们的物品生产和交换的经济条件中，取得自己的道德观念。"

"任何道德理论，直到现在，归根到底总是当时社会经济状况的产物。因为直到现在，社会总是发展于阶级对立之中，所以道德也总是阶级的道德。它或是为支配阶级的统治及利益辩护，或是当被压迫阶级充分有力，它就表现对于支配阶级的反抗，而拥护被压迫者的将来的利益。……可是，就在现在，我们还没有超出阶级道德之外。只在不仅消灭阶级对立，而且在实际生活中消灭一切关于阶级对立的回忆的社会发展阶段上,超越一切阶级矛盾及矛盾的回忆之上的、真正人类的道德,方才成为可能。"

(二)意识形态的斗争性

在阶级矛盾的过程中,支配阶级,不仅在经济上和政治上去压迫被支配阶级,而且在意识上去压迫被支配阶级。

譬如古代印度的宗教,是采取一种"世袭等级"的形式,即分为婆罗门教徒(僧侣、学者、贵族的作家)、刹帝利人(贵族的骑士)、威舍人(农民、高利贷者、小商人等)、苏得拉(奴隶、手工业者等)的四个等级。婆罗门教徒和刹帝利人可以统制一切。在这种基础之上,便发生出"轮回说"和"报应说"的宗教观念。即是说,人的一举一动都被记录下来,他的善行或恶行都会有一次总结,他死后,就按照他一生行为的总结,他可以在来世变为婆罗门教徒或国王,也可以变为"狗肠中的蠕虫"。而所谓最重要的善行,便是要"严守等级制度"。如果你是个奴隶,是个不洁之人,那么,你就要安分守己。你若能终生如此,不忘"你是一个不洁之人"时,那么,也许在你死后,将来会变为一个贵族。统治阶级利用宗教这种意识形态的武器来支配和欺骗被统治阶级,在这里已是再明显没有的了。

被压迫阶级,在对于支配阶级的拮抗过程中,产出自己阶级的新意识形态;同时,他们又借助这新的意识形态,反抗压迫自己的阶级。譬如普罗列达里亚就是在对于布尔乔亚的斗争上,才形成了自己的阶级的意识形态。

同样,布尔乔亚在对于普罗列达里亚的斗争中,也使用意识形态这种武器。在他们手中,握有大量的新闻杂志,有无数的著作家给他们效力,他们可以自由使用学术上的各种设施,如学校、剧场、博物馆以及教会等等。但是,劳动运动越发展,布尔乔亚对于劳动大众的直接的意识形态的压迫,也就愈加困难,因而不能不采取更狡猾的行动。所以,布尔乔亚在意识形态的斗争领域中,常常使用他们在经济斗争方面所使用的武器。即他们想在普罗列达里亚中间,寻求自己的同志,散布小布尔乔亚的情绪,以歪曲普罗列达里亚的理论。

所以,"人们如果不在各种道德的、宗教的、政治的、社会的形态或陈述和誓约的背后,去探求某个阶级的利害,他们就常常要变为政治欺骗或自己欺骗的愚笨的牺牲"。

第十二章　意识形态的发展

第一节　先资本主义社会的意识形态

一、原始社会的意识形态

（一）言语的发生

人类最初的意识形态,可以说是言语。言语在统一人类为紧密结合的集团一事上,是强有力的手段。言语不仅是意识形态的交换手段,并且调节劳动过程,组成人类经济行为上必要的连锁;但同时,它本身也是社会的产物,是人类劳动行为的产物。

劳动是人类存在之最初的基本条件。劳动创造了人类。劳动的发达,必然地助长社会成员之更紧密地结合及思维的发展。如果没有外的表现的思维,同一社会集团的人们就不能了解。思维及其外部的表现的言语,是极紧密地相互结合着的。"言语不能和思维分离,言语只能和思维共同存在,言语不存在于思维之外。"所以,随着劳动行为的发达,人类的思维和言语,也必然要发达起来了。

言语发生的过程,与人们从人猿转变为人类的过程,有密切的联系。发音的能力,是由人类咽喉上特殊的构造发生的。而咽喉是因为人类能够直立步行的结果,才发达起来的。所以,声音会话,是在劳动工具的使用与制造的长期过程之后,才能发达。

声音会话,是已经发达了的社会的产物,人类言语,绝不是从声音会话开始的。在劳动发展的最初阶段,社会的生产是非常原始的,言语和思维,也都在于原始的状态之中,这样,种类很少的劳动行为,只要有少数思想的外的记号就够了。所以当时就使用姿势的交换手段,以代替声音言语。这种姿势的言语,包含着象形、姿势和叫声,它可以满足原始人传达思维的要求。

往后,随着劳动活动的进步,人类根本上改变了世界观的基础,生出以前分散的思维的分节,同时使周围的世界也具象化了。在这新的社会＝经济的条件之下,便产生了新的思维形态。姿势言语,已经不能满足目前的需要,于是声音言语就随之发生了。据考古学的研究,内安得达尔人的狩猎者,具有可以主要地利用发声器官的一切前提,在内安得达尔人之中仍占支配地位的姿势言语,已经是分节的了。由此可见,声音言语的萌芽,大约是在内安得达尔人的时代了。不过姿势言语,并不因声音言语的发生而消灭,反而与声音言语并存,且给予声音言语的机构以相当影响。这是因为姿势言语有它的长处,即是它的记号的现实性容易使人理解。譬如有属于两个不同种族的印第安人,各人对于别人的声音言语一句也不理解,但借手足之助,彼此便能够自由会话。不消说,这些民族距离原始民族已经很远,已经有了发达的声音言语,可是在他们中间,姿势言语还不致因其他更完全的交通方法而最后地消灭。

声音言语,并不是只在某一地方发生,而是在人类散居的多数地点一时出现的。而且最初,言语也不只是一种,言语的种数,与种族的种数相当。但也有共通的一种言语,是适应于种族的差异而表现种种概念的。民族的言语之形成,是一种族与他种族的语言相配合的结果。即是在这种配合之时,意义不同的两种言语就被统一而成为一种言语了。

现代的历史的文字,是数千年长期发达的结果。各氏族、各种族以至各民族的统一,使得最初的简单的人类的会话,复杂起来、发达起来,由此,造出了科学、文学、艺术等等发达的机会,造出了人类相互间更加密切地交际的机会。

（二）原始的思维

人类不是从最初就能思维的。人类是在人类化的过程中,自己创造了思维,并且使之发展起来。劳动使人猿变为人类,劳动也创造了思维。思维是在人类的会话,尤其是在声音会话的过程中显现出来的。因为思维必须依存于概念,假如没有言语,概念是不能形成的,因而思维也就不可能了。

任何的思维都是为社会环境所创造,因而它的发展必然为社会的发展所规定。思维在各种时代,采取非常不同的形态,所以它是具有各种内容的历史的产物。

原始人的思维的第一个特性，是他们把周围自然与自然现象，看作是与自己同样生动的存在。在原始人的表象中，环绕着自己的一切东西，不仅是动物，就是草木、石头、自然力等，都营着和人类同样的生活。据原始人的表象，石头之从山上滚下，一动物之猎取他动物，以及有弹力的小树枝之直伸等等，都是生动的存在物之有责任的行动。甚至"装入袋里的皮毛，夜里也会说话。砌在死人墓上的鹿角，也可以排成行列，回旋于墓的周围，到天亮时，再回到原处去"。从这种思维中，我们可以看到，原始人不能把自己从周围自然区别出来，而是完全同自然相融合的。

原始人思维的第二个特性，是关于一个对象转化为另一对象的表象，以及关于动物本性能够传达于人的表象。譬如说，吃了鹿脚会跑路，喝了动物的血就得到那个动物的力量。在这种表象的基础之上，就产生出原始的魔术。原始人相信，由于魔术这种神秘行为，就能给外界或人类以影响。譬如描画用枪刺入腹部的野牛，就是说在狩猎时可以杀死它的意思，或是以为要用魔术把鹿引到自己的地方，只要在图上画出鹿角就够了。这就是所谓"以类似物代替类似物"和"部分能补充全体"的原始魔术的公式。

原始魔术的特征，是在于人们确信由于人类的能动性，即由于人类为了实际目的而能作用于自然。这种魔术，在原始人看来，在为了得到较多的生活手段而对于自然的斗争上，是尽着补充的工具的任务。

原始思维的体系，是万物有灵论。原始人认为一切世界都充满了灵魂。不仅是人类和动物，就是植物、矿物以及其他东西，也都认为有灵魂存在。并且灵魂也是具有物质的外貌，与活人一样有饮食的能力。但是那些灵魂做好事和坏事的能力却大大地超过活人；人的肉眼虽不能看见它们，而它们却能转化为种种物体和现象。

万物有灵论，已经是人类思维发展上的较高阶段。以前，原始人是把自身与外界自然混合考察的，现在却分离考察了。人类在其经济关系上，使自身与自然对立起来了。他们采用了土著的生活方法，出现了剩余生产物。技术的改良，增大了人类对于自然的支配。对于自然的观察及想要理解各种现象的因果关系的努力，使得原始人到达了万物有灵论的思想。在这种思想的表象中，存有人类认识自然的端绪，存有人类想要规定诸现象的因果关系的最初尝试。

（三）宗教的起源及其形态

宗教是社会诸关系在人类意识中被颠倒的、被歪曲的、幻想的反映。换句话说，宗教是采取自然界、神、恶魔、灵魂、天国、地狱等等信仰形式的社会诸关系在人类意识中的幻想的反映。上述的万物有灵论，就是一切宗教的共通的标志。宗教因其万物有灵论的内容，而尽着统治的麻醉的任务。不过在一切宗教之中，除了万物有灵论的表象以外，还有情绪及仪式的存在，这是我们必须要牢记的。

据考古学和民俗学的研究，宗教是发生于原始社会。在原始社会中，劳动生产力的发达停在低级阶段，因而物质生产过程内部的人类关系，即人与人和人与自然之间的关系受着相当的限制。这种现实的局限性，在观念上，就反映于原始的宗教中。

人类社会的最初时期，是没有宗教的；在原始人群中，任何宗教都不知道。宗教是在性别和年龄别的共同体中产生的。在性别和年龄别的共同体中，一切性别和年龄别的群都有一定的活动领域，谁也不能超过它。原始人不是自由的社会化的人类。宗教就当作在性别和年龄别的共同体中发生的人与人或人与自然（原始人对于自然是无力的）的一切关系的"现实局限性"之幻想的反映而出现。"野蛮人对于自然的无力，产生了神、恶魔、奇迹等信仰。"这就是原始宗教之社会经济的根源。

宗教的原始的形态，是万物有灵论和魔术。宗教的观念和神话，是在灵魂信仰和万物有灵论的基础之上形成的，宗教的仪式和各种行为，属于魔术的领域。

在原始人群时代，宗教的痕迹完全不存在。根据考古学的发见，万物有灵论的信仰之存在，可以说是从投割石器时代开始的。这种采取灵魂信仰的形态的现实关系之幻想的反映，更由于梦、死、气绝的误解以及对于受伤的动物的死之观察等而巩固起来。不过这些现象，即睡眠、失神、死、梦等，只有在一定条件之下，才能达到灵魂的思想。

在生产力贫弱的状态之下，劳动的复杂化，产生出生产过程中人类关系的狭隘性以及一切关系的狭隘性。这种"现实的狭隘性"，在野蛮人的意识中，就生出了灵魂信仰之幻想的反映。他们认为灵魂可以保护共同体,帮助狩猎,要求严格遵守自己制定的习惯。他们相信除了自己的灵魂和同族者的灵魂之外,还有很多的恶灵魂,这都是别群的人的灵魂。这种对于恶灵魂存在的信仰,是对于自然无力的反映,也就是原始的氏族关系及闭锁的自然经济的反映。

原始的魔术,和万物有灵论一样,也是社会经济诸关系在野蛮人意识中之幻想的反映。从最初起,原始的魔术就同万物有灵论混合着。

"现实的狭隘性"和保守性,产生了原始的魔术。它支持着一切关系的现实狭隘性,并加以意识形态上的说明而使之正当化。

这样看来,万物有灵论与魔术结合的原始宗教,是在野蛮人头脑中对于自然的无力之幻想的反映,是在生产力贫弱状态之下的生产关系的反映。它是"被虐待的生物的安息",它同时又是野蛮人从黑暗而严酷的现实中期求慰藉的鸦片,在这一点上,原始的宗教含有重大的反动的意义。

关于原始宗教的构成部分的万物有灵论和魔术,我们在上面已经说过了,现在来说明原始宗教的次一个阶段的图腾主义。

所谓图腾主义,是相信图腾群与某种动植物有近似关系的动植物的崇拜。图腾的信仰,也是对于自然的无力及"现实的狭隘性"在野蛮人意识中之幻想的反映。它发生的基础,一方面是由于狩猎者之间的分工的发展,他方面是由于群与群间联系的发生。

图腾主义,是被虐待的野蛮人的鸦片。它把现存的制度、对于女子和青年狩猎者之食物的限制以及赠给别群食物的义务等都正当化和神圣化了。这时,宗教的加工,比较过去时代更加强了。

图腾主义,和一切宗教同样,是尽着麻醉的作用。野蛮人感到自己对于自然的无力,而寻求自己图腾=灵魂的援助,举行魔术的仪式。但是,所有这些仪式,不仅没有把他们从自然的压迫之下解放出来,反而加强了这种压迫。

原始宗教的最后的形态,是崇拜祖先。

如上所述,万物有灵论、魔术及图腾主义的萌芽,是发生于性别和年龄别的共同体中;但到了氏族社会,这些宗教的表象,就有了更进的发展,氏族的老人,获得特别显著的意义。于是,以前图腾主义世界观的特征是动物的祖先的崇拜,而在氏族社会,就出现了采取人类姿态的祖先。

在氏族社会中,祖先的崇拜,有实用的性质。通常祖先的灵魂,是保护某一氏族的灵魂,它可以抵制敌人的灵魂或恶的灵魂。随着氏族分化为家族,就出现了保护家族和家族经济的灵魂——"家族灵魂"。随着种族的形成,就发生了种族神。随着农业和牧畜的发达,宗教的表象,更趋于复杂。于是祖先的神,就转化为自然现象的神了。不久,在各种神之中,又分出一个主要神,而认为宇宙万物的创造者。随着神的数目的增加及主要神的显现,宗教信仰的体系,就被固定了。

人们为了使自己和神相接近,就造出了神像,于是神就被物化了。由人手制造的神的偶像,渐渐在人的眼中变成一种万能的不可思议的东西,这就叫作拜物教。

总之,原始宗教和一切宗教一样,是支配人类的力量在人类意识中之幻想的反映,是人类对于自然和社会的各种关系之无力的表现。原始宗教事实上尽着麻醉的作用,加强自然和社会关系对于人类的压迫。

原始宗教的许多荒唐无稽之事,到现在还存在于所谓文明民族的宗教之中,执行着统治阶级麻醉的任务。

(四)原始社会的艺术

人类绘画的最古的纪念物,是旧石器时代后期的东西。最初绘画、雕刻和塑像这种美术,是同时存在的。当时的作品,多数是动物的像,至于人类的像,无论男女都只有少数。这些东西,都是用完全的写实主义来描绘的,不过同时也有图式主义的绘画。

关于原始艺术起源的问题,我们不能把它归之于完全的审美目的。因为原始时代的人们,没有因满足自己的审美欲望而从事艺术的余暇和可能性。当时的艺术,只是从实际生活的要求成长起来的。促使艺术出现的东西,是增加生产物的数量以及更容易地取得产物的欲求,是以为可用魔术作用于外界自然的幼稚思想。"以类呼类",这正是原始人所以用自然主义描绘动物的原因。原始时代的绘画中动物之占居多数,及其自然主义的描写,只有原始时代的魔术才能说明出来。到了"以类呼类"的最初思维形态为"以部分表现全体"的后来的思维形态代替时,绘画的特征也变化了。于是不描写动物全体而描写一部分，即描写头或角，或者只描写动物的轮廓了。于是艺术就从自然主义变迁到图式主义或象征主义了。

歌谣，在人类发达的最初阶段上，已经出现。它适应着人们的种种行动而表示了种种特征。在狩猎时，歌谣带有战斗和威吓的性质；在共同劳动时，歌谣就变成调整劳动速度的东西了。

舞蹈和音乐，也是在共同劳动的过程中产生出来的。通常舞蹈和音乐并不是各自分立，而是互相融合的。舞蹈和音乐，常常反映着种种事情，例如反映狩猎、收获、战争等等。在战争或大狩猎以前，举行"会议舞蹈"或"战争舞蹈"之类，充满了严肃、庆祝的内容和暴风雨般的节奏。这种事实，表示着舞蹈和绘画一样，也带有魔术的特征。并且这种事象，不仅见之于原始人之间，就在文化较高的种族之间，也还可以看到它的发展的形态。

二、奴隶制社会的意识形态

（一）古代宗教的特征及基督教的起源

在古代社会、尤其在东方古代社会的意识形态中，占第一位的，便是宗教。执行宗教礼拜的僧侣，同时又是"学者"、"医师"或"圣人"。一切政治权力，差不多都集中在僧侣之手。

在奴隶制社会中，农业是主要的经济部门，因而这种社会的宗教，也只是农业的宗教。这种宗教，是要说明农夫所关心的气候及自然现象对于人类社会的关系。农业上的收获与日光作用的关联，驱使人们去观察天体现象，探求现象的因果关系，因而人们就把自然力神格化了。所以，奴隶制社会的神，主要的就是神格化了的自然力。当时对于这些神的礼拜，非常普及。

譬如在埃及，由于尊崇尼罗河的缘故，便发生了奥西里斯神（太阳神）的礼拜，认为奥西里斯是死过几次而又复活的神。这种现象，完全是尼罗河每年泛滥的事实的反映。在亚述和巴比伦的许多神中，同样有基于农业生活而来的神。在住于亚细亚诸大河流域的其他农业民族的宗教中，也可以看出同样的特征。

最初东方一切的宗教，大都是一种多神教。但是，后来就由多神教转变为一神教了。这种由多神教向一神教转化的过程，反映了政治上经济上的统一，即在地上产生了中央集权的专制君王,在天上便同样出现了强有力的单一的神。

在奴隶制社会中,神和人的关系,恰似主人和奴隶的关系。等级社会的构造,同样反映于宗教体系之中。譬如就印度婆罗门教的教义说,人类是从婆罗门的口、手、臀、足等部产生出来的。由于出生部位的不同,就得到等级的差别。从神的口中生出来的僧侣,是受人尊敬的最高等的人,其他的等级,都处于僧侣之下。

在奴隶制社会发展的初期,僧侣在物质的生产上,曾经尽了显著的任务;但是,经过相当时间,他们便渐渐从经济活动的领域分化出来了。于是奴隶制社会的宗教,就变成对于劳动大众的精神的麻醉品和榨取工具了。

在古代社会的末期,诸民族之间,种种迷信和传说的接触,引起了一种宗教上的混沌。后来从混沌之中,终于凝结成了一个新宗教。不久它就征服了、驱逐了其他宗教,而成为世界宗教,这就是所谓基督教。

基督教的出现,反映着奴隶制社会发展中经济上政治上的进步。这种反映,比较社会的变革稍迟。因为它不是在罗马的繁荣时期产生的,而是在它的崩溃时期产生的,是在支配阶级的没落时期即在奴隶经济崩溃的情势之下产生的。

奴隶制度,在它的发展过程中,由于本身的矛盾,必然变成经济发展的桎梏。随着庞大的财富之集中于少数门阀之手以及农民和手工业者的衰落,引起了尖锐的阶级斗争,因而促进奴隶经济的崩溃。经济没落的过程,引起了观念上信仰上的同样的过程,即引起了精神和道德的不安,引起了一般的惶惑。这种情形,便准备了新宗教胜利的基础。

基督教原来是出现在巴力斯坦的犹太人之间的一个小宗派。当时的巴力斯坦,因为所谓世界没落的一般原因,尤其因为罗马官吏无限制地榨取的结果,经济上趋于衰落了。于是因精神的烦闷,一切没落的民众,都变成了基督教徒。基督教的新教义,即否定自己、否定地上的建设、宣言苦恼与贫穷为最高理想的教义,由巴力斯坦传布到古代世界的各处,而吸引了寄生的浮浪无产者大众,尤其吸引了奴隶大众。因为寄生的浮浪无产者和奴隶,并不是一种有组织的阶级和势力,他们不能造出阶级的意识形态,只有期待"救世主"的降临。所以宣言树立天国的基督教,很容易接近于这个社会群,于是它就渐渐包摄了古代世界的全部,成为当时一切被压迫阶级的宗教了。

主张解放奴隶和贫民的基督教,在罗马帝国,常被认为否定旧社会形态的教义,而受着迫害和驱逐。可是它虽受了种种迫害,却仍是继续发展了。

在基督教的意识形态中,可以看出商业＝货币经济的影响。我们可以说基督教是从宗教精神去理解交换经济的发展法则的一神教。所以有人说,基督教是商业的一神教。基督教的这种商业性质,在初期基督教会的指导权属于富人团体的事实上可以证明。

往后,基督教停止了对于奴隶制的反抗,抛弃了所谓天堂快要到来的期望,于是商人和高利贷者,也都自由加入教会了。这种温和主义,促使基督教变为现代国家制度的支柱。后来,基督教的寺院,就变为最大的土地所有者,蓄积大量的货币财产,而成为一个支配和榨取的强力的机构了。

(二)古代的哲学思潮及科学的发达

古代社会的哲学与科学,可以说是发生在希腊。希腊哲学的故乡,是在小亚细亚的希腊商业殖民地伊奥尼亚。伊奥尼亚位于希腊国家的东方边界,联络希腊和东方各国的交通,而为伊兰、印度等开化国家到欧洲去所必经的商业道路之枢纽。同时对埃及的贸易往来十分兴盛,因而受了埃及文化之显著的影响。随着经济生活的发达,便唤起了一种新企图,即要从宗教传统的权威中解放出来,抛弃对于世界现象之神学的解释,而代之以科学的解释。这样便形成了所谓伊奥尼亚学派的哲学。所以,"哲学产生的瞬间,就是人类思想不愿用神话中幻想的神来解释自然界而开始用永久的力、永久的理性或根本的原质和原因来解释一切事物的瞬间"。

伊奥尼亚哲学家的观点,都用某种有机的物质,作为构成整个世界基础的一种基本物体。"他们所要寻求的基本物质,不仅是简单的流动的和容易变化的物质,而且是能够作为解释有机的和心理的生命之原则的物质。"他们有人认为这个基本物质是水,有的认为是空气,有人又认为是火。

伊奥尼亚的自然哲学,虽能形成了一些个别的部分的理论,但未形成哲学体系。古代唯物论的哲学体系,到公元前5世纪才出现,其创立者为德谟克里特。

德谟克里特的唯物论哲学,反映了奴隶制社会的商业的利益。他创立了原子论,以为在自然界中,什么东西都不是从无而生的,而且一切存在的东西也绝不会绝灭。一切的变化,只是分子的结合或分离。一切变化,都不是偶然发生的,都有其必然的原因。世界是由配置于真空的原子所构成的。原子一面造成物的各种形态,同时又在不断的运动中。人类的精神,也同样由原子构成。原子浸透于全身,引起生命的现象。这就是德谟克里特创立的原子论的唯物论的要点。

在这个理论中,自然有很多薄弱的论点,但它的历史的意义,还是很伟大的。这个意义即在于德谟克里特用唯物论的原子论体系去对抗原始的观念论一点上。

希腊哲学,在理论斗争的过程中,最初是唯物论占着胜利。后来,随着观念论倾向的抬头,哲学便离开对于自然的研究,而集中注意于人类内在的经验的分析了。于是希腊哲学,就离开自然哲学的方向,放弃关于自然界的规律性的研究,而到达于观念论了。

观念论的始祖是柏拉图,据他的见解,我们肉眼所看到的世界,不过是取型于我们肉眼所看不见的观念世界而造成的。他认为客观的存在,只是物的观念;至于物的本身,他认为是物的观念之苍白的阴影。凡是肉眼所见到的存在物,都是由世界创造者所创造。柏拉图的哲学,和德谟克里特的原子论比较,显然是退后了一步。

德谟克里特的唯物论与柏拉图的观念论两个哲学思潮,常在激烈的斗争中。这是反映着希腊两个经济制度的斗争,即在商业=货币的基础上成长起来的新制度与等级的=农业的制度的斗争。

此外,在古代社会中,还有一个站在唯物论和观念论之间的大哲学家,这就是亚里士多德。他树立了论理学、自然科学、伦理学、诗学、政治学等系统的研究的基础。

在奴隶制社会中,科学知识的发达,是从经济上的要求即农业上和商业上的要求而来的。譬如由于在农业经济上有决定一年的季节和一日的时间的必要,便引起了天文学的发展。由于测量土地的必要,数学知识便发达起来。随着都市的成长,而作为造船技术之必要基础的力学,也开始发达了。稍后,化学和物理学也出现了。随着商业和航海的发达、亚历山大的远征以及罗马帝国的扩大,地理学也发达起来了。所有这些科学的出现,都是依靠奴隶劳动供给着剩余的生产物。

（三）古代的艺术和文学

古代艺术,尤其是建筑术发展的基础,是建筑在奴隶劳动之上的。譬如希腊的寺院以及罗马的水道等建筑物,到现在还是伟大的东西。然而这些东西,却都是奴隶劳动的产物。

希腊罗马的艺术,是采取着接近现实的艺术形态,所以创造了现实主义的作风。因而希腊罗马的艺术,是探讨的、变动的、进步的艺术。这无论从其题旨或形式上说,都是如此。在希腊罗马的作风上演着决定作用的,是商工业阶级的要求。

希腊人创造了深刻的工艺文化,这文化的强烈影响,后来在文艺复兴期的欧洲工艺上,在 17、18 世纪的贵族工艺上,甚至在法国大革命的工艺上,都反映了出来。此外,希腊人在雕刻术上,也成就了特别的发展。

希腊文学最初的大著作,是颂扬国王和大地主的军事功绩的叙事诗。在这些诗中,只描写了军事的贵族的生活,却不曾描写希腊社会各劳动阶级的生活。随着雅典政治的经济的发达,希腊文学尤其是戏剧也达到最大的繁荣。最初,希腊的演剧,是在宗教的祝祭时举行的,后来便产生了悲剧。这些悲剧的表演,已失掉了原来宗教的性质。希腊的悲剧,是和都市社会生活的全部过程紧密地联系着。譬如幼里披底的许多悲剧,显然都是用作政治的宣传事业的。

除了悲剧以外,同时希腊喜剧,也发达起来了。这喜剧的最大代表,是雅典的亚里斯多芬。亚里斯多芬是代表着保守的土地贵族的利益,所以他的喜剧,多是用滑稽的表演,去非难民主派的指导者,援助反抗民主主义的反对派。

罗马文字,比较希腊是落后的。它是反映着奴隶制社会在其发展过程中经济已趋崩溃而贵族却过着有闲生活的这个阶段。在罗马作家中,也出现了许多的大诗人。

三、封建社会的意识形态

（一）封建时代的哲学、科学与基督教

基督教自出现以来,因罗马崩溃后所发生的种种事变,使它得到伟大的胜

利。这就是说，基督教在崩溃期的罗马找到了非常良好的发展条件，因为它拿着不可思议的天国幸福来麻醉被压迫者和一切感觉没有出路的民众，所以处在社会崩溃中而无路可走的人们，就希望在这个宗教里面吸取一种新生的力量。于是基督教就成为封建时代最强大的社会组织，宗教意识形态，在一切社会意识形态中，显现其绝对的权力。因而，宗教的信条与教义，就支配了哲学的研究，甚至科学也屈服于宗教的教条之下了。

隶属于神学之下的哲学，是"经院哲学"。经院哲学所研究的问题的范围，只限于基督教的宗教思想，不研究任何自然，排斥经验和观察。这种哲学思想，纯粹为形式主义所渗透。它的任务，不外是要来巩固基督教的教义和僧侣的统治地位。

经院哲学为了完成这种任务，就竭力采取古代观念论哲学的各派学说。在起初几个世纪（13世纪以前），经院哲学带着柏拉图学说的色彩，后来又在亚里士多德的影响之下。我们已经说过，柏拉图学说是观念论的，是崇拜纯粹精神世界，认这个世界为真实，以与感官所感觉的物质世界相对立。亚里士多德的学说，也是轻视物质，认为物质是隶属于精神的东西。他以为总体永远是先个体而存在，是决定个体的。无论是柏拉图的体系或是亚里士多德的体系，都是古代所留给中古诸哲学中最反唯物论的学说。我们可以说，柏拉图的精神和亚里士多德的玄学支配了整个封建社会。

但是，等到社会条件开始动摇以后，向来一致的经院哲学就发生裂痕了。这种裂痕，就是唯名论和唯实论的斗争。

唯实论是认为总体概念超出个体概念之上的一种教条。唯名论根本推翻唯实论的总体先于个体的理论，而树立总体后于个体的理论，即认为概念只是真实存在的事物之抽象的表现，只是实体的抽象化，是论理的抽象。从教会内部发生出来的唯名论和唯实论的斗争，是当时封建组织解体之最初出现的思想上的征兆。

在13—14世纪的二百年间，随着封建制度解体过程之迅速发展，而反对经院哲学的精神，也增长起来了。于是出现了许多神学的异端派，他们打破一切柔顺和冷淡，高呼"灵魂救济"的口号，与教皇和公认的教会斗争。我们可以说，这些异端派，是最初的反封建主义的运动。异端派起于都市布尔乔亚与手工业者之间,后来,其形态屡变,而深入于农民大众之中。

教会看到自己的威权在无数异端派出现以来,有即刻倾倒的危险,于是便采用恐怖手段,严禁异端派的学说,并且在这激烈的反异端派斗争中,更有异端裁判所的出现,以作为搜索和处罚异端派的宗教裁判机关,异端派竟因此而常常被处以死刑,或活活被用火烧死。

但是,教会的恐怖手段,并不能扑灭异端派,因为这是由于在国民经济组织上开始广大发展而发生出来的。生产力的发达、商业的进步、都市权力的增高,所有这些事实,都是表示封建制度的破产,同时也就是表示那生长在封建制度基础之上的经院哲学思想的破产。伟大的新发见和文艺复兴,摧毁了中古神学思想的残余,把哲学从"宗教的婢仆"中解放出来。

(二)封建时代的文学和艺术

如上所述,在封建时代,宗教的意识形态,支配着一切的社会意识形态,使一切哲学、科学、政治、法律、文学、艺术等,都从属于神学。不过当时的文学虽然受了宗教的很大影响,但不能认为只有宗教文学。那时除了保持宗教的权威及辩护自己对于农民手工业者的物质的精神的榨取而为僧侣所写的《圣者传记》以外,还有颂扬支配阶级代表者的英雄勋功的骑士诗。在骑士诗中,有古代寓言和基督教的传说,还有许多的抒情诗。骑士抒情诗,取材于骑士对于妇女的尊崇态度,盛称英雄的理想感情及对于少女的爱恋。到了 15 世纪,骑士诗才消灭。

封建时代西欧最大的文学著作,是但丁的诗。但丁的《神曲》,一方面从题材说来,是封建的、是宗教的,从形式说来,是象征主义的;同时还带着都市的新文化的特征及个人主义、合理主义、现实主义的特征。所以说:"但丁是中世纪的最后的诗人,同时也是新时代的最初的诗人。"

除了骑士文学和宗教文学以外,在都市中还有讽刺和小说。在这两者中,都含着对于封建制度的批评。譬如法国的"狐狸寓言",借动物的姿态——狡猾的狐、懒惰的熊、愚钝的狼——嘲笑骑士、僧侣和廷臣,便是显明的例子。

封建时代的艺术,也和其他社会意识形态一样,是在教会的影响与保护之下发达起来的。但是,到了封建时代末期,支配艺术的宗教的影响,就被都市公社的势力驱逐出去了。

封建时代,在西欧艺术上,发生了两种样式,即罗马样式与高卢样式。这两种样式的交替,就形成了封建时代艺术发展过程的特征。

罗马样式,支配了 10—12 世纪的欧洲的建筑术。罗马样式的教会,是从封建威力和体制之庄重理想中生出来的,虽有高塔耸立,但很钝重,而且房脊很低,其装饰是几何学的。这种样式的教会,遍立于英、法、德、意诸国。

自 12 世纪中叶以来,在西欧的建筑术中,出现了新的样式。这是当时都市公社出现时从封建社会新生的变化中发生的。高卢样式,不仅适于封建领主与僧侣支配下的农业集团的必要,而且合于组织行会的手工业集团的要求。

高卢样式,是所谓天上王国地上空虚的封建宗教观之完全的反映。这种样式,把封建时代人类社会心理之基本特征及由地望天的宗教的憧憬再现出来。在这种建筑中表现出支配封建社会的神秘的禁欲主义的气味。

第二节　资本主义社会的意识形态

一、资本主义社会意识形态的一般特征

(一)布尔乔亚的个人主义

资本主义社会,是产业革命的产物,这个社会的精神化,在质和量两方面,与过去的社会是有极大区别的。意识形态的多样性,就是现代社会的特征。这种多样性,第一,是反映着保存在资本主义之下的以前支配阶级意识形态之保守的影响;第二,是反映着布尔乔亚本身内部各种阶级集团(大中小产业资本家和金融资本家等)的斗争;第三,是反映着资本主义经济的极端可变性及其经济形态的多样性。

首先我们可以说,资本主义社会中支配的意识形态,是个人主义。这种个人主义,是布尔乔亚种种集团的各种矛盾的利害之独特的反映形式。它在资本主义社会的领域内达到了顶点。因为在这个时代,资本主义的商品社会驱逐了封建的自然经济,自由的市场竞争,发展到最高限度,因此,在意识形态上,便反映出个人主义。

关于这种个人主义的例证,我们可以从布尔乔亚的经济主义和政治思想两方面,加以说明。

　　布尔乔亚经济的个人主义,始于重农学派。这一思想,是资本主义初期生产关系的反映。重农主义以为有由最高的存在即神所创造的自然秩序与由主权者所创造的人为秩序,后者必须依存于前者。在自然秩序之中,有关于个人所有的权利,这就是一切所有的自由处分权。从这个权利中,便生出经济上的自立追求权。从这个根本观念出发,必然可以得出以下的结论:就是个人可以离开一切人,完全依他的利己心而自由行动。"任其自为自行,世界自然会进步。"这样的自由放任主义,主张排斥国家的一切干涉和监督,而完全放任个人的自由。

　　这种经济的个人主义,在亚丹斯密的《原富》中,更露骨地表现出来。他说:"各个人如得自由和安全而行动,那么,想改善他自身状态的自然的努力,是非常有力的原理;它不仅能够不借任何力量,只用自己的力量,引导社会趋于富裕和繁荣,而且能够克服因人类的愚蠢而妨害这努力的作用的许多障碍。"

　　后来,到了马尔萨斯和李加图,更使这种自由放任的个人主义原理向前发展了。

　　其次,关于布尔乔亚的政治思想,是可以经由霍布士、洛克、孟德斯鸠等以至卢梭的"社会契约"的理论来代表的。18世纪"社会契约"的理论,是民主主义的理论。民主主义,是布尔乔亚反封建制度的革命思想。为民主主义的斗争,即为政治的"自由平等"的斗争,是反封建制度的布尔乔亚的特征。这种布尔乔亚的民主主义,最典型地表现于新兴的法国布尔乔亚的意识形态之中。

　　"在法国,注意社会上一般革命心理的大人物们,他们本身就是极端的革命家。他们否定任何外来的权威,一切宗教、自然科学、社会政治制度等,都受到彻底的批判。一切要在理性的审判之前审问究竟有没有自己存在的理由,如果没有这个理由,那就完全不能存在。理性成为一切事物的唯一尺度。……从来的一切社会形态和国家形态,一切传统的旧思想,因为都是不合理的,所以要完全抛弃。在以前,世界是被偏见所指导的。过去的一切事物,只值得怜悯和侮蔑。太阳的光亮,理性的王国,现在出现了。迷信、谬误、特权、压迫等,被基于永远真理、永远正义和自然平等而与人类不能分离的权利所代替了。"

　　这里所说,"基于自然的平等而和人类不能分离的权利",就是布尔乔亚民主主义的根本概念。当然,"这个理性的王国,不过是肯定布尔乔亚的王国,这个永久的正义,是仅成为布尔乔亚的正义而实现的,这个平等,是归着于布尔乔亚在法律之前的平等",这是不消说了。

到了布尔乔亚政权的稳定期,适应这个政权的需要,就产生了黑格尔的政治思想。依黑格尔说来,国家是伦理的观念之具体的显现,是理性的映像及其具体的显现。他这种理想的观念论的国家观,实是布尔乔亚政权稳定后的产物,为保持布尔乔亚政权于永久之支柱。

上述这种政治的"自由"和个性一般的"自由",不仅显现于政治经济的领域,而且同样明了地显现于所谓精神文化的领域。而这种"自由",实际上是表现资本主义社会法则的不可抗力。使个人和社会对立,不理解两者的统一,乃是布尔乔亚的哲学、艺术、文学的主调。

(二)布尔乔亚意识形态的拜物教

布尔乔亚意识形态的第二个特征,就是它的拜物教。商品的拜物教,是布尔乔亚意识形态的拜物教之基础。在布尔乔亚看来,资本主义社会的法则,是一个不可解的谜子和灵物。

在商品社会中,人与人的生产关系,隐藏于物的关系的背后,不是肉眼所能看见的东西。这种生产关系在交换上显现出来的现象,采取物(即商品)的关系的形式。即物与物的关系,隐蔽着人与人本身的关系。于是在商品交换的现象上,人们直观地只能看到物的关系,不能看到物的关系的背后所隐藏着的商品生产者间的关系,因而认定物的本身中具有某种不可解的"能力",具有某种神秘性。于是人们就把自己手造的物,当作偶像来崇拜,这就叫作商品拜物教。布尔乔亚一切意识形态的拜物教,都是基于商品拜物教而发生的。

譬如布尔乔亚的科学上绝对真理的观念,艺术上纯粹艺术或绝对美的观念,道德法律上所谓离人类独立存在的绝对正义和纯粹秩序或绝对义务等等观念,都是布尔乔亚意识形态的拜物教之表现。

二、资本主义社会的诸意识形态

(一)布尔乔亚的科学

在资本主义的发展期,技术与科学,尤其自然科学,达到极端的繁荣。

科学的认识,是在人类物质生产活动的发展上才得到的。所以正确的科学的理论,决不能和人类社会之物质生产活动的实践相分离,它本身必然包含着实践。

科学,尤其是自然科学,是在对于技术的密切关系和交互作用之下发展起来的。技术上经济上的发达,急激地促进科学的发达;但同时,如果没有自然科学的发达,产业革命和机器生产也是不可能的。在这种意义上,自然科学,尤其化学、力学和物理学,是构成产业革命的一部分,和技术的进步一同发展起来的。

譬如蒸汽力,在古代经过人们实际的观察,便已发现了。但这种发见,既不能加入于技术之内,也没有保存在科学之中。因为这种发见,在当时不曾应用在实际之上,就和古代世界一般地崩溃而消失了。

后来,随着大生产的发生,就需要大机械力,因而技术的思维便趋向于蒸汽力的研究。最初的机器,是劳动者在矿坑里用以抽出矿水和击碎矿石的,以后陆续应用,陆续改良。到了瓦特,便统一了这些成就,附加上若干新的东西。于是机器便具备了技术上便利的形态,可以应用于其他种种生产部门了。对于这样机器的需要,因为当时英国纤维工业的发达,感觉得特别强烈。

到了产业革命之后,蒸汽机的重要性,引起人们努力就一般形态去研究它的作用。于是就由噶尔诺创设了热力学,从这个热力学,发展成能力不灭的法则,改造了全物理学及其他自然科学。能力不灭的法则,是指导一切技术的科学的计划之根本法则。但这个法则本身,却是过去生产发展的产物。由以上所述,我们可以说:科学的进展,依技术的进展所决定;同时,科学又是技术进步的最有力的工具。

由此可见,科学显然带有历史的性质,但是布尔乔亚学者却主张科学是超阶级的人类共通的意识形态。他们说许多科学的发见和成果,例如电灯电话等,不仅布尔乔亚可以使用,连普罗列达里亚也同样可以使用自然、科学的发见和革命,不仅是支配阶级可以利用,但是我们要知道,从这些发见所得的利益和便利的大部分,却是入于布尔乔亚之手。固然我们说科学是客观的东西,但不能认为科学是超阶级的东西。所谓布尔乔亚科学的阶级性,在于科学的发达,例如化学、力学、物理学的发达,是由于布尔乔亚产业发达的必要所引起的。换句话说,布尔乔亚阶级的利害,决定了自然科学发达的必然性。

(二)布尔乔亚的法律和道德

在资本主义社会,法律和道德的规范,充分表现出它的布尔乔亚的阶级性。支配阶级,适应着自己的概念和利害,造出了适于维持自己的统治的所谓"最高善"的规范。支配阶级具有强制社会奉行自己的规范的可能性,他们可以经由裁判或自己制造的"舆论"去实行。他们宣言自己特有的道德原理和法律为万人应守的、理想的、永久不变的行为规范。他们实际上实行阶级道德和阶级法律,即追求自己的利害,同时却给予它们以普遍的性质和绝对的性质。

布尔乔亚当和封建势力斗争时,不仅创造出自己的哲学、科学和艺术,并且创造了自己的社会规范——道德和法律。然而在那时他们并不能在实际上实现它,它还没有现实的拘束力,只不过是"概念"或原则。

到了布尔乔亚获得政权之后,他们所创造的法律和道德的体系就广泛地移入强制社会实践的领域,具体地化为新的立法和行政,更显现为布尔乔亚所指导的新舆论。于是适应于布尔乔亚阶级利害的法律规范和道德原理,就被认为绝对的东西,而强制全社会遵守了。

布尔乔亚道德的阶级性之最明显的表现,在于道德理想与现实的分离。即布尔乔亚越是公然地残酷地实行阶级的压迫和榨取,越是用华美的言辞来粉饰所谓永久的道德、永久的真理和义务的主张。换句话说,布尔乔亚道德的阶级性的本质,在于它彻头彻尾是个伪善的东西。

"文明越进步,越发需要用爱衣来隐蔽来粉饰由这文明必然生出的变态的可忌的现象。作一句话说,即实际上不能不实行的伪善。"

总之,道德和法律的规范,按其内容说,是以当时存在着的社会制度和社会生活状态来决定的。由于时代不同、社会不同、阶级不同,这些规范的内容也各不相同。而这种规范,主要地是依存于阶级利害。任何永久不变的道德规范和法律,既不存在,并且也不能存在。

(三)布尔乔亚的艺术和文学

为了理解布尔乔亚艺术和文学的特性尤其是阶级性,就需要先说明艺术的特性。简单地说,在形象中去反映去认识世界的,就是艺术。艺术表现的形象和形式的性质,是非常多方面的:它可以用绘画、雕刻、舞蹈、音乐、言语等等形式去表现。换句话说,艺术是把现实的种种现象,独特地普遍化于形象之中,而表出这些现象的本质、矛盾及其发展倾向。因此,我们可以说,艺术不仅是情绪感染的手段,而且必须具有一定的思想内容。譬如我们读一篇有名的小说或戏剧,在我们心里便要引起一定的感情,这就是因为作品本身在形象之中表现着一定的感情。但同时,这个作品,必然是浸透着意识形态的作品,其中必然表现着一定的哲学上或政治上的见解,表现着作者对于社会生活的独特的认识。

布尔乔亚的艺术和文学的阶级性,在于艺术和生活的分离,他们高唱"为艺术而艺术"的口号,把艺术提高到纯粹情绪的领域。布尔乔亚艺术领域中的这种倾向,正是布尔乔亚的伪善的表现。

布尔乔亚艺术及文学的发达,正可以表示出艺术是形象中的独特的思维。新兴的布尔乔亚的艺术和文学,彻底为思想所渗透,没有和现实或政治思想相分离,用艺术的手笔或言辞去表现它们。布尔乔亚文学的这种现实的思想的性质,表现于所谓文艺上的"古典主义"时代,表现于17世纪的戏曲文学之中。这时布尔乔亚的意识形态,虽然没有造成自身的形式,但在内容上,已经开始征服了封建的意识形态。

从18世纪到19世纪前半期,出现了布尔乔亚罗曼主义,稍后又出现了文学上的写实主义,代替了古典主义和拟古典主义。随着布尔乔亚权力的增进,而这个社会的矛盾和平凡性以及实证论和爬行经验论的思潮,在这写实主义中,看出极有生彩的全面的表现。但是,布尔乔亚的写实主义者,虽然带有唯物论的倾向,而关于对现实的思维和观察,仍然限于传统的形而上学的方法的领域,限于对人生之直观的唯物论的态度。并且他们有时虽然可以利用自己艺术的天才超出这种对人生的态度之界限以上,可是,因此反而自陷于矛盾。所以越是布尔乔亚文学的最有天才的代表者的作品,越是包含着内在的矛盾。这就是因为大艺术比任何人都能更尖刻地、深入地看出布尔乔亚制度的榨取和丑恶,但同时,它本身是这个制度的产物,是支配阶级思想的表现者,所以它不能正确地理解榨取的弊害,不能正确地找到消灭榨取的途径。

在资本主义社会文化的没落的现在,布尔乔亚已经不能再造出客观的积极的革命的思想,使自己的艺术丰富起来了。布尔乔亚的艺术,和它的一切制度一样,也要腐败而趋于灭亡了。这点可以从布尔乔亚艺术回避现实的事实上很明显地表现出来。"为艺术而艺术"的口号、唯美主义、表现派、无内容的艺术样式等的发达,以及颓废派、象征派、未来派、神秘主义等等布尔乔亚艺术的各主义的繁荣,所有这一切的各种颓废的文学流派,都是表现着想要隐蔽现实或回避现实的布尔乔亚的企图。陶醉于无内容无思想的形式,是现代颓废的布尔乔亚艺术及文学的主调。这种无内容的布尔乔亚的艺术的形式,很显然而具体地表示着布尔乔亚的颓废,表示着布尔乔亚意识形态的颓废。

(四)近代哲学思潮的发展

前面已经说过,封建时代,是宗教的权威支配的时代,那时,哲学是神学的婢仆。但是,随着生产关系的变革,唯物论哲学便开始抬起头来。首先在英国出现了新的思想形式,出现了新的哲学思想。这一新哲学思想的第一个代表人物,便是培根。据他的意见,我们必须认识自然,才能支配自然。因此,就必须抛弃所有旧的烦琐哲学的妄谈以及亚里士多德的学说。现在"一切旧的东西已成过去,理性得到胜利了"。这样,培根便离开了中古的烦琐的经院哲学,而达到实证哲学。

在培根之后,当时代表唯物论思想最著名的,便是霍布士。霍布士使哲学与神学断绝一切关系,使哲学脱离一切超越的玄学的性质。他以为哲学的任务在于认识和分析真正的实在。他比培根向前进了一步。

17 世纪英国唯物论思想发展之次一阶段的代表者是洛克。洛克是培根和霍布士所创始的经验哲学倾向之继承者。洛克的主要功绩,在于他是哲学复兴以后以唯物论的见解去发挥并提出认识论上的诸问题。

此外,还有一个代表唯物论哲学思潮的人类历史上最伟大的思想家,这就是斯宾诺莎。唯物论者费尔巴哈说他是"近代自由思想家和唯物论者的摩西",这可以看出他的影响之大了。

关于 18 世纪法国唯物论的思想,我们首先就要注意到拉梅特里的学说。他是一个粗傲的唯物论的前驱战士,他反对一切神说传统所尊崇的旧思想。拉梅特里根本是一个笛卡儿主义者,他爽直而严肃地从笛卡儿体系作出结论,但未在唯物论思想的发展上形成一个阶段。法国唯物论世界观发展的新阶段,是经由狄德罗、霍尔巴赫等唯物论哲学家才形成的。

18 世纪的法国唯物论者,在他们的学说上,染上了战斗的革命的色彩,但他们总是时时刻刻站在布尔乔亚的阵线里面。他们带着二重的性质:即他们严厉地攻击封建的私产制,但认为布尔乔亚的私产制是神圣不可侵犯。他们宣传一般的平等,但主张财产上的不平等。他们要求自由,但以为对于一般民众不能给以完全自由。当他们宣布解放的口号,反对封建制度时,这个唯物论是革命的;当他们看见这些口号被"理发匠和女工"接受去时,这个唯物论就迟疑有所顾忌了。

法国唯物论之盛极一时,当然有它的社会条件,这个社会条件,就是法国大革命的火焰。随着大革命之后而来的反动,深入于欧洲政治生活和文化生活的各种领域,这个反动,自然又要引起观念论的复兴。

在大革命后统治欧洲的反动时代,观念论哲学体系就在德国复兴起来。这些体系的中心,就是要恢复"观念"和"精神"的优先权。其主要代表者为康德、菲希特、谢林等,而集其大成的是黑格尔。黑格尔拿他的观念的一元论的辩证法体系,来对抗法国的唯物论体系。

从观念论哲学转变到辩证法唯物论哲学,费尔巴哈是一个过渡桥梁。

黑格尔认为人是"绝对精神"所创造的;费尔巴哈却说"绝对精神"的观念本身就是人所造成的。"实在先思维而存在,当你认识某种性质以前,你先感觉过这种性质。"当他宣布思想是实在之果时,他是坚决地走上了唯物论的道路;但同时,企图在"我"与"你"的关系的基础上建立与他的宗教哲学有密切关系的论理体系,他就又走到了观念论。

费尔巴哈所不能完成的任务,以后就由辩证法唯物论的创始者所完成了。(详见本书第一篇)

(五)宗教在现代社会中的作用

在封建时代,具备圣徒的等级制度的天主教,是封建的等级制度的反映。在劳动生产物获得抽象性质的商品社会,最适宜的宗教形态,是崇拜抽象人类的基督教。在发达的资本主义时代,宗教的最深刻的根据,是"劳动大众的被压迫状态"。"恰如野蛮人对于自然斗争的无力产生神灵、恶魔、奇迹等信仰一样,被榨取阶级对于榨取者斗争的无力,也不可避免地生出对于来世幸福生活的信仰。"宗教就是向劳动大众宣传,要他们忍耐着地上的生活,以求得来世的幸福。"宗教是人民的鸦片,是一种精神上的麻醉剂,它使资本的奴隶把自己对于人类生活的要求溶解在这种麻醉物之中。"所以宗教是阶级压迫的武器。

但是,随着普罗列达里亚与布尔乔亚的阶级对立的尖锐化,近代有意识的劳动者(为大工场的产业和都市生活所教育所启发的),就放弃了宗教的偏见,把天上的东西委之于僧侣和伪善者,而自己争取地上的更好的生活。

这样,布尔乔亚一方面自己向宗教寻求"安慰",而陷于宗教的意识形态的影响;他方面,越发利用宗教去麻醉被榨取大众的意识,讲求种种手段去加强保存在劳动大众落后阶层中的宗教的情绪。

在普罗列达里亚与布尔乔亚的斗争中,教会尽了极大的反动作用。教会用威胁或软化的手段,去麻醉劳动大众的意识。宣传"阶级和平",要求劳动者反对社会主义,忍受资本家的榨取,要为企业主忠实地劳动。为了实现自己的任务,教会就创造出许多的劳动者组织,如政党、劳动组合、妇女和青年的组织、文化启蒙团体以及俱乐部等等。其中特别值得注意的,是劳动组合(例如天主教劳动组合、基督教青年同盟等)。这种宗教的劳动组合,常常与布尔乔亚的政治组织直接结合着。"这些潮流,是普罗列达里亚若干阶层中意识形态的幼稚性的产物,它们多带有浪漫的=封建的色彩。这些组织的指导者,想用宗教的圣水去洗清资本主义制度的一切污秽,借死后刑罚的幻影,去威胁自己的羊群;所以他们是普罗列达里亚阵营中最反动的部队。"

宗教不仅在国内尽了伟大的反动任务,而且在殖民地还尽了帝国主义掠夺者的前锋的任务。帝国主义者在征服殖民地民族的政策上,广泛地利用殖民地的传教师制度。在殖民地国家中,传教师表面上是从事于基督教的宣传,而实际上多从事于侦探或工商业等活动。关于这一点,中国就是一个最明显的例子,我们可以不必多说了。

第三节 社会主义社会的意识形态

一、文化革命

(一)文化革命的意义

我们已经说过,在普罗列达里亚获得政权之后,旧社会的遗产,并未完全肃清,新社会在长时期中,在一切关系中,即在经济的、政治的、道德的、意识的种种关系中,仍然没有脱去旧社会的熏染。所以在过渡期中,即在社会主义的建设过程中,就需要人类大量的改造,需要人们对于劳动的态度、道德观、世界观以及生活等等的改造,换句话说,就是文化的根本的改造。"当世界上最伟大的政治变革的任务解决之后,提高文化的任务,就是当前最紧要的任务之一。"要想向人民大众表示完成政治的诸任务,就必须提高大众的文化水准。

所以,劳动大众的大量的改造、他们文化的提高以及社会主义意识的养成,就是普罗列达里亚的文化革命。

我们知道,普罗列达里亚革命与布尔乔亚革命不同:由封建主义到资本主义的推移,是由阶级社会的一形态向他形态的推移,而由资本主义到社会主义的推移,是由阶级社会到无阶级社会的推移。在前者场合中,布尔乔亚的经济关系,在封建社会内部就已经形成了,而在后者,向到社会主义生产方法的推移,只在普罗列达里亚获得政权之后才可能。所以,布尔乔亚的革命,因为在封建社会胎内已经造成了资本主义发展的条件,所以只要破坏封建主义的残余就够了;反之,普罗列达里亚革命的任务,不仅要破坏旧社会,而且要建设新社会。社会主义建设,是在普罗列达里亚获得政权之后开始的,它与大众的再教育即文化革命紧密地结合着。因为如果不提高劳动生产性,社会主义建设就不可能,而劳动生产性的提高,又要求相当的工业的技术的基础,这同时就需要提高劳动大众的文化水准。因为社会主义建设,要求国家机构活动的正确与敏捷,要求官僚主义的克服,这样,自然要提高一般的文化水准了。

(二)文化革命与社会主义建设

社会主义的建设,要求大众的创造性。劳动大众在社会主义建设过程中的独立的活动性与创造性,在提高大众的文化水准上,尽着决定的任务。五年计划的实现,可以说就是依存于劳动的伟大的昂扬与表现在新社会主义劳动组织形态(社会主义竞赛与突击队)之中的普罗列达里亚的创造性和热心。

一般文化水准的提高,是劳动大众在社会主义建设过程中,学习得来的。换句话说,苏联的文化革命,是新的斗争的形态之一。社会主义意识的教育,在革命过程中才有可能。只有在革命过程中,普罗列达里亚才能从旧社会的一切泥泞中挣脱出来,才能建设新社会。

这个过程,是为社会主义斗争的过程,这样,社会主义建设的过程,也就是普罗列达里亚本身的再教育的过程。只有在社会主义建设过程中,才能产出人类的新质,即新社会建设者的质。

在革命过程中,只有普罗列达里亚才是新社会的建设者,因此,在社会主义建设过程全体中尽指导作用的普罗列达里亚,同时也就是文化革命的指导者,是文化上的把持者。所以文化革命的过程,也就是普罗列达里亚文化的创造过程。

如上所述,所谓文化革命,首先是阶级的普罗列达里亚的文化革命,即是在普罗列达里亚专政的条件之下,创造出阶级的内容丰富的普罗列达里亚文化。必须经过普罗列达里亚文化,才能达到一般人类的社会主义文化。

但是,普罗列达里亚文化,绝不是从天上飞来的,也绝不是想象出来的,它是在人类全发展的文化基础上建设起来的。所以,普罗列达里亚文化,是"人类在资本主义社会、地主社会、官吏社会的压迫之下所创造的储蓄的知识之合法则的发展"。

本来,普罗列达里亚文化的诞生,在布尔乔亚社会的条件之下,即当普罗列达里亚获得政权以前,在社会运动过程中,就已经开始了。但在布尔乔亚社会中,普罗列达里亚不仅在经济上是被榨取的阶级,在政治上是被压迫的阶级,就是在文化上,也是被支配的阶级。所以在布尔乔亚社会的条件之下,普罗列达里亚文化的诸要素,只在劳动阶级的前进分子中能够发展,而完全的大众的文化革命,必须在普罗列达里亚获得政权以后才有可能。

由此我们可以说,普罗列达里亚文化,必须改造布尔乔亚的文化,才能建设起来。不过这不是单纯地占有,而是批判地占有,换句话说,即是要加以改造。普罗列达里亚在社会主义建设的过程中,一方面改造布尔乔亚的文化,同时建了自己的文化——普罗列达里亚的文化,并且因而建设了社会主义的文化即一般人类文化的基础。

二、新文化的创造与反宗教运动

(一)新文化的基本特征

旧文化,是建设在精神劳动与肉体劳动的分离的基础之上。因为在布尔乔亚社会,既然有榨取者与被榨取者各阶级存在,精神劳动自然要成为一方的特权,而肉体劳动就成为他方的义务了。反之,新文化,却是在精神劳动与肉体劳动的差别之克服的基础之上成长起来的。这一点就是新文化的根本特征。在过渡期国家之中,生产力的发展,造成了克服精神劳动与肉体劳动之间的矛盾的一切前提,即造成了学得高度技术以及在这个基础之上结合精神劳动与肉体劳动的一切前提。

在精神劳动与肉体劳动之结合的事业上,一般义务教育与最高技术学校以及一般工艺学校的发达,具有决定的意义。

所谓工艺学校,是和工场、国营农场、集体农场等一同生长起来的学校,是直接参加工业财政计划之执行的学校。换句话说,它是与社会主义建设事业积极结合的学校。在这种学校中,造就出许多新的专门家的部队,即表现精神劳动与肉体劳动之统一的专门家的部队。

在废除精神劳动与肉体劳动间的矛盾的准备过程中,劳动者对于劳动的态度也急激地变化了。“劳动从以前可耻的痛苦的重担,转变为名誉的、光荣的、英勇的事情了。”表现在社会主义竞赛与突击队之中的社会主义的劳动规律与劳动的活动性,是向社会主义劳动的最高形态前进的。

对于劳动的新态度,同时是新道德——普罗列达里亚道德的基础。普罗列达里亚的道德与布尔乔亚的道德,根本不同。布尔乔亚是把道德规范与神的指令相结合,或者把它放在宗教或观念论哲学的基础之上。他们认为道德规律是各时代各民族内在的永久不变的行为规律,否认道德的阶级性。他们宣传无阶级性的道德的口号,以作伪善。反之,普罗列达里亚公然承认自己的道德是阶级的,是从属于普罗列达里亚的利害。“社会主义道德的基础,是为巩固和完成社会主义的斗争。”

其次,再说明普罗列达里亚文化的国际的内容与其民族的形式的问题。普罗列达里亚文化或社会主义文化,绝不是没有民族形式的文化。普罗列达里亚文化,在参加社会主义建设的各民族中,采取了各种不同的形式和表现方法。“普罗列达里亚文化,不但没有废除民族文化,反而给它以内容;同时,民族文化,也没有废除普罗列达里亚文化,反而给它以形式。”所以“苏联普罗列达里亚的专政与社会主义建设的时期,是民族文化(从内容上说是社会主义的,从形式上说是民族的)的繁荣期"。只有在各民族文化发展的地盘上,才能产出一般人类的文化。

最后,再说明过渡期的反宗教运动。

(二)社会主义建设与宗教的斗争

我们已经说过,宗教不外是支配人类日常生活的外部力量空想地反映于人们头脑中的东西,它是意识形态的一种,是一定社会关系的产物,它带有暂时的历史的性质。当社会关系本身被歪曲时,这个社会关系也就歪曲地反映于意识形态之中,"当人们日常实际的生活关系显现为人们相互间或人与自然间的透明的合理的关系时,现实界之宗教的反映,也就一般地消失了。社会的生活过程即物质生产过程的形态,当它成为自由的社会化的人们的产物而处于人们意识的计划的统治之下时,才能脱去神秘的假相"。随着新社会主义的关系驱逐旧来的社会形态,而现实界之神秘的宗教的反映,也就渐渐消失了。

但是,宗教的消灭过程,并不是一个和平的过程,而是一个激烈的斗争的过程。

宗教在发达的社会主义之下,在它的社会经济的根源最终地消灭之后,才能完全死灭。在改造期中,宗教尚未消灭,因为这时还存在着激烈的阶级对立。在这时,宗教仍然尽着反动的作用。社会主义的敌人,常利用宗教作反动的工具,讲求种种方法,以挽回宗教的衰微。甚至有许多宗教组织,根本就是反动阴谋的本部。它们散布世界末日到来的谣言,散布恐吓集团农民的预告,以破坏集团农场的建设。

改造期的宗教的根源,在于生产的非社会主义的要素及未变革的旧生活习惯。宗教在落后的劳动者间还当作遗物存留着。普通教育的缺陷以及对于世界和生命的起源不能给以唯物论的解答,这使落后的劳动者变成了僧侣主义的俘虏。

五年计划的成功、社会经济中计划原理的渗入以及社会经济之意识的统制事业的成功,把人们教育成社会主义社会的成员,改变了旧的奴隶的世界观,抛弃了宗教的偏见。这种事实,首先在战斗的无神论者同盟的事业中表现出来。

　　战斗的唯物论者在资本主义体系本身中,看出现代宗教存在的根本原因,以为对宗教的斗争,不能只限于抽象的意识形态的说教,必须使这个斗争与扫除宗教的社会根源的阶级运动之具体的实践结合起来。所以宗教在过渡期中是逐渐崩溃了。(全)

附录一:四版序^①

中国社会已经踏进了伟大的飞跃的时代,我无数同胞都正在壮烈地牺牲着,英勇地斗争着,用自己的血和肉,推动着这个大飞跃的实现,创造着这个大时代的历史。这真是有史以来空前的大奇迹!可是,战士们为要有效地进行斗争的工作,完成民族解放的大业,就必须用科学的宇宙观和历史观,把精神武装起来,用科学的方法去认识新生的社会现象,去解决实践中所遭遇的新问题,借以指导我们的实践。这一部《社会学大纲》是确能帮助我们建立科学的宇宙观和历史观,并锻炼知识的和行动的方法的。因此,我特把这书推荐于战士们之前。

李达　民国二十八年四月

---

① “四版序”是作者为笔耕堂书店 1939 年 4 月出版的《社会学大纲》第四版(实即第四次印行)所写的序。——编者注。

附录二:翻印者的话①

原著者的这本书是抗战以前由笔耕堂书店出版的。现在为了适应解放区读者的需要起见,我们特依照该版本民国二十八年四月四版全部翻印。内容除了把有些术语改为通用译语,如"布尔乔亚"改为"资产阶级","普罗列达里亚"改为"无产阶级";"意底沃罗基"改为"意识形态";"法则"改为"规律";"德谟克拉西"改为"民主主义";"迂回经验论"改为"爬行经验论";"榨取"改为"剥削";"观念论"改为"唯心论";"阶级冲突"改为"阶级斗争";"现代社会"改为"资本主义社会";"豪农"改为"富农";"狄克推多"改为"专政";"拟制"改为"伪装"等以外,其余一概照旧。唯为了便利阅者起见,分订五册,按照原来分篇,每篇订成一本单行本,即一、唯物辩证法;二、历史唯物论序言;三、社会的经济构造;四、社会的政治建筑;五、社会的意识形态。

新华书店编辑部
一九四八年七月五日

---

① "翻印者的话"系 1948 年 7 月新华书店将《社会学大纲》分 5 册翻印出版时所写。——编者注。

责任编辑:郭彦辰

图书在版编目(CIP)数据

李达全集.第十二卷/汪信砚 主编. —北京:人民出版社,2016.12
ISBN 978－7－01－016942－2

Ⅰ.①李… Ⅱ.①汪… Ⅲ.①李达(1890—1966)-全集 Ⅳ.①C52

中国版本图书馆 CIP 数据核字(2016)第 271580 号

李达全集
LIDA QUANJI
第十二卷

汪信砚　主编

人民出版社 出版发行
(100706　北京市东城区隆福寺街 99 号)

北京新华印刷有限公司印刷　新华书店经销

2016 年 12 月第 1 版　2016 年 12 月北京第 1 次印刷
开本:710 毫米×1000 毫米 1/16　印张:30
字数:480 千字

ISBN 978－7－01－016942－2　定价:159.00 元

邮购地址 100706　北京市东城区隆福寺街 99 号
人民东方图书销售中心　电话 (010)65250042　65289539